Orhan

Pamuk

Śnieg

Przełożyła Anna Polat
Wydawnictwo Literackie

Tytuł oryginału
Kar

Copyright © Iletisim Yayincilik A.S., 2002
All rights reserved
© Copyright for the Polish edition by Wydawnictwo Literackie,
    Kraków 2006

Wydanie pierwsze

ISBN 978-83-08-03948-9 — oprawa broszurowa
ISBN 978-83-08-03949-6 — oprawa twarda

Dla Rüyi

Uwaga nasza skupia się na niebezpiecznym
krańcu rzeczy.
Prawym złodzieju, delikatnym zabójcy,
Przesądnym ateiście.

Robert Browning, *Pochwała Biskupa Blougrama*

Polityka w utworze literackim — to wystrzał
z pistoletu w czasie koncertu; coś brutalnego,
czego wszelako niepodobna pominąć. Będziemy mówili o bardzo brzydkich rzeczach...

Stendhal, *Pustelnia parmeńska*,
tłum. Tadeusz Żeleński (Boy)

Zniszczcie lud, zgniećcie, sprawcie, by umilkł
na dobre. Bowiem europejskie oświecenie ważniejsze jest od ludu.

Fiodor Dostojewski,
notatki do *Braci Karamazow*

Jako człowiek Zachodu, zaniepokoiłem się.

Joseph Conrad, *W oczach Zachodu*,
tłum. Wit Tarnawski

1.

Milczenie śniegu
Droga do Karsu

Milczenie śniegu, pomyślał mężczyzna siedzący tuż za kierowcą. Jeśli miałby to być początek wiersza, tak właśnie określiłby swój obecny stan ducha: milczeniem śniegu. W ostatniej chwili wsiadł do autobusu, który miał go zawieźć z Erzurumu do Karsu. Na dworzec w Erzurumie dotarł po dwudniowej, utrudnionej burzami śnieżnymi podróży ze Stambułu. Gdy tak błądził z torbą w ręku po brudnych, zimnych dworcowych korytarzach, próbując się dowiedzieć, skąd wyruszają autobusy do Karsu, przypadkowy przechodzień powiedział mu, że jeden z nich jest gotowy do odjazdu. Kierowca starego magirusa właśnie zamknął luk bagażowy, a ponieważ nie chciało mu się go ponownie otwierać, wyburczał, że nie ma czasu. Podróżny musiał zatem zabrać dużą torbę marki Bally w kolorze wiśni do środka i z braku miejsca wcisnąć ją między nogi. Ubrany był w grube popielate palto, kupione przed pięcioma laty w jednym z frankfurckich Kaufhofów. Dodajmy, że to eleganckie i miękkie okrycie w ciągu najbliższych dni spędzonych w Karsie miało mu przysporzyć wiele wstydu i trosk, ale wzmacniało też jego poczucie bezpieczeństwa.

Gdy tylko autobus ruszył, mężczyzna przykleił twarz do szyby. Z zaciekawieniem obserwował mijane przedmieścia

Erzurumu, biedne sklepiki, piekarnie i podupadłe kafejki, które teraz zaczął pokrywać śnieg. Padał jeszcze intensywniej niż po drodze ze Stambułu. Gdyby nie zmęczenie podróżą, mężczyzna może uważniej przyjrzałby się ciężkim płatkom lecącym z nieba, podobnym do ptasich piór. Może przeczułby nadejście zamieci i zawrócił na początku z drogi, która miała odmienić całe jego życie.

Ale taka myśl w ogóle nie przyszła mu do głowy. Wpatrzony w niebo, które w zapadającym zmierzchu było jaśniejsze od ziemi, obserwował wirujące na wietrze coraz większe płatki śniegu. Nie dostrzegał w nich zapowiedzi katastrofy, lecz znaki przywołujące wspomnienia szczęśliwego dzieciństwa, dzieciństwa czystego i niewinnego.

Nasz podróżnik swe najmłodsze lata spędził w Stambule. Tydzień temu wrócił tu po dwunastu latach nieobecności, wezwany na pogrzeb matki. Po czterech dniach wyruszył jednak niespodziewanie do Karsu. Teraz czuł, że ten niezwykły, baśniowy śnieg daje mu więcej radości niż ujrzane po latach rodzinne miasto. Był poetą, a w jednym z wczesnych wierszy, ciągle jeszcze nie znanym tureckim czytelnikom, napisał, że choć raz w życiu śnieg prószy również w naszych snach.

I jak we śnie płatki śniegu wciąż padały, bezszelestnie, a mężczyzna siedzący przy oknie, zapatrzony w ich baśniowe kształty, poczuł oczyszczającą moc niewinności, ulgę i wolność, których szukał od lat. Uwierzył, że może być w tym świecie bezpieczny jak w domu. Później nastąpiło coś, czego nie zaznał od wielu lat i czego wcale nie planował: nagle zasnął.

Wykorzystajmy więc drzemkę bohatera i powiedzmy o nim jeszcze kilka słów. Choć nigdy zbytnio nie interesował się polityką, od dwunastu lat wiódł w Niemczech żywot politycznego uchodźcy. Prawdziwą zaś namiętność i sedno wszystkich jego myśli stanowiła poezja. Miał czterdzieści dwa lata, lecz nigdy się nie ożenił. Był wysoki jak na Turka, choć trudno było to dostrzec, gdy tak drzemał skulony w fotelu. Miał jasną cerę, a jej bladość podkreślało teraz zmęczenie podróżą i ciemne włosy. Był samotnikiem, towarzystwo szybko go nużyło. Zawstydziłby się, gdyby wiedział, że zaraz po tym, jak zasnął, głowa opadła mu na ramię, a potem na pierś sąsiada. Podróżnik ów był uczciwym i dobrodusznym człowiekiem, przez co jego życie osobiste — niczym u bohaterów Czechowa — było nieudane i smutne. Do owej melancholii jeszcze nieraz będziemy wracać. Dodajmy na koniec szybko, nim mężczyzna się obudzi, bo nie wytrzyma długo w tak niewygodnej pozycji, że nazywa się Kerim Alakuşoğlu i bardzo nie lubi swego nazwiska. Woli, by mówić na niego „Ka", od jego inicjałów. Tak właśnie zrobię. Już w latach szkolnych nasz bohater z uporem podpisywał tym skrótem prace domowe, sprawdziany, a na studiach — listę obecności. Zawsze gotów był wykłócać się o to z nauczycielami i urzędnikami, do Ka przekonał także matkę, rodzinę i przyjaciół. Jego poezja była poezją Ka. W Turcji i dla Turków mieszkających w Niemczech imię to wydawało się równie krótkie co tajemnicze. To na razie tyle. Niech wolno mi będzie dodać jeszcze tylko: „Szerokiej drogi, kochany Ka". Nie chcę was oszukiwać — jestem jego starym przyjacielem. Zaczynając opowiadać całą tę historię, wiem już o wszystkim, co wydarzy się podczas jego pobytu w Karsie.

Za Horasanem autobus skręcił na północ, w kierunku Karsu. Na jednym ze zboczy, po którym droga wiła się serpentynami, nagle pojawiła się furmanka — kierowca gwałtownie wcisnął hamulec, autobusem szarpnęło i Ka natychmiast się przebudził. Pasażerowie zaczęli okazywać zaniepokojenie, widząc, z jakim trudem pojazd pokonuje ostre zakręty i strome zjazdy nad urwistymi zboczami. Ka, który siedział tuż za kierowcą, zachowywał się dokładnie tak samo jak pozostali podróżni: gdy tylko autobus zwalniał na zakrętach, nad skalistymi brzegami przepaści, Ka wstawał, żeby lepiej widzieć drogę. A kiedy jeden z pasażerów przecierał zabrudzoną szybę, Ka wskazywał palcem kolejne miejsca, które wciąż wymagały oczyszczenia (nikt owego gestu zresztą nie zauważył). Gdy śnieżyca stała się tak gwałtowna, że wycieraczki zupełnie nie radziły sobie z odgarnianiem śniegu, Ka tak jak kierowca odgadywał, w którą stronę powinni jechać.

Ośnieżone znaki wkrótce stały się prawie zupełnie niewidoczne. Śnieżyca rozszalała się na dobre, więc kierowca wyłączył długie światła z nadzieją, że w półmroku łatwiej będzie zobaczyć zarys drogi. Przestraszeni podróżni w milczeniu patrzyli na zasypane śniegiem ulice biednych miasteczek, blade światełka w oknach rozpadających się piętrowych domów, nieprzejezdne teraz drogi prowadzące do odległych wiosek i przepaście ledwo rysujące się w blasku ulicznych latarni. Gdy chcieli coś powiedzieć, szeptali.

Sąsiad Ka cicho zapytał go o cel podróży do Karsu. Było bowiem oczywiste, że Ka nie pochodził z tych stron.

— Jestem dziennikarzem — odszepnął Ka, co było kłamstwem. — Jadę w sprawie wyborów na burmistrza i kobiet samobójczyń. — To była prawda.

— Wszystkie gazety w Stambule pisały o tych samobójstwach i śmierci burmistrza — wymruczał sąsiad.

Ka nie wiedział, czy pobrzmiewająca w jego głosie emocja była dumą, czy wstydem.

Do końca podróży gawędził z tym szczupłym, przystojnym mężczyzną, którego spotkać miał ponownie trzy dni później w Karsie, kiedy z oczyma pełnymi łez szedł zaśnieżoną aleją Halita Paszy. Tymczasem dowiedział się, że tamten zawiózł matkę do Erzurumu, bo szpital w Karsie nie był odpowiedni, że mieszkał w jednej z okolicznych wsi, gdzie zajmował się hodowlą bydła, że choć z trudem wiązał koniec z końcem, nie narzekał, i że z tajemniczych dla Ka przyczyn nie troszczył się o siebie, lecz myślał przede wszystkim o kraju. Był dumny, że ktoś tak wykształcony jak Ka fatygował się aż ze Stambułu, by napisać o problemach Karsu. W jego słowach wyczuwało się szlachetną prostotę, a także dumę, która budziła szacunek.

Już samo towarzystwo współpasażera przyniosło Ka spokój, którego nie zaznał w Niemczech przez dwanaście lat. Dawno już nie miał przyjemności pogadania z kimś, kto był od niego bardziej bezsilny. Przypomniał sobie, jak to jest patrzeć na świat oczyma człowieka zdolnego do miłości i współczucia. Nagle strach przed niezmordowaną wszechobecną śnieżycą zniknął, bo Ka nabrał pewności, że ich przeznaczeniem nie jest stoczenie się w przepaść i że autobus, choć spóźniony, dotrze w końcu do celu.

Kiedy o dziesiątej, z trzygodzinnym opóźnieniem, wjechali na zasypane śniegiem ulice Karsu, Ka nie rozpoznał miasta. Nie dostrzegał stacji kolejowej, na której wysiadł z pociągu po raz pierwszy dwadzieścia lat temu. Nigdzie nie widział ani śladu hotelu Cumhuriyet*, do którego woźnica

---

* Wymowa niektórych liter alfabetu tureckiego w języku polskim:

c — czyt. dż (Cumhuriyet — Dżumhurijet)

ç — czyt. cz (Çolak — Czolak)

ı — czyt. y (kadayıf — kadajyf)

j — czyt. ż (burjuva — burżuwa)

ş — czyt. sz (Sarıkamış — Sarykamysz)

y — czyt. j (Aygaz — Ajgaz)

ğ — wydłużenie poprzedzającej samogłoski (Ağrı Dağı — czyt. Aary Daay)

i — czyt. j (w otoczeniu samogłosek przednich: e, i, ö, ü; Eğridir — Ejridir)

ö — francuskie eu, niemieckie ö

ü — francuskie u, niemieckie ü

(wszystkie przypisy pochodzą od tłumaczki).

przywiózł go wówczas, okrążywszy przedtem całe miasto
— hotelu, gdzie „w każdym pokoju znajdował się telefon".
Wyglądało to tak, jakby ktoś zmiótł dawny Kars z powierzchni ziemi albo jak gdyby zasypał go śnieg. Kilka zaprzęgów
konnych stojących tu i tam przywoływało wprawdzie wspomnienia, ale miasto wyglądało na bardziej smutne i bied-
niejsze niż to, które Ka zapamiętał. Za oszronionymi szybami autobusu majaczyły betonowe bloki podobne do tych,
jakie wyrosły w ostatnim dziesięcioleciu w każdym zakątku
Turcji, tablice z pleksiglasu, sprawiające, że wszystkie miejsca wyglądały jednakowo, i plakaty wyborcze, rozwieszone
na rozciągniętych w poprzek ulic sznurach.

Wysiadł z autobusu. Kiedy tylko jego stopy zagłębiły się
w miękkim śniegu, poczuł ostre zimno wdzierające się przez
nogawki. Zapytał pomocnika kierowcy o hotel Karpalas,
w którym jeszcze w Stambule zarezerwował telefonicznie
pokój. Wydawało mu się, że wśród podróżnych czekających
na swe pakunki dostrzega znajome twarze, ale śnieg sypał
tak gęsto, że Ka nie był w stanie ich rozpoznać. Ponownie
zobaczył tych ludzi zaraz po rozpakowaniu walizek, gdy udał
się do restauracji Yeşilyurt. Rozpoznał wyniszczonego, zmęczonego, lecz wciąż pociągającego mężczyznę i jego otyłą,
ruchliwą partnerkę. Mężczyzna nazywał się Sunay Zaim.
Przypomniał sobie ich naszpikowane politycznymi hasłami
spektakle wystawiane w Stambule w latach siedemdziesiątych. Obserwując oboje w zadumie, Ka pomyślał, że kobieta
jest podobna do jego koleżanki ze szkoły podstawowej. Pozostali mężczyźni siedzący przy stole podobnie jak Zaim
mieli rozlane twarze i przywiędłą cerę. Czego szukała ta niewielka trupa w tym zapomnianym mieście w śnieżną luto-
wą noc? Opuszczając restaurację, którą jeszcze dwadzieścia
lat temu wypełniali po brzegi ubrani w garnitury i krawaty
urzędnicy, Ka odniósł wrażenie, że mężczyzna siedzący przy

jednym ze stolików jest uzbrojonym bojówkarzem lewicy z lat siedemdziesiątych. Wspomnienia raz odżywały w pamięci Ka, raz zacierały się, tłumione białą pierzyną padającego śniegu.

Zasypane ulice świeciły pustkami. Czy to z powodu zamieci, a może dlatego, że nikt nigdy nie spacerował po tych zamarzniętych chodnikach? Ka z uwagą czytał niedawno rozwieszone na murach przez władze wojewódzkie afisze wyborcze, reklamy restauracji, kursów dokształcających i piętnujące samobójstwa plakaty. Na tych ostatnich napisano: „Człowiek jest arcydziełem Bożym, a samobójstwo bluźnierstwem". W którejś z *çayhane** przez oszronione szyby zobaczył tłumek mężczyzn oglądających telewizję. Widok wciąż stojących na swoim miejscu starych kamiennych domów, wzniesionych przez Rosjan, przyniósł mu ulgę. Dzięki nim Kars był dla niego miejscem wyjątkowym.

Hotel Karpalas był właśnie taką elegancką budowlą w stylu rosyjskim i przypominał architekturę znad Bałtyku. Wejście do dwupiętrowego gmachu o wysokich oknach znajdowało się pod łukowym sklepieniem. Przechodząc pod przestronną arkadą, pod którą sto dziesięć lat temu z łatwością wjeżdżały na hotelowy dziedziniec zaprzęgi konne, Ka poczuł dreszcz podniecenia, ale był zbyt zmęczony, by to uczucie przeanalizować. Poprzestańmy więc na tym, że dziwne uniesienie wiązało się z jedną z przyczyn jego podróży do Karsu. Trzy dni wcześniej bowiem Ka wybrał się z wizytą do redakcji gazety „Cumhuriyet"**, gdzie spotkał Tanera, kolegę z czasów szkolnych. I to właśnie Taner po-

---

* *Çayhane* — herbaciarnia.
** „Cumhuriyet" (pol. „Republika") — popularna w Turcji gazeta o charakterze centrolewicowym, założona w 1924 roku przez Yunusa Nadiego Abakoğlu i do dziś wydawana w Stambule.

wiedział mu o zbliżających się wyborach w Karsie i tajemniczych samobójstwach popełnianych przez młode kobiety. Sytuacja bardzo przypominała tę z Batmanu*. Powiedział też, że jeśli Ka chce coś o tym napisać i przekonać się, jak wygląda Turcja po dwunastu latach jego nieobecności, powinien wybrać się do Karsu. Jako że nikt inny nie był tym zainteresowany, Ka mógłby otrzymać okresową akredytację dziennikarską... No i na dodatek, w Karsie przebywała piękna Ipek, ich wspólna koleżanka ze studiów. Niedawno rozstała się ze swym mężem Muhtarem, ale pozostała w mieście i mieszkała teraz podobno w hotelu Karpalas z ojcem i młodszą siostrą. Słuchając Tanera, który komentował dla „Cumhuriyetu" wydarzenia polityczne, Ka rozmyślał o Ipek...

Wszedł do pokoju 203 na drugim piętrze. Klucze dostał od wpatrzonego w telewizor recepcjonisty Cavita. Odetchnął, zamknąwszy za sobą drzwi. Uważnie wsłuchał się w siebie, ale w końcu doszedł do wniosku, że jeśli nawet w hotelu znajduje się Ipek, fakt ten nie zaprząta już ani jego myśli, ani jego serca. Śmiertelnie bał się zakochać — był to strach człowieka pamiętającego swoje nieliczne zauroczenia jako pasmo cierpienia i wstydu.

W środku nocy, w ciemnościach, zanim położył się do łóżka, Ka ubrany w piżamę, odchylił nieco zasłony. Patrzył na ogromne płatki śniegu, spadające nieprzerwanie z czarnego nieba.

---

* Batman — miasto w południowo-wschodniej Turcji, znane z wydobycia i przetwórstwa ropy naftowej; przez długi czas bastion tureckiego Hezbollahu.

2.

Nasze miasto
to spokojne miejsce
Odległe dzielnice

Śnieg, pokrywający miejskie ciemności, brud i błoto, zawsze był dla Ka symbolem nieskazitelnej czystości, ale pierwszego dnia spędzonego w Karsie przestał się kojarzyć poecie z poczuciem bezpieczeństwa. Tutaj śnieg męczył, nużył i przytłaczał. Padał całą noc. Nie przestawał, gdy rankiem Ka spacerował po ulicach ani gdy siedział w wypełnionych bezrobotnymi Kurdami *çayhane*. Sypał się z nieba, gdy Ka, niczym zapalony dziennikarz, uzbrojony w długopis i kartkę rozmawiał z wyborcami i gdy wspinał się po oblodzonych ścieżkach ubogich dzielnic. Padał też, kiedy Ka spotkał się z byłym burmistrzem, wicewojewodą i krewnymi samobójczyń. Widok ośnieżonych ulic nie prowokował już jednak wspomnień z dzieciństwa podobnych tym, gdy Ka, stojąc w oknie rodzinnego domu w Nişantaşı*, patrzył na świat w ten sposób, jakby po drugiej stronie szyby rozciągała się baśniowa rzeczywistość. Śnieg nie zabierał go już w podróż do czasów, gdy mógł się cieszyć życiem członka klasy średniej, życiem, do którego tęsknił tak bardzo, że nawet nie był w stanie o nim śnić. Nie, teraz śnieg przemawiał do niego językiem ubóstwa i beznadziei.

---

* Nişantaşı — dzielnica w europejskiej części Stambułu.

Nad ranem, gdy miasto zaczęło się budzić ze snu, Ka, nie zważając na padający śnieg, ruszył aleją Atatürka* w dół, ku dzielnicom *gecekondu*** w najbiedniejszej części miasta — dzielnicy Kaleiçi. Maszerował szybko pod ośnieżonymi gałęziami oliwników i platanów, patrzył na zniszczone rosyjskie budynki z rurami piecyków sterczącymi z okien, na śnieg padający do środka zrujnowanej tysiącletniej ormiańskiej świątyni, wciśniętej między magazyny drewna i transformator. Widział bezpańskie psy ujadające na każdego przechodnia z pięćsetletniego kamiennego mostu nad zamarzniętą rzeką i strużki dymu unoszące się nad małymi *gecekondu* Kaleiçi, która pod śniegiem wyglądała na zupełnie opustoszałą. Tak bardzo się zasmucił, że oczy zaszły mu łzami. Ale chwilę później zauważył dwoje dzieci, idących po chleb do piekarni na przeciwległym brzegu — dokazywały z taką radością, że mimo wszystko Ka się uśmiechnął. To nie bieda ani powszechne zwątpienie najbardziej nim wstrząsnęły. Przygnębiało go obecne w każdym zakątku miasta niepojęte, przemożne osamotnienie, odbijające się w pustych witrynach sklepów fotograficznych, w oszronionych szybach *çayhane* zapełnionych grającymi w karty bezrobotnymi, na okrytych śniegiem pustych placach. Tak jakby Bóg i ludzie zapomnieli o tym miejscu, a śnieg miał tu padać bezszelestnie aż do końca świata...

Od rana wszystko szło po jego myśli. Powitano go ciepło, jak słynnego dziennikarza ze Stambułu, którego dłoń każdy chciał uścisnąć. Wszyscy otwierali przed nim drzwi

---

* Atatürk (pol. Ojciec Turków) — Mustafa Kemal Paşa — przywódca ruchu narodowego, który obalił sułtanat i w 1923 r. przekształcił Turcję w laicką republikę. Był jej pierwszym prezydentem. Autor licznych reform, zmierzających do europeizacji kraju.
** *Gecekondu* — dom postawiony w jedną noc; „bieda-dom".

i pragnęli z nim porozmawiać. Człowiekiem, który przedstawił Ka mieszkańcom Karsu, był pan Serdar, wydawca drukowanej w trzystu dwudziestu egzemplarzach „Gazety Przygranicznego Miasta", swego czasu przesyłający też wiadomości z Karsu do „Cumhuriyetu", choć większości z nich nigdy nie opublikowano. Czekał na Ka przed drzwiami redakcji. Poeta natychmiast zrozumiał, że człowiek, którego w Stambule nazywano „naszym lokalnym korespondentem", znał doskonale całe miasteczko. Pan Serdar pierwszy zadał pytanie, które w ciągu trzech dni pobytu w Karsie Ka miał usłyszeć setki razy:

— Witam w naszym przygranicznym mieście, mistrzu. Co pana do nas sprowadza?

Ka wyznał, że przyjechał obserwować wybory i być może napisać coś o samobójczyniach.

— Podobnie jak było w Batmanie, wieści o tych nieszczęsnych dziewczynach są mocno przesadzone — stwierdził dziennikarz. — Chodźmy do zastępcy komendanta. Niech wie, że pan tu jest. Tak na wszelki wypadek.

Przedstawianie przyjezdnych policji — nawet jeśli byli dziennikarzami — stało się prowincjonalnym zwyczajem, zakorzenionym tu w latach czterdziestych. Bądź co bądź Ka był powracającym po latach do kraju politycznym emigrantem, a tutaj czuło się — choć nie do końca namacalną — obecność partyzantów z PKK*. Nie protestował.

W piętnaście minut przeszli przez miasto aleją Kazıma Karabekira, przy której ciągnęły się: zaśnieżony targ warzyw-

---

* Partia Pracujących Kurdystanu (kurd. Partiya Karkeran Kurdistan) — założona w 1978 r. przez Abdullaha Öcalana organizacja terrorystyczna o podłożu marksistowskim, której celem było wywalczenie niepodległości dla południowo-zachodniej, zamieszkiwanej przez Kurdów, części Turcji.

ny, zakłady kowalskie i sklepiki z częściami zamiennymi. Mijali *çayhane*, gdzie smutni, bezczynni ludzie gapili się w telewizory i padający śnieg oraz sklepy z nabiałem, gdzie w witrynach królowały gigantyczne kręgi żółtego sera. W pewnym momencie pan Serdar przystanął i pokazał Ka miejsce, w którym zginął poprzedni burmistrz. Mówiono, że zastrzelono go z powodu błahostki: decyzji o rozbiórce nielegalnie wybudowanego balkonu. Sprawcę zabójstwa złapano trzy dni później w jakiejś wiosce, gdzie ukrywał się w stodole. Gdy go zatrzymano, nadal miał przy sobie pistolet. Lecz przez te trzy dni plotka w mieście urosła do takich rozmiarów, że nikt nie uwierzył już w winę owego człowieka. Ludziom nie mieściło się w głowie, że można zabić z tak błahej przyczyny.

Komenda Główna Policji w Karsie mieściła się w dużym, trzypiętrowym budynku, stojącym przy alei Faika Beja, wzdłuż której ciągnęły się stare, należące kiedyś do Rosjan i bogatych Ormian, kamienne budowle. W większości miały tu siedziby urzędy państwowe. Gdy czekali na zastępcę komendanta, pan Serdar, pokazując na wysokie, zdobione sufity, opowiadał historię budynku, który między rokiem 1877 a 1918, podczas okupacji rosyjskiej, był czterdziestopokojową rezydencją możnego Ormianina, a później został przekształcony w rosyjski szpital.

Na korytarzu pojawił się otyły zastępca komendanta policji pan Kasım i zaprosił ich do siebie. Ka od razu domyślił się, że człowiek ten nie czytywał „Cumhuriyetu", uznając go za zbyt lewicową gazetę, a pochlebne słowa pana Serdara o wierszach Ka chyba nie wywarły na policjancie większego wrażenia. Widocznie jednak czuł respekt przed właścicielem najpoczytniejszej gazety w mieście i kiedy Serdar skończył, pan Kasım zwrócił się do Ka z pytaniem, czy życzy sobie ochrony.

18

— Słucham?

— Mogę przydzielić panu człowieka w cywilu. Będzie się pan czuł pewniej.

— Czy to konieczne? — zapytał Ka z niepokojem pacjenta, któremu lekarz właśnie nakazał chodzenie o lasce.

— Nasze miasto to spokojne miejsce. Terrorystów separatystów przegoniliśmy. Na wszelki wypadek jednak...

— Jeśli w Karsie panuje spokój, nie ma takiej potrzeby — przerwał Ka, marząc, by zastępca komendanta potwierdził, że nic mu nie grozi.

Pan Kasım jednak milczał.

Po tym spotkaniu wybrali się najpierw do najuboższych dzielnic, położonych w północnej części miasta, do Kaleiçi i Bayrampaşy. Przemierzając ulice, pan Serdar pukał do kolejnych drzwi *gecekondu*, skleconych z kamienia, brykietu i dykty, i pokrywanych coraz grubszą warstwą wciąż padającego śniegu. Jeśli drzwi otwierała kobieta, pytał o gospodarza domu. Tonem skłaniającym do zwierzeń wyjaśniał, że ten tu oto znany kolega dziennikarz przyjechał do Karsu z samego Stambułu, i to nie tylko, by relacjonować przebieg wyborów, ale też opisać problemy miasta i zbadać przyczyny samobójstw, więc jeśli powiedzą, co im leży na sercu, będzie to z niewątpliwą korzyścią dla Karsu... Niektórzy zachowywali się bardzo przyjaźnie, biorąc ich widocznie za kandydatów na burmistrza, przybywających zazwyczaj z prezentami w postaci puszek oleju słonecznikowego, pudeł pełnych mydła czy herbatników i makaronu. Ci, którzy z ciekawości lub zwykłej gościnności decydowali się wpuścić ich do środka, od razu dodawali, by Ka nie bał się ujadających psów. Inni otwierali drzwi ze strachem, w przekonaniu, że to kolejne przeszukanie lub kolejny z policyjnych nalotów. Okazywali niechęć nawet mimo zapewnień, że przybysze nie mają nic wspólnego z władzą.

Jeśli chodzi o krewnych samobójczyń (w krótkim czasie Ka poznał sześć przypadków), wszyscy podkreślali, że dziewczęta nigdy na nic się nie skarżyły, i dlatego byli w szoku po tym, co się wydarzyło.

Ka i pan Serdar — skuleni na starych sofach i wykrzywionych krzesłach w mikroskopijnych wyziębionych pokojach ze sztucznymi dywanami lub zwykłym klepiskiem zamiast podłogi, przed elektrycznymi grzejnikami zasilanymi kradzionym prądem, piecykami i bezgłośnymi, choć stale włączonymi telewizorami, wśród dzieciarni wyszarpującej sobie z rąk butelki, puste pudełka po lekarstwach lub herbacie oraz zniszczone plastikowe samochody i jednorękie lalki — słuchali opowieści o nie kończących się troskach i biedzie Karsu. Słuchali o rosnącym bezrobociu i epidemii samobójstw. Matki lamentowały nad bezrobotnymi dziećmi i opłakiwały synów, którzy trafili za kratki. Łaziebni zapracowywali się na śmierć, by jakimś cudem utrzymać rodziny, a bezrobotni, w rozterce i bez grosza przy duszy, patrzyli na uliczne *çayhane*. Wszyscy ci ludzie narzekali, rozpaczali, snuli ponure historie o rządzie, radzie miasta, pechu, jakby każdy ich problem był kwestią narodową lub polityczną. W pewnym momencie Ka odniósł wrażenie, że mimo śnieżnej bieli za oknami w domach, które odwiedzał, panował dziwny półmrok. Ledwo odróżniał kształty przedmiotów, jakby tiulowa zasłona opadła mu na oczy, jakby pochłaniało go milczenie śniegu, byle tylko mógł stawić opór tym opowieściom o żalu i biedzie.

Ale to właśnie historie o samobójczyniach miały go nawiedzać już do końca życia. I wcale nie uderzyła go w nich najbardziej bieda, bezradność, brak wrażliwości na cudze cierpienie. Nie zszokowały go wieści o tym, że dziewczęta były bite. Nie przejął się, że były nieludzko traktowane przez swoich ojców, którzy nie pozwalali im nawet wyściubić nosa z domu. Nie zaskoczyły go też zazdrość mężów ani nieustanny brak pieniędzy. Tym, co przeraziło Ka najbardziej, był sposób, w jaki dziewczęta odbierały sobie życie: nagle, bez ostrzeżenia, bez komentarza, w czasie zwykłych, codziennych obowiązków. Jedna na przykład, która wbrew własnej woli miała się wkrótce zaręczyć ze starym właścicielem *çayhane*, jak co wieczór zjadła kolację w towarzystwie matki, ojca, trójki rodzeństwa i starej babki, jak zwykle sprzątnęła naczynia, dokazując z siostrami, a potem poszła do kuchni po deser, skąd wymknęła się do ogrodu, przez okno weszła do pokoju rodziców i zabiła się z myśliwskiej broni ojca. Rodzice usłyszeli wystrzał. W sypialni znaleźli konającą córkę. Nie mogli zrozumieć, ani jak przedostała się z kuchni do ich sypialni, ani czemu targnęła się na własne życie.

Inna samobójczyni, szesnastolatka, posprzeczała się z dwójką rodzeństwa o wybór programu w telewizji i prawo do pilota. Dostała dwa ciężkie razy od ojca, który postanowił zaprowadzić porządek, po czym poszła do swojego pokoju i jednym haustem, jakby piła oranżadę, opróżniła butelkę środka owadobójczego Mortalin. Jeszcze inna, doprowadzona do ostateczności przez brutalnego męża — bezrobotnego, stłamszonego przez życie mężczyznę, za którego wyszła z miłości jako piętnastolatka i któremu przed pół rokiem urodziła dziecko — po kolejnej awanturze zamknęła się w kuchni. Nie zważając na krzyki męża, który domyślił się, co chce zrobić, i usiłował wyłamać drzwi, powiesiła się na wcześniej przygotowanym haku.

Ka był poruszony desperacją tych kobiet, gwałtownością, z jaką podejmowały decyzję o przekroczeniu granicy między życiem i śmiercią. Haki wbijane w sufity, strzelby nabite zawczasu i butelki z trucizną w sypialniach były dowodem na to, że ofiary długo nosiły się z myślą o samobójstwie.

21

Zaskakujące przypadki śmierci dziewcząt i młodych kobiet ujawniono po raz pierwszy w odległym od Karsu o setki kilometrów miasteczku Batman. Zwróciły one uwagę młodego, dociekliwego urzędnika z Państwowego Instytutu Statystycznego w Ankarze, który odnotował, że samobójstwa wśród kobiet zdarzały się w Batmanie trzy, cztery razy częściej niż wśród mężczyzn, choć zazwyczaj bywa odwrotnie. Odnotował on też, że liczba samobójstw w tym mieście czterokrotnie przekroczyła średnią światową. Krótka informacja na ten temat zamieszczona przez jego kolegę dziennikarza w „Cumhuriyecie" nie zainteresowała w kraju nikogo. Turecka prasa dostrzegła przerażającą prawdę dopiero wtedy, gdy niemieccy i francuscy korespondenci, zaintrygowani tym zjawiskiem, dotarli do Batmanu i opublikowali w swoich gazetach dramatyczne reportaże. Do miasta zjechało wtedy wielu dziennikarzy. Zdaniem zajmujących się sprawą urzędników, wzmożone zainteresowanie i publikacje prasowe utwierdziły tylko niektóre dziewczęta w ich samobójczych zamiarach. Zastępca wojewody, z którym spotkał się Ka, podkreślił, że samobójstwa w Karsie nie osiągnęły poziomu z Batmanu. „Na razie" więc nie sprzeciwił się odwiedzaniu rodzin ofiar. Poprosił jednak, by Ka w rozmowach z nimi nie nadużywał słowa „samobójstwo" oraz by „Cumhuriyet" przesadnie nie nagłaśniała sprawy. Delegacja z Batmanu złożona ze specjalizujących się w samobójstwach psychologów, policjantów, prokuratorów i przedstawicieli Urzędu do Spraw Religii* szykowała się już do przyjazdu. Przygotowane przez urząd plakaty z hasłem: „Człowiek jest arcydzie-

---

* Urząd do Spraw Religii powstał 3 marca 1924 r. i podlegał bezpośrednio premierowi. Opierając się na zasadzie laickości państwa, nadzoruje miejsca kultu religijnego, osoby duchowne, formy nauczania religii w szkołach itp.

łem Bożym, a samobójstwo bluźnierstwem", rozwieszono na ulicach dopiero kilka dni temu. Broszury o identycznym nagłówku dotarły właśnie do władz wojewódzkich. Zastępca wojewody nie był jednak pewien, czy wszystkie te środki zaradcze powstrzymają ogarniającą Kars epidemię. Obawiał się wręcz, że mogą przynieść odwrotny skutek, zwłaszcza że wiele dziewcząt podjęło decyzję o odebraniu sobie życia pod wpływem wiadomości o innych samobójczyniach, w proteście przeciwko państwu, ojcom, mężczyznom i surowym naukom nieustępliwych duchownych.

— To oczywiste, że przyczyną samobójstw była depresja. Nie ma co do tego wątpliwości — przekonywał wicewojewoda. — Ale gdyby przygnębienie było jedynym powodem, połowa kobiet w Turcji już dawno by się zabiła!

Ten człowiek o wiewiórczej twarzy i szorstkim wąsie próbował przekonywać, że kobiety wpadły w gniew, słysząc raz po raz chór męskich głosów — przedstawicieli religii, państwa i swoich rodzin — powtarzający nakaz: „Nie zabijaj się!". Urzędnik z dumą opowiadał Ka o petycji, jaką osobiście wysłał do Ankary. Prosił w niej, by wśród członków delegacji, która miała dotrzeć do miasta z antysamobójczą propagandą, znalazła się choć jedna kobieta.

Przekonanie, że myśl o samobójstwie rozprzestrzenia się niczym zaraza, zrodziła się po śmierci dziewczyny, która przybyła z Batmanu do Karsu, aby tu skończyć z sobą. Ka rozmawiał z jej wujem w dzielnicy Atatürka. Paląc papierosy, stali przed domem pod ośnieżonymi gałęziami oliwników, gdyż nie chciano Ka wpuścić do środka. Mężczyzna opowiadał, że siostrzenica dwa lata wcześniej wyszła za człowieka z Batmanu i od rana do nocy pracowała w obejściu; była poniżana przez teściową, ponieważ nie urodziła dziecka. Ale przecież to wszystko nie mogło być jedynym powodem samobójstwa! Dziewczyna musiała się zasugerować serią samobójstw w Batmanie. Podczas wizyty u krewnych w Karsie wyglądała na szczęśliwą i zadowoloną, tym bardziej zatem byli zaskoczeni, gdy rankiem, w dniu planowanego powrotu do Batmanu, znaleźli ją martwą w łóżku, a obok liścik, w którym przyznawała się do połknięcia dwóch opakowań pigułek nasennych.

Miesiąc później plaga samobójstw rozprzestrzeniła się w Karsie. Jej pierwszą ofiarą była szesnastoletnia kuzynka owej dziewczyny z Batmanu. Po zapewnieniach Ka, że w swym artykule opisze wszystko dokładnie, jej zapłakani rodzice wyznali, że córka popełniła samobójstwo tuż po tym, gdy nauczyciel ogłosił w jej klasie, że nie jest dziewicą. Plotka obiegła miasto, narzeczony zerwał zaręczyny, pozostali kandydaci do ręki urodziwej panny nagle się ulotnili, a babka zaczęła gderać: „Ty to już sobie nigdy męża nie znajdziesz". Gdy pewnego wieczoru rodzina oglądała w telewizji jakąś weselną scenę, a pijany ojciec wybuchnął spazmatycznym płaczem, dziewczyna bez wahania połknęła wszystkie ukradzione z babcinego pudełka tabletki nasenne. Najwyraźniej sposób dokonywania samobójstw był równie zaraźliwy jak sama myśl o nich... Autopsja wykazała jednak, że dziewczyna pozostała dziewicą. Ojciec winą za całą tragedię obarczył nauczyciela, który rozpuścił plotkę, oraz kuzynkę z Batmanu, która przyjechała do Karsu, by tu odebrać sobie życie. Rodzice opowiadali Ka o śmierci córki, nie szczędząc szczegółów, z nadzieją, że artykuł przywróci jej dobre imię, a kłamliwego nauczyciela napiętnuje.

Słuchając tych wszystkich historii, Ka czuł żal na myśl, że samobójczynie nie mogły umrzeć w jakimś przyjaznym dla nich otoczeniu i w dogodnym dla siebie czasie, że połknąwszy tabletki nasenne, odchodziły z tego świata, nie mając odrobiny prywatności. Ka wychował się w Stambule na zachodniej literaturze, dlatego też zawsze, gdy myślał o samobójstwie, wyobrażał sobie, że wymaga ono mnóstwa czasu i specjalnej przestrzeni. Miejsce powinno być odosobnione, tak by całymi dniami nikt nie zapukał do drzwi... W swoich fantazjach widział samobójstwo jako rodzaj rytuału, w którym pigułki nasenne koniecznie trzeba popić whisky, a sam akt zadawania sobie śmierci musi się odbyć w całkowitej izolacji, w wyniku mocnego, niczym niezmąconego postanowienia. Ale gdy wyobrażał sobie swoje samobójstwo, to właśnie ta bezbrzeżna samotność go odstraszała.

Przypadek „dziewczyny w chuście" przypomniał Ka o tej samotności. Powiesiła się pięć tygodni temu. Była uczennicą ośrodka kształcenia zawodowego*, jedną z tych, którym zakazano najpierw wstępu na zajęcia, a potem — na podstawie decyzji przysłanej z Ankary — na teren szkoły, za to, że nie chciały zdjąć zakrywającej włosy chusty. W porównaniu z innymi odwiedzonymi przez Ka rodzinami, ta nie była taka biedna. Nieszczęśliwy ojciec, który prowadził niewielki sklep spożywczy, poczęstował Ka coca-colą z lodówki, a następnie opowiedział historię córki. Swoich samobójczych planów nie ukrywała ani przed rodzicami, ani przed koleżankami. Zwyczaj noszenia chusty przejęła od matki i innych kobiet z rodziny, ale dopiero z powodu nieustępliwego i pryncypialnego stanowiska kierownictwa szkoły oraz pod wpływem buntowniczych koleżanek zaczęła ją traktować jak symbol „zaangażowanego politycznie islamu". Mimo nacisków rodziców odmówiła jej zdjęcia. Z powodu nieobecności na lekcjach groziło jej usunięcie ze szkoły, a ze względu na chustę sprzed placówki wciąż usuwała ją policja. Widząc, jak niektóre koleżanki rezygnowały z oporu, a inne zamiast

---

* Ośrodek kształcenia zawodowego (tur. Eğitim Enstitüsü) — trzyletnie studium zawodowe, działające w mniejszych miastach, na ogół osobne dla chłopców i dziewcząt.

chust wkładały peruki, zaczęła powtarzać w domu i koleżankom, że życie straciło sens i że nie chce już dłużej w tym tkwić. Nikomu jednak przez myśl nie przeszło, że tak religijna osoba targnie się na życie, zwłaszcza że Urząd do Spraw Religii, wspierany przez muzułmańskich przywódców, niestrudzenie przypominał, że zabójstwo jest jednym z najcięższych grzechów.

Dziewczyna, która miała na imię Teslime, spędziła ostatni wieczór swego życia w milczeniu. Obejrzała kolejny odcinek *Marianny*, zaparzyła rodzicom herbatę, a następnie poszła do swego pokoju. Po ablucji długo klęczała na dywaniku, w skupieniu odmawiając modlitwę. Następnie przeciągnęła chustę przez hak od lampy i powiesiła się.

3.

Oddajcie głos na partię Boga

Historia i nędza

Wychowany w Stambule, otoczony luksusami życia klasy średniej z Nişantaşı, w rodzinie z ojcem prawnikiem, niepracującą matką, ukochaną siostrą i oddaną służącą, w domu z radiem, umeblowanymi pokojami, a nawet z zasłonami w oknach — Ka nie miał pojęcia, co to prawdziwa bieda. Była czymś z innego świata. Ów świat, pogrążony w niezmierzonej i niebezpiecznej ciemności, przed laty nabrał w wyobraźni Ka wymiaru wręcz metafizycznego. A ponieważ wyobrażenie to z czasem nic się nie zmieniło, trudno wyjaśnić, dlaczego wyruszając nagle w podróż do Karsu, działał tak, jakby coś ciągnęło go do wspomnień lat dziecinnych. Mimo długiej nieobecności w ojczyźnie Ka zdawał sobie sprawę, że miasto to stało się najbiedniejszym i najbardziej zapomnianym zakątkiem jego kraju. Gdy wrócił do Turcji po latach przeżytych we Frankfurcie, próbował odnaleźć starych przyjaciół, chciał odwiedzić znajome z dzieciństwa sklepy, kina, ulice, ale niczego nie mógł rozpoznać. Pamiątki z tamtych lat zostały zniszczone, odmienione albo zupełnie straciły duszę. Może dlatego wyruszył w drogę? Skoro Stambuł zmienił się nie do poznania, może nadszedł czas, by przekroczyć granice wyznaczone przez żywot przedstawiciela klasy średniej i zapuścić się do owego innego świata, dotychczas skrytego w ciemnościach? I to właśnie tu, w Karsie, znalazł owe pamiątki: wyłożone w witrynach sklepików na rynku kręgi miejscowego sera ułożone z sześciu trójkątów (pierwsza rzecz, jakiej dowiedział się na temat miasta), piecyki Vezüv i sportowe buty marki Gislaved, których nie widział od czasu, gdy w Stambule nosił je jako dziecko... Był tak szczęśliwy, że zapomniał o samobójczyniach i poczuł, że ogarnia go spokój, jakiego już od dawna nie zaznał.

Koło południa Ka pożegnał się z panem Serdarem i po spotkaniu z przedstawicielami Partii Równości Ludów oraz liderami azerskiej mniejszości postanowił samotnie przespacerować się w śnieżnej kurzawie po mieście. W ciszy, którą przerywało jedynie ujadanie psów, minął aleję Atatürka. Śnieg padał na strome zbocza gór, ledwo widocznych na tle horyzontu. Padał na twierdzę z czasów Seldżuków i slumsy zrośnięte z jej ruinami. Śnieżna biel porywała wszystko do innego świata, gdzieś poza czasem. Znów oczy zaszły mu łzami. Przyglądał się licealistom grającym w piłkę na placu, oświetlonym przez wysokie lampy sąsiedniego składu węgla. Widział pobliski plac zabaw, pourywane huśtawki i połamane zjeżdżalnie. Słuchając tłumionych przez padający śnieg okrzyków i przekleństw, stał w bladożółtym świetle latarni i czuł, jak bardzo ten zasypany przez śnieg zakątek odległy jest od wszystkich innych i jak dotkliwe jest jego odosobnienie. Wrażenie było tak mocne, że pomyślał o Bogu.

W pierwszej chwili w jego umyśle pojawiło się raczej coś na kształt obrazu — rozmytego jak portret z muzeum obejrzany w pośpiechu, którego nie sposób później odtworzyć w pamięci. Ka doznał tego wrażenia nie po raz pierwszy.

Wychował się w niewierzącej rodzinie laickiej o sympatiach republikańskich i poza lekcjami religii w szkole podstawowej nigdy nie zgłębiał tajników islamu. Kiedy w jego myślach pojawiały się obrazy podobne do ujrzanych przed chwilą, nie ogarniał go przestrach ani nie ulegał poetyckiemu natchnieniu. Co najwyżej był zadowolony, że oto świat okazuje się miejscem pięknym i wartym uwagi.

Wrócił do hotelu, by się ogrzać i trochę zdrzemnąć. Ciągle owładnięty odkrytym na nowo uczuciem zadowolenia, z zapałem przejrzał przywiezione ze Stambułu książki o Karsie i zasłyszane w ciągu dnia opowieści wymieszały się nagle z historią miasta.

Swego czasu żyła tutaj zamożna klasa średnia. W rezydencjach przypominających mu jego własne dzieciństwo organizowała trwające kilka dni przyjęcia i bale. Kars był wtedy ważnym przystankiem na szlaku handlowym, prowadzącym do Gruzji, Tebrizu, Tbilisi i na Kaukaz, oraz ważnym punktem na granicy imperium osmańskiego i carskiej Rosji: mocarstw, które rozpadły się w minionym wieku. Mieszkańcy Karsu żyli z handlu i korzystali z opieki dwóch wielkich armii strzegących miasta. W czasach osmańskich okolicę zamieszkiwali Ormianie, którzy przed tysiącem lat pobudowali stojące do dziś okazałe kościoły, Persowie uciekający przed Mongołami i własną armią, najróżniejsze ludy czerkiesów, greccy potomkowie Bizancjum i Pontu, Gruzini i Kurdowie. Po tym, jak w 1878 roku licząca pięćset lat twierdza Kars poddała się rosyjskiej armii, część muzułmanów popadła w skrajną nędzę. Mimo to zamożne miasto zachowało swój kosmopolityczny charakter. Kiedy w czasach rosyjskiego panowania pałace paszów, łaźnie i osmańskie budowle usytuowane na zboczach twierdzy uległy zniszczeniu, na położonej na południe od rzeki Kars równinie carscy architekci stworzyli szybko rozwijające się nowe miasto. Pięć równoległych głównych dróg krzyżowało się prostopadle z ulicami w porządku nie spotykanym do tej pory w żadnej wschodniej metropolii. Tutaj car Aleksander III potajemnie spotykał się z ukochaną, stąd wyruszał na polowania. Kars był niemal stworzony do marszu na południe, ku Morzu Śródziemnemu. Idealny, by przejąć kontrolę nad okolicznymi szlakami handlowymi. Dlatego właśnie na jego rozwój wydawano ogromne sumy. Kiedy Ka przyjechał tutaj przed dwudziestoma laty, zauroczyło go to melancholijne miasto z brukowanymi uliczkami, kasztanowcami i oliwnikami posadzonymi za czasów Republiki. Osmański gród i jego drewniane budowle dawno zniknęły, zmiecione z powierzchni ziemi przez nacjonalistyczne spory i rodowe waśnie.

Po nie kończących się wojnach, rzeziach, zbrodniach i buntach, rządach Ormian, Rosjan, a nawet przez jakiś czas Anglików, i po krótkim okresie bycia niezależnym państwem — w październiku 1920 roku Kars został zdobyty przez armię turecką pod wodzą Kazıma Karabekira. Pomnik dowódcy stanąć miał później na placu Dworcowym. Turcy, odzyskawszy miasto po czterdziestu trzech latach, zaakceptowali jego nowy kształt i szybko się tu zadomowili. Carskie dzieło pasowało do nowego, zachodniego ducha Republiki. Pięciu głównym porosyjskim alejom nadano imiona największych tureckich generałów związanych z historią miasta, poza armią nikt nie zasługiwał przecież na taki zaszczyt.

Był to czas europeizacji, o której z dumą pomieszaną z gniewem opowiadał pan Muzaffer, były burmistrz z ramienia Partii Ludowej. W Domach Ludowych* organizowano wieczorki taneczne, a pod przerdzewiałym teraz żelaznym mostem, którym rano wędrował Ka, odbywały się zawody łyżwiarskie. Republikańska klasa średnia z euforią oklaskiwała aktorów przyjeżdżających z Ankary, by zaprezentować tragedię o królu Edypie, mimo że od wojny z Grecją nie

---

* Domy Ludowe (tur. Halk Evleri) — działające od 1932 r. państwowe ośrodki kultury, funkcjonujące głównie na wsiach i w miasteczkach.

upłynęło jeszcze nawet dwadzieścia lat... Bogacze w paltach z futrzanymi kołnierzami wyruszali na przejażdżki saniami, ciągniętymi przez przystrojone różami i błyskotkami piękne konie węgierskie. Na balach pod akacjami w Ogrodzie Narodowym, organizowanych w celu wsparcia drużyny futbolowej, przy dźwiękach fortepianu, akordeonów i klarnetów oddawano się najmodniejszym tańcom. Latem dziewczęta w sukienkach z krótkimi rękawami swobodnie jeździły na rowerach po mieście. Zimą licealiści na łyżwach spieszyli do szkoły i, jak wielu innych rozgorączkowanych myślami o Republice, na szyjach starannie wiązali skrywane pod kurtkami muszki...*

Pan Muzaffer był jednym z tych chłopców. Wróciwszy po latach do Karsu, już jako adwokat i kandydat na burmistrza, podekscytowany wyborami, postanowił znów założyć muchę noszoną w czasach licealnych. Jego partyjni koledzy uznali, że to dziwactwo może go kosztować utratę poparcia, ale nie posłuchał.

Pan Muzaffer utrzymywał, że istniał jakiś związek między końcem owych pozornie wiecznych zim i powolnym upadkiem biedniejącego, tracącego resztki nadziei miasta. Wspominał półnagich aktorów o upudrowanych twarzach, którzy przyjeżdżali z Ankary, by wystawiać na tutejszej scenie antyczne tragedie. Pod koniec lat czterdziestych sam wziął udział w rewolucyjnym spektaklu, przygotowanym przez młodzież w Domu Ludowym.

— Sztuka opowiadała o przebudzeniu okrytej czarczafem** dziewczyny, która ostatecznie odsłaniała twarz i paliła

---

* W pierwszych latach Republiki elementy zachodniego stroju odgrywały istotną rolę jako symbol europeizacji Turcji.

** Czarczaf, inaczej: czador, kwef; strój kobiet na muzułmańskim Wschodzie; długa, najczęściej czarna, zasłona okrywająca także twarz i głowę.

zasłonę — opowiadał. Wtedy, pod koniec lat czterdziestych, w całym Karsie nie mogli znaleźć ani jednego czarczafu. Rekwizyt trzeba było sprowadzić aż z Erzurumu. — Za to teraz na każdej ulicy Karsu aż roi się od kobiet w chustach i czarczafach! — mówił pan Muzaffer. — Popełniają samobójstwa, kiedy się ich nie wpuszcza do szkół z tymi islamskimi symbolami na głowach!

Ka milczał — jak podczas całego pobytu w Karsie, gdy tylko ktoś zaczynał mówić o rosnącym w siłę i mocno zaangażowanym politycznie islamie i dziewczętach w chustach. Nie zapytał też o sens wystawiania w 1940 roku spektaklu potępiającego czarczafy, skoro żadna mieszkanka Karsu nie zasłaniała wówczas twarzy. Przemierzając ulice miasta, Ka nie zwracał uwagi na zakryte włosy ani twarze. W ciągu tygodnia pobytu w Turcji nie nabrał jeszcze przyzwyczajeń i nie zyskał wiedzy, jaką posiadali niewierzący inteligenci, zdolni wyciągać polityczne wnioski na podstawie samej tylko liczby kobiet noszących chusty. Od dziecka nie zwracał na nie uwagi. W tętniących zachodnim życiem dzielnicach Stambułu kobieta w chuście mogła być jedynie żoną mleczarza albo sprzedającą winogrona wieśniaczką.

O dawnych właścicielach hotelu Karpalas, w którym zatrzymał się Ka, sam słyszałem wiele opowieści. Mówiono o zafascynowanym Zachodem profesorze uniwersyteckim, zesłanym do Karsu przez cara (kara nieco lżejsza niż zesłanie na Syberię), o handlującym wołami Ormianinie i kierownictwie greckiego sierocińca... Bez względu na to, kim był jego pierwszy właściciel, liczący sto dziesięć lat gmach — podobnie jak inne budowle wzniesione wówczas w Karsie — wyposażono we wmurowane w ściany rosyjskie piece, zdolne ogrzać równocześnie cztery ściany czterech pomieszczeń. W czasach Republiki Turcy nie potrafili uruchomić żadnego z nich, więc kolejny właściciel — ten, który adaptował budynek na hotel — kazał umieścić wielką mosiężną kozę na wprost wiodących na dziedziniec drzwi wejściowych. Później w pokojach zamontowano kaloryfery.

Ka właśnie położył się w palcie na łóżku i pogrążył w myślach, kiedy ktoś zapukał do drzwi. Zerwał się na równe nogi i otworzył. Był to recepcjonista Cavit, ten, który całe dnie spędzał wpatrzony w telewizor.

— Wcześniej jakoś mi umknęło — powiedział. — Właściciel „Gazety Przygranicznego Miasta", pan Serdar, natychmiast chciał pana widzieć.

Razem zeszli do holu. Ka już miał wyjść z budynku, gdy nagle stanął jak wryty. W drzwiach obok recepcji zobaczył Ipek. Była o wiele ładniejsza, niż Ka przypuszczał. Poczuł, jak oblewa go żar. Tak, oczywiście, była piękna! Na wzór zachodni, jak burżuazja stambulska, najpierw uścisnęli sobie dłonie i po chwili wahania ucałowali się z dystansem.

— Wiedziałam, że przyjedziesz — powiedziała z zaskakującą szczerością Ipek, odsuwając się nieco. — Taner dzwonił. — Patrzyła Ka prosto w oczy.

— Przyjechałem w sprawie wyborów i samobójczyń.

— Jak długo zostaniesz? — zapytała. — Obok hotelu Asya jest cukiernia Yeni Hayat. Teraz muszę załatwić z ojcem kilka spraw. Spotkajmy się tam o wpół do drugiej. Porozmawiamy.

Ka czuł wyraźnie karykaturalność tej sceny, rozgrywającej się tu, w Karsie, a nie w Stambule na Beyoğlu* na przykład... Nie potrafił określić, w jakim stopniu za jego zmieszanie odpowiada uroda Ipek. Wyszedłszy na ulicę, przez chwilę maszerował w śniegu. Dobrze, że wziąłem to palto — pomyślał.

---

* Beyoğlu — dzielnica konsulatów, kin, barów i restauracji. Do 1925 r. używano nazwy Pera. Do końca XIX w. zamieszkana głównie przez niemuzułmanów.

Kiedy szedł w stronę redakcji, serce z właściwą mu niezmienną i nieomylną stanowczością podszeptywało dwie rzeczy, których rozum zapewne nigdy by nie przyznał: po pierwsze — owszem, przyjechał z Frankfurtu, by uczestniczyć w pogrzebie matki, ale i po to, żeby po dwunastu samotnych latach znaleźć turecką dziewczynę, z którą mógłby się wreszcie ożenić. Po drugie, przybył do Karsu, ponieważ skrycie wierzył, że tą dziewczyną będzie właśnie Ipek.

Gdyby drugą myśl podsunął mu jakiś obdarzony głęboką intuicją przyjaciel, Ka nigdy by mu tego nie wybaczył. I pewnie przez całe życie ze wstydem obwiniałby się za słuszność jego domysłów... Był bowiem moralistą, od dawna przekonanym, że największym szczęściem jest zaprzestanie dążenia do jego osiągnięcia. Poza tym w żaden sposób nie umiał pogodzić swojego wypracowanego wizerunku intelektualisty w zachodnim stylu z myślą o ożenku z niemal obcą mu osobą. Ale wchodząc do redakcji „Gazety Przygranicznego Miasta", nie czuł niepokoju. Pierwsze spotkanie z Ipek wypadło bowiem lepiej, niż mu się marzyło w drodze ze Stambułu, a co starannie przed sobą ukrywał.

Zaledwie jedna przecznica dzieliła ulokowaną przy alei Faika Beja siedzibę gazety od hotelu, w którym Ka się zatrzymał. Redakcja i drukarnia zajmowały jedno pomieszczenie, nieco tylko większe niż hotelowy pokoik. Przedzielono je drewnianą ścianką, na której wisiały fotografie Atatürka, kalendarze, wizytówki, wzory zaproszeń ślubnych, zdjęcia pana Serdara w towarzystwie różnych osobistości, między innymi wysokich urzędników państwowych oraz oprawiony w ramki, wydany przed czterdziestoma laty pierwszy egzemplarz gazety. Na tyłach dumnie pracowała wyprodukowana sto dziesięć lat temu przez Baumanna w Lipsku elektryczna maszyna typograficzna na pedały. Przez ćwierć wieku wykorzystywano ją w Hamburgu, a w 1910 roku, kiedy po przywróceniu konstytucji ogłoszono w Turcji wolność słowa, została sprzedana do Stambułu. Tam służyła kolejnych czterdzieści pięć lat. W 1955 roku świętej pamięci ojciec pana Serdara wykupił ją, ratując przed zezłomowaniem, i przewiózł pociągiem do Karsu.

Dwudziestodwuletni syn dziennikarza wpychał właśnie papier do maszyny poślinionym palcem prawej ręki, lewą dłonią wybierając świeżo wydrukowane egzemplarze (służący do tego celu pojemnik połamał się jedenaście lat temu, podczas jednej z rodzinnych awantur). Technikę tę opanował mistrzowsko, udało mu się więc bez problemu pozdrowić wchodzącego Ka. Drugi syn pana Serdara, w odróżnieniu od brata, musiał chyba przypominać matkę — skośnooką, niską i otyłą kobietę o okrągłej twarzy. Ka wyobraził ją sobie w jednej sekundzie. Chłopak, prawie niewidoczny zza kliszy, matryc i ołowianych czcionek rozrzuconych przy podzielonej na setki przegródek niewielkiej kaszcie, z cierpliwością i precyzją kaligrafa, który poświęcił całe życie swej sztuce, układał tekst reklamy do numeru, mającego ukazać się za trzy dni.

— Widzi pan teraz, w jakich warunkach walczy o życie prasa we wschodniej Anatolii — westchnął pan Serdar.

W tym momencie wyłączono prąd. Maszyna drukarska stanęła, a całe pomieszczenie pogrążyło się w mroku. Ka utkwił spojrzenie w śniegu za oknem.

— Ile wyszło? — zapytał pan Serdar. Zapalił świeczkę i posadził Ka na krześle w przedniej części redakcji.

— Sto sześćdziesiąt, tato.

— Jak włączą prąd, dodrukuj jeszcze trzysta czterdzieści, dziś mamy gości z teatru.

„Gazeta Przygranicznego Miasta” trafiała wyłącznie do kiosku naprzeciwko Teatru Narodowego, ale jak z dumą wyjaśnił pan Serdar, dzięki prenumeratom łączna sprzedaż wynosiła trzysta dwadzieścia egzemplarzy. Dwieście rozchodziło się w miejscowych biurach i urzędach, których osiągnięcia zmuszony był wychwalać od czasu do czasu. Pozostałych osiemdziesiąt prenumerat należało do wpływowych w kraju, „znanych i uczciwych" osób, które choć wyjechały do Stambułu, wciąż angażowały się w sprawy miasta.

Gdy włączono prąd, Ka dostrzegł irytację na twarzy Serdara. Wypukła żyła na czole mężczyzny pulsowała złością.

— Po naszym rozstaniu spotkał się pan z niewłaściwymi ludźmi. Wprowadzono pana w błąd, nasze miasto nie jest t a k i e — powiedział.

— A skąd pan wie, dokąd poszedłem? — zapytał Ka.

— To jasne, policja miała pana na oku — odpowiedział dziennikarz. — Słucham ich rozmów przez radiotelefon, z zawodowego przyzwyczajenia. Dziewięćdziesiąt procent informacji dostajemy z Komendy Głównej i urzędu wojewódzkiego. Cała policja wie, że wypytywał pan o samobójstwa, zacofanie i biedę w miasteczku.

Istotnie, tego dnia Ka usłyszał wiele o przyczynach zubożenia Karsu: o ograniczeniach handlu ze Związkiem Radzieckim w czasach zimnej wojny; o zamknięciu urzędów celnych; o porywaniu i zastraszaniu bogaczy przez szajki komunistyczne, które zawładnęły Karsem w latach siedemdziesiątych; o migracji i wyjeździe do Stambułu i Ankary zamożniejszych mieszkańców, którzy zdołali uciułać niewielki kapitał; o zapomnieniu przez rząd i Boga oraz o nie kończących się utarczkach między Turcją a Armenią.

— Ale ja postanowiłem powiedzieć panu prawdę — wyznał pan Serdar.

Do Ka dotarło wreszcie, że zasadniczym problemem wszystkich tych ludzi był wstyd, który zagnieździł się także i w nim podczas pobytu w Niemczech i który ukrywał przed samym sobą. Dopiero teraz mógł się do tego przyznać, w obliczu nadziei na osiągnięcie upragnionego szczęścia.

— Kiedyś wszyscy byliśmy braćmi — ciągnął pan Serdar, jakby odkrywał właśnie wielką tajemnicę. — Ale ostatnimi laty każdy mówi: jestem Azerem, jestem Kurdem, Terekeme, Karakałpakiem... Tutaj żyją wszystkie narody. Terekeme — mówimy też o nich Karakałpacy — to przecież bracia Azerów. Kurdowie to z nami jedno plemię, dawniej nie znali odrębności. Ten, kto żył tu od czasów osmańskich, nie puszył się, że jest tutejszy. Tutejsi byli wszyscy — i Turkmeni, i Posofczycy*, i Niemcy wypędzeni z Rosji przez cara. Nikt nie był ani ważniejszy, ani lepszy! Dumę rozbudziły dopiero komunistyczne radia Erewanu i Baku, które chciały podzielić Turcję. A teraz każdy ma dużo dumy, a mało pieniędzy. — Doszedłszy zapewne do wniosku, że udało mu się dostatecznie poruszyć Ka, pan Serdar nagle zmienił temat: — Islamiści chodzą po domach, odwiedzają ludzi. Kobietom rozdają garnki, patelnie, wyciskarki do pomarańczy, kartony mydła, kaszy i proszków do prania. W dzielnicach biedoty natychmiast się zaprzyjaźniają. Takie babskie pokrewieństwo dusz. Dzieciakom przypinają agrafkami do ubrań złote monety. Oddajcie głos na partię Boga, mówią, na Partię Dobrobytu**. Bo ta bieda, ta nędza, co nas opuścić nie chce, to kara, bośmy się od Boga odsunęli, powtarzają. Mężczyźni gadają z mężczyznami, kobiety z kobietami. Zjednują sobie zaufanie rozeźlonych, pozbawionych pracy mężczyzn. Ludzi z urażoną dumą. Pocieszają ich żony, które nie wiedzą, co wieczorem włożyć do garnka. A potem obiecują kolejne prezenty i wymuszają obietnice, że ludzie będą na nich gło-

---

* Posof — niewielkie miasto w północno-wschodniej Turcji, niedaleko granicy z Gruzją.
** Partia Dobrobytu (tur. Refah Partisi) — powstała w 1983 r. partia o charakterze konserwatywno-prawicowym, próbowała wprowadzać do polityki treści religijne; zdelegalizowana w 1998 r. pod zarzutem złamania zasady laickości państwa.

sowali. Zdobywają szacunek robotników i wciąż poniżanej biedoty, studentów, których jedynym pożywieniem bywa talerz zupy. Nawet rzemieślników. Udaje im się, ponieważ są pracowitsi, uczciwsi i skromniejsi od reszty.

Właściciel „Gazety Przygranicznego Miasta" z oporami przyznał, że burmistrza znienawidzono nie za to, że zdecydował o likwidacji uznanych za przeżytek furmanek (inicjatywy tej nie zakończono z powodu tragicznej śmierci pomysłodawcy). Prawdziwą przyczyną nienawiści była wszechobecna korupcja. Mimo to przez całe lata, upływające pod znakiem rodowych konfliktów, nacjonalizmów i podziałów etnicznych, żadna z uczestniczących w tej zażartej walce prawicowych czy lewicowych partii nie wyłoniła silnego kandydata do fotela burmistrza.

— Tutaj wierzy się już tylko w uczciwość kandydata z partii Boga — powiedział pan Serdar. — A jest nim pan Muhtar, były mąż pani Ipek, córki pana Turguta, właściciela hotelu, w którym się pan zatrzymał. Niezbyt mądry, ale Kurd. A Kurdowie stanowią czterdzieści procent naszej społeczności. Wybory na pewno wygra partia Boga.

Coraz silniej padający śnieg sprawił, że Ka znów poczuł się samotny. Wrażeniu temu towarzyszył strach, że miejsca, w których wyrósł i żył przed laty, a także cały zachodni styl życia, powoli odchodzą w niebyt. Podczas pobytu w Stambule przekonał się, jak zniszczono tamtejsze ulice, świadków jego dzieciństwa, zobaczył, że wyburzono wszystkie wzniesione na początku wieku cudowne budynki, w których mieszkali jego przyjaciele. Wycięto drzewa, które zdążyły już uschnąć, i w ciągu dziesięciu lat pozamykano kina, aby upchnąć w nich rzędy wąskich i ciemnych sklepików. Nie był to tylko koniec jego dzieciństwa. Umarło marzenie, że kiedyś, pewnego dnia znów zamieszka w Stambule. Pomyślał nawet, że jeśli w Turcji utrwalą się rządy zwolenników szarijatu*, jego młodsza siostra nie będzie mogła wyjść na ulicę bez chusty na głowie.

Patrzył na sypiące się z nieba płatki śniegu, bajecznie lśniące w świetle neonu, i wyobrażał sobie, jak wracają razem z Ipek do Frankfurtu. Jak robią zakupy w butiku z damskim obuwiem na drugim piętrze Kaufhofu, w którym kupił otulające go teraz popielate palto.

— To wszystko jest efektem działań międzynarodowego ruchu islamskiego, dążącego do upodobnienia Turcji do Iranu! — stwierdził pan Serdar.

— Samobójczynie też?

— Dostaję sygnały, że nimi manipulowano. Niestety. Nie piszę o tym, bo się boję, że cała reszta dziewcząt w chustach zostanie jeszcze bardziej napiętnowana, a liczba samobójstw wzrośnie. Zawodowa odpowiedzialność. Poza tym mówi się, że słynny Granatowy, islamski terrorysta, jest w mieście. Żeby wspierać dziewczyny w chustach, w tym także samobójczynie.

— Ale czy islamiści nie są przeciwni samobójstwom?

Pan Serdar nie odpowiedział na to pytanie. Kiedy maszyna drukująca stanęła i w pomieszczeniu zaległa cisza, Ka znowu spojrzał na niewiarygodnie gęsty śnieg za oknem. Problemy Karsu były doskonałym panaceum na rosnącą obawę przed spotkaniem z Ipek, teraz jednak Ka chciał myśleć jedynie o niej i przygotować się na spotkanie w cukierni. Było już dwadzieścia po pierwszej.

Potężnie zbudowany syn pana Serdara przyniósł pierwszą stronę świeżo wydrukowanej gazety, którą ojciec położył przed gościem tak, jakby obdarowywał go wyszukanym

---

* Szarijat — religijne prawo muzułmańskie kodyfikujące wierzenia i zachowania wspólnoty. Jego szczegółowe zasady oparte są na Koranie i tradycji proroka Mahometa (w szyizmie także na tradycji imamów).

prezentem. Od lat przyzwyczajony do odnajdywania własnego nazwiska w magazynach literackich, Ka natychmiast dostrzegł umieszczoną w rogu informację:

ZNANY POETA KA W KARSIE

Wczoraj do naszego przygranicznego miasta przybył znany w całej Turcji poeta KA — laureat Nagrody im. Behçeta Necatigilego, który zdobył uznanie m.in. zbiorami Popioły i mandarynki *oraz* Wieczorne gazety. *Jako korespondent „Cumhuriyetu" będzie obserwował wybory do rady miejskiej. Mieszkający od wielu lat we Frankfurcie KA studiował ostatnio poezję zachodnioeuropejską.*

— Moje imię jest źle napisane — stwierdził Ka. — „A" powinno być małe. — I zaraz pożałował tego, co powiedział.

— Ale bardzo ładnie wyszło! — dorzucił szybko z poczuciem winy.

— Właśnie dlatego pana szukaliśmy, że nie byliśmy pewni imienia, mistrzu — wyznał dziennikarz. — Synu, popatrz no! Źle złożyliście imię naszego poety! — zbeształ chłopaka, lecz w jego głosie nie było zdenerwowania. Ka domyślił się, że pan Serdar już wcześniej dostrzegł zecerski błąd. — Natychmiast to poprawcie...

— Nie ma potrzeby — przerwał Ka.

W ostatnim akapicie najobszerniejszej wiadomości również zobaczył swoje imię, tym razem złożone poprawnie.

WIECZÓR ZWYCIĘSTWA GRUPY SUNAYA ZAIMA W TEATRZE NARODOWYM

Wystawione wczoraj na deskach Teatru Narodowego przedstawienie Grupy Teatralnej Sunaya Zaima, znanej w całej Turcji z kemalistowskich*, ludowych i oświeceniowych sztuk, spotkało się z wielkim zainteresowaniem i entuzjastycznym odbiorem. *Przerywany aplauzem i wiwatami spektakl, na który przybyli i wicewojewoda, pełnomocnik burmistrza oraz inni znakomici obywatele, zakończył się koło północy. Spragnieni sztuki mieszkańcy Karsu mogli obejrzeć przedstawienie nie tylko w wypełnionym po brzegi Teatrze Narodowym. Telewizja Przygraniczny Kars, dzięki pierwszej w swej dwuletniej historii transmisji na żywo, umożliwiła zapoznanie się z tą rewelacyjną sztuką wszystkim obywatelom!* Ponieważ nie zakupiono jeszcze wozu transmisyjnego, między mieszczącym się przy alei Halita Paszy studiem telewizji Przygraniczny Kars a Teatrem Narodowym przeciągnięto specjalny kabel, długości dwóch ulic. *Aby ochronić go przed śniegiem, pomocni obywatele pozwolili, by przechodził przez ich mieszkania!* (Na przykład nasz stomatolog, szanowny pan Fadıl, przeciągnął go przez balkon aż do usytuowanego na tyłach posesji ogrodu).

Mieszkańcy liczą na to, że podobne transmisje będą organizowane przy innych okazjach. *Właściciele stacji poinformowali, że dzięki temu wielkiemu wydarzeniu wszystkie firmy działające w mieście postanowiły wykupić czas antenowy na emisję reklam.*

Przypomnijmy, że cała społeczność naszego przygranicznego miasta miała możliwość podziwiać nie tylko występy ku czci Atatürka i najpiękniejsze fragmenty dzieł teatralnych prezentujących prężną, nowoczesną myśl Zachodu. Wszyscy mogliśmy obejrzeć również skecze o zalewających dzisiejszą kulturę reklamach i przygody słynnego Vurala, bramkarza reprezentacji narodowej, a także wysłuchać poezji o Ojcu Tur-

---

* Kemalistowskich — nawiązujących do idei Atatürka. Podstawowe idee kemalizmu określało tzw. sześć strzał (republikanizm, nacjonalizm, populizm, laicyzm, etatyzm i rewolucjonizm).

ków i naszej ojczyźnie. *Znany poeta Ka, który właśnie odwiedził nasze miasto, osobiście wyrecytował swój ostatni wiersz pt. Śnieg. Następnie obejrzeliśmy jedną z pierwszych, przepełnionych nowym oświeconym duchem sztuk teatralnych Republiki, zatytułowaną* Ojczyzna albo czarczaf, *w nowej, śmiałej interpretacji pod nazwą* Ojczyzna albo chusta.

— Nie napisałem wiersza *Śnieg*, a wieczorem wcale nie wybieram się do teatru. Informacja nie będzie zatem prawdziwa.

— Jest pan pewny? Proszę nie umniejszać naszej roli tylko dlatego, że opisaliśmy rzeczy, które jeszcze się nie wydarzyły. Wielu ma nas za jasnowidzów, a nie za dziennikarzy. Ludzie nie kryli zaskoczenia, gdy sprawy toczyły się tak, jakeśmy je opisali. Wiele rzeczy zdarzyło się tylko dlatego, że o nich wcześniej donieśliśmy. To jest właśnie nowoczesne dziennikarstwo! Jestem przekonany, że najpierw napisze pan wiersz pod tytułem *Śnieg*, a potem wyrecytuje go po to, by nie odbierać nam tu, w Karsie, prawa do nowoczesnego dziennikarstwa i nie złamać nam serca.

Wśród informacji o spotkaniach przedwyborczych, o tym, że właśnie zaczęto aplikować w liceach szczepionkę dostarczoną z Erzurumu i że urząd miejski, odraczając egzekucję długów za pobór wody, po raz kolejny wyciągnął do obywateli pomocną dłoń, Ka dostrzegł notatkę, która wcześniej nie zwróciła jego uwagi.

WSZYSTKIE DROGI DO KARSU ZABLOKOWANE

Padający od dwóch dni śnieg zasypał drogi. Nasze miasto zostało odcięte od świata. Wczoraj nad ranem zamknięto drogę w kierunku Ardahanu, a w godzinach popołudniowych nieprzejezdna okazała się także trasa do Sarıkamış. Jadący do Erzurumu autobus firmy Yılmaz musiał wrócić do Karsu. *Wiele dróg zamknięto z powodu zamieci śnieżnych i oblodzenia. Instytut Meteorologii ostrzega, że nadchodzące znad Syberii ochłodzenie i intensywne opady śniegu nie ustąpią w ciągu najbliższych trzech dni.*

Jak to już dawniej zimą bywało, przez trzy doby nasze miasto będzie odcięte od reszty świata. To wspaniała okazja, byśmy oddali się zadumie i uporządkowali własne sprawy!

Gdy Ka zbierał się do wyjścia, dziennikarz zerwał się z miejsca i przytrzymując drzwi, powiedział:

— Kto wie, co też pan Turgut i jego córki nawkładają panu do głowy! To porządni ludzie. Ja sam czasem spotykam się z nimi przy kolacji. Ale proszę pamiętać: były mąż pani Ipek jest kandydatem na burmistrza z ramienia partii Boga. Mówią, że jej młodsza siostra to najbardziej zawzięta bojowniczka wśród dziewczyn w chustach. Ojciec, który sprowadził ją tu do szkoły, to stary komunista! Ale nikt nie wie, co ich tu przywiodło cztery lata temu, w najgorszym dla miasta czasie.

Po raz pierwszy Ka usłyszał naraz tak wiele tak bardzo niepokojących informacji. I nawet nie mrugnął okiem.

4.

Naprawdę przyjechałeś, żeby napisać o wyborach i samobójstwach?

Ipek i Ka w cukierni Yeni Hayat

Dlaczego mimo złych wiadomości na twarzy Ka, idącego w śniegu aleją Faika Beja do cukierni Yeni Hayat, pojawił się ledwo zauważalny, ale jednak uśmiech? Z pobrzmiewającą w głowie *Robertą* Peppina Di Capri był jak romantyczny, zatroskany bohater powieści Turgieniewa, spieszący na spotkanie z kobietą, o której marzył latami. Ka lubił Turgieniewa, który zmęczony zacofaniem kraju i jego nie kończącymi się problemami, porzucił ojczyznę, by tęsknić i marzyć o niej gdzieś w dalekiej Europie. Lubił jego subtelną prozę, ale przyznajmy szczerze: nie marzył o Ipek latami, tak jak zdarzało się w rosyjskich powieściach. Stworzył sobie obraz kobiety na wzór i podobieństwo Ipek i może tylko czasami wspominał ją przez chwilę. Kiedy jednak dowiedział się o jej rozstaniu z mężem, natychmiast zaczął o niej rozmyślać — obawiał się, że wymarzył ją sobie zbyt słabo, by móc się z nią bliżej związać. Próbował więc zamaskować tę pustkę muzyką i romantyzmem Turgieniewa.

Ale gdy wszedł do cukierni i usiadł przy stoliku, cały ten turgieniewowski romantyzm ulotnił się. Nagle Ipek wydała mu się o niebo ładniejsza teraz niż w hotelu czy w czasach studenckich. Jej naturalna uroda, lekko podkreślone usta, jasna cera, błyszczące oczy i otwartość, która natychmiast budziła w człowieku wrażenie bliskości, ekscytowały Ka. Wydawała się tak bezpośrednia, że Ka przeraził się, czy sprosta nowemu wyzwaniu. Bardziej niż utraty własnej swobody bał się tylko kiepskiej poezji.

— Widziałem, jak robotnicy rozciągali kabel między telewizją Przygraniczny Kars i Teatrem Narodowym. Wyglądało, jakby rozwieszali sznur na pranie — powiedział, żeby jakoś rozpocząć rozmowę. Nawet się przy tym nie uśmiechnął, w obawie, że kobieta posądzi go o pokpiwanie z prowincjonalnego życia.

Podtrzymywanie rozmowy nie było z początku łatwe. Oboje skupili się na wyszukiwaniu neutralnych tematów niczym pełne dobrej woli pary, gotowe zgodzić się ze sobą w każdej kwestii. Kiedy kończył się jeden wątek, Ipek z inwencją i uśmiechem rozpoczynała drugi. Padający śnieg, bieda Karsu, palto Ka, papierosy, z których nie daje się zrezygnować, wspólni znajomi, których Ka spotkał w Stambule. Jak niewiele zmienili się oboje przez te lata... Ale dopiero świadomość, że zarówno matka Ka, jak i matka Ipek nie żyją i spoczywają na tym samym cmentarzu Feriköy, zbliżyła ich do siebie. Niczym kobieta i mężczyzna, którzy właśnie się dowiedzieli, że są spod tego samego znaku zodiaku, z chwilową swobodą, jaka wyniknęła z być może fałszywego poczucia bliskości, rozmawiali o roli matek w ich życiu (krótko) i powodach wyburzenia starego dworca w Karsie (nieco dłużej). O tym, że w miejscu cukierni, w której właśnie siedzą, do 1967 roku stała cerkiew i że drzwi zrównanej z ziemią świątyni przeniesiono do muzeum; o specjalnej części wystawy poświęconej ormiańskiej rzezi (turyści, którzy sądzili, że chodzi o Ormian mordowanych przez Turków, ze zdziwieniem dowiadywali się, że było odwrotnie); o półgłuchej zjawie — jedynym kelnerze zatrudnionym w cukierni; o tym, że w tutejszych *çayhane* nie sprzedaje się kawy, bo bezrobotnych i tak na nią nie stać; o poglądach politycznych dziennikarza, który oprowadzał Ka po mieście, i politycznym stanowisku przedstawicieli innych lokalnych gazet (wszyscy popierali wojsko i obecny rząd). I wreszcie o jutrzejszym numerze „Gazety Przygranicznego Miasta", który Ka wyciągnął z kieszeni.

Ipek z uwagą zaczęła czytać pierwszą stronę, a Ka przeraził się, że dla niej też, tak jak dla przyjaciół spotkanych w Stambule, smutna i godna pożałowania turecka rzeczywistość polityczna mogłaby być rzeczywistością jedyną i prawdziwą; że nigdy nie przyszłaby jej do głowy myśl o osiedleniu się w Niemczech. Długo patrzył na jej drobne dłonie i pociągłą twarz.

— Z jakiego paragrafu i na ile cię skazali? — spytała Ipek, uśmiechając się z troską.

Odpowiedział. Pod koniec lat siedemdziesiątych w gazetach politycznych o niewielkim nakładzie można było pisać o wszystkim. Każdy był wtedy skazany z tego paragrafu. I każdy był dumny z tego powodu. Ale nikt nie trafiał za kratki, a policji ani w głowie było poszukiwanie zmieniających adresy redaktorów naczelnych, dziennikarzy i tłumaczy. Później, po przewrocie wojskowym*, powoli zaczęto wyłapywać tych, którzy zmieniali miejsca pobytu, i Ka, skazany za rozprawę polityczną, jaką opublikował po pobieżnym przeczytaniu (nie był jej autorem), uciekł do Niemiec.

— Było ci ciężko w Niemczech? — zapytała Ipek.

— Nie mogłem nauczyć się języka, i to mnie uratowało — odpowiedział. — Wszystko we mnie opierało się tamtej mowie. Może dlatego ochroniłem swoją turecką duszę?

---

* Chodzi o zamach stanu z 1980 r., na którego czele stał gen. Kenan Evren, uzasadniany anarchią, terrorem i odejściem od podstawowych zasad utworzonej przez Atatürka Republiki.

Przestraszony, że tak nagle otworzył się przed Ipek i że mógł wydać się śmieszny, opowiedział jej — bo siedziała zasłuchana w jego słowa — o ostatnich czterech latach swego życia. Pustych, jałowych latach, w czasie których nie napisał ani jednego wiersza.

— Na początku w małym wynajętym mieszkaniu w pobliżu dworca, którego jedyne okno wychodziło na dachy frankfurckich domów, w ciszy wspominałem każdy poprzedni dzień, i to pozwalało mi pisać. A potem tureccy uchodźcy, którzy usłyszeli, że w kraju zdobyłem jakąś sławę, urzędy miejskie, starające się przyciągnąć Turków, biblioteki, szkoły trzeciej kategorii i ludzie którzy chcieli, by ich dzieci poznały poetę piszącego po turecku, zaczęli organizować wieczory, gdzie czytałem swoje wiersze.

We Frankfurcie Ka wsiadał do jednego z niezawodnych pociągów, których punktualność zawsze go zaskakiwała, i patrząc przez zaparowane szyby na strzeliste wieże kościołów w mijanych miasteczkach, ciemność w sercu bukowych lasów i na zdrowe, żwawe dzieci wracające do domów z tornistrami na plecach, wciąż słyszał tę samą ciszę. Nie rozumiał języka tego kraju, lecz nie czuł wyobcowania. Wtedy jeszcze pisał wiersze. Jeśli akurat nie wyjeżdżał gdzieś z odczytem, wychodził z domu o ósmej rano, szedł Kaiserstrasse do biblioteki miejskiej przy alei Zeil, by poczytać książki.

— Mieli tyle angielskich książek, że wystarczyłoby mi do końca życia.

Ze spokojem dziecka, które wie, że śmierć jest jeszcze bardzo odległa, czytał ukochane dziewiętnastowieczne powieści, romantyczną poezję angielską, książki poświęcone historii inżynierii, katalogi muzealne i wszystko, na co miał ochotę. Kartkując książki, wertując stare leksykony, oglądając ilustracje i czytając na nowo powieści Turgieniewa, potrafił się odizolować od gwaru miasta. Otaczała go wtedy cisza, zupełnie jak w owych pociągach. Słyszał ją, kiedy wracał wieczorami, już inną drogą, nad Menem, obok muzeum żydowskiego, i kiedy w weekendy maszerował z jednego końca miasta na drugi.

— Po jakimś czasie cisza zajmowała już tak wiele miejsca w moim życiu, że przestałem odbierać ten niepokojący i pobudzający twórczo gwar miasta, z którym jednak powinienem się zderzać, by pisać — wyznał Ka. — Z Niemcami nie rozmawiałem. Nie układało mi się już z Turkami, którzy mieli mnie za nadętego intelektualistę i półwariata. Nikogo nie widywałem. Przestałem pisać.

— Ale w gazecie napisali, że dziś wieczorem przeczytasz swój ostatni wiersz.

— Nie ma ostatniego wiersza. Nie ma czego czytać.

Oprócz nich w cukierni było tylko dwóch ludzi, siedzących pod oknem w drugim końcu sali. Szczupły, zmęczony mężczyzna w średnim wieku cierpliwie tłumaczył coś niepozornemu, młodemu człowiekowi. Za oknem światło neonu barwiło padający śnieg na różowo. Dwaj mężczyźni wyglądali na tym tle jak bohaterowie czarno-białego filmu.

— Moja siostra Kadife oblała egzaminy na pierwszym roku studiów — powiedziała Ipek. — Potem dostała się do ośrodka kształcenia. Ten szczupły mężczyzna w kącie to dyrektor tej szkoły. Mój ojciec bardzo kocha Kadife, więc kiedy w wypadku drogowym zginęła nasza matka, postanowił przenieść się tutaj. Przyjechał trzy lata temu, a zaraz potem ja rozwiodłam się z Muhtarem. Zamieszkaliśmy we trójkę. Do spółki z krewnymi kupiliśmy hotel pełen duchów i szeptów zmarłych. Zajmujemy w nim trzy pokoje.

W czasie studiów i wspólnej działalności w lewicowych organizacjach nigdy nie doszło do zbliżenia między Ka i Ipek. Kiedy jako siedemnastolatek Ka zaczął przemierzać przestronne korytarze Wydziału Literatury, jak wielu innych zwrócił uwagę na tę niezwykle urodziwą studentkę. Następnego roku poznał ją już jako żonę poety Muhtara, kolegi z tej samej organizacji. Obydwoje pochodzili z Karsu.

— Muhtar przejął po ojcu przedstawicielstwo Arçeliku i Aygazu* — powiedziała Ipek. — Kiedy kilka lat po powrocie tutaj wciąż nie mieliśmy dziecka, zaczął mnie wozić do lekarzy w Erzurumie i Stambule. Nie wyszło, więc się rozstaliśmy. A on zamiast ponownie się ożenić, poświęcił się religii.

— Dlaczego tak wielu ludzi oddaje się religii? — zapytał Ka.

Ipek nie odpowiedziała. Przez dłuższą chwilę w milczeniu patrzyli na czarno-biały ekran zawieszonego na ścianie telewizora.

— Czemu wszyscy w tym mieście popełniają samobójstwa? — zadał następne pytanie.

— Nie wszyscy. Samobójstwa popełniają dziewczyny i młode kobiety — odparła Ipek. — Widocznie mężczyźni wybierają religię, a kobiety śmierć.

— Ale dlaczego?

Ipek spojrzała tak, jakby chciała dać mu do zrozumienia, że niewiele wskóra, jeśli będzie pytać w ten sposób i oczekiwać szybkich i prostych odpowiedzi. Zapadła cisza.

— Muszę przeprowadzić z Muhtarem wywiad na temat wyborów.

Ipek wstała, podeszła do kasy i zatelefonowała.

— Do piątej będzie w wojewódzkiej centrali partii — oznajmiła, wracając po chwili do stolika. — Będzie na ciebie czekał.

---

* Arçelik, Aygaz — firmy należące do jednego z największych w Turcji holdingów Koç Grubu. Arçelik od 1955 r. jest największym producentem artykułów gospodarstwa domowego, Aygaz — pierwszą i największą firmą działającą w sektorze energetycznym.

Zapadła cisza i Ka poczuł niepokój. Gdyby nie zasypane drogi, już dawno uciekłby stąd pierwszym autobusem. Zrobiło mu się żal tych wszystkich wieczorów w miasteczku i jego zapomnianych mieszkańców. Bezwiednie spojrzał w okno. Obydwoje długo patrzyli na padający śnieg jak ludzie, dla których upływający czas nie ma najmniejszego znaczenia. Ka czuł się jak w potrzasku.

— Naprawdę przyjechałeś, żeby napisać o wyborach i samobójstwach? — zapytała Ipek.

— Nie — odparł. — W Stambule usłyszałem o twoim rozwodzie z Muhtarem. Przyjechałem, żeby się z tobą ożenić.

Zaśmiała się, jakby usłyszała dobry żart, ale po chwili oblała się rumieńcem. Poczuł, że Ipek go rozszyfrowała. Jej oczy mówiły: „Nie masz nawet tyle cierpliwości, by choć na krótko ukryć swoje zamiary, dyskretnie mnie podejść i subtelnie poflirtować. Nie przyjechałeś tu dlatego, że mnie kochasz i myślisz, że jestem wyjątkowa. Jesteś tutaj, bo dowiedziałeś się o moim rozwodzie, zapamiętałeś, że jestem ładna, a to, że mieszkam w Karsie, uznałeś za moją słabość". Chciał ukarać siebie za to, że odważył się na wstydliwe marzenia o szczęściu, wyobraził więc sobie, że Ipek myśli teraz: „Jedyne, co nas łączy, to pogrzebane marzenia".

Ale ona powiedziała coś całkiem innego:

— Zawsze wierzyłam, że będziesz dobrym poetą. Gratuluję ci książek.

Jak we wszystkich *çayhane*, restauracjach i holach hotelowych, tu także zawieszono na ścianach reprodukcje widoków Alp Szwajcarskich zamiast pięknych okolicznych gór, z których dumni byli miejscowi. Stary kelner, który przyniósł im herbatę, siedział między tacami pełnymi czekoladek i rogalików, których tłuszcz i sreberka połyskiwały w bladym świetle lampy, i odwrócony twarzą do nich, a plecami do stolików w głębi sali, z wyraźną lubością wpatrywał się w telewizor. Ka, gotowy patrzeć na wszystko, byle nie w oczy Ipek, skupił się na filmie. Jakaś turecka blond aktorka w bikini uciekała po plaży przed goniącym ją wąsatym mężczyzną.

I właśnie wtedy od ciemnego stolika w drugim końcu sali wstał niepozorny, młody człowiek i mierząc bronią w dyrektora ośrodka kształcenia, zaczął mówić coś, czego Ka nie zdołał usłyszeć. Później pojął, że w trakcie wymiany zdań pomiędzy nimi padł strzał. Nie słyszał odgłosu wystrzału, ale zobaczył upadające ciało.

Ipek odwróciła się i też zobaczyła tę przerażającą scenę. Stary kelner gdzieś przepadł. Niepozorny, młody człowiek wciąż mierzył do leżącego dyrektora. Tamten próbował coś mówić, ale telewizor zagłuszał jego słowa. Młody mężczyzna jeszcze trzy razy strzelił w pierś ofiary i w jednej chwili zniknął za drzwiami. Ka nawet nie zdołał się przyjrzeć jego twarzy.

— Chodźmy — powiedziała Ipek. — Nie stójmy tutaj.

— Pomocy! — krzyknął Ka słabym głosem. — Zadzwońmy na policję — dodał po chwili.

Przez sekundę stał w miejscu, ale już po chwili biegł za Ipek. Ani w dwuskrzydłowych drzwiach cukierni Yeni Hayat, ani na schodach, którymi zbiegli w pośpiechu, nie było żywej duszy. Wkrótce znaleźli się na ośnieżonym chodniku i zaczęli iść szybko przed siebie.

Nikt nie widział, jak stamtąd wychodziliśmy — myślał Ka i to go uspokajało. Czuł się tak, jakby sam popełnił tę zbrodnię. Miał wrażenie, że poniósł zasłużoną karę za swoje pożałowania godne pragnienie ożenku. Nie chciał już, aby ktokolwiek na niego patrzył.

Dotarli do skrzyżowania z aleją Kazıma Karabekira i Ka, choć w tej chwili obawiał się wielu rzeczy, poczuł radość na myśl o bliskości, która zrodziła się między nimi dzięki wspólnej tajemnicy. Blade światło żarówki, oświetlającej ustawione przy wejściu do budynku Halita Paszy skrzynki z pomarańczami i jabłkami, odbijało się w lustrze sąsiadującego ze straganem zakładu fryzjerskiego. To dzięki niemu Ka zobaczył łzy w oczach Ipek i zaniepokoił się.

— Dyrektor ośrodka nie wpuszczał na zajęcia uczennic w chustach — powiedziała. — Dlatego go zabili.

— Chodźmy z tym na policję — zaproponował Ka. Pamiętał, że było to zdanie najbardziej znienawidzone przez wszystkich lewicowców.

— I tak poznają prawdę. Może nawet już ją znają. Wojewódzka centrala Partii Dobrobytu jest na drugim piętrze. — Ipek wskazała wejście do budynku. — Opowiedz Muhtarowi, co widziałeś. Niech nie będzie zdziwiony, kiedy zaczną go nachodzić ludzie z wywiadu. Poza tym muszę ci coś powiedzieć: Muhtar znów chce się ze mną ożenić. Rozmawiając z nim, nie zapominaj o tym.

5.

Profesorze, czy mogę zadać pytanie?

Pierwsza i zarazem ostatnia rozmowa zabójcy z ofiarą

Pod ubraniem dyrektora ośrodka kształcenia, którego na oczach Ka i Ipek w cukierni Yeni Hayat strzałami w głowę i klatkę piersiową zabił młody mężczyzna, znajdowało się przymocowane grubą taśmą urządzenie nagrywające. Importowaną aparaturę marki Grundig umieścili tam przezorni urzędnicy karskiego oddziału Narodowej Organizacji Wywiadowczej*. Ponieważ nie zezwalał na uczestnictwo w zajęciach dziewcząt w chustach, na podstawie pogróżek, jakie otrzymywał ostatnio, oraz danych zdobytych przez cywilnych pracowników wywiadu i informatorów z proislamskich kręgów uznano, iż należy zastosować ochronę. Dyrektor, który stał na straży laicyzmu, choć jak każdy pobożny muzułmanin wierzył w przeznaczenie, stwierdził, że skuteczniejsze niż opasły ochroniarz u jego boku będzie nagranie głosu szantażystów i doprowadzenie do aresztowania winnych. Kiedy więc pod wpływem impulsu wstąpił do cukierni Yeni Hayat, by skosztować ulubionych orzechowych rogalików, i zobaczył, że zbliża się doń ktoś nieznajomy, jak zawsze w podobnych sytuacjach włączył urządzenie. Zapis

---

* Narodowa Organizacja Wywiadowcza (tur. MIT — Milli İstihbarat Teşkilatı) — działająca od 1927 r. w Turcji jednostka rządowa.

rozmowy nagranej na taśmie — nie uszkodzonej przez żadną z dwóch kul, które drasnęły aparaturę, nie niszcząc jej, śmiertelnie zaś raniąc dyrektora — dostałem od zrozpaczonych, mimo upływu lat, jego żony i córki, znanej modelki.

— Dzień dobry, profesorze, poznaje mnie pan? / — Nie, nie przypominam sobie. / — Tak też myślałem, profesorze. To dlatego, że nigdy się nie poznaliśmy. Wczoraj wieczorem i dziś rano usiłowałem spotkać się z panem. Wczoraj policja zabrała mnie sprzed drzwi szkoły. Dziś rano, kiedy już udało mi się wejść do środka, pańska sekretarka nie dopuściła mnie do pana. Próbowałem wyprzedzić pana, zanim wszedł pan do klasy. Wtedy mnie pan zobaczył. Pamięta pan, profesorze? / — Niestety, nie pamiętam. / — Nie pamięta pan mnie czy tego, że mnie pan widział? / — O czym pan chciał porozmawiać? / — Właściwie to chciałbym rozmawiać z panem o wszystkim, całymi godzinami, całymi dniami nawet. Jest pan bardzo czcigodnym, wykształconym, oświeconym człowiekiem, jest pan profesorem rolnictwa. Ja się niestety nie mogłem kształcić. Ale jeden temat studiowałem pilnie. I właśnie o nim chcę z panem porozmawiać. Proszę wybaczyć, profesorze, czy aby nie zajmuję pańskiego czasu? / — Ależ skąd. / — Przepraszam, czy mogę usiąść, profesorze? Bo temat jest obszerny. / — Proszę bardzo. (Odgłos odsuwanego krzesła i siadania). / — Je pan orzechowy rogalik, profesorze. U nas, w Tokacie*, orzechowce są bardzo dorodne. Był pan kiedyś w Tokacie? / — Niestety nie. / — Wielka szkoda, profesorze. Jeśli pan przyjedzie, proszę koniecznie zatrzymać się u mnie. Całe swoje życie, trzydzieści sześć lat, spędziłem w Tokacie. Tokat jest piękny. I Turcja też jest piękna. (Cisza). Ale niestety nie znamy naszego kraju, nie kochamy naszych rodaków. Ba, brak szacunku dla tego kraju, tego narodu, zdrada nawet są cnotą. Przepraszam, profesorze, czy mogę zadać pytanie? Pan nie jest ateistą, prawda? / — Nie jestem.

---

* Tokat — miasto w środkowej Anatolii, na wschód od Ankary.

/ — Mówią inaczej, ale ja nie wierzę, że człowiek tak wykształcony jak pan może się wyrzec Boga. Nie trzeba też dodawać, że Żydem również pan nie jest, prawda? / — Nie jestem. / — Jest pan muzułmaninem. / — Jestem muzułmaninem, chwała Bogu. / — Profesorze, śmieje się pan, ale proszę potraktować poważnie moje pytanie i odpowiedzieć na nie. Żeby poznać pańską odpowiedź, przyjechałem tutaj z Tokatu mimo tego okropnego śniegu. / — A skąd pan się dowiedział o mnie w Tokacie? / — Profesorze, gazety w Stambule nie piszą o tym, że nie wpuszcza pan do szkoły zasłoniętych dziewcząt, wiernych religii i Koranowi. Są zajęte łajdactwami stambulskich modelek. Ale my w naszym pięknym Tokacie mamy religijne radio Bayrak, które podaje, gdzie w kraju krzywdzi się prawdziwych muzułmanów. / — Ja nie krzywdzę prawdziwych muzułmanów, ja też boję się gniewu Bożego. / — Profesorze, od dwóch dni jestem w drodze, w tym okropnym śniegu. W autobusach wciąż rozmyślałem o panu i, proszę mi wierzyć, bardzo dobrze wiedziałem, że pan powie: „Boję się gniewu Bożego!". I wtedy wyobrażałem sobie, że zadam panu takie oto pytanie: Jeśli boisz się gniewu Bożego, panie profesorze Nuri Yılmaz, i jeśli wierzysz, że święty Koran jest słowem Bożym, to powiedz no mi, panie profesorze, co myślisz na temat cudownego trzydziestego pierwszego wersetu sury Światło?* / — Owszem, w wersecie tym wyraźnie mówi się, by kobiety zasłaniały głowy, a nawet twarze. / — Odpowiedziałeś pięknie i uczciwie, wielkie dzięki, profesorze. Czy wobec tego mogę zadać pytanie: Jak godzisz ten rozkaz Boży z zamknięciem dla naszych dziewcząt drzwi twojej szkoły? / — Zakaz wstępu dziewczętom w chustach do klas, a nawet na teren szkoły wprowadzony został przez nasze laickie państwo. / — Profesorze, przepraszam, mogę zadać w takim razie kolejne pytanie? Czy rozkaz państwa jest ważniejszy niż nakaz Boski? / — Dobre pytanie. Ale w laickim państwie to dwie różne rzeczy. / — Ma pan świętą rację, profesorze. Pan pozwoli, że ucałuję pana dłoń.

---

* Sura Światło (Nur) — 24 sura Koranu.

Proszę się nie bać, profesorze, proszę dać mi rękę, ucałuję. Och, wielkie dzięki. Teraz widzi pan, jak bardzo pana szanuję. Czy mogę więc, profesorze, bardzo proszę, zadać kolejne pytanie? / — Ależ proszę bardzo. / — Profesorze, czy laickość to to samo, co ateizm? / — Nie. / — To dlaczego prawdziwe muzułmanki, spełniające religijny nakaz, nie są wpuszczane na zajęcia pod pretekstem laickości? / — Naprawdę, synu, taka dyskusja do niczego nie prowadzi. Całymi dniami debatują o tym w telewizji w Stambule i czy coś się zmienia? Ani dziewczyny nie zdejmują chust, ani nie są wpuszczane na lekcje. / — Dobrze, profesorze, czy wobec tego mogę zadać pytanie? Proszę wybaczyć, ale czy pozbawienie zasłoniętych dziewcząt — tych pracowitych, tych przykładnych, tych posłusznych dziewcząt, które wychowaliśmy z wielkim poświęceniem — czy pozbawienie ich szansy nauki stoi w zgodzie z konstytucją, prawem do kształcenia i wolnością wyznania? Proszę powiedzieć, profesorze, co na to pańskie sumienie? / — Jeśli te dziewczyny są takie posłuszne, to zdejmą z głów swoje chustki. Jak ty się w ogóle nazywasz, synu, gdzie mieszkasz, co robisz? / — Jestem kuchennym w *çayhane* Şenler, tuż obok słynnej łaźni Pervane Hamamı w Tokacie. Odpowiadam za palniki i czajniki. Moje imię nie ma znaczenia. Całymi dniami słucham radia Bayrak. Czasem utkwi mi w głowie jakaś niesprawiedliwość czyniona prawdziwym muzułmanom i dlatego, profesorze, że mieszkam w demokratycznym państwie i że jestem wolnym człowiekiem, żyjącym w zgodzie z własnym sumieniem, wsiadam do autobusu i jadę do tego, kto zmącił mój spokój, gdziekolwiek mieszka, a potem pytam go, patrząc mu w twarz, o powody tej niesprawiedliwości. Dlatego też proszę odpowiedzieć na moje pytanie, profesorze. Czy rozkaz państwa jest ważniejszy niż nakaz Boski? / — Ta dyskusja prowadzi donikąd. W którym hotelu mieszkasz? / — Doniesiesz na policję? Nie bój się mnie, profesorze. Nie należę do żadnej religijnej organizacji. Nienawidzę terroru i wierzę w spory ideologiczne i Bożą miłość. Dlatego, choć jestem bardzo nerwowy, po skończonym sporze jeszcze nigdy nikogo nie tknąłem palcem. Ale chcę, żebyś odpowiedział na takie pytanie. Przepraszam, profesorze, czy nie gryzie pana sumienie, kiedy patrzy pan na cierpienia dziewcząt tyranizowanych pod drzwiami szkoły? A przecież zasady postępowania są dokładnie objaśnione w surach Frakcje* i Światło świętego Koranu, który jest słowem Bożym. / — Synku, święty Koran każe też obcinać rękę złodziejowi, ale państwo nie obcina. Dlaczego temu się nie sprzeciwiasz? / — Przecudna odpowiedź, profesorze. Bóg zapłać. Ale czy ręka złodzieja jest tym samym, co cnota naszych kobiet? Według badań przeprowadzonych przez amerykańskiego muzułmanina, czarnoskórego profesora Marvina Kinga, w krajach islamskich, gdzie kobiety noszą czarczafy, liczba gwałtów zmalała niemal do zera, a zjawisko molestowania prawie nie istnieje. Ponieważ kobieta zasłonięta czarczafem poprzez strój mówi mężczyźnie: „Proszę mnie nie molestować". Profesorze, czy mogę zadać pytanie? Czy odmawiając zasłoniętym dziewczętom wykształcenia, czy wyrzucając je poza społeczny nawias, a w zamian lansując poodkrywane rozpustnice, nie robimy z cnoty naszych kobiet nic niewartego towaru, tak jak stało się w Europie po rewolucji seksualnej? Proszę wybaczyć, ale czy samych siebie nie stawiamy w roli ich stręczycieli? / — Synu, ja zjadłem już swój rogalik, wybacz, ale wychodzę. / — Siadaj na miejscu, profesorze, siadaj, bo użyję tego. Widzisz, co to, profesorze? / — Pistolet. / — Tak, profesorze. Proszę wybaczyć, ale specjalnie dla ciebie przebyłem kawał drogi. Głupi nie jestem, pomyślałem, że pewnie nie zechcesz mnie wysłuchać, musiałem więc temu zapobiec. / — Jak się nazywasz, synu? / — Vahit Jakiśtam, Salim Takiowaki. Co za różnica, profesorze? Jestem bezimiennym obrońcą bezimiennych bohaterów, którzy walczą o swoją wiarę i są krzywdzeni w tym laickim, materialistycznym kraju. Nie należę do żadnej organizacji. Szanuję prawa człowieka i brzydzę się przemocą. Dlatego chowam pistolet do kieszeni i proszę pana o odpowiedź tylko na jedno pytanie. / — Dobrze. / — Najpierw, profesorze, za pomocą jednego

---

* Sura Frakcje (Al-Ahzaab) — 33 sura Koranu.

rozporządzenia z Ankary przekreśliliście wszystkie te mądre, pracowite dziewczyny, prymuski, ukochane córki rodziców, których wykształcenie zajęło całe lata. Kiedy wpisywały się na listę, usunęliście ich nazwiska, gdyż nosiły chusty. Profesor siedzący w *çayhane* z siedmioma uczennicami, z których tylko jedna zasłaniała włosy, zamówił sześć herbat, tak jakby ta jedna nie istniała. One przez was płakały, bo były dla was niczym. Ale i tego było wam mało. Kolejnym rozporządzeniem z Ankary najpierw zabroniliście im wstępu do klas, potem wyrzuciliście je na korytarze, a z korytarzy na ulice. Kiedy garstka upartych, bohaterskich dziewcząt, które nie porzuciły chust, trzęsąc się z zimna, stała w drzwiach szkoły, by głośno mówić o swojej krzywdzie, zadzwoniliście po policję. / — Nie my wezwaliśmy policję. / — Profesorze, kłamiesz ze strachu przed pistoletem, który trzymam w kieszeni. Jaka część twojego sumienia pozwoliła ci spać spokojnie, kiedy policja wlokła te dziewczyny na komisariat? Oto moje pytanie. / — Rzeczywiście, zrobienie z chusty symbolu i przedmiotu gry politycznej bardzo nimi wstrząsnęło. / — Jakiej gry, profesorze? Dziewczyna, która wpadła w depresję, bo nagle musiała wybierać między szkołą i własną godnością, popełniła, niestety, samobójstwo. To jest gra? / — Synu, jesteś bardzo zdenerwowany, ale czy nigdy nie przyszło ci do głowy, że za nadaniem tym chustom politycznego wymiaru kryje się ktoś z zewnątrz, że komuś zależy na podziale i osłabieniu Turcji? / — Gdybyś wpuścił je do szkoły, nie byłoby sprawy! / — A czy to tylko ode mnie zależy, synu? To decyzja Ankary. Moja żona też nosi chustę. / — Nie schlebiaj mi tu, profesorze, tylko odpowiadaj na pytanie. / — Na które pytanie? / — Nie gryzie cię sumienie? / — Też jestem ojcem, synu, i szkoda mi tych dziewczyn. / — Słuchaj no, świetnie panuję nad sobą, ale jestem nerwowy z natury. Jak mnie szlag trafi, to grób, mogiła. W więzieniu pobiłem człowieka, bo nie zasłaniał gęby przy ziewaniu. Dzięki mnie wszyscy z mojej celi wyszli na ludzi, wszyscy pozbyli się nałogów i zaczęli się modlić. A ty teraz nie kręć, tylko odpowiadaj na pytanie. Co powiedziałem przed chwilą? / — O co pytałeś, synu? Opuść broń. / — Nie pytałem o to, czy masz córkę i czy ci nie żal. / — Przepraszam, synu, a o co pytałeś? / — Boisz się pistoletu, dlatego się podlizujesz. Przypomnij sobie, o co pytałem... (Cisza). / — Więc o co pytałeś? / — O twoje sumienie, bezbożniku, pytałem, czy cię nie gryzie. / — Pewnie, że gryzie. / — To czemu to robisz, draniu? / — Synu, jestem profesorem, mógłbym być twoim ojcem. Czy w świętym Koranie jest nakaz: mierzcie z broni do starszych i obrażajcie ich? / — Ty mi nawet nie wspominaj o świętym Koranie, dobra? I nie patrz tak na prawo i lewo, jakbyś szukał pomocy. Jeśli krzykniesz, strzelę od razu, bez mrugnięcia okiem. Zrozumiałeś? / — Zrozumiałem. / — To odpowiedz na takie pytanie: Jaką korzyść będzie miał ten kraj z tego, że kobiety zdejmą chusty? Podaj powód, w który wierzysz, z którym godzi się twoje sumienie. Powiedz na przykład, że będą traktowane na równi z kobietami Europy, wtedy zrozumiem chociaż twoje zamiary, nie zastrzelę, daruję. / — Drogi synu. Sam mam córkę, która chustki nie nosi. Nie wpływałem na jej decyzje tak samo, jak nie robiłem tego w wypadku swojej żony, która nosi chustę. / — A czemu twoja córka zdjęła chustę? Chce być artystką? / — Nic mi o tym nie wiadomo. Studiuje public relations w Ankarze. Była dla mnie oparciem, kiedy stałem się celem ataków w kwestii chust, kiedy byłem przygnębiony, kiedy spotykały mnie oszczerstwa, groźby, gniew moich wrogów i innych osób, tak jak pan, słusznie oburzonych. Dzwoniła do mnie z Ankary... / — Mówiła: „Ojciec, zagryź zęby, bo muszę zostać artystką?". / — Nie, synu. Ona tak nie mówi. Mówi: „Tatusiu, ja sama nigdy nie miałabym odwagi wejść z odsłoniętą głową do klasy, w której wszystkie dziewczęta noszą chusty. Zakryłabym się wbrew własnej woli". / — A stałoby się coś złego, gdyby twoja córka zasłoniła się wbrew woli? / — Naprawdę nie będę o tym dyskutować. Pytał pan o powód. / — Ty draniu. Czyli każąc pałować i dręczyć pozasłaniane, wierzące dziewczyny, doprowadzasz do ich samobójczej śmierci dla przyjemności własnej córki? / — Motywacje mojej córki są motywacjami wielu Turczynek. / — Nie rozumiem, o jakich Turczynkach mówisz, skoro dziewięćdziesiąt procent z nich nosi zasłony. Jesteś dumny, że twoja córka się rozbiera, ty okrutny tyranie. Więc wbij sobie do głowy: nie jestem profesorem, ale w tej sprawie wiem więcej od ciebie. / — Drogi panie, bardzo proszę nie trzymać tak tej broni. Pan jest zdenerwowany. Jak wypali, może pan pożałować. / — Czego mam żałować? Jechałem w śniegu przez dwa dni po to, żeby sprzątnąć bezbożnika. Święty Koran mówi: błogosławiony ten, kto niszczy ciemiężyciela ludzi prawdziwej wiary. Ale żal mi się ciebie zrobiło, więc daję ci ostatnią szansę. Podaj mi jeden powód, dla którego nasze dziewczęta powinny się poodsłaniać i porozbierać, jeden jedyny, zgodny z twoim sumieniem, a daruję ci życie. / — Kiedy kobieta zdejmie zasłonę, może swą społeczną rolę odegrać swobodniej i cieszyć się większym szacunkiem. / — To dotyczy chyba tylko twojej córki, która chce zostać artystką. Zasłona ochroniła kobietę, zwłaszcza przed gwałtem, molestowaniem i poniżeniem. To zasłona sprawiła, że kobieta może łatwiej wyjść między ludzi. Była tancerka brzucha Melahat Şandra i inne kobiety, które jako osoby dorosłe zdecydowały się założyć czarczaf, wyjaśniają, że zasłona uwolniła je od bycia godnym pożałowania przedmiotem, grającym na zwierzęcym instynkcie mężczyzny i rywalizującym z innymi kobietami w wyścigu piękności, więc zmuszonym zawsze robić sobie makijaż. A jak dowodzi amerykański muzułmanin, czarnoskóry profesor Marvin King, gdyby znana artystka Elizabeth Taylor przez ostatnich dwadzieścia lat nosiła czarczaf, nie trafiłaby do zakładu psychiatrycznego z powodu kompleksu na tle otyłości i żyłaby szczęśliwie. Przepraszam, profesorze, czy mogę zadać pytanie: Czemu się śmiejesz, profesorze, czy to, co mówię, jest takie śmieszne? (Cisza). Gadaj no, obmierzły ateisto, z czego się śmiejesz? / — Drogi panie, proszę mi wierzyć, nie śmieję się. A jeśli nawet, to dlatego, że mi nerwy puszczają. / — Nieprawda, świadomie się śmiałeś! / — Drogi panie, głęboko współczuję ludziom takim jak pan, jak te dziewczęta i tym, którzy cierpią w naszym kraju, walcząc o to, w co wierzą. / — Nie podlizuj się. Ja wcale nie cierpię. Ale ty będziesz teraz cierpiał za to, że naśmiewasz się ze zmarłych dziewcząt. Skoro się śmiejesz, to skruchy też pewnie nie wyrazisz. W takim razie już ci mówię, jak się sprawy mają. Przywódcy organizacji Sprawiedliwość Bojowników Islamu już dawno wydali na ciebie wyrok śmierci, decyzja zapadła pięć dni temu, podczas głosowania w Tokacie, a ja zostałem wysłany w celu przeprowadzenia egzekucji. Gdybyś się nie śmiał i żałował swoich win, może bym ci darował życie. Bierz no tę decyzję i czytaj... (Cisza). Czytaj głośno, nie rycz jak baba, dalej, draniu, albo strzelam od razu. / — „Ja, ateista, profesor Nuri Yılmaz...", synu, ja nie jestem ateistą... / — Czytaj! / — A kiedy przeczytam, czy zastrzeli mnie pan? / — Zastrzelę, jak nie przeczytasz. Czytaj. / — „Ja jako narzędzie sekretnego planu, mającego na celu odarcie muzułmanów laickiej Republiki Turcji z godności, odsunięcie ich od własnej religii i uczynienie z nich niewolników Zachodu, dręczyłem oddane wierze i Bogu dziewczęta za to, że nie odsłaniają włosów i nie sprzeciwiają się słowom świętego Koranu, przez co doprowadziłem do samobójczej śmierci jedną z prawdziwych muzułmanek..." Panie drogi, jeśli pan pozwoli, wnoszę sprzeciw. I proszę przekazać go pańskim zwierzchnikom. Ta dziewczyna nie powiesiła się dlatego, że nie wpuściliśmy jej do szkoły, ani dlatego, że musiała się poddać woli ojca. Narodowa Organizacja Wywiadowcza poinformowała nas, że to była nieszczęśliwa miłość. / — Ale w liście, który zostawiła, o niczym takim nie wspomina. / — A nawet — mówię to, z góry prosząc o wybaczenie, i proszę opuścić tę broń — ta głupia dziewczyna bez ślubu straciła cnotę ze starszym o dwadzieścia pięć lat policjantem. A kiedy dowiedziała się, że mężczyzna jest żonaty i wcale nie ma zamiaru się z nią wiązać... / — Milcz, łajdaku! Takie rzeczy możesz wygadywać o swojej zdzirowatej córce. / — Nie rób tego, dziecko, nie rób tego, synu. Jeśli strzelisz, twoje życie też legnie w gruzach. / — Mów, że żałujesz! / — Żałuję, dziecko, nie strzelaj. / — Otwieraj usta, odbezpieczam pistolet... Teraz ty naciśnij na cyngiel. Zdechniesz jak bezbożnik, ale zachowasz honor. (Cisza). / — Dziecko, zobacz, w jakim jestem stanie, w tym wieku płaczę i błagam: żałuj nie mnie, lecz siebie. Szkoda twojej młodości, będziesz zabójcą.

/ — W takim razie ty naciśnij cyngiel. Zobacz, jak smakuje samobójstwo. / — Dziecko, jestem muzułmaninem, jestem przeciwnikiem samobójstw! / — Otwieraj gębę. (Cisza). Nie rycz tak... Nigdy wcześniej nie przyszło ci do głowy, że pewnego dnia zapłacisz za wszystko? Nie rycz, bo zastrzelę. / (W oddali głos starego kelnera.) — Proszę pana, czy przynieść herbatę do stolika? / — Nie, dzięki. Już wychodzę. / — Nie patrz na kelnera, czytaj dalej treść wyroku. / — Synu, wybaczcie mi. / — Czytaj, mówię. / — „Wstydzę się wszystkich swoich czynów, wiem, że zasłużyłem na śmierć, i aby wielki Bóg mi wybaczył..." / — Czytaj... / — Szanowny młodzieńcze, pozwól staremu człowiekowi na łzy. Pozwól, niech ostatni raz pomyślę o mojej córce i żonie. / — Myśl o tych, które zgnębiłeś. Jedna przeszła załamanie nerwowe, trzy usunąłeś ze szkoły już w trzeciej klasie, kolejna popełniła samobójstwo, a reszta rozchorowała się na mrozie, gdy wyrzuciłeś je na bruk. Wszystkim zmarnowałeś życie. / — Bardzo żałuję, drogi panie. Ale proszę pomyśleć czy warto zostać mordercą, zabijając kogoś takiego jak ja. / — Dobrze. (Cisza). Pomyślałem, profesorze, i posłuchaj, co mi przyszło do głowy. / — Co? / — Przez dwa dni plątałem się z pustymi rękami po tym przeklętym mieście, by cię znaleźć i wykonać wyrok. Pomyślałem, że widocznie nie było nam to pisane, kupiłem bilet powrotny do Tokatu i właśnie piłem ostatnią herbatę, kiedy... / — Synu, masz zamiar mnie zabić i uciec z Karsu ostatnim autobusem, ale drogi zasypał śnieg, sześć kursów odwołano. Żebyś potem nie żałował. / — Miałem właśnie wracać, kiedy Bóg przysłał cię tu, do tej cukierni. Zatem skoro Bóg ci nie darował, to dlaczego ja mam postąpić inaczej? Pora na twoje ostatnie słowo. Złóż wyznanie wiary. / — Siadaj na krześle, synu. To państwo was wszystkich wyłapie, wszystkich was powiesi. / — Wyznaj wiarę. / — Uspokój się, synu, siadaj, pomyśl trochę. Nie rób tego, stój. (Odgłos strzału, hałas upadającego krzesła). Synu, nie! (Dwa odgłosy strzału. Cisza, jęk, dźwięk telewizora. Kolejny strzał. Cisza).

6.

Miłość, religia i poezja
Smutna opowieść Muhtara

Ipek pożegnała Ka przed drzwiami budynku Halita Paszy i wróciła do hotelu. Ka nie poszedł od razu do mieszczącej się na drugim piętrze wojewódzkiej centrali Partii Dobrobytu, ale przystanął na chwilę między bezrobotnymi, czeladnikami i grupką próżniaków wałęsających się po korytarzu. Wciąż miał przed oczami obraz walczącego o życie dyrektora ośrodka kształcenia, czuł żal i wyrzuty sumienia, chciał dzwonić do zastępcy komendanta policji, z którym rozmawiał wczesnym rankiem, do stambulskiej redakcji „Cumhuriyetu", dokądkolwiek. Ale w budynku tętniącym gwarem *çayhane* i zakładów fryzjerskich nie znalazł miejsca, z którego mógłby zatelefonować.

Zajrzał do lokalu, na którego drzwiach wywieszono tabliczkę z napisem: „Towarzystwo Miłośników Zwierząt". Telefon był, ale ktoś właśnie rozmawiał. Ka nie miał zresztą pewności, czy jeszcze chce gdziekolwiek dzwonić. Kiedy wyszedł przez uchylone drzwi, znajdujące się po drugiej stronie pomieszczenia, trafił do sali z niewielkim ringiem pośrodku i zdjęciami kogutów zawieszonymi na ścianach. Tu, w sali kogucich walk, ku swemu wielkiemu zaskoczeniu poczuł, że jest zakochany w Ipek i że ta miłość będzie miała decydujący wpływ na jego dalsze życie. Przeraził się.

Pewien lubujący się w walkach kogutów zamożny „miłośnik zwierząt" doskonale zapamiętał, jak Ka wszedł tego dnia do siedziby towarzystwa, a potem siedział w zadumie na jednej z pustych ławek otaczających ring. Poeta wypił wtedy jedną herbatę i przeczytał regulamin walk, wypisany na ścianie wielkimi literami:

- KOGUT, KTÓRY WCHODZI NA RING, NIE MOŻE BYĆ BRANY NA RĘCE BEZ ZGODY WŁAŚCICIELA.
- JEŚLI KOGUT PADNIE NA RING TRZY RAZY Z RZĘDU, I NIE UDZIOBIE, PRZEGRYWA.
- PRZY ZŁAMANIU OSTROGI — 3 MINUTY PRZERWY NA OPATRZENIE RANY, PRZY ZŁAMANIU PAZURA — 1 MINUTA PRZERWY.
- JEŚLI KOGUT PADNIE NA RING, A PRZECIWNIK NADEPNIE MU NA SZYJĘ, LEŻĄCEGO KOGUTA PODNOSI SIĘ, A WALKA ZOSTAJE WZNOWIONA.
- W WYPADKU WYŁĄCZENIA PRĄDU NALEŻY ODCZEKAĆ 15 MINUT. JEŚLI PO TYM CZASIE PRĄDU NIE WŁĄCZĄ, WALKA ZOSTAJE ODWOŁANA.

Wychodząc piętnaście po drugiej z siedziby Towarzystwa Miłośników Zwierząt, Ka zastanawiał się, jak mógłby uciec z Karsu, zabierając z sobą Ipek.

Wojewódzka centrala Partii Dobrobytu mieściła się na tym samym piętrze co kancelaria adwokacka byłego burmistrza z ramienia Partii Ludowej, pana Muzaffera. Teraz pogaszono tam już wszystkie lampy. (Pośrodku znajdowała się jeszcze *çayhane* Dostlar i zakład krawiecki Yeşil Terzi). Poranna wizyta w biurze prawnika wydawała się już tak odległą historią, że wchodząc do siedziby partii, Ka nie mógł się nadziwić, że znów znalazł się na tym samym korytarzu tego samego budynku.

Minęło dwanaście lat od czasu, gdy Ka ostatni raz widział Muhtara. Kiedy się objęli i ucałowali, Ka zauważył, że tamten przytył, a włosy mu się przerzedziły i posiwiały. Muhtar jak zwykle nie wyróżniał się niczym szczególnym, a w kąciku jego ust żarzył się nieodłączny papieros.

— Zabili dyrektora ośrodka kształcenia — powiedział Ka.

— Żyje, właśnie podali w radiu — odpowiedział tamten. — A ty skąd o tym wiesz?

— Siedział jak my w cukierni Yeni Hayat, tej, z której Ipek dzwoniła do ciebie — wyjaśnił Ka i opowiedział szczegółowo całe zdarzenie.

— Dzwoniliście na policję? — zapytał Muhtar. — Co zrobiliście potem?

Ka wyjaśnił, że Ipek wróciła do domu, a on przyszedł prosto tutaj.

— Mamy pięć dni do wyborów i wygraną w kieszeni, więc państwo staje na głowie, żeby wplątać nas w jakąś aferę — stwierdził Muhtar. — Polityka partii w całym kraju zakłada odpowiedzialność za nasze siostry w chustach. A teraz, kiedy zostaje postrzelony drań, który nie chciał ich wpuszczać do szkoły, świadek zdarzenia przychodzi tu, do centrali, nie mówiąc nawet słowa policji.

Atmosfera nagle zgęstniała.

— Proszę, zadzwoń do nich natychmiast i wszystko opowiedz — zażądał Muhtar i podał Ka telefon gestem gospodarza dumnego, że może czymś poczęstować swego gościa.

Poeta wziął słuchawkę, a Muhtar, zerkając do zeszytu, wybrał numer.

— Znam zastępcę komendanta policji, pana Kasıma — powiedział Ka ostrożnie.

— Skąd go znasz? — zapytał Muhtar z irytującą podejrzliwością.

— Pan Serdar, dziennikarz, nad ranem zaprowadził mnie najpierw do niego... — zaczął tłumaczyć Ka, ale w tym momencie telefonistka połączyła go z zastępcą komendanta.

Znów zaczął opowiadać o wszystkim, co widział w cukierni Yeni Hayat. Muhtar wykonał dwa pospieszne, niezdarne kroki i niewyraźnie się uśmiechając, przysunął ucho do słuchawki. Teraz każdy z nich czuł na twarzy oddech drugiego. Ka nie miał pojęcia, dlaczego pozwala tamtemu na udział w rozmowie z zastępcą komendanta policji, ale czuł, że tak trzeba. Nie mógł określić twarzy napastnika, za to dwukrotnie opisał jego niepozorną sylwetkę.

— Proszę natychmiast tu przyjść, spiszemy zeznania — usłyszał w słuchawce spokojny głos komisarza.

— Jestem w siedzibie Partii Dobrobytu — odparł Ka. — Zaraz przyjdę.

Zapadła cisza.

— Niech pan chwilę poczeka — rozkazał zastępca komendanta.

Obaj słyszeli, jak odsuwa od twarzy słuchawkę i szeptem z kimś rozmawia.

— Proszę wybaczyć, pytałem o wóz dyżurny — wyjaśnił. — Ten śnieg już chyba nigdy nie przestanie padać. Za chwilę wyślemy po pana samochód.

— Dobrze zrobiłeś, przyznając się, że jesteś tutaj — powiedział Muhtar zaraz po skończonej rozmowie. — I tak wszystko wiedzą. Wszystkich podsłuchują. Nie chcę, żebyś mnie źle zrozumiał albo myślał, że mam do ciebie pretensje...

Ka poczuł gniew, jak w czasach, gdy politykierzy próbowali upatrywać w nim burżuja z Nişantaşı. To oni jeszcze w liceum, podszczypując innych w tyłki, starali się przylepić swoim przeciwnikom etykietki homoseksualistów, później zaś porzucili ten zwyczaj na rzecz gry we wzajemne oskarżanie się o donosicielstwo. Ka zawsze trzymał się z dala od polityki, w obawie przed wtłoczeniem w rolę szpicla siedzącego w radiowozie i palcem wskazującego dom, który należy przeszukać. I chociaż teraz Muhtar — kandydat odwołującej się do szarijatu partii religijnej — robił to, co dziesięć lat temu jemu samemu wydawałoby się niegodne, to właśnie Ka był zmuszony do wyszukiwania wymówek i tłumaczenia się.

Zadzwonił telefon i Muhtar odebrał z poważną miną. W rozmowie z pracownikiem telewizji Przygraniczny Kars twardo negocjował cenę reklamy swojego sklepu z artykułami gospodarstwa domowego. Spot miał być wyemitowany tego wieczoru, podczas transmisji telewizyjnej na żywo.

Kiedy odłożył słuchawkę, zapadła cisza. Milczeli jak dwoje obrażonych na siebie dzieci. Ka myślał o tym, co powinni byli sobie powiedzieć przez te wszystkie lata. Najpierw Ka przemówił do siebie w myślach: „Skoro obaj nie odnieśliśmy specjalnych sukcesów ani zwycięstw, nie jesteśmy też szczególnie szczęśliwi, to znaczy, że życie jest trudne. I nie wystarczy zostać poetą... Dlatego tak bardzo przytłoczył nas cień polityki". Potem pomyślał: „Nie udało się w poezji, przyszedł czas na politykę".

Ka z jeszcze większą pogardą spojrzał na Muhtara. Wciąż nie mógł zapomnieć, że Muhtar triumfuje w przededniu pewnego zwycięstwa w wyborach, a on sam jest tylko średnim poetą, co było oczywiście o wiele lepsze niż bycie poetą byle jakim. Żaden z nich przenigdy nie przyznałby się do szczęścia, żaden też nie odkryłby przed drugim urazy, jaką miał do życia. Stało się to, czego obaj najbardziej się obawiali — przyzwyczaili się do niesprawiedliwości otaczającego ich świata. Ka przestraszył się na myśl, że obaj tak samo potrzebowali Ipek, by wyrwać się z potrzasku.

— Podobno masz recytować swój ostatni wiersz dziś wieczorem podczas przedstawienia — odezwał się Muhtar z ledwo widocznym uśmiechem.

Ka wrogo spojrzał w wiecznie pochmurne piwne oczy człowieka, który kiedyś był mężem Ipek.

— Spotkałeś w Stambule Fahira? — zapytał Muhtar i tym razem uśmiech stał się wyraźniejszy.

Teraz Ka także mógł się uśmiechnąć. W każdym z tych dziwnych uśmiechów zawarty był szacunek pomieszany z troską. Fahir był ich rówieśnikiem. Od dwudziestu lat niezłomnie bronił modernistycznej poezji Zachodu. Skończył szkołę Saint Joseph*, a za pieniądze otrzymane od babki — bogatej i zwariowanej kobiety, która podobno mieszkała kiedyś w pałacu — jeździł raz w roku do Paryża i, upchnąwszy w walizce wszystkie kupione w antykwariatach na Saint Germain książki, wracał do Stambułu, gdzie na łamach finansowanych przez siebie periodyków, w wydawnictwach, które otwierał, a potem doprowadzał do plajty, drukował tureckie tłumaczenia tych książek, wiersze własne i innych modernistycznych poetów tureckich. I choć wszyscy szanowali zapał Fahira, to powstająca pod wpływem tych wierszy, tłumaczonych na turecki, jego własna poezja była pozbawiona polotu, kiepska i niezrozumiała.

Ka odpowiedział, że nie mógł zobaczyć się z Fahirem.

— Kiedyś, jako poecie, bardzo zależało mi na jego uznaniu — wyznał Muhtar. — Ale on zawsze mnie lekceważył, dlatego że zamiast czystą formą zajmowałem się folklorem i „lokalnym pięknem". Minęły lata, kolejne wojskowe przewroty, wszyscy poszli do więzień i z nich wyszli, a ja nie mogłem znaleźć dla siebie miejsca. Ludzie, których miałem za wzór, zmienili się, ci, którym chciałem się przypodobać — przepadli. Ani w życiu, ani w poezji nie osiągnąłem niczego, co przybliżyłoby moje marzenia. Zamiast żyć w Stambule nieszczęśliwie, niespokojnie i bez grosza przy duszy, wróciłem do Karsu. Przejąłem sklep po ojcu. Sklep, którego

---

* Saint Joseph — prestiżowe prywatne liceum w Stambule, z wykładowym językiem francuskim.

kiedyś tak bardzo się wstydziłem. I to też nie dało mi szczęścia. Miałem w pogardzie mieszkańców tego miasta, patrzyłem na nich z niesmakiem, tak jak Fahir na moje wiersze. I tutejsi ludzie, i sam Kars byli sztuczni. Tutaj każdy chciał albo umrzeć, albo stąd uciec. A ja nie miałem nawet dokąd uciekać. Tak jakbym został wyrzucony poza nawias historii i cywilizacji. Zresztą cywilizacja była tak daleko, że nie potrafiłem nawet jej naśladować. A do tego jeszcze Bóg nie dał mi dziecka, o którym marzyłem, że zrobi to, czego ja nie mogłem dokonać — że pewnego dnia stanie się godnym, wolnym od uprzedzeń nowoczesnym człowiekiem Zachodu.

Ka spodobało się, że Muhtar potrafił żartować z siebie, uśmiechając się lekko, jakby jego wnętrze wypełniało jakieś światło.

— Wieczorami piłem, do domu wracałem późno, żeby nie kłócić się z moją śliczną Ipek. To była jedna z tych nocy, kiedy wszystko zamarza, nawet ptaki w locie. Wyszedłem jako ostatni gość z restauracji Yeşilyurt i wracałem do domu przy alei Armii, w którym wtedy mieszkaliśmy. Taki spacer nie trwa dłużej niż dziesięć minut, choć to i tak sporo jak na Kars. Ale ja wypiłem za dużo i zgubiłem się na prostej drodze. Ulice były puste. Jak zawsze mroźną nocą Kars przypominał wyludnione miasto, a domy, do których pukałem, okazywały się ormiańskimi kamienicami, pustymi od osiemdziesięciu lat. Mieszkańcy pozostałych, zakopani w kołdrach niczym zwierzęta zapadające w zimowy sen, nie chcieli wyglądać ze swoich kryjówek.

Nagle spodobało mi się to, że miasto jest takie opustoszałe. Czułem, jak dzięki sile alkoholu i zimna całe moje ciało zalewa słodka senność. I postanowiłem w ciszy rozstać się z życiem. Zrobiłem jeszcze kilka kroków, położyłem się na zamarzniętym chodniku pod jakimś drzewem. Czekałem na sen i śmierć. Pijany na takim mrozie może zamarznąć w kilka minut. Kiedy mięciutka senność zaczynała już tętnić w moich żyłach, przed oczami stanęło mi wymarzone dziecko, którego nigdy nie miałem. Bardzo się ucieszyłem: to był chłopiec, dorósł, włożył krawat, ale nie taki jak nasi sztywni urzędnicy, wyglądał jak Europejczyk. Już miał mi coś powiedzieć, gdy nagle przystanął i pocałował w rękę jakiegoś starca. Jego postać emanowała dziwnym światłem. Właśnie wtedy oślepiła mnie jasność i ocknąłem się. Wstałem z nadzieją i żalem. Zobaczyłem, że niedaleko otwarto jakieś drzwi, jacyś ludzie wchodzili do środka i stamtąd wychodzili. Słuchając podszeptów wewnętrznego głosu, poszedłem za nimi. Wzięli mnie do siebie, wprowadzili do jasnego i ciepłego domu. Ci ludzie byli szczęśliwi, inni niż znużeni życiem mieszkańcy Karsu, którzy dawno już stracili wszelką nadzieję. A przecież też byli tutejsi, znajomi! Zrozumiałem, że ten dom to sekretna siedziba kurdyjskiego szejcha*, Saadettina. Od kolegów urzędników słyszałem kiedyś, że na prośbę zamożnych wyznawców, których liczba rosła niemal z dnia na dzień, szejch opuścił swą górską wioskę i przyszedł do biednych, bezrobotnych i nieszczęśliwych mieszkańców Karsu, by nakłonić ich do przyłączenia się do jego wspólnoty. Wtedy nie uwierzyłem w to, sądząc, że policja nie pozwoliłaby na takie sprzeniewierzenie się Republice**. A teraz, zalany łzami, wchodziłem po schodach do domu szejcha! Stało się to, czego latami skrycie się obawiałem i co w czasach, gdy byłem ateistą, uważałem za wyraz słabości i zacofania: wracałem do islamu. W rzeczywistości bałem się tych wyszydzanych w karykaturach bro-

---

* Szejch, szajch — arabski tytuł honorowy, używany m.in. przez przywódców bractw religijnych.

** Bractwa religijne (tur. *tarikat*) zostały w ramach reform przeprowadzonych przez Atatürka zdelegalizowane w całej Turcji w 1925 r.

datych szejchów, odzianych w długie szaty i głoszących wsteczne poglądy. Teraz, wchodząc po schodach z własnej woli, zaniosłem się szlochem. Szejch był dobrym człowiekiem. Zapytał, dlaczego płaczę. Oczywiście nie mogłem powiedzieć, że płaczę upokorzony tym, iż wpadłem między zacofanych fanatyków i ich obłąkanych naśladowców. Poza tym wstydziłem się, że tak straszliwie cuchnę alkoholem. Wyjaśniłem więc, że zgubiłem klucze. Przyszło mi nagle do głowy, że musiałem je upuścić, kiedy kładłem się na ziemi, by umrzeć. Tłum pochlebców zaczął zaraz wskazywać na metaforyczne znaczenie moich kluczy, ale on wysłał ich tylko na poszukiwanie zguby. Zostaliśmy sami i wtedy słodko się do mnie uśmiechnął. Odetchnąłem z ulgą, zrozumiawszy, że to ten sam mędrzec o dobrym sercu, którego widziałem we śnie.

Pocałowałem w rękę tego wielkiego człowieka, który wyglądał jak święty, bo coś kazało mi tak postąpić. Wtedy on zrobił coś, co bardzo mnie zaskoczyło: też ucałował moją dłoń. Poczułem spokój, jakiego nie zaznałem od lat. Natychmiast zrozumiałem, że mogę z nim o wszystkim rozmawiać i opowiedzieć mu całe swoje życie. On natomiast mógł mi pokazać drogę do wielkiego Boga, o którego istnieniu dobrze przecież wiedziałem nawet wtedy, gdy byłem ateistą. I to czyniło mnie szczęśliwym. Znaleźli moje klucze. Potem wróciłem do domu i zasnąłem. Rano samo wspomnienie tamtej przygody wywoływało we mnie wstyd. Jak przez mgłę przypominałem sobie zdarzenia minionej nocy. Poprzysiągłem sobie nigdy więcej nie odwiedzać szejcha. Robiło mi się gorąco na myśl, że mogę gdzieś spotkać któregoś z jego uczniów. Ale kiedy pewnego wieczoru po raz kolejny wracałem z restauracji Yeşilyurt, nogi same zaniosły mnie do jego siedziby. Mimo potwornych wyrzutów, jakie robiłem sobie za dnia, nocą wciąż tam wracałem. Szejch sadzał

mnie obok siebie, słuchał moich żalów i wlewał w moje serce boską miłość. A ja, płacząc za każdym razem, odnajdy-
wałem przemożny spokój. Żeby zachować wszystko w sekrecie, nie wypuszczałem z ręki „Cumhuriyetu", który był
dla mnie najbardziej laicką gazetą, na prawo i lewo narzeka-
łem na pleniących się wszędzie wrogich republice islamistów i pytałem, dlaczego nie organizuje się spotkań w Towarzystwie Myśli Kemalistowskiej*.

To podwójne życie trwało do chwili, gdy Ipek pewnego
razu zapytała mnie, czy jest jakaś inna kobieta. Wyznałem
jej wszystko ze łzami. Ona płakała również. Chciała wiedzieć, czy zostałem fundamentalistą. „Czy teraz każesz mi
włożyć chustę?" — pytała. Przysiągłem, że nigdy nie będę
stawiał takich żądań. Ponieważ czułem, że to, co nas spotkało, było rodzajem zubożenia, chcąc jej ulżyć, opowiadałem,
że w sklepie wszystko w porządku i że mimo przerw w do-
stawach prądu nowe piecyki elektryczne Arçelik świetnie
się sprzedają. Tak naprawdę byłem szczęśliwy, że mogę się
modlić w domu. W księgarni kupiłem książeczkę do modlitwy. Zaczynałem nowe życie.

Kiedy już nieco doszedłem do siebie, pewnego wieczoru spłynęło na mnie natchnienie i napisałem wiersz. Opowiedziałem w nim o swoim kryzysie, o wstydzie, o wzbie-
rającej we mnie miłości do Boga, o spokoju i pierwszym
wejściu po błogosławionych schodach szejcha, o znaczeniu
kluczy — tym zwykłym i tym metaforycznym. Był genialny.
I przysięgam, nie był nawet odrobinę gorszy od tłumaczonej

---

* Towarzystwo Myśli Kemalistowskiej (tur. Atatürkçü Düşünce Der-
neği) — utworzone w 1993 r. jako organizacja użyteczności publicznej
(idea powstała w 1989 r., kiedy wzrosło znaczenie partii konserwatyw-
no-prawicowych, łączących politykę z treściami religijnymi). Zajmuje
się m.in. wydawaniem rozmaitych publikacji na temat Atatürka oraz jego idei i organizacją wykładów.

przez Fahira najnowszej i najmodniejszej poezji Zachodu. Posłałem mu go natychmiast. Czekałem sześć miesięcy — nie ukazał się w żadnym numerze wydawanego przez Fahira „Atramentu Achillesa". W tym czasie napisałem jeszcze trzy wiersze, które wysyłałem co dwa miesiące. Czekałem z niecierpliwością przez rok, ale żaden z nich nie został opublikowany.

W tym okresie przyczyną mojego smutku nie był ani brak dziecka, ani opór Ipek wobec nakazów islamu, ani też ironiczny stosunek do mojej religijnej przemiany moich byłych kolegów, stojących po stronie lewicy i laicyzmu. Zresztą wiele osób powracało wtedy jak ja z ekscytacją do islamu, więc mało kto traktował mnie poważnie. Najbardziej zawiedziony byłem tym, że nie wydrukowano żadnego z wierszy, które wysłałem do Stambułu. Na początku każdego miesiąca, kiedy miał się ukazać kolejny numer pisma, a dni i godziny ciągnęły się w nieskończoność, wmawiałem sobie, że na pewno jeden z nich opublikują właśnie teraz. Prawdziwość wszystkiego, o czym opowiadałem w tej poezji, mogła się równać tylko z prawdziwością poezji Zachodu. Myślałem, że w Turcji właśnie Fahir potrafi to zrozumieć.

Moja krzywda i związana z nią złość zaczęły zatruwać szczęście, które dał mi islam. Nawet modląc się w meczecie, do którego zacząłem chodzić, myślałem o Fahirze. Wciąż chodziłem jak struty. Pewnego wieczoru próbowałem opowiedzieć o wszystkim szejchowi, ale nie zrozumiał ani tego, czym jest poezja modernistyczna, ani René Chara, ani co to jest przerzutnia, ani Mallarmégo, Jouberta, ani nawet ciszy zaklętej w pustym wersie. To podważyło moją wiarę w niego. Poza tym od dłuższego czasu nie robił niczego poza ciągłym powtarzaniem ośmiu czy dziesięciu komunałów w rodzaju: „Trzymaj swe serce w czystości" albo „Miłość Boża wyzwoli cię z tej matni". Nie chcę być niesprawiedliwy: nie był prostym człowiekiem, był tylko człowiekiem o małej wiedzy. A mądry i sprytny szatan, który zagnieździł się we mnie, kiedy byłem ateistą i wyszedł z mojego nawrócenia cało, zaczął znów wodzić mnie na pokuszenie. Tacy jak ja mogą znaleźć spokój tylko w działalności politycznej, oddając się bez reszty jakiejś sprawie. W ten sposób zrozumiałem, że przychodzenie do siedziby partii nada mojemu życiu większy sens niż wizyty w bractwie. A doświadczenie partyjne z czasów fascynacji marksizmem bardzo mi pomogło tutaj, w partii stawiającej na religię i duchowość.

— W jaki sposób? — zapytał Ka.

Nagle zgasło światło. Zapadła długa cisza.

— Nie ma prądu — powiedział Muhtar tajemniczym głosem.

Ka milczał, siedząc nieruchomo w ciemnościach.

7.

„Rozpolitykowany islamista" to etykietka, jaką przylepiła nam prozachodnia laicka prasa

W centrali partii, na policji i znów na ulicach

Coś niepokojącego było w ich milczeniu, gdy tak siedzieli w ciemnościach. Z dwojga złego jednak Ka wolał dziwaczną niepewność od jeszcze dziwaczniejszej rozmowy, jaką prowadzili, zanim wyłączono prąd. Jedyną osobą, która łączyła go z Muhtarem, była Ipek i Ka pragnął teraz rozmawiać tylko o niej. Był w rozterce, ponieważ bardzo nie chciał zdradzić, że jest zakochany. Poza tym bał się, że Muhtar znów zacznie coś opowiadać, a wtedy pomyśli o nim jeszcze gorzej niż teraz. Bał się, że uwielbienie, jakie chciał czuć dla Ipek, już na początku zostanie nadszarpnięte przez świadomość, iż przez lata była żoną takiego nieudacznika.

Dlatego kiedy Muhtar, zmęczony poprzednim tematem, zaczął rozprawiać o ich dawnych przyjaciołach z lewicy i politycznych uciekinierach osiadłych w Niemczech, Ka odetchnął z ulgą. Z uśmiechem powiedział, że jeden z nich — kędzierzawy Tufan z Malatyi, który swego czasu pisywał dla nich teksty na temat Trzeciego Świata — podobno postradał zmysły. Widział go kiedyś na stacji Stuttgart Centrum, jak gwiżdżąc, wycierał podłogi wilgotną szmatą przywiązaną do kija. Muhtar zapytał o Mahmuta, wiecznie ruganego za to, że nie przebierał w słowach. Przystąpił podobno do wspólnoty zwolennika szarijatu Hayrullaha Efendiego i teraz z dawnym zapałem awanturował się o to, która wspólnota powinna sprawować pieczę nad którym meczetem. Jeszcze inny, sympatyczny Sulejman, którego Ka wspominał z humorem, śmiertelnie znudzony życiem na koszt jednej z bawarskich organizacji kościelnych, wspierającej politycznych uciekinierów z krajów Trzeciego Świata, porzucił przytulne Traunstein i wrócił do Turcji, choć wiedział, że od razu trafi za kratki. Wspominali Hikmeta, zamordowanego w tajemniczych okolicznościach, kiedy pracował jeszcze jako szofer w Berlinie; Fadıla, który ożenił się ze starą wdową po nazistowskim oficerze i prowadził z nią do spółki pensjonat, i Tarıka — teoretyka bogacącego się dzięki współpracy z turecką mafią w Hamburgu. Sadık, który kiedyś razem z Muhtarem, Ka, Tanerem i Ipek zajmował się składaniem pojedynczych numerów nowo wydrukowanych gazet, stał teraz na czele grupy szmuglującej nielegalnych robotników przez Alpy do Niemiec. Obrażalski Muharrem wiódł podobno razem z rodziną szczęśliwe życie na jednej ze stacji-widm berlińskiego metra, opustoszałej z powodu zimnej wojny i dzielącego miasto muru. Kiedy wagony mknęły między stacjami Kreuzberg i Alexanderplatz, siedzący w nich emerytowani tureccy socjaliści stawali na baczność w milczącym pozdrowieniu. Byli jak stambulscy bandyci, przechodzący nabrzeżem w Arnavutköy — wpatrzeni w morskie fale oddawali cześć legendarnemu gangsterowi, który pewnego dnia razem z autem przepadł w odmętach cieśniny. Polityczni uchodźcy, nawet jeśli się nie znali osobiście, zerkali na swych towarzyszy, pozdrawiających żyjącego pod ziemią bohatera dawno przegranej sprawy. Pewnego razu w berlińskim metrze Ka spotkał Ruhiego, który wciąż krytykował swych lewicowych kolegów, twierdząc, że zbyt mało interesują się psychologią. Dowiedział się wtedy, że na Ruhim testowano skuteczność reklam nowego rodzaju pizzy z wędzoną wołowiną, jaką zamierzano sprzedawać robotnikom o najniższych dochodach. Ferhat, najszczęśliwszy ze wszystkich uchodźców poznanych przez Ka w Niemczech, wstąpił w szeregi PKK i z właściwą narodowcom pasją napadał na biura Tureckich Linii Lotniczych i był pokazywany w CNN, kiedy rzucał koktajle Mołotowa w budynki tureckich konsulatów. W wolnym czasie, marząc, że kiedyś zacznie pisać wiersze, uczył się kurdyjskiego. O pozostałych znajomych, o których nieco przesadnie wypytywał Muhtar, Ka albo dawno już zapomniał, albo słyszał jedynie, że — jak większość członków drobnych gangów, współpracowników tajnych służb albo osób wplątanych w jakieś ciemne interesy — przepadli, zginęli lub prawdopodobnie zostali zamordowani i wrzuceni do jednego z kanałów.

W świetle zapalonej przez Muhtara zapałki Ka zobaczył kontury starego stołu i gazowego piecyka. Wstał, podszedł do okna i z przyjemnością zaczął się przyglądać padającemu śniegowi.

Śnieg sypał gęsto, wielkimi płatkami. Ich leniwe, pełne harmonii opadanie budziło zaufanie i spokój. Subtelna biel, widoczna na tle błękitnawego światła, spływającego nie wiadomo skąd, oczarowała Ka. Przypomniał sobie swoje dzieciństwo i podobne zimowe wieczory. Kiedy w Stambule burze śnieżne i zamiecie zrywały linie elektryczne, w pogrążonych w ciemnościach domach słychać było przerażone szepty: „Boże, miej nas w opiece", przyspieszające bicie dziecięcego serca. A Ka czuł radość na myśl, że ma rodzinę. Teraz patrzył na konie z trudem ciągnące furmankę: w ciemnościach ledwo mógł dostrzec nerwowe ruchy ich łbów.

— Muhtar, czy ty nadal chadzasz do tego swojego szejcha?

— Do szejcha Saadettina? — zapytał Muhtar. — Czasami. Dlaczego pytasz?

— No i co z tego masz?

— Odrobinę przyjaźni, trochę współczucia. Szejch sporo wie.

Ka zamiast radości wyczuł w głosie Muhtara rozczarowanie.

— W Niemczech żyję jak odludek — powiedział, starając się za wszelką cenę podtrzymać rozmowę. — Kiedy patrzę na dachy Frankfurtu, czuję, że cały ten świat, całe moje życie nie jest na darmo. Słyszę nawet różne głosy.

— Jakie głosy?

— Może dlatego, że się starzeję, że boję się śmierci? — zastanawiał się Ka ze wstydem. — Gdybym był pisarzem, napisałbym o sobie: „Śnieg przypomniał Ka o Bogu". Ale nie wiem, czy to byłaby prawda. Milczenie śniegu przybliża mnie do Boga.

— Religijni ludzie, prawica, muzułmańscy konserwatyści... — Muhtar zaczął szybko wyrzucać z siebie słowa, jakby uległ bezsensownej nadziei. — Bardzo dobrze mi zrobili po latach ateizmu i lewicowych mrzonek. Znajdziesz ich. Jestem pewien, że tobie też pomogą.

— Naprawdę?

— Przede wszystkim religijni ludzie są skromni, ciepli i pełni zrozumienia. Nie lekceważą innych tak jak ci zapatrzeni na Zachód. Współczują, bo sami dostali w kość. Kiedy cię poznają — pokochają i na pewno nie zrobią ci krzywdy.

Chociaż Ka wiedział, że w Turcji wiara w Boga nigdy nie była samotnym spotkaniem człowieka ze stwórcą, ale przede wszystkim oznaczała przystąpienie do jakiejś wspólnoty, rozczarował się tym, że Muhtar, nie wspomniawszy nawet słowem o Bogu i zwykłym człowieku, zaczął opowiadać o korzyściach związanych z życiem w kręgu wiernych. I właśnie dlatego nim pogardzał. Patrząc przez okno z czołem przyklejonym do szyby, tknięty jakimś impulsem, powiedział mu coś zupełnie innego, niż czuł.

— Muhtar, myślę, że gdybym zaczął wierzyć w Boga, byłbyś rozczarowany, może nawet przestałbyś mnie szanować...

— Dlaczego?

— Człowiek Zachodu, samotny i wierzący w pojedynkę, przeraża cię. Niewierzący członek wspólnoty jest dla ciebie bardziej godny zaufania niż wierzący samotnik. Dla ciebie człowiek samotny jest gorszy, nędzniejszy od tego, który nie wierzy.

— Ja jestem bardzo samotny — powiedział Muhtar tak szczerze i tak przekonująco, że Ka poczuł przypływ litości. I nienawiści. Teraz miał wrażenie, że ciemność panująca w pokoju stworzyła między nimi rodzaj pijackiej zażyłości.

— To się nigdy nie stanie, ale załóżmy, że mógłbym zostać bigotem modlącym się pięć razy dziennie. To właśnie cię przeraża. A wiesz dlaczego? Bo ty mógłbyś się oddać religii i wspólnocie tylko wtedy, gdyby tacy jak ja, świeccy bezbożnicy, wzięli na siebie odpowiedzialność za to państwo. W tym kraju modlisz się ze spokojnym sumieniem tylko wtedy, jeśli możesz polegać na pracowitości niewierzących i jeśli ufasz, że właściwie rozegrają sprawy pozareligijne — wezmą na siebie polityczne i handlowe kontakty z Zachodem.

— Ale ty nie jesteś niewierzącym człowiekiem, który zajmuje się państwem albo handlem. Zaprowadzę cię do szejcha, kiedy tylko będziesz chciał.

— Chyba są już nasi policjanci — stwierdził Ka.

Przez nieoszronione fragmenty szyby w milczeniu obserwowali trzech cywili z trudem gramolących się z radiowozu, zaparkowanego tuż przed drzwiami budynku.

— Mam do ciebie prośbę — powiedział Muhtar. — Za chwilę ci ludzie zabiorą nas na komendę. Nie zatrzymają cię, przesłuchają tylko i wypuszczą. Wrócisz do hotelu, a wieczorem jego właściciel, pan Turgut, zaprosi cię na kolację. Pójdziesz. Będą tam oczywiście jego ciekawskie córki. Proszę cię, żebyś przekazał coś Ipek. Słuchasz mnie? Powiedz jej, że znów chcę się z nią ożenić! Popełniłem błąd, żądając, by zasłoniła głowę i ubierała się zgodnie z zasadami islamu. Powiedz jej, że już nigdy nie będę się zachowywał jak nieokrzesany, zazdrosny mąż, że wstydzę się i żałuję, że zmuszałem ją do czegokolwiek w trakcie naszego małżeństwa.

— Czy sam wcześniej nie powiedziałeś Ipek o tym wszystkim?

— Mówiłem, ale bez skutku. Może nie chce mi uwierzyć, bo stoję na czele wojewódzkiego oddziału Partii Dobrobytu? Ty przyjechałeś ze Stambułu, a nawet z Niemiec, jesteś więc kimś zupełnie innym. Jeśli ty to powiesz — uwierzy.

— A tobie, panie przewodniczący, żona bez chusty nie zaszkodzi w politycznej karierze?

— Za cztery dni, z Bożą pomocą, wygram wybory i zostanę burmistrzem — odparł Muhtar. — Ale ważniejsze jest to, żebyś powiedział Ipek, jak bardzo żałuję. Ja pewnie będę jeszcze wtedy w areszcie. Czy możesz to dla mnie zrobić, bracie?

— Dobrze — powiedział Ka po chwili wahania.

Muhtar objął go i pocałował w oba policzki. Ka poczuł coś między współczuciem i awersją, ale miał też do siebie żal, że nie jest jak Muhtar — czysty i szczery.

— I jeszcze bardzo cię proszę, żebyś osobiście wręczył Fahirowi mój wiersz — dodał Muhtar. — Ten, o którym przed chwilą wspomniałem, *Schody*.

Kiedy Ka wsadzał do kieszeni kartkę z wierszem, do pokoju wkroczyli trzej policjanci w cywilu, dwóch miało w rękach potężne latarki. Z ich zachowania wyraźnie wynikało, że doskonale wiedzą, o czym Ka rozmawiał z Muhtarem. Ka natychmiast domyślił się, że pracują dla Narodowej Organizacji Wywiadowczej. Przeglądając jego dokumenty, zapytali, co go tu sprowadziło. Wyjaśnił, że przyjechał ze Stambułu, by dla „Cumhuriyetu" napisać artykuł o wyborach na burmistrza i samobójczyniach.

— Ależ one zabijają się właśnie po to, żebyście o nich pisali! — powiedział jeden z funkcjonariuszy.

— Nie, nie dlatego — odparł Ka buntowniczo.

— A dlaczego?

— Bo jest im źle.

— Nam też jest źle, ale jakoś nie odbieramy sobie życia.

Przez cały ten czas, świecąc latarkami, otwierali szafy, a zawartość szuflad wyrzucali na stół, szukali czegoś w dokumentach. Zajrzeli pod biurko Muhtara, przewrócili je do góry nogami w poszukiwaniu broni. Odsunęli od ściany jedną z szaf, oglądali jej plecy. Ka traktowali o wiele lepiej niż Muhtara.

— Dlaczego po strzelaninie przyszedł pan tutaj zamiast na policję?

— Byłem umówiony.

— W jakiej sprawie?

— Znamy się ze studiów — wyjaśnił Muhtar przepraszającym tonem. — A właścicielka hotelu Karpalas, w którym kolega się zatrzymał, to moja żona. Tuż przed zbrodnią dzwonili do mnie tu, do centrali partii. Umówiliśmy się na spotkanie. Możecie to sprawdzić, przecież wywiad podsłuchuje nasze rozmowy.

— Skąd pan wie, że mamy was na podsłuchu?

— Proszę wybaczyć — odparł Muhtar spokojnie. — Nie wiem, domyślam się. Może nie mam racji.

Ka dostrzegł w zachowaniu Muhtara rezygnację i spokój człowieka, który przywykł już do tej policyjnej szarpaniny, nie zważa na obelgi ani rewizje i traktuje brutalność policji oraz państwa jak coś naturalnego, jak nagłe odcięcia prądu czy zawsze błotniste drogi. Ponieważ sam nie posiadł tej praktycznej umiejętności, poczuł szacunek dla Muhtara.

Kiedy po długim przeszukaniu, rozbebeszeniu szaf i teczek, związaniu i upchnięciu w torbach części dokumentów oraz sporządzeniu protokołu rewizji funkcjonariusze usadzili ich obok siebie w tylnej części radiowozu, Ka dostrzegł tę samą rezygnację w nieruchomych, bladych dłoniach Muhtara, cicho spoczywających na kolanach jak grube, stare psy.

Samochód wolno jechał ośnieżonymi, ciemnymi ulicami Karsu, a oni ze smutkiem patrzyli na bladopomarańczowe światła w oknach starych ormiańskich domów, przebłyskujące zza zaciągniętych do połowy zasłon, na starców z trudem poruszających się po zamarzniętych chodnikach z reklamówkami w rękach i na fasady opustoszałych budynków, samotnych jak nocne widziadła. Na tablicy ogłoszeniowej Teatru Narodowego wisiały afisze spektaklu, który miał się odbyć wieczorem. Robotnicy rozciągający kabel konieczny do telewizyjnej transmisji wciąż pracowali. Zasypane śniegiem pozamykane drogi sprawiły, że na dworcu autobusowym zapanowało nerwowe wyczekiwanie.

Radiowóz powoli sunął wśród baśniowych płatków śniegu, które przywiodły Ka na myśl szklaną kulę z uwięzionymi wewnątrz śnieżynkami. Kierowca prowadził ostrożnie, dlatego pokonanie tej niewielkiej odległości zajęło im kilka minut. Ka tylko raz napotkał uspokajające i smutne spojrzenie siedzącego obok Muhtara; pojął ze wstydem, ale i ulgą, że na komendzie to kolega dostanie w skórę, a jego nikt nie tknie nawet palcem.

Wzrok Muhtara (jeszcze wiele lat później nie mógł o nim zapomnieć) oznaczał, że ten już dawno pogodził się z razami, które miały za chwilę na niego spaść, jakby uznał, że na nie zasłużył. Mimo absolutnego przeświadczenia o wygranej w wyborach, które miały się odbyć za cztery dni, patrzył tak, jakby przepraszał za to, co niebawem się zdarzy. Ka nie miał wątpliwości, że gdyby kolega miał szansę, powiedziałby: „Wiem, że zasłużyłem na łomot, który za chwilę dostanę i o którym będę się starał zapomnieć, by nie stracić dumy. Dostanę w skórę, bo uparłem się, żeby żyć w tym miejscu, a nawet dałem się opanować żądzy władzy. I dlatego czuję się gorszy od ciebie. Więc bardzo cię proszę, nie patrz na mnie tak, jakbyś triumfował nad moim wstydem".

Kiedy radiowóz zatrzymał się na zamkniętym ośnieżonym dziedzińcu Komendy Głównej, policjanci nie rozdzielili ich, ale każdego traktowali inaczej. Ka, znanemu, wpływowemu stambulskiemu dziennikarzowi, który jednym tekstem może narobić sporo kłopotu, przypadła rola chętnego do współpracy świadka. W stosunku do Muhtara zachowywali się tak, jakby chcieli powiedzieć z pogardą: „Człowieku, to znowu ty!". Zwracając się do Ka, zdawali się dziwić: „Co ktoś taki jak pan może robić z kimś takim jak on?". Ka naiwnie pomyślał, że cała ta pogarda dla Muhtara wynika z przekonania, że to człowiek bezmyślny („Myślisz, że powierzą ci władzę?") i zagubiony („Najpierw zapanuj nad swoim życiem!"), ale później z bólem miał zrozumieć, że aluzje te dotyczyły zupełnie czego innego.

Już na komendzie policjanci zabrali Ka do pokoju znajdującego się w sąsiedztwie sali przesłuchań, gdzie pokazali mu blisko sto czarno-białych fotografii. Chcieli, by zidentyfikował niepozornie wyglądającego mężczyznę, który strzelał do dyrektora ośrodka kształcenia. Na zdjęciach zobaczył twarze wszystkich islamistów z Karsu i okolic, których choć raz odnotowała policja. Przeważnie byli to młodzi ludzie, Kurdowie, wieśniacy albo bezrobotni, ale znalazło się też kilku wędrownych handlarzy, uczniów szkół koranicznych, a nawet studentów, nauczycieli i sunnickich* Turków. Wśród fotografii mężczyzn gniewnie i ze smutkiem patrzących w obiektyw policyjnego aparatu dostrzegł dwóch, których widział tego dnia na ulicach Karsu, ale nie było szans, aby na czarno-białych zdjęciach znalazł kogoś, kto przypominałby owego niepozornego człowieka strzelającego do dyrektora.

Kiedy wrócili do sali przesłuchań, Ka zauważył, że skulony na taborecie Muhtar ma rozbity nos i oko nabiegłe krwią. Niezręcznie i wstydliwie zasłonił twarz chustką. Ka pomyślał, że Muhtar po takim traktowaniu przestanie się wreszcie dręczyć i oczyści z poczucia winy za biedę i głupotę swojego kraju. Dwa dni później Ka, jeszcze zanim otrzyma wiadomość, która uczyni go najbardziej nieszczęśliwym człowiekiem na świecie, będzie miał okazję zweryfikować to idiotyczne przekonanie.

Spojrzenia Ka i Muhtara spotkały się, a minutę później poeta został ponownie zaprowadzony do sąsiedniego pokoju. Tym razem po to, by złożyć zeznania. Siedział przed młodym policjantem, spisującym jego słowa na starej maszynie marki Remington, podobnej do tej, której stukot słyszał wieczorami w dzieciństwie, gdy ojciec adwokat przynosił pracę do domu. Opowiadając o postrzeleniu dyrektora ośrodka kształcenia, doszedł do wniosku, że pokazali mu Muhtara jedynie po to, by go porządnie nastraszyć.

Kiedy w końcu opuścił komisariat, wciąż miał przed oczami pokrwawioną twarz kolegi. Dawniej konserwatyści

---

* Sunnici — główne ugrupowanie w islamie, którego członkowie określają siebie jako ludzi tradycji i wspólnoty. Za źródło wiedzy religijnej oprócz Koranu uznają sunnę, czyli zbiór faktów z życia proroka Mahometa.

z prowincjonalnych miasteczek nie dawali się tak łatwo poniewierać policji, ale Muhtar nie był członkiem ugrupowania centroprawicowego, takiego jak Partia Ojczyźniana*. Próbował zostać islamskim radykałem. Ka nie mógł się pozbyć wrażenia, że problem leżał częściowo w charakterze przyjaciela...

Długo szedł w prószącym śniegu, aż w końcu usiadł na murze przy alei Armii i obserwując dzieci zjeżdżające na sankach z pagórka oświetlonego przez uliczne latarnie, zapalił papierosa. Był zmęczony nędzą i przemocą, jakich tego dnia był świadkiem, ale w jego sercu wzbierała nadzieja na nowe życie, które mogłoby się rozpocząć dzięki miłości do Ipek.

Jakiś czas potem, znów maszerując w śniegu, znalazł się przed cukiernią Yeni Hayat. Granatowe światło policyjnego wozu zaparkowanego przed jej wybitym oknem zapalało się i gasło, wydobywając z mroku drobinki śniegu, z anielską cierpliwością padającego na cały Kars, a więc także na pełen dzieciarni tłum obserwujący funkcjonariuszy kręcących się wewnątrz budynku. Ka, dołączywszy do ciżby, zauważył, że policjanci pytają o coś starego kelnera.

Ktoś nieśmiało dotknął ramienia Ka.

— Pan jest poetą Ka, prawda? — Był to chłopak o dziecinnej twarzy i dużych, zielonych oczach. — Mam na imię Necip. Wiem, że przyjechał pan do Karsu, żeby napisać dla „Cumhuriyetu" artykuł o wyborach i samobójczyniach. Wiem też, że spotkał się pan z różnymi ludźmi. Ale jest w Karsie jedna ważna osoba, z którą powinien pan jeszcze porozmawiać.

---

* Partia Ojczyźniana, ANAP (Anavatan Partisi) — centroprawicowa partia utworzona w 1983 r. przez Turguta Özala. Po wygranych wyborach w 1984 r. utrzymała się przy władzy do lat dziewięćdziesiątych.

— Kto?

— Chodźmy gdzieś na bok...

Ka spodobała się tajemniczość młodego człowieka. Stanęli przed ladą Modern Büfe, „słynnego na całym świecie z sorbetów i salebu"*.

— Dopiero kiedy zgodzi się pan na spotkanie, będę mógł powiedzieć, kto to jest.

— Jak mogę się zgodzić na spotkanie, skoro nie wiem, z kim?

— Tak musi być — odparł Necip. — Ta osoba się ukrywa. Nie mogę powiedzieć, przed kim i przed czym, jeśli nie zgodzi się pan na spotkanie.

— Dobrze, zgadzam się — zdecydował Ka. I dodał poważnym tonem komiksowego bohatera: — Mam nadzieję, że to nie zasadzka.

— Jeśli nie zaufa pan ludziom, niczego pan w życiu nie osiągnie — pouczył go Necip w podobnym stylu.

— Ufam panu — powiedział Ka. — Kogo więc powinienem poznać?

— Najpierw wyjawię jego imię, potem się pan z nim zobaczy, ale miejsce kryjówki musi pozostać tajemnicą. Teraz proszę się jeszcze zastanowić, czy na pewno mam powiedzieć, kto to jest.

— Tak — zdecydował Ka. — Proszę mi zaufać.

— Ten człowiek nazywa się Granatowy — powiedział Necip z podnieceniem, jakby wymieniał imię legendarnego bohatera. Brak reakcji ze strony Ka wyraźnie go rozczarował. — Może nie słyszał pan o nim w Niemczech. U nas jest znany.

---

* Saleb, sahlep — gorący napój z korzenia storczyka, przygotowywany na bazie mleka, pity zwłaszcza zimą. Uważany za rodzaj afrodyzjaku.

— Wiem, wiem — powiedział Ka uspokajająco. — Jestem gotów go poznać.

— Ja niestety nie mam pojęcia, gdzie on jest — wyznał chłopak. — Ani razu go nie widziałem.

Przez chwilę podejrzliwie mierzyli się wzrokiem.

— Ktoś inny zaprowadzi pana do Granatowego — stwierdził Necip. — Moim zadaniem jest wskazać człowieka, który pokaże dalszą drogę.

Poszli razem w dół alei Küçük Kazıma Beja, wśród chorągiewek i afiszy wyborczych. Ka poczuł sympatię do chłopaka, którego nerwowe i dziecinne ruchy oraz szczupła sylwetka przypomniały mu własną młodość. Przyłapał się na tym, że próbuje widzieć świat oczami tamtego.

— A w Niemczech co pan słyszał o Granatowym? — zapytał Necip ciekawie.

— W tureckich gazetach przeczytałem, że to rozpolitykowany islamista i wywrotowiec — powiedział Ka. — I jeszcze parę innych złych rzeczy.

Necip natychmiast mu przerwał:

— „Rozpolitykowany islamista" — wyrecytował. — To etykietka, jaką nam, muzułmanom gotowym do walki za wiarę, przylepiła prozachodnia laicka prasa — wyjaśnił oficjalnym tonem. — Pan też stoi po stronie laicyzmu, ale proszę nie dać się zwieść wypisującym kłamstwa brukowcom. On nikogo nie zamordował. Ani w Bośni, gdzie bronił braci muzułmanów, ani w Groznym, gdzie okaleczyła go rosyjska bomba. — Zatrzymał się na rogu. — Widzi pan ten sklep naprzeciwko? Księgarnia Tebliğ. Należy do wspólnoty Vahdetçi*, ale wszyscy lokalni islamiści tu się spotykają. Każdy o tym wie, policja też. Mają szpicli wśród sprzedawców. Ja

---

* Vahdetçi (tur. *vahdet* — „jedność") — jedna z tureckich gałęzi Hezbollahu.

uczę się w szkole koranicznej* i nie mogę, niestety, wejść do środka, bo grozi mi za to kara dyscyplinarna. Ale dam znać, komu trzeba. Za trzy minuty wyjdzie stamtąd wysoki brodaty chłopak w czerwonej *takke***. Proszę iść za nim. Jeśli żaden tajniak nie będzie szedł za wami, zaprowadzi pana tam, gdzie trzeba. Zrozumiano? Z Bogiem.

Necip przepadł nagle w gęstniejącym śniegu. Tak, Ka polubił tego dziwnego chłopaka.

---

* Szkoły koraniczne — szkoły kształcące niższe duchowieństwo muzułmańskie — imamów i chatibów (kaznodziejów). W Turcji zamknięte w 1930 r., ponownie otwarte w 1950 r. w okresie odwilży w stosunkach między państwem a ugrupowaniami religijnymi.
** Takke — czapeczka z wełny lub sukna noszona na czubku głowy.

8.

Samobójstwo
jest grzechem

Historia Granatowego
i Rüstema

Kiedy Ka stał przed księgarnią Tebliğ, zamieć rozszalała się na dobre. Znudzony strzepywaniem z siebie śniegu i wyczekiwaniem na nieznajomego już miał wrócić do hotelu, gdy po drugiej stronie ulicy w bladym świetle latarni zauważył wysokiego, brodatego młodzieńca. A ponieważ jego ośnieżona *takke* miała czerwony kolor, Ka zaczął go obserwować z bijącym sercem.

Przeszli wzdłuż całej alei Kazıma Karabekira, którą kandydat na burmistrza z ramienia Partii Ojczyźnianej według stambulskiego obyczaju obiecał przeznaczyć w przyszłości wyłącznie dla pieszych. Znaleźli się w pobliżu alei Faika Beja i skręciwszy w prawo dwie przecznice dalej, stanęli na placu Istasyon Meydanı. Stojąca na środku placu rzeźba Kazıma Karabekira zginęła pod śniegiem, przybierając w ciemnościach kształt gigantycznego lodowego pucharu. Chłopak ruszył w stronę dworca. Ka pobiegł za nim. W poczekalniach nie było nikogo. Domyślił się, że chłopak wyszedł na peron, podążył więc w tamtym kierunku. Kiedy dotarł do końca peronu, wydało mu się, że w oddali widzi sylwetkę młodego mężczyzny, i ze strachem ruszył wzdłuż torów. Pomyślał, że jeśli ktoś go tutaj zabije, do wiosny nie odnajdą jego ciała. Nagle nieomal zderzył się z brodatym młodzieńcem w *takke*.

— Nikt nas nie śledzi — powiedział chłopak. — Jeszcze możesz zrezygnować. Jeśli jednak pójdziesz ze mną, od tej pory będziesz musiał trzymać gębę na kłódkę. Nikomu ani słowa o tym, jak się tutaj dostałeś. Zdrajcy kończą pod ziemią.

Ostatnie zdanie miało przerazić Ka, ale wypowiedziane zostało komicznym dyszkantem. Ruszyli wzdłuż torów, a potem, minąwszy gigantyczny silos, skręcili w ulicę Yahniler, biegnącą tuż obok kwater wojskowych. Wtedy młodzieniec uroczyście wskazał właściwe mieszkanie i objaśnił, który dzwonek Ka powinien nacisnąć.

— Nie obrażaj Mistrza — poinstruował. — Nie przerywaj. A kiedy skończycie, nie ociągaj się i wyjdź.

W ten sposób Ka dowiedział się, że Granatowy nazywany jest przez swych zwolenników Mistrzem. Nie wiedział o nim prawie nic poza tym, że jest zaangażowanym w politykę znanym islamistą. Kilka lat temu w tureckich gazetach, które w Niemczech czasem wpadały mu w ręce, przeczytał, że Granatowy był wplątany w morderstwo. Wielu zamieszanych w politykę islamistów zabijało ludzi, ale żaden z nich nie zyskał sławy. Granatowy zawdzięczał popularność podejrzeniu o zabójstwo pewnego prezentera telewizyjnego — krzykliwie ubranego snoba i fircyka, który prymitywnymi żartami nieustannie poniżał „niedouczonych" uczestników turnieju transmitowanego na żywo przez jedną z niewielkich stacji telewizyjnych. Güner Bener — o ciężkim dowcipie i piegowatej twarzy — drwił w trakcie jednego z programów z biednego, gapowatego zawodnika i przejęzyczywszy się, powiedział coś obraźliwego pod adresem Proroka. I pewnie kilku drzemiących przed telewizorami religijnych widzów natychmiast by o tym zapomniało, gdyby nie Granatowy. Do wszystkich gazet w Stambule powysyłał listy, w których groził, że prezenter zostanie zamordowany, jeśli publicznie nie przeprosi i nie wyrazi skruchy. Przywykła do podobnych gróźb stambulska prasa być może nie zwróciłaby uwagi na ostrzeżenie, ale pewna znana z ostentacyjnej laickości i prowokacyjnych programów niewielka stacja telewizyjna zaprosiła Granatowego do studia, chcąc pokazać widzom, jak bardzo rozzuchwalili się zamieszani w politykę zbrojni islamiści. Rozochocony Granatowy powtórzył groźbę. Program odniósł sukces, dzięki któremu Granatowy, godząc się na etykietkę „szalonego rzeźnika", odwiedził jeszcze kilka innych telewizji. Kiedy odczuł pierwsze niedogodności sławy, postanowił zaszyć się w kryjówce, a prokuratora zaczęła ścigać go za groźby karalne. Güner Bener zaś, na fali publicznego zainteresowania, podczas jednej z kolejnych audycji wypalił niespodziewanie, że nie boi się zacofanych zboczeńców, którzy są wrogami Republiki i Atatürka. Następnego dnia prezenter został uduszony pstrokatym krawatem w piłki plażowe, który miał na sobie podczas programu. Ciało znaleziono w luksusowym pokoju hotelowym w Izmirze, dokąd ofiara udała się w sprawach służbowych. Granatowy udowodnił wprawdzie, że tego dnia prowadził w Manisie konferencję dla dziewcząt w chustach, ale nadal unikał prasy, dzięki której wszystkie te niefortunne wypadki i jego skromna osoba zyskały taki rozgłos. Przepadł jak kamień w wodę. Część gazet popierających islamistów zaczęła na równi z laickimi mediami atakować go za promowanie zbrukanego krwią, rozpolitykowanego islamu i odgrywanie roli maskotki świeckich mediów. Sugerowano, że jest agentem CIA, i zarzucano mu słabość do dziennikarzy. W tym samym czasie wśród islamistów rozeszły się pogłoski, że Granatowy został ranny w trakcie ofiarnych walk w Bośni przeciw Serbom i w Groznym przeciwko Rosjanom, ale inni twierdzili, że to kłamstwo.

Czytelnicy zainteresowani zdaniem samego Granatowego mogą od razu poznać jego własną krótką wersję zdarzeń, rozpoczynającą się słowami: „Pragnę wyjaśnić...". Znajduje się ona na szóstej stronie trzydziestego piątego rozdziału zatytułowanego: *NIE JESTEM NICZYIM AGENTEM. Ka i Granatowy w celi.* (Nie mam jednak pewności, czy wszystko, o czym tam mowa, jest prawdą). To tajemniczość Granatowego sprawiła, że na jego temat pojawiło się wiele kłamstw, a niektóre z nich dały podstawę legendzie. Jego późniejsze zniknięcie uznano za poddanie się atakom niektórych islamistów. Inni odczytali je jako przyznanie racji krytykom Granatowego, upierającym się, że żaden muzułmanin nie powinien tak bardzo wykorzystywać laickich, syjonistycznych i burżuazyjnych mediów. Jak przekonamy się w dalszej części tej opowieści, Granatowy rzeczywiście miał słabość do dziennikarzy.

Jeśli chodzi o pogłoski związane z jego przybyciem do Karsu, to — jak większość plotek zalewających w jednej chwili małe miasteczka — zasadniczo nie trzymały się kupy. Mówiono, że Granatowy zjawił się w mieście, aby wyciszyć kilka innych spraw i strzec miejscowego ramienia islamistycznej organizacji kurdyjskiej, tak by nie podzieliła losów grupy z Diyarbakıru, której liderzy zostali spacyfikowani przez rząd. Ale wspomniana organizacja, może poza jednym lub dwoma szaleńcami, nie miała w Karsie żadnych zwolenników. Pokojowo nastawieni bojówkarze twierdzili z kolei, że Granatowy przyjechał, aby przeciwdziałać coraz częstszym we wschodnich miastach zamieszkom między Kurdami o poglądach nacjonalistyczno-marksistowskich i Kurdami islamistami. Konflikt zaczął się od słownych utarczek, pyskówek i bijatyk, a w wielu ośrodkach przerodził się w wojnę na noże. W ostatnich miesiącach przeciwnicy zaczęli do siebie strzelać, porywać się wzajemnie, dusić i torturować podczas przesłuchań (obie strony stosowały takie metody, jak parzenie roztopioną folią oraz zgniatanie jąder). Podobno Granatowy jeździł od wsi do wsi, by zbadać grunt przed przybyciem tajnej delegacji rozjemczej, mającej zakończyć tę bardzo odpowiadającą państwu wojnę. Oponenci dowodzili natomiast, że młody wiek i skazy na życiorysie przekreślały jego szanse na wypełnienie tak trudnej i odpowiedzialnej misji. Młodzi islamiści rozpuścili plotkę, że przyjechał, by sprzątnąć znanego z niecenzuralnych dowcipów, krzykliwie ubranego disc jockeya i prezentera lokalnej telewizji Przygraniczny Kars, który szydził z religii w zawoalowany sposób. Może dlatego zatrudniony w charakterze maskotki Azerbejdżanin Hakan Özge w swoich ostatnich programach często napomykał o Bogu i o korzyściach płynących z systematycznej modlitwy. Niektórzy wyobrażali też sobie, że Granatowy pracuje nad utworzeniem tureckiego ramienia międzynarodowej islamskiej siatki terrorystycznej. Należące do niej jednostki, mające (dzięki wsparciu z Arabii Saudyjskiej) w przyszłości zająć się sprawami wywiadu i bezpieczeństwa w rejonie Karsu, otrzymały nawet zlecenie pokazowej likwidacji kilku spośród tysięcy kobiet przyjeżdżających do Turcji z krajów byłego Związku Radzieckiego, by uprawiać prostytucję. Granatowy nie odparł żadnego z zarzutów i nie zaprzeczył plotkom. Nie powiedział, czy przywiódł go tu problem samobójczyń, dziewcząt w chustach, czy wybory do urzędu miejskiego. Milczenie Granatowego na temat jego rzekomej misji podsycało jeszcze bardziej otaczającą go atmosferę tajemniczości, którą szczególnie upodobali sobie uczniowie szkół koranicznych. Nie pokazywał się na ulicach Karsu nie tylko dlatego, by nie wpaść w ręce policji, ale też by nie zniszczyć starannie budowanej legendy. Nikt więc nie miał pewności, czy Granatowy w ogóle jest w mieście.

Ka zadzwonił do drzwi wskazanych przez młodzieńca w czerwonej *takke* i zobaczywszy zapraszającego go do środka niewysokiego mężczyznę, natychmiast zrozumiał, że ma do czynienia z osobnikiem, który półtorej godziny temu strzelał do dyrektora ośrodka kształcenia w cukierni Yeni Hayat. Serce zaczęło mu bić jak oszalałe.

— Proszę wybaczyć — powiedział niepozorny mężczyzna, unosząc ręce, by pokazać, że nic w nich nie trzyma. — W ciągu ostatnich dwóch lat trzykrotnie próbowano zamordować Mistrza. Muszę pana przeszukać.

Ka rozłożył ramiona i zezwolił na rewizję gestem, który wszedł mu w krew już w czasach studenckich. Czując na sobie drobne dłonie, z uwagą szukające broni pod jego koszulą, zastanawiał się, czy ten niski mężczyzna zdaje sobie sprawę z jego przyspieszonego tętna. Ale zaraz serce mu się uspokoiło, gdy zdał sobie sprawę z własnej pomyłki, i stwierdził, że to nie on jest zabójcą dyrektora ośrodka kształcenia. Ów sympatyczny mężczyzna w średnim wieku, przypominający Edwarda G. Robinsona*, nie wyglądał na wystarczająco zdecydowanego ani silnego, by strzelić do kogokolwiek.

Ka usłyszał płacz niemowlęcia i ciepły, uspokajający głos jego matki.

— Mam zdjąć buty? — zapytał i nie czekając na odpowiedź, zaczął je ściągać.

— Jesteśmy tu gośćmi — odezwał się w tym samym momencie jakiś głos. — Nie chcemy sprawiać kłopotu gospodarzom.

W ten sposób Ka poznał Granatowego. Zobaczył łóżko zaścielone z żołnierską dokładnością, złożoną równo obok poduszki pasiastą błękitną piżamę, popielniczkę z napisem

---

* Właśc. Emmanuel Goldenberg (1893–1973) — amerykański aktor teatralny i filmowy, laureat Oscara za całokształt twórczości w 1972 r.

„Ersin Elektrik", na ścianie kalendarz ze zdjęciem Wenecji i szeroko otwarte okno z widokiem na melancholijne światła ośnieżonego Karsu.

Oczy mężczyzny miały niespotykany u Turków ciemnogranatowy odcień. Nie miał brody, był szatynem o zadziwiająco jasnej cerze i dużym nosie. Emanował charyzmą, którą niewątpliwie zawdzięczał ogromnej pewności siebie. W jego postaci, zachowaniu i wyglądzie nie było niczego z naszkicowanego przez laicką prasę obrazu agresywnego prymitywnego człowieka, brodatego bojownika szarijatu z tespihem* w jednej i karabinem w drugiej dłoni...

— Proszę nie zdejmować palta, dopóki pokój się nie nagrzeje... Ładne palto. Gdzie pan kupił?

— We Frankfurcie.

— Frankfurt... Frankfurt... — rozmarzył się Granatowy, wbijając wzrok w sufit.

Powiedział, że swego czasu został skazany z artykułu 163 za rozpowszechnianie idei utworzenia państwa religijnego i dlatego uciekł do Niemiec. Zapadła cisza. Ka rozumiał, że jeśli chce się zachować po przyjacielsku, powinien coś powiedzieć, ale nic nie przychodziło mu do głowy. Był bliski paniki. Zdał sobie jednak sprawę, że Granatowy mówi, aby go uspokoić.

— Kiedy odwiedzałem tam dopiero co założone przez muzułmanów stowarzyszenia, nieważne, w jakim mieście, kiedy chodziłem po Frankfurcie, Kolonii — między katedrą a dworcem — czy po zamożnych dzielnicach Hamburga, po jakimś czasie zawsze robiłem to samo: koncentrowałem się na jednym człowieku, jednym Niemcu, którego w myślach

---

* Tespih — różaniec muzułmański złożony z trzech grup paciorków odpowiadających dziewięćdziesięciu dziewięciu „pięknym imionom Boga", wymienianym podczas przesuwania paciorków.

izolowałem od reszty. Nie było ważne, co o nim myślę. Wyobrażałem sobie, co ten człowiek myśli o mnie. Usiłowałem jego oczami zobaczyć siebie, mój ubiór, moje gesty, sposób chodzenia, moją historię i to, skąd przyszedłem, kim jestem i dokąd idę. To było okropne uczucie, ale przywykłem do niego, nie dawałem się dzięki temu poniżyć. Rozumiałem już, jak upokarza się moich braci. To przeważnie wcale nie Europejczyk nami gardzi, tylko my, patrząc na Europejczyków, poniżamy siebie samych. Z domu ucieka się nie tylko przed tyranem, ale też by zgłębić własną duszę. A pewnego dnia wraca się, by ocalić współwinnych. Albo dlatego że się nie ma odwagi i siły na porzucenie ojczyzny. A ty dlaczego wróciłeś?

Ka milczał. To biedne, skromnie urządzone pomieszczenie, ściany z obsypującym się tynkiem i silne światło zawieszonej pod sufitem żarówki powodowały, że czuł się nieswojo.

— Nie chcę cię dręczyć trudnymi pytaniami — powiedział Granatowy. — Świętej pamięci mułła Kasım Ensari wszystkich obcych, którzy odwiedzali go w miejscu koczowania jego plemienia nad brzegiem Tygrysu, w pierwszych słowach pytał: „Bardzo mi miło pana poznać, ale dla kogo pan szpieguje?".

— Dla „Cumhuriyetu"... — wyjaśnił Ka.

— To wiem. Ale zastanawia mnie, dlaczego interesują się Karsem tak bardzo, że zdecydowali się tu wysłać swojego człowieka?

— Sam się zgłosiłem — wyjaśnił Ka. — Słyszałem, że mój dawny przyjaciel Muhtar mieszka tu wraz z żoną.

— Już nie są razem, nie wiedziałeś? — odparł Granatowy, patrząc mu uważnie w oczy.

— Wiedziałem — odpowiedział Ka. Poczerwieniał. Był niemal pewien, że Granatowy domyślił się wszystkiego, co przyszło mu w tamtej chwili do głowy, i poczuł doń nienawiść.

— Pobili Muhtara na policji?

— Pobili.

— Zasłużył? — spytał Granatowy dziwnym tonem.

— Nie, oczywiście, że nie — wyjaśnił Ka pospiesznie.

— A ciebie dlaczego nie tknęli? Zadowolony jesteś?

— Nie wiem, dlaczego mnie nie pobili.

— Wiesz. Jesteś stambulskim burżujem — rzekł Granatowy. — To widać od razu. Na pewno masz na górze wpływowych znajomych, więc na wszelki wypadek woleli cię nie ruszać. A Muhtar ma na twarzy wypisany brak koneksji. Oni to wiedzą. Przecież Muhtar wszedł do polityki po to, żeby jak ty zyskać bezpieczeństwo w kontaktach z nimi. Ale nawet gdy wygra wybory, jeśli naprawdę będzie chciał zatrzymać ten stołek, będzie musiał udowodnić im, że jest w stanie znosić razy, jakie dostaje się od państwa. Dlatego pewnie nawet był zadowolony, że go pobili — Granatowy nie żartował, a w jego słowach pobrzmiewała prawdziwa troska.

— Nikt nie jest zadowolony, kiedy dostaje w twarz — powiedział Ka i pomyślał, że zabrzmiało to strasznie banalnie.

Granatowy zrobił taką minę, jakby chciał powiedzieć: „Przejdźmy wreszcie do sedna".

— Podobno spotkałeś się z rodzinami samobójczyń — zaczął. — Po co?

— Może coś o nich napiszę.

— Na Zachodzie?

— Na Zachodzie — odparł Ka z wyższością. Tak naprawdę nie miał znajomego, który opublikowałby jego artykuł w którejkolwiek z niemieckich gazet. — I w „Cumhuriyecie" — dodał ciszej.

— Tureckie gazety nie zwracają uwagi na nędzę i cierpienie w naszym kraju, jeśli nie zainteresują się tym zagraniczni dziennikarze — stwierdził Granatowy. — Zachowują się tak, jakby pisanie o biedzie i samobójstwach było czymś wstydliwym i niecywilizowanym. Będziesz więc musiał wydrukować swój artykuł w Europie. I dlatego właśnie chciałem się z tobą spotkać. Za nic w świecie nie pisz o samobójczyniach ani tu, ani za granicą! Samobójstwo to straszny grzech! To choroba, która szerzy się, kiedy spotyka się z zainteresowaniem. Jeśli rozniesie się, że ostatnia samobójczyni była muzułmanką i traktowała swą chustę jako symbol buntu, ta choroba przybierze na sile. Stanie się silniejsza od trucizny.

— Ale to wszystko prawda — odparł Ka. — Dziewczyna przed śmiercią dokonała rytualnej ablucji i odmówiła modlitwę. Zresztą dziewczęta walczące z zakazem noszenia chust bardzo ją podziwiają.

— Dziewczyna, która popełnia samobójstwo, nie jest muzułmanką! — powiedział Granatowy. — I nie może być prawdą, że walczyła o prawo do noszenia chusty. Jeśli rozpuścisz tę kłamliwą plotkę, ludzie powiedzą, że muzułmanki, które zrezygnowały z chust albo zaczęły nosić peruki, uległy w końcu naciskom policji i rodziców. Po to tu przyjechałeś? Nie pozwól nikomu pomyśleć, że śmierć jest właściwym rozwiązaniem. Te dziewczyny, rozdarte między miłością do Boga, własnymi rodzinami i szkołą, są tak zrozpaczone i samotne, że wszystkie natychmiast będą gotowe pójść w ślady tej nieszczęsnej samobójczyni.

— Zastępca wojewody też mówił, żebym nie przesadzał w sprawie samobójstw.

— Dlaczego się z nim spotkałeś?

— Z tego samego powodu, dla którego byłem na policji — żeby potem nie musieli mnie śledzić przez cały dzień...

— Z radością przeczytaliby informację: „Wyrzucone ze szkoły dziewczyny w chustach popełniają samobójstwa" — stwierdził Granatowy.

— Napiszę to, co wiem.

— Czynisz więc aluzję do świeckiego wojewody i do mnie, mówiąc, że tak jak ja nie życzy sobie, by pisać o samobójstwach islamistek. Chcesz mnie sprowokować...

— Owszem.

— Ta dziewczyna zabiła się z powodu nieszczęśliwej miłości, a nie dlatego, że nie chcieli jej wpuścić do szkoły. Jeśli napiszesz, że sprzeniewierzyła się Bogu i popełniła śmiertelny grzech z powodu zwykłego dziewczęcego zauroczenia, narazisz się młodym islamistom ze szkół koranicznych. Kars to małe miasto.

— Chciałbym jeszcze zapytać o to pozostałe dziewczęta.

— I bardzo dobrze — pochwalił Granatowy. — Spytaj je, czy mają ochotę, żeby niemieckie gazety pisały, jak to ulegają presji i popełniają samobójstwa. Jak umierają w grzechu.

— Zapytam! — odparł Ka zadziornie, chociaż zdjął go strach.

— Zaprosiłem cię tutaj, bo chciałem powiedzieć ci coś jeszcze — ciągnął Granatowy. — Dopiero co postrzelono na twoich oczach dyrektora ośrodka kształcenia. To efekt gniewu, jaki zrodził się wśród muzułmanów z powodu decyzji w kwestii chust. I oczywiście prowokacja ze strony państwa. Najpierw bezdusznie wykorzystali dyrektora do swoich ciemnych sprawek, a potem kazali strzelić do niego jakiemuś szaleńcowi, żeby później mieć o co obwiniać muzułmanów.

— A pan pochwala to czy potępia? — zapytał Ka z dziennikarską czujnością.

— Nie przyjechałem do Karsu, żeby mieszać się do polityki — wyjaśnił Granatowy. — Jestem tu, bo chcę zatrzymać tę falę samobójstw. — Nagle chwycił Ka za ramiona, przyciągnął do siebie i ucałował w oba policzki. — Jesteś derwiszem*! Lata całe poświęciłeś poezji. Nie dasz się wykorzystać tym, którzy chcą pognębić muzułmanów i nieszczęśliwych ludzi. Zaufałeś mi tak, jak ja zaufałem tobie. Przybyłeś tu mimo takiego śniegu. W zamian za to opowiem ci pewną historię. — Utkwił w Ka na wpół rozbawione, na wpół poważne spojrzenie. — Chcesz?

— Chcę.

— Bardzo dawno temu żył w Persji wielki bohater i niepokonany wojownik. Wszyscy go znali i szanowali. Nazwijmy go Rüstemem, jak ci, którzy go kochali. Pewnego dnia Rüstem udał się na polowanie i zgubił drogę, a wieczorem, kiedy leżał pogrążony we śnie, stracił także konia. Szukając Rachsza — takie bowiem koń miał imię — trafił na ziemie wrogiego Turanu. Ponieważ jednak jego sława wyprzedzała jego czyny, wszyscy rozpoznali w nim bohatera i dobrze go traktowali. Szach Turanu zaproponował mu gościnę, a na dodatek urządził wspaniałe przyjęcie na jego cześć. Po kolacji córka szacha odwiedziła Rüstema w jego komnacie, gdzie wyznała mu miłość i powiedziała, że chce urodzić mu dziecko. Uwiodła go jej uroda i mądrość. Tej nocy kochali się. Nad ranem Rüstem zostawił swemu przyszłemu potomkowi bransoletę, która miała być znakiem rozpoznawczym. Kiedy jego syn — nazwali go Suhrab i my też go tak nazywajmy — po latach dowiedział się od matki, że jego ojcem jest legendarny Rüstem, powiedział: „Pojadę do Persji, obalę okrutnego szacha Keykavusa i posadzę na tronie mego ojca... Później wrócę tu, do Turanu, i obalę równie okrutnego

---

* Derwisz (pers. nędzarz, żebrak) — członek bractwa mistycznego. Derwisze niektórych bractw wędrowali i utrzymywali się z jałmużny, a do poznania Boga dążyli m.in. przez poezję, modlitwę i taniec.

szacha Efrasiyaba, i sam zajmę jego miejsce! Wtedy wraz z ojcem będziemy władać sprawiedliwie Persją i Turanem, a więc całym światem!". Ale prostoduszny Suhrab nie wiedział, że jego wrogowie są od niego o wiele sprytniejsi. Szach Turanu Efrasiyab przejrzał jego zamiary, mimo to poparł wyprawę przeciw Persji. Kazał jednak szpiegom ukrytym w szeregach armii pilnować, by chłopak nie poznał ojca. W wyniku działań złego losu i nieznanych zrządzeń wielkiego Boga legendarny Rüstem i jego syn Suhrab stanęli na polu walki twarzą w twarz. Nie rozpoznali jeden drugiego. Odziany w zbroję Rüstem zawsze ukrywał przed przeciwnikiem swą tożsamość, aby tamten nie angażował do walki całego wojska. Dziecinny Suhrab zaś, który nie myślał o niczym innym poza osadzeniem na perskim tronie własnego ojca, nie zważał na to, z kim walczy. I tak oto dwóch prawych, wielkich wojowników — ojciec i syn — stanęło naprzeciw siebie na czele zastępów wrogich armii. — Granatowy przerwał, a po chwili, nie patrząc Ka w oczy, wyznał jak dziecko: — Choć czytałem tę historię setki razy, zawsze w tym momencie moje serce zaczyna bić niespokojnie. Nie wiem, dlaczego zaczynam się identyfikować z Suhrabem, który przecież za chwilę może dopuścić się ojcobójstwa. Kto chciałby zamordować własnego ojca? Jaka dusza może wytrzymać taki grzech, ból tak straszliwej winy? W dodatku — tak bliski mi Suhrab o dziecinnym sercu! Jedyne ukojenie daje mi myśl, że zabije ojca nieświadomie.

Tak więc obaj wojownicy starli się ze sobą i wiele godzin walczyli w pocie i krwi. Żaden z nich nie zdobył przewagi, przerwali walkę. Zawsze kiedy czytam dalszą część tej historii, czuję się tak, jakbym dopiero ją poznawał. Z nadzieją wyobrażam sobie, że obaj — ojciec i syn — wyjdą z tego cało.

Następnego dnia armie znów stają naprzeciw siebie, znów ojciec i syn w pełnej zbroi okrutnie się z sobą ścierają.

Po długiej walce los uśmiecha się — lecz cóż to za uśmiech? — do Suhraba, który zrzuca Rüstema z konia i tym sposobem zdobywa przewagę. Dobywa kindżału i już ma z bliska zadać ojcu śmiertelny cios, kiedy inni wojownicy podbiegają do niego i mówią: „W Persji przeciwnika nie zabija się od razu, to nie jest w zwyczaju. Daruj mu życie". Suhrab oszczędza więc swego ojca.

W tym miejscu zawsze plączą mi się myśli. Moje serce wypełnia braterska miłość do Suhraba. I zastanawiam się, jaki los Bóg przeznaczył im obu? Wszystko wyjaśnia się trzeciego dnia, kiedy to wbrew moim pragnieniom, walka kończy się nieoczekiwanie: Rüstem zrzuca Suhraba z konia, wbija mu kindżał w pierś i zabija go jednym ciosem. Dalej wypadki toczą się bardzo szybko i krwawo. Rüstem, dostrzegłszy bransoletę na nadgarstku martwego chłopaka, zaczyna pojmować, że to jego syn. Klęka na ziemi, bierze w ramiona zakrwawione ciało i wybucha płaczem.

Za każdym razem ja także płaczę razem z Rüstemem, ale nie tylko dlatego, że łączę się z nim w żałobie. Przede wszystkim dlatego, że rozumiem już znaczenie śmierci Suhraba. Chłopak, którym kieruje uwielbienie dla ojca, zostaje przez niego zabity. Teraz zamiast fascynacji miłością dziecinnego i szlachetnego Suhraba czuję coś głębszego i dojrzalszego — pełen godności ból przywiązanego do zasad i tradycji Rüstema. Miłość i podziw, którymi darzyłem buntowniczego egoistę Suhraba, przeniosły się na silnego i odpowiedzialnego ojca.

Granatowy umilkł na chwilę, a Ka pozazdrościł mu wyjątkowej umiejętności tak głębokiego zaangażowania w opowiadaną historię.

— Nie przypomniałem tej legendy po to, by pokazać, w jaki sposób szukam sensu w życiu — powiedział Granatowy. — Ta ponadtysiącletnia opowieść to fragment *Szahname*

Ferdousiego*. Kiedyś miliony ludzi, od Tebrizu do Stambułu, od Bośni po Trabzon, przekazując ją sobie, odnajdywały w niej to, co w życiu najważniejsze. Historia ta przemawiała do nich tak jak do ludzi Zachodu ojcobójstwo Edypa czy obsesja władzy i śmierci Makbeta. Ale teraz wszyscy, zafascynowani Zachodem, zapomnieli o niej. Dawne opowieści wykreślono z podręczników. Dziś w żadnej ze stambulskich księgarń nie znajdziesz już *Szahname*. Dlaczego?

Obaj milczeli przez chwilę.

— Zastanawiasz się — podjął w końcu Granatowy — czy człowiek mógłby zabić dla piękna tej opowieści, czyż nie?

— Nie wiem — odparł Ka.

— Pomyśl więc — powiedział Granatowy i wyszedł z pokoju.

---

* *Szahname* (pers. Księga królewska) Ferdousiego opisuje dzieje Iranu od czasów mitologicznych do podboju państwa Sasanidów przez Arabów. Praca nad dziełem trwała od ok. 975 r. do 1009–1010 r. (wybór i przekład W. Dulęba, PIW, Warszawa 1991).

9.

Przepraszam, czy jest pan ateistą?

Niewierny, który nie chce się zabić

Kiedy Granatowy nagle wyszedł z pokoju, Ka nie wiedział, co robić. Najpierw przypuszczał, że tamten zaraz wróci i zapyta go, co wymyślił. Ale po chwili zrozumiał, że tak nie będzie, że Granatowy po prostu dał mu jakiś dziwaczny, zakamuflowany sygnał. A może to była groźba?

Ale nawet jeśli mu grożono, bardziej dojmujące było poczucie obcości w tym domu. W pokoju obok nie było już matki z dzieckiem. Wyszedł z mieszkania, nie napotykając nikogo. Miał ochotę zbiec pędem po schodach.

Śnieg padał tak leniwie, jakby płatki unosiły się w powietrzu. Zdawało się, że czas stanął w miejscu, ale Ka miał jednocześnie wrażenie, że wizyta u Granatowego trwała wiele godzin — w rzeczywistości zaledwie dwadzieścia minut, a tak wiele się w jej trakcie wydarzyło.

Szedł tą samą co przedtem drogą wzdłuż torów i minąwszy ogromny silos, który pod śniegiem przypominał gigantyczną białą chmurę, dotarł do stacji. Był na środku brudnej, pustej hali dworcowej, kiedy spostrzegł, że zbliża się do niego merdające wywiniętym ogonem czarne psisko z jedną okrąglutką białą plamą na czole. W poczekalni Ka dojrzał trzech młodzieńców, którzy przed chwilą karmili psa obwarzankiem. Jednym z nich był Necip. Gdy tylko spostrzegł Ka, podbiegł do niego.

— Za nic w świecie proszę nie zdradzać moim szkolnym kolegom, skąd wiedziałem, że pan tu będzie — ostrzegł.

— Mój najlepszy przyjaciel chce panu zadać ważne pytanie. Jeśli ma pan czas i mógłby poświęcić chwilę Fazılowi, będzie na pewno bardzo szczęśliwy.

— W porządku — odparł Ka i podszedł do chłopców siedzących na dworcowej ławce.

Plakaty na ścianie za nimi przypominały o znaczeniu kolei w czasach Atatürka, inne miały przestraszyć ewentualne samobójczynie. Chłopcy podnieśli się i uścisnęli jego dłoń. Stali onieśmieleni.

— Zanim Fazıl zada pytanie, Mesut opowie historię, którą słyszał na własne uszy — komenderował Necip.

— Nie dam rady — powiedział podekscytowany Mesut.

— Opowiedz ją za mnie, proszę.

Ka, słuchając opowieści Necipa, patrzył, jak czarne psisko biega wesołe po mrocznym dworcu.

— Zdarzyło się to w jednym z liceów koranicznych w Stambule, tak przynajmniej słyszeliśmy — zaczął Necip. — Dyrektor zrujnowanej, biednej szkoły z przedmieścia udał się z pewną oficjalną sprawą do jednego z tych gigantycznych stambulskich drapaczy chmur, które pokazują w telewizji. Wszedł do ogromnej windy, by wjechać na górę. W windzie stał wysoki młody człowiek z książką w ręce. Chcąc rozciąć kilka sklejonych kartek, wyjął z kieszeni nóż o trzonku z masy perłowej. Coś powiedział. Dotarli na dziewiętnaste piętro i dyrektor wysiadł, ale przez kolejne dni czuł się bardzo dziwnie. Ogarnął go marazm i strach przed śmiercią. Myślał już tylko o nieznajomym mężczyźnie z windy. Był człowiekiem żarliwej wiary, udał się więc do bractwa

Cerrahich*. Przesławny szejch do rana słuchał wszystkiego, co działo się w sercu nieszczęśnika, a wreszcie zawyrokował: „Straciłeś wiarę w Boga". Po czym dodał: „Co gorsza, jesteś z tego dumny, choć jeszcze o tym nie wiesz! Zaraziłeś się od tamtego człowieka w windzie. Stałeś się ateistą".

I choć dyrektor, zalewając się łzami, próbował zaprzeczyć wszystkiemu, ta część jego duszy, która potrafiła się jeszcze zdobyć na szczerość, podpowiadała, że szejch ma rację. Zdarzało mu się nagabywać piękne uczennice, robił wszystko, by zostać sam na sam z matkami wychowanków, i okradał nauczyciela, któremu zazdrościł. A na dodatek, to wszystko sprawiało mu przyjemność. Pewnego razu dyrektor wezwał do siebie pracowników szkoły i zarzucił im, że przez zabobony i bzdurne obrzędy nie potrafią żyć jak wolni ludzie. Mówił, że wszystko jest dozwolone, co chwilę wtrącał jakieś francuskie słówka. Zaczął się ubierać w najmodniejsze europejskie stroje, kupione za ukradzione pieniądze. Poniżał ludzi i dawał im do zrozumienia, jak bardzo są „zacofani". Tymczasem w szkole zapanowała anarchia — zgwałcono jedną z najpiękniejszych uczennic i pobito starego nauczyciela Koranu. Dyrektor płakał w samotności, marząc o samobójstwie, lecz nie miał odwagi go popełnić. Czekał więc, aż ktoś go wyręczy. Dlatego w obecności najbardziej religijnych uczniów obrażał — wybacz, Boże! — proroka Mahometa. Ale oni myśleli, że oszalał, i zostawili go w spokoju. Wtedy wyszedł na ulicę i — wybacz, Boże! — zaczął głosić, że Bóg nie istnieje, i że wszystkie meczety należy zamienić w dyskoteki. Twierdził, że jeśli wszyscy zostaniemy chrześcijanami, to będziemy bogaci jak ludzie Zachodu. Młodzi

---

* Cerrahi — jedno z najbardziej liberalnych bractw religijnych w Turcji, założone przez Muhammeda Nureddina Cerrahiego (1670–
–1720).

islamiści już mieli go zastrzelić, ale w ostatniej chwili, przerażony, zmienił zdanie i zdążył się ukryć. Kiedy okazało się,
że nie znajdzie lekarstwa na rozpacz i nie wyzbędzie się samobójczych myśli, wrócił do tamtego wieżowca, wsiadł do
windy, gdzie spotkał tego samego wysokiego mężczyznę.
Młodzieniec uśmiechnął się, dając mu do zrozumienia, że
wie o wszystkim, co go spotkało, i pokazał mu okładkę trzymanej w dłoni książki. Książki, w której ukryty był lek na
ateizm. Dyrektor wyciągnął w jej stronę drżące ręce, ale zanim winda zatrzymała się na jednym z pięter, wysoki mężczyzna wbił w jego serce nóż o trzonku z masy perłowej.

Kiedy chłopak skończył opowieść, Ka przypomniał sobie, że podobna historia krążyła wśród tureckich islamistów
mieszkających w Niemczech. Tajemnicza książka z opowieści Necipa nie została nazwana, ale Mesut wspomniał obce
Ka nazwiska żydowskich pisarzy: kilku felietonistów, głównych wrogów zaangażowanego politycznie islamu — jednego z nich zamordowano trzy lata później — jako (po-
tencjalnych) autorów, którzy mogli popchnąć czytelnika ku
ateizmowi.

— Opętani przez szatana ateiści, jak dyrektor z naszej
opowieści, żyją wśród nas, szukając szczęścia i spokoju —
powiedział Mesut. — Czy pan się z tym zgadza?

— Nie wiem.

— Jak to pan nie wie? — zapytał gniewnie Mesut. — Czy
pan nie jest ateistą?

— Nie wiem — powtórzył Ka.

— To proszę mi powiedzieć w takim razie, czy wierzy
pan, że to Bóg Wszechmogący stworzył cały świat i wszystko
na nim, nawet te wielkie płatki śniegu? Wierzy pan czy nie?

— Śnieg przypomina mi o Bogu — powiedział Ka.

— Tak, ale czy wierzy pan, że to Bóg stworzył ten śnieg?
— upierał się Mesut.

Zapadła cisza. Czarny pies wybiegł na peron i w bladym świetle latarni z radością dokazywał w prószącym śniegu.

— Nie potrafi pan odpowiedzieć — stwierdził Mesut.

— Jeśli człowiek zna i kocha Boga, nie wątpi w jego istnienie. A więc pańskie milczenie dowodzi, że jest pan niewierzący, ale pan się do tego nie przyznaje ze strachu. Spodziewaliśmy się tego. Dlatego w imieniu Fazıla chcę zadać panu pytanie: Czy cierpi pan tak jak ten biedny ateista z naszej opowieści? Czy chce się pan zabić?

— Bez względu na to, jak bardzo bywam nieszczęśliwy, nigdy nie miałbym odwagi się zabić — odparł Ka.

— A z jakiego to powodu? — zapytał Fazıl. — Czy dlatego, że państwo tego zabrania, głosząc, że człowiek to istota najdoskonalsza? Tak właśnie tłumaczą sobie fakt, że jest on arcydziełem Boga. Niech pan powie, dlaczego boi się pan samobójczej śmierci.

— Proszę zrozumieć upór mych kolegów — wtrącił Necip. — To pytanie ma dla Fazıla szczególne znaczenie.

— Czyżby nie był pan wystarczająco przygnębiony i nieszczęśliwy, aby pragnąć śmierci? — nie ustępował Fazıl.

— Nie — odparł Ka z irytacją.

— Proszę niczego przed nami nie ukrywać — dodał Mesut. — Nie zrobimy panu krzywdy tylko dlatego, że jest pan niewierzącym.

Zapadła nerwowa cisza. Ka wstał. Nie chciał okazywać strachu. Ruszył przed siebie.

— Niech pan nie odchodzi — powiedział Fazıl.

Ka zatrzymał się, ale nadal milczał.

— Dobrze więc, ja będę mówił — zdecydował Necip. — Wszyscy trzej jesteśmy zakochani w dziewczętach, które swoje życie poświęcają dla wiary. Laicka prasa mówi o nich: „dziewczyny w chustach". Tymczasem dla nas są to po prostu muzułmanki, które jak wszystkie muzułmanki muszą narażać życie dla wiary.

— I muzułmanie też — wtrącił Fazıl.

— Oczywiście — zgodził się Necip. — Ja kocham Hicran, Mesut kocha Hande, a Fazıl kochał Teslime, ale ona umarła. Albo się zabiła. Tyle że my nie wierzymy, żeby muzułmanka, gotowa poświęcić swoje życie dla wiary, chciała się zabić.

— Może nie mogła już znieść cierpienia — zauważył Ka. — Rodzina naciskała na nią, aby zdjęła chustę, usunięto ją ze szkoły...

— Żadna presja nie wystarczy, by osoba naprawdę wierząca zdecydowała się popełnić taki grzech — odparł rozgorączkowany Necip. — My nawet drżymy ze strachu na samą myśl o tym, że moglibyśmy spóźnić się na poranną modlitwę. Jeśli ma się tak silną wiarę, to zrobi się wszystko, by nie prowadzić grzesznego życia, nawet gdyby oznaczało to zamianę owego życia w torturę.

— Wiemy, że spotkał się pan z rodzicami Teslime — zaatakował Fazıl. — Czy oni wierzą w jej samobójstwo?

— Wierzą. Najpierw oglądała z nimi *Mariannę*, potem obmyła się i odmówiła modlitwę.

— Teslime nigdy nie oglądała seriali — wyszeptał Fazıl.

— Czyś ty w ogóle ją znał? — zapytał Ka.

— Nigdy osobiście się nie poznaliśmy, nie rozmawialiśmy — wyznał Fazıl ze wstydem. — Raz tylko widziałem ją z daleka, poza tym i tak była zasłonięta. Ale nasze dusze znały się doskonale. Przecież człowiek dobrze zna tego, kogo kocha. Czułem ją tu, głęboko w sercu. Teslime nigdy by się nie zabiła.

— Może nie znałeś jej wystarczająco dobrze.

— A może to ci z Zachodu przysłali tu pana, żeby zatuszował pan śmierć Teslime? — powiedział Mesut zaczepnie.

— Nie, nie — przerwał Necip. — My panu ufamy. Starsi mówili, że jest pan derwiszem i poetą. I właśnie dlatego, że panu ufamy, chcieliśmy zapytać o coś, co głęboko leży nam na sercu. Fazıl bardzo przeprasza za to, co powiedział Mesut.

— Przepraszam — bąknął czerwony Fazıl. W oczach miał łzy.

Mesut milczał.

— Łączy mnie z Fazılem braterstwo krwi — wyznał Necip. — Często zdarza się nam czuć to samo w tym samym momencie. I wiedzieć, co myśli ten drugi. W przeciwieństwie do mnie, Fazıla polityka nie interesuje. A teraz obaj mamy do pana prośbę. Ostatecznie możemy się zgodzić z tym, że Teslime się zabiła, udręczona przez ojca, matkę i państwo. To straszne, ale nawet Fazıl myśli czasem, że dziewczyna, którą kochał, popełniła grzech i wybrała śmierć. Jeśli jednak Teslime była — jak człowiek z tej opowieści — nieszczęsną skrytą ateistką i dlatego postanowiła umrzeć, to będzie dla Fazıla potworny cios. Bo wtedy okaże się, że pokochał niewierzącą! Rozwiązanie tej straszliwej zagadki zna tylko pan i tylko pan może pomóc Fazılowi. Czy rozumie pan, o co nam chodzi?

— Czy jest pan ateistą? — zapytał Fazıl, patrząc na Ka błagalnym wzrokiem. — A jeśli tak, to czy pragnie pan śmierci?

— Nawet w chwilach, w których byłem absolutnie przekonany, że jestem niewierzący, nigdy nie pragnąłem popełnić samobójstwa — odparł Ka.

— Wielkie dzięki za szczerą odpowiedź — powiedział Fazıl z ulgą. — Pana serce pełne jest dobra, tylko boi się pan uwierzyć w Boga.

Ka chciał odejść, widząc wrogie spojrzenie Mesuta. Myślami był już gdzie indziej. Czuł rodzące się w nim pragnie-

nie i jakieś powiązane z nim bliżej nieokreślone marzenia,
ale w towarzystwie obcych na niczym nie mógł się skupić.
Później, gdy będzie myślał o tych kilku minutach, zrozumie, że owo pragnienie było w równym stopniu wynikiem
strachu przed śmiercią i niemożnością wiary w Boga, jak
i tęsknoty do Ipek. Już wkrótce Mesut miał dodać do owej
układanki kolejny element.

— Proszę, niech nas pan źle nie zrozumie — tłumaczył
Necip. — Nie jesteśmy wrogami ateistów. Zawsze jest dla
nich miejsce w muzułmańskiej społeczności.

— Tylko cmentarze powinni mieć osobne — wtrącił
Mesut. — Bezbożnik, który spoczywa w tej samej ziemi co
wierzący, niszczy spokój duszy prawdziwego muzułmanina.
Niektórzy ateiści ukrywający swe poglądy zatruwają wie-
rzącym nie tylko życie doczesne, ale mogą ich dręczyć także
po śmierci. Jakby niewystarczającą męką była konieczność
spoczywania w ziemi obok nich aż do Sądu Ostatecznego,
będziemy musieli jeszcze znosić ich widok, kiedy Sądnego
Dnia wstaniemy z grobów... Panie poeto Ka, nie ukrywa pan
już, że kiedyś był pan ateistą. Może nawet jest nim pan nadal.
Niech pan więc powie, kto sprawia, że pada ten śnieg? Jaka
jest jego tajemnica?

Wszyscy patrzyli przez chwilę na śnieg rozjaśniany neo-
nowym światłem, powoli zasypujący puste tory.

Co ja robię na tym świecie? — pomyślał Ka. — Jaki ten
śnieg wydaje się marny z oddali, jaki ja jestem marny. Człowiek żyje, starzeje się, znika.

Czuł, że istniał tylko w połowie, że druga połowa ulot-
niła się gdzieś, obumarła — mimo to wciąż kochał siebie,
wciąż z troską patrzył na drogę, jaką wytyczyło mu życie.
Jakby sam był płatkiem śniegu. Przypomniał sobie zapach
wody kolońskiej ojca i stanął mu przed oczami widok matki
przygotowującej śniadanie w zimnej kuchni, jej zmarznię-

tych nóg, jej szczotki do włosów, różowego syropu, który kazano mu pić, gdy z powodu kaszlu budził się w nocy; czuł smak lekarstwa w ustach; widział te wszystkie szczegóły, z których składa się życie. Wszystkie naraz, jeden płatek śniegu...

I nagle usłyszał głos, głos rozpoznawalny tylko dla prawdziwych poetów, umiejących doznawać chwil szczęścia jedynie w przypływach natchnienia. Pierwszy raz od czterech lat przyszedł mu na myśl pomysł na wiersz: był tak pewny jego obecności, klimatu i siły, że poczuł wszechogarniającą radość. Wyjaśnił trzem młodzieńcom, że bardzo mu się spieszy, po czym opuścił mroczny i pusty dworzec. Rozmyślając nad wierszem, który napisze, wracał pośpiesznie do hotelu.

10.

Dlaczego ten wiersz jest piękny?

Śnieg i szczęście

Ka wszedł do hotelowego pokoju i zdjął palto. Otworzył kupiony we Frankfurcie zeszyt w kratkę w zielonej okładce i, słowo po słowie, zaczął zapisywać wiersz, który rodził się w jego głowie. Miał wrażenie, jakby ktoś dyktował mu szeptem kolejne wersy. Był absolutnie skupiony na pracy. Nigdy jeszcze nie tworzył z taką łatwością i w takim natchnieniu, zaczął więc podejrzliwie traktować to, co napisał. Ale notując kolejne słowa, upewniał się, że utwór jest idealny pod każdym względem, co jeszcze bardziej go radowało. Zrobiwszy zaledwie kilka krótkich przerw i zostawiwszy kilka wolnych miejsc na słowa, których jakby nie dosłyszał, Ka napisał trzydzieści cztery wersy.

Wiersz składał się z wielu elementów układanki, która niedawno rozsypała się w jego myślach: padającego śniegu, cmentarzy, radośnie biegającego po pustym dworcu psa, kilkunastu wspomnień z dzieciństwa, Ipek, o której myślał z radością i przestrachem, niemal biegnąc do hotelu. Zatytułował go *Śnieg*. Później, rozmyślając o tym, jak powstał, skojarzył go z płatkiem śniegu, który w jakiś niezwykły sposób stał się odzwierciedleniem jego życia. Jeśli istotnie tak było, wiersz ten powinien się znajdować jak najbliżej środka śniegowego płatka, punktu objaśniającego logikę całego istnienia. I tak jak trudno jest teraz rozstrzygnąć, co powodowało Ka, gdy pisał ten wiersz, tak trudno jest stwierdzić, czy do owego wniosku doszedł nagle, czy też wniosek ów był następstwem tajemnej symetrii życia.

Kiedy Ka kończył pisać wiersz, podszedł do okna i w ciszy zaczął się przyglądać delikatnym płatkom. Czuł, że jeśli spojrzy na śnieg, zakończy utwór tak, jak należy. Ale wtedy ktoś zapukał do drzwi, a kiedy je otworzył, raz na zawsze zapomniał ostatnich dwóch wersów.

Za progiem stała Ipek.

— Mam dla ciebie list — wyjaśniła, podając mu kopertę.

Ka wziął przesyłkę i nie spojrzawszy nawet na nią, odrzucił na bok.

— Jestem szczęśliwy — powiedział.

Do tej pory uważał, że tylko ludzie pospolici są zdolni przyznać się do szczęścia. Ale teraz nawet się nie zawstydził.

— Wejdź — zaprosił ją do środka. — Pięknie wyglądasz.

Ipek weszła do pokoju ze swobodą kogoś, kto doskonale zna wszystkie hotelowe zakamarki. Ka miał wrażenie, że po tym, co razem przeżyli, są sobie bliżsi.

— Nie wiem, jak to się stało — dodał — ale przed chwilą napisałem wiersz. Może przyszedł mi do głowy dzięki tobie?

— Dyrektor ośrodka kształcenia jest w stanie krytycznym — przerwała Ipek.

— Wiadomość, że człowiek, którego miało się za nieboszczyka, żyje, to dobra wiadomość.

— Policja przeszukuje każdy kąt. Byli w kampusie uniwersyteckim i kilku hotelach. Tutaj też przyszli, przeglądali książkę meldunkową i wypytywali o gości.

— Co im powiedziałaś? Wspomniałaś, że chcemy się pobrać?

— Jesteś bardzo miły, ale nie to mi teraz w głowie. Zabrali Muhtara, pobili go, potem wypuścili.

— Kazał ci coś powtórzyć: jest gotów zrobić wszystko, żebyś znów wyszła za niego. Strasznie żałuje, że namawiał cię do noszenia chusty.

— Muhtar każdego dnia powtarza mi to osobiście — odparła Ipek. — Co zrobiłeś po wyjściu z komisariatu?

— Spacerowałem... — zaczął Ka, ale się zawahał.

— No powiedz.

— Spotkałem się z Granatowym. Zabronili mi komukolwiek o tym opowiadać.

— Rzeczywiście nie powinieneś. A jemu nie powinieneś mówić o nas, o moim ojcu.

— Poznałaś go?

— Swego czasu Muhtar był nim zafascynowany, wtedy Granatowy odwiedził nasz dom kilka razy. Potem jednak Muhtar zdecydował się stanąć po stronie umiarkowanych islamistów-demokratów, więc odsunął się od niego.

— Przyjechał tu w sprawie samobójczyń.

— Uważaj na niego i nie wspominaj o nim ani słowem — ostrzegła Ipek. — Prawdopodobnie nawet tam, gdzie się ukrywa, policja ma swój podsłuch.

— Dlaczego więc go nie aresztują?

— Zrobią to w odpowiednim dla nich momencie.

— Uciekajmy z tego miasta — wyszeptał Ka.

Poczuł narastający strach, zupełnie jak wtedy, gdy był mały. Wydało mu się, że nagle jego niezwykłemu szczęściu zagrażać zaczyna wielka rozpacz. Starał się więc jak zawsze szybko stłamsić tę chwilę radości, jakby mógł w ten sposób zmniejszyć cierpienie, które miało zaraz nadejść. Dlatego — ogarnięty bardziej strachem niż miłosnym uniesieniem — przyciągnął do siebie Ipek. Pomyślał, że ta szansa na bliskość przepadnie w jednej sekundzie, a niezasłużone szczęście przemieni się w zasłużone odrzucenie i poniżenie. On sam zaś będzie mógł odetchnąć z ulgą, że wszystko jest tak, jak być powinno.

Stało się jednak inaczej. Ipek wtuliła się w niego. Obojgu najwyraźniej spodobała się ta nieoczekiwana bliskość. Całując się, opadli na łóżko. Podniecenie zatarło resztki obaw. Ka wiedział już, że nie stawi czoła pragnieniu i nadziei. Teraz chciał widzieć ją nagą, chciał kochać się z nią jak najdłużej.

Lecz Ipek gwałtownie się odsunęła.

— Jesteś wspaniały. Uwierz, chciałabym się z tobą kochać, ale od trzech lat nie byłam z mężczyzną i jeszcze nie jestem gotowa — powiedziała.

Ja nie miałem kobiety od czterech lat, pomyślał Ka. Odniósł wrażenie, że Ipek odczytała to wyznanie w jego twarzy.

— Nawet jeśli byłabym gotowa — dodała — nie potrafiłabym kochać się z tobą, wiedząc, że ojciec jest tak blisko.

— Chcesz powiedzieć, że twój ojciec musi opuścić hotel, żebyś mogła pójść ze mną do łóżka?

— Tak. Tylko że on rzadko wychodzi. Nie lubi oblodzonych ulic Karsu.

— No dobrze, nie róbmy tego teraz, ale pocałujmy się jeszcze — poprosił Ka.

— W porządku.

Ipek pochyliła się w stronę siedzącego na łóżku Ka i zachowując dystans, całowała go długo i namiętnie.

— Przeczytam ci swój wiersz — zaproponował Ka, gdy zrozumiał, że to już koniec czułości. — Nie jesteś ciekawa?

— Najpierw przeczytaj ten list. Dostarczył go jakiś młody człowiek.

Ka otworzył kopertę i zaczął czytać na głos:

Ka, Mój Drogi Synu. Proszę wybaczyć, jeśli nazwanie Pana „moim drogim synem" wydało się Panu niestosowne.

*Wczoraj w nocy śniłem o Panu. Widziałem śnieg, którego każ-
dy płatek spadał na ziemię niczym świetlisty promień. Zastanawiałem się, co to może oznaczać, a dziś po południu dostrzegłem za oknem tę samą biel — biel z mego snu. Przeszedł
Pan dziś przed drzwiami naszej skromnej siedziby przy ulicy
Baytarhane numer 18. Szanowny pan Muhtar, którego Wielki
Bóg raczył wystawić na wielką próbę, przekazał mi, jakie
znaczenie ma dla Pana ów śnieg. Podążamy tą samą drogą.
Czekam na Pana. Podpisano: Saadettin Cevher.*

— Szejch Saadettin — wyszeptała Ipek. — Natychmiast
idź do niego. A wieczorem przyjdziesz do nas, do mego ojca
na kolację.

— Dlaczego niby miałbym spotykać się ze wszystkimi
wariatami w mieście?

— Powiedziałam, że masz się strzec Granatowego, ale
nie mówiłam, że to wariat. A szejch jest sprytny, na pewno
jednak nie głupi.

— Chcę po prostu o tym wszystkim zapomnieć. Mogę
teraz przeczytać ci mój wiersz?

— Czytaj.

Ka usiadł na brzegu stołu. Podnieconym, silnym głosem
zaczął czytać, lecz prawie natychmiast przerwał.

— Siadaj tutaj — powiedział. — Chcę widzieć twoją
twarz. — Zerkając kątem oka na Ipek, zaczął czytać od nowa. — Podoba ci się? — zapytał po chwili.

— Tak, ładny! — odparła.

Przeczytawszy kolejny fragment, zapytał znowu.

— Ładny — odpowiedziała Ipek.

Kiedy skończył, zapytał raz jeszcze:

— A co najbardziej ci się spodobało?

— Nie wiem — odparła. — Ale bardzo mi się podobało.

— Muhtar nie czytał ci swoich wierszy?

— Nie czytał.

Podekscytowany Ka raz jeszcze odczytał wiersz i znów urywając w tych samych miejscach, pytał, czy jej się podoba. W niektórych momentach mówił nawet: „Przepiękne, prawda?", a Ipek odpowiadała: „Istotnie, to bardzo ładne". Był tak rozradowany, że czuł (jak przed laty, gdy pisał wiersz dla jakiegoś dziecka), jakby otulało go przedziwne, cudowne światło. Część tej jasności ogarnęła także Ipek, co uradowało go jeszcze bardziej. Znów przyciągnął ją do siebie, chciał, by ten „pozbawiony grawitacji czas" trwał jak najdłużej. Tym razem jednak kobieta delikatnie się odsunęła.

— Posłuchaj, natychmiast idź do szejcha. To bardzo ważny człowiek, ważniejszy, niż myślisz. Wiele osób z miasta, także niewierzących, chodzi do niego. Mówi się, że bywa tam komendant dywizji, żona wojewody, wielu bogaczy i wojskowych. Szejch stoi po stronie państwa. Kiedy stwierdził, że dziewczęta powinny w szkole zdejmować chusty, nikt z Partii Dobrobytu nawet nie pisnął. W miejscu takim jak Kars nie odrzuca się zaproszenia tej miary osobistości.

— Czy to ty wysłałaś do niego nieszczęsnego Muhtara?

— Boisz się, że odkryje twój strach przed Bogiem i na siłę zrobi z ciebie człowieka wierzącego?

— Jestem teraz bardzo szczęśliwy, niepotrzebna mi wiara — odparł Ka. — I nie po wiarę przyjechałem do Turcji. Tylko jedna rzecz mogła mnie tutaj sprowadzić: miłość do ciebie. Wyjdziesz za mnie?

Ipek usiadła na brzegu łóżka.

— Idź do niego — powiedziała i jakoś dziwnie spojrzała na Ka. — Ale uważaj. Jeśli dostrzeże najdrobniejszą szczelinę w twojej duszy, wpełznie do środka jak dżin. W tym nie ma sobie równych.

— Co ze mną zrobi?

— Będzie z tobą rozmawiał, potem rzuci ci się do nóg. Uczepi się jakiegoś wypowiedzianego przez ciebie zdania i będzie cię przekonywać, że to głęboka myśl, a ty jesteś wielkim mędrcem. Niektórzy uważają, że w takich chwilach najzwyczajniej w świecie z nich drwi, ale w tym właśnie tkwi siła szejcha. W końcu uwierzysz w jego przekonanie o twojej niezwykłej mądrości. Będzie się zachowywał tak, jakby w twoim wnętrzu żyła istota o wiele potężniejsza od ciebie. Po jakimś czasie sam zaczniesz zauważać to ukryte w tobie piękno. Pomyślisz, że skoro sam nie dostrzegłeś go wcześniej, musi pochodzić od Boga. Będziesz szczęśliwy. Świat u jego boku nabierze nowych barw. I pokochasz szejcha, który będzie cię do tego szczęścia przybliżać. Przez cały czas jednak jakaś cząstka twojej świadomości będzie ci podszeptywać, że to wszystko jest tylko grą, a ty jesteś godnym pożałowania durniem. Ale — tak było w wypadku Muhtara — nie znajdziesz w sobie sił, by znów uwierzyć tej zgniłej i złej stronie swojej duszy. Upadłeś już tak nisko i jesteś tak bardzo nieszczęśliwy, że jedynym twoim wybawicielem może być Bóg — pomyślisz. Twój umysł jednak, który nie ma pojęcia o tym, czego pragnie dusza, zacznie się nieco opierać. W ten sposób wkroczysz na wyznaczoną przez szejcha drogę, jedyną, jaką będziesz w stanie iść. Szejch ma dar, który sprawia, że siedzący przed nim człowiek czuje się lepszy. To jest jak cud dla większości mężczyzn z Karsu, którzy uważają, że nikt nie może być większym nędznikiem, biedakiem i nieudacznikiem niż oni. W ten sposób najpierw zaczynasz wierzyć w szejcha, a potem w islam, o którym kazano ci zapomnieć. Ale to wcale nie jest takie straszne, jak przekonują świeccy intelektualiści i jak to może wyglądać z perspektywy Niemiec. Będziesz jak wszyscy, staniesz się członkiem wspólnoty. I może na chwilę przestaniesz być nieszczęśliwy.

— Nie jestem nieszczęśliwy — odparł Ka.

— Rzeczywiście, nie można mówić o nieszczęściu w wypadku kogoś, komu jest aż tak źle. Ale pamiętaj, że nawet najnieszczęśliwsi ludzie mają małe nadzieje, swoje pociechy, które ściskają mocno, do utraty tchu. W tym mieście nie ma cynicznych bezbożników, jakich można spotkać w Stambule. Tu wszystko jest prostsze.

— Pójdę tam tylko dlatego, że ty tego chcesz. Gdzie jest ulica Baytarhane? Ile czasu powinienem tam spędzić?

— Zostań tak długo, aż poczujesz się swobodnie — odparła Ipek. — I nie bój się uwierzyć. — Pomogła Ka włożyć palto. — Pamiętasz wszystko, czego się nauczyłeś o islamie? — zapytała. — Pamiętasz modlitwy ze szkoły podstawowej? Żebyś potem nie najadł się wstydu.

— Kiedy byłem dzieckiem, niania prowadzała mnie do meczetu Teşvikiye — odpowiedział Ka. — Ale od rozmów z Bogiem wolała pogaduszki z innymi służącymi. Kiedy one czekały na rozpoczęcie modlitwy i plotkowały, ja z resztą dzieciarni rozrabiałem, turlając się po meczetowych dywanach. W szkole wkuwałem na pamięć wszystkie modlitwy tylko po to, by nie podpaść nauczycielowi. Miał zwyczaj bić nas po twarzy. A kiedy chciał nas zmusić do nauki Sury Otwierającej*, łapał któregoś za włosy i uderzał jego głową w otwartą książkę do religii. O islamie dowiedziałem się wszystkiego, czego można się było nauczyć w szkole. I wszystko zapomniałem. A dziś mam wrażenie, że to, co wiem na jego temat, odnalazłem w filmie *Mesjasz*. Tym z Anthonym Quinnem. — Ka uśmiechnął się. — Ostatnio pokazali go w Niemczech na tureckim kanale. Po niemiecku, nie wiedzieć czemu. Wieczorem będziesz tutaj, prawda?

— Tak.

---

* Sura Otwierająca (Al-Fatiha) — pierwsza sura Koranu.

— Chcę ci jeszcze raz przeczytać mój wiersz — wyjaśnił Ka, chowając zeszyt do kieszeni palta. — Według ciebie jest ładny?

— Jest naprawdę piękny.

— A co w nim pięknego?

— Nie wiem, jest po prostu piękny — odparła Ipek, wychodząc.

Ka objął ją szybko i pocałował w usta.

11.

Czy w Europie jest jakiś inny Bóg?

Ka u szejcha

Kilka osób widziało, jak Ka prawie biegł w stronę ulicy Baytarhane w padającym śniegu i pod rozwieszonymi wszędzie propagandowymi chorągiewkami. Był szczęśliwy, a na ekranie jego wyobraźni wyświetlały się właśnie równolegle dwa obrazy — dokładnie tak, jak zdarzało mu się, gdy był dzieckiem. Pierwszy przedstawiał Ipek kochającą się z nim gdzieś w Niemczech, gdzieś poza jego frankfurckim domem. Widział ów obraz bez przerwy, a czasami miejscem, w którym kochał się z Ipek, był pokój w hotelu w Karsie. W drugiej wizji panował chaos wyobrażeń i słów, jakie powinny się znaleźć w ostatnich dwóch wersach *Śniegu*.

Do restauracji Yeşilyurt wszedł, by zapytać o adres wskazany przez szejcha. Zainspirowany widokiem butelek ustawionych rzędem na półce obok portretu Atatürka i ośnieżonych pejzaży Szwajcarii, ze stanowczością kogoś, komu bardzo się spieszy, zamówił podwójną rakı*, biały ser i prażony groch. Spiker w telewizorze relacjonował właśnie wydarzenia krajowe i regionalne; uspokajał, że mimo intensywnych opadów śniegu prace związane z pierwszą w historii

---

* Rakı — wódka anyżowa, najczęściej rozcieńczana wodą (staje się wtedy biała, stąd nazwa potoczna *aslan sütü*, tj. lwie mleko).

Karsu telewizyjną transmisją na żywo spoza studia są już na ukończeniu. Wicewojewoda, chcąc uniknąć eskalacji nienawiści, telefonicznie zabronił informować o postrzeleniu dyrektora ośrodka kształcenia. Zanim Ka zdążył się zorientować w tym wszystkim, szybko, jakby pił wodę, wychylił podwójną rakı.

Po trzecim kieliszku wyszedł, a cztery minuty później stał u progu wskazanego domu. Ktoś otworzył mu drzwi. Kiedy Ka wspinał się po stromych schodach, przypomniał sobie wiersz Muhtara, który nadal tkwił w kieszeni jego marynarki. Był pewien, że wszystko pójdzie po jego myśli, ale czuł się jak zdjęty strachem dzieciak, wchodzący do lekarskiego gabinetu, chociaż wie, że tym razem nie będzie zastrzyków. Gdy znalazł się na górze, od razu pożałował, że w ogóle tu przyszedł; mimo wypitego alkoholu pocił się ze strachu.

Szejch wyczuł ten strach, kiedy tylko na niego spojrzał. I Ka dobrze o tym wiedział. Ale w szejchu było coś takiego, co sprawiało, że poeta nie wstydził się swojej słabości. Na szczycie schodów zawieszono lustro w rzeźbionej ramie z orzechowego drewna i właśnie w tym lustrze zobaczył szejcha po raz pierwszy. Pomieszczenie, w którym się znalazł, pełne było ludzi. Czuł ciepło ludzkich ciał i oddechów. Jakaś tajemnicza siła skłoniła go do pocałowania dłoni szejcha. Wszystko działo się jakby mimochodem, Ka nie zwrócił nawet uwagi na otaczający go tłum.

Ponad dwadzieścia osób uczestniczyło w zwykłej wtorkowej ceremonii. Pragnęły wysłuchać szejcha albo wyżalić się przed nim. Było tam pięciu lub sześciu handlarzy, właścicieli mleczarń i Gaykane — przy każdej okazji odwiedzających szejcha, by cieszyć się radością, jaką ten im dawał. Byli tam również na wpół sparaliżowany młody człowiek, zezowaty szef firmy autobusowej z podstarzałym kolegą, nocny stróż z elektrowni, dozorca od czterdziestu lat pracujący w szpitalu miejskim i kilku innych...

Widząc zakłopotanie na twarzy Ka, szejch z przesadną atencją ucałował jego dłoń. W tym geście szacunek zmieszał się z pobłażliwą serdecznością, z jaką całuje się dziecko. Ka był zaskoczony, chociaż domyślał się, że szejch postąpi właśnie w ten sposób. Zaczęli rozmawiać, ze świadomością, że wszyscy zgromadzeni wokół patrzą na nich i słuchają ich słów.

— Niech cię Bóg pobłogosławi za to, żeś odpowiedział na moje zaproszenie — zaczął szejch. — Widziałem cię we śnie. Padał śnieg.

— I ja też widziałem szejcha we śnie — odparł Ka. — Przyszedłem tu, bo chcę być szczęśliwy.

— To dla nas wielka radość, że właśnie tutaj szukasz szczęścia — powiedział szejch.

— Boję się. Tutaj, w tym mieście, w tym domu — wyznał Ka. — Boję się, bo jesteście mi obcy. Bo zawsze bałem się takich rzeczy. Nie chciałem całować niczyich rąk i nie chciałem, by całowano moje.

— Otworzyłeś się przed naszym bratem Muhtarem, pokazałeś mu piękno, które tkwi w twoim wnętrzu — ciągnął szejch. — Powiedz nam, o czym przypomina ci ten błogosławiony śnieg, który pada za oknem?

Ka dopiero teraz zauważył mężczyznę siedzącego tuż pod oknem, na drugim końcu otomany zajmowanej przez szejcha. Był to Muhtar. Czoło i nos miał oklejone plastrami. Podbite oczy zasłaniał wielkimi czarnymi okularami, jak starcy, którzy oślepli po przebytej ospie. Uśmiechał się do Ka, ale w jego twarzy wcale nie było widać sympatii.

— Śnieg przypomniał mi o Bogu — odparł Ka. — Przypomniał, jak piękny i tajemniczy potrafi być świat. I że życie jest szczęściem. — Kiedy umilkł na chwilę, zauważył, że wszyscy bacznie go obserwują. Zirytowała go satysfakcja, która wypełzła na twarz szejcha. — Dlaczego mnie tu wezwaliście?

— Nikt nie śmiałby wzywać cię tu wbrew twojej woli — obruszył się szejch. — Razem z panem Muhtarem doszliśmy do wniosku, że szukasz przyjaciela, że masz pewnie ochotę otworzyć się przed kimś i porozmawiać.

— Dobrze, porozmawiajmy — zdecydował Ka. — Przed przyjściem tutaj ze strachu wypiłem trzy kieliszki rakı.

— Dlaczego się nas boisz? — zapytał szejch i szeroko otworzył oczy, udając wielkie zdziwienie. Był grubym, sympatycznym mężczyzną. Ka zauważył, że ludzie wokoło szczerze się uśmiechają. — Powiesz nam, czego się tak bardzo bałeś?

— Powiem, ale proszę nie mieć mi tego za złe — zaczął Ka.

— Bez obaw — odparł szejch. — Proszę, usiądź obok mnie. Bardzo jestem ciekaw, skąd ten strach.

Starzec zachowywał się jak aktor, gotów w każdej chwili rozbawić publiczność. To połączenie żartobliwego i poważnego tonu spodobało się Ka tak bardzo, że miał ochotę go naśladować.

— Zawsze szczerze pragnąłem, żeby mój kraj się rozwijał, żeby ludzie byli wolni i nowocześni — powiedział. — Ale wciąż miałem wrażenie, że nasza religia jest temu przeciwna. Może nie miałem racji, proszę wybaczyć. Może jestem teraz bardzo pijany i dlatego mówię w ten sposób.

— Nie myśl tak!

— Wyrosłem na Nişantaşı, wśród stambulskiej elity. Chciałem być Europejczykiem. Zrozumiałem, że nie potrafię, wierząc jednocześnie w Boga, który nakazuje kobietom zasłaniać twarze. Dlatego żyłem daleko od religii. Kiedy wyjechałem do Europy, poczułem, że istnieje Bóg inny od tego, o którym mówią brodaci prowincjonalni radykałowie.

— Czy w Europie jest jakiś inny Bóg? — zapytał szejch żartobliwie, klepiąc Ka po plecach.

— Pragnę Boga, przed którym nie będę musiał zdejmować butów, który nie będzie kazał całować rąk innych ludzi ani padać na kolana. Boga, który zrozumie moją samotność.

— Bóg jest jeden — powiedział szejch. — Wszystko widzi i wszystkich rozumie. Twoją samotność także. Gdybyś uwierzył w niego i w to, że wie, jak bardzo jesteś samotny, nie czułbyś się tak podle.

— To prawda — odrzekł Ka, mając świadomość, że mówi do wszystkich zgromadzonych. — Nie mogę uwierzyć w Boga, ponieważ jestem sam, a nie potrafię uwolnić się od samotności, bo nie wierzę w Boga. Co mam robić?

Chociaż był pijany i czuł niespodziewaną przyjemność z tego, że właśnie powiedział prawdziwemu islamskiemu szejchowi bez ogródek wszystko, co mu leżało na sercu, odniósł wrażenie, że zapędza się w niebezpieczne rewiry. Dlatego przestraszyło go milczenie starca.

— Naprawdę pytasz mnie o radę? — zaczął tamten.

— Przecież to nas nazywasz brodatymi prowincjonalnymi radykałami. Nawet jeśli zgolimy brody, prowincjonalizm zostanie.

— Ja też jestem prowincjonalny. I chcę być prowincjonalny jeszcze bardziej. Chcę utknąć zapomniany pod śniegiem w najdalszej prowincji świata! — odparł Ka. Znów pocałował dłoń szejcha. Z zadowoleniem stwierdził, że robi to bez żadnego przymusu. Tylko wciąż miał wrażenie, że jakaś część jego umysłu nadal funkcjonuje na sposób zachodni, należy do kogoś innego, a jego samego traktuje teraz jak pożałowania godnego nieszczęśnika. — Proszę wybaczyć, wypiłem trochę, zanim tu przyszedłem — powtórzył. — Przez całe życie miałem poczucie winy, że nie wierzyłem w Boga niepiśmiennej hołoty, dziadków z tespihami i zakutanych w chusty ciotek. Moja niewiara była harda. Ale teraz chcę uwierzyć w Boga, który sprawia, że za oknami pada ten piękny śnieg. Gdzieś tam musi być Bóg pilnujący tajemnej symetrii świata, który sprawi, że będziemy bardziej cywilizowani i wrażliwi.

— Oczywiście, że tak jest — powiedział szejch.

— Ale tego Boga nie ma wśród was. Jest na zewnątrz, w śniegu padającym w ciemność, w noc, w serca odrzuconych.

— Zatem idź, jeśli potrafisz sam Go odnaleźć. Niech śnieg w środku nocy wypełni twoje serce bożą miłością. Nie będziemy stać na twojej drodze. Nie zapominaj jednak, że ludzie zadufani w sobie zawsze w końcu zostają sami. Bóg nie lubi pychy. To przez nią szatan został wygnany z raju.

Ka — choć później miał się tego wstydzić — siedział zdjęty jeszcze większym strachem. Bał się tego, co będą o nim mówić, kiedy opuści to miejsce.

— Co mam robić, Ojcze? — zapytał. Znów miał zamiar pocałować szejcha w rękę, ale zrezygnował. Teraz już wyraźnie widział, w jakim jest stanie: pijany i niezdecydowany, budzący litość.

— Chcę uwierzyć w Boga i być zwykłym obywatelem, jak wy. Ale człowiek Zachodu, który we mnie tkwi, nie pozwala mi na to.

— Masz dobre intencje, a to świetny początek — odpowiedział szejch. — Najpierw naucz się pokory.

— Co mam więc zrobić? — zapytał Ka. Znów odezwał się w nim szatan prześmiewca.

— Każdy, kto chce porozmawiać, siada wieczorami tu, na otomanie — odpowiedział szejch. — Wszyscy tutaj są dla siebie braćmi.

Ka zrozumiał, że ludzie siedzący na krzesłach i poduchach tak naprawdę czekają w kolejce, by na chwilę zająć miejsce u boku szejcha. Wstał, czując, że szejch bardziej niż jego szanuje tę wyimaginowaną kolejkę, że będzie lepiej, jeśli stanie na samym jej końcu i zacznie cierpliwie czekać. Jeszcze raz ucałował dłoń starca i usiadł na poduszce w najdalszym kącie sali.

Siedzący obok niego pracownik *çayhane* z alei Inönü był miłym, maleńkim człowieczkiem z bocznymi zębami pokrytymi szczerym złotem. Był tak nikłego wzrostu, że podpity poeta nie mógł się pozbyć wrażenia, iż odwiedza szejcha tylko po to, by znaleźć remedium na swoją karłowatość. Ka pamiętał z dzieciństwa, że na Nişantaşı mieszkał niezwykle sympatyczny karzeł, który co wieczór kupował u Cyganek na rynku jeden goździk albo bukiecik fiołków.

Człowieczek powiedział Ka, że widział go nad ranem, jak przechodził przed jego *çayhane*, ale niestety nie wszedł do środka; wyraził nadzieję, że być może jutro poeta wstąpi na chwilę. Potem do rozmowy przyłączył się zezowaty właściciel firmy autobusowej, który szeptem wyjaśnił, że sam kiedyś był okropnie nieszczęśliwy — z powodu pewnej dziewczyny. Zaczął zbyt często zaglądać do kieliszka i tak się zbuntował, że nie chciał już znać Boga. Ale na szczęście kryzys w końcu minął. Ka nie zdążył zapytać, czy ożenił się z tamtą dziewczyną, kiedy zezowaty dodał: „Zrozumiałem, że to nie była dziewczyna dla mnie".

Tymczasem szejch mówił właśnie o samobójstwach. Wszyscy słuchali w milczeniu, niektórzy potakiwali, a nasza trójka konferowała szeptem.

— Są jeszcze inne przypadki samobójstw — donosił mały człowieczek — ale władza milczy na ten temat. Tak samo jak ukrywają wiadomości o mrozach, żeby nie psuć ludziom humoru. A prawda jest taka: dziewczyny są oddawane dla pieniędzy staruchom, których nie kochają.

— Moja żona też mnie na początku nie kochała — odparł właściciel firmy autobusowej.

128

Za przyczyny samobójstw uznał wyparcie się Boga, bezrobocie, zepsucie moralne i piekielną drożyznę. Ka pomyślał, jak obłudnie postępuje, zgadzając się ze wszystkim, co mówią tamci. Tymczasem zezowaty właściciel firmy autobusowej jednym szturchnięciem obudził podstarzałego kompana, który właśnie uciął sobie drzemkę. Zapadła długa cisza i poeta poczuł dziwny spokój. Byli tak daleko od reszty świata, że chyba nikt nie potrafiłby nawet sobie wyobrazić, że pakuje walizkę, by odwiedzić to miejsce. Patrząc na płatki śniegu, które wydawały się zawieszone w przestrzeni, miał wrażenie, że ludzie żyją tu poza strefą przyciągania ziemskiego.

Nikt nie zwracał na niego uwagi, a on właśnie poczuł, że w jego głowie rodzi się kolejny wiersz. Miał przy sobie zeszyt. Doświadczenie zdobyte przy poprzednim utworze kazało mu skupić się na wewnętrznym głosie. Zrobił to więc i w mig napisał trzydzieści sześć wersów. W głowie plątało mu się jeszcze od wypitej raki, nie był więc pewien, czy to, co stworzył, miało sens. Wiedziony impulsem wstał, przeprosiwszy szejcha, wyszedł z pokoju i siedząc na stromych schodach, przeczytał jeszcze raz całą zawartość zeszytu. Doszedł do wniosku, że nowy wiersz jest idealny i w niczym nie ustępuje poprzedniemu.

Było w nim wszystko, czego przed chwilą doświadczył: pełne poczucia winy spojrzenie na Boga biedoty, ukryty sens samotności i świata, dywagacje o życiu, człowiek o złotych zębach, zezowaty przedsiębiorca i szarmancki karzeł z goździkiem w dłoni. Cztery wersy były zapisem rozmowy z pewnym szejchem na temat istnienia Boga. Co to wszystko ma znaczyć? — pomyślał, zaskoczony pięknem tego, co stworzył; własny wiersz czytał tak, jakby napisał go ktoś inny; i bardzo mu się to podobało. Dziwiło go samo tworzywo — jego własne życie. Czym jest piękno w poezji? — zastanawiał się. Światło na klatce zgasło i Ka ogarnęła ciemność. Znalazł wyłącznik, zapalił światło i patrząc na zawartość zielonego zeszytu, pomyślał, że zna już tytuł wiersza. *Tajemna symetria*, zapisał. Później miał dowodzić, że erupcja natchnienia i błyskawicznie wymyślony tytuł wiersza nie mogły być jego dziełem. Dokładnie tak, jak reszta świata. Wiersz zaś, jak poprzedni, umieścił później na gałęzi Logiki.

12.

Jeśli Bóg nie istnieje, jaki jest sens tak ogromnego cierpienia tylu nieszczęśników?

Smutna historia Necipa i Hicran

Wyszedł z tajemniczej rezydencji szejcha. Wracając pośród śnieżycy do hotelu, myślał tylko o tym, że niedługo znów spotka się z Ipek. W alei Halita Paszy najpierw zagarnął go tłum wyborców zebranych przed siedzibą Partii Ludowej, potem wpadł między uczniów, którzy wychodzili właśnie z kursów przygotowawczych na studia. Rozmawiali o głupim nauczycielu chemii i o tym, co będą oglądać wieczorem w telewizji, a przy tym drwili z siebie z takim samym okrucieństwem jak ja i Ka w ich wieku. W drzwiach budynku, w którym na piętrze znajdował się gabinet stomatologiczny, zobaczył zapłakaną dziewczynkę i rodziców trzymających ją za ręce. Spojrzawszy na ich ubrania, zrozumiał, że ledwo wiążą koniec z końcem, mimo to, by oszczędzić dziecku bólu, zdecydowali się zaprowadzić je do prywatnego gabinetu zamiast do państwowej przychodni. Z otwartych drzwi sklepu z rajstopami, wełną, kredkami, kasetami i bateriami sączyła się na ulicę *Roberta* Peppina Di Capri, której jako dziecko słuchał w radiu w samochodzie wuja, gdy w zimowe poranki wybierali się na przejażdżki nad Bosfor. Nagłe emocje, które w nim wezbrały, były znakiem, że wkrótce narodzi się kolejny wiersz. Niewiele myśląc, wszedł więc do pierwszej lepszej *çayhane*, usiadł przy najbliższym wolnym stoliku, wyjął długopis i zeszyt.

Przez jakiś czas wilgotnymi oczami wpatrywał się w pustą kartkę. Wyglądało jednak na to, że żaden wiersz nie ma zamiaru zaświtać mu w głowie. Ale nie tracił nadziei. Na ścianach *çayhane* wypełnionej po brzegi uczniami i tłumem bezrobotnych mężczyzn zobaczył znów jakieś szwajcarskie widokówki, afisze teatralne, powycinane z gazet notatki i karykatury, ogłoszenie o warunkach przystąpienia do egzaminu dla urzędników państwowych i kalendarz tegorocznych rozgrywek drużyny Karsspor. Wyniki rozegranych już meczy — w większości zakończonych porażką — pozaznaczano kolorowymi flamastrami. Obok informacji o przegranej 6:1 z drużyną Erzurumspor ktoś dopisał komentarz, który Ka miał zamieścić w poemacie *Cała ludzkość i gwiazdy*, napisanym następnego dnia w *çayhane* Talihli Kardeşler.

Nawet gdy matka zstąpi z raju, by wziąć cię w ramiona,
Nawet gdy okrutny ojciec ani razu nie uderzy tej nocy,
Na pryszcz to wszystko, twe gówno zamarznie, dusza
            zwiędnie — nie ma żadnej nadziei!
Pociągnij za spłuczkę, niech z gównem spłynie ten,
            kto znalazł się w Karsie.

Ka właśnie z filuternym uśmiechem zapisywał czterowiersz, kiedy od jednego ze stolików na końcu sali wstał Necip. Podszedł i usiadł koło poety z miną zdradzającą zaskoczenie pomieszane z ogromnym zadowoleniem.

— Bardzo się cieszę, że cię widzę — zagaił. — Piszesz wiersz? Przepraszam za moich kolegów, że nazwali cię ateistą. Pierwszy raz w życiu widzieli niewierzącego. Choć właściwie nie możesz być zupełnym ateistą, bo jesteś bardzo dobrym człowiekiem.

Następnie dodał coś, czego Ka w ogóle się nie spodziewał. Przyznał mianowicie, że razem z przyjaciółmi uciekł ze szkoły, aby móc obejrzeć wieczorne przedstawienie. Mieli siedzieć w tylnych rzędach, bo ostatnią rzeczą, jakiej sobie życzyli, była „identyfikacja" przez dyrektora szkoły, możliwa dzięki telewizyjnej transmisji. Był bardzo dumny z tych wagarów. Mieli się wszyscy spotkać w Teatrze Narodowym. Wiedzieli, że Ka będzie tam recytował swój wiersz. W Karsie każdy pisał wiersze, ale Ka był tu pierwszym poetą, którego utwory opublikowano. Chłopak zaproponował herbatę. Poeta odparł, że nie ma czasu.

— W takim razie zadam ci ostatnie już pytanie — nie poddawał się Necip. — W przeciwieństwie do moich kolegów nie chcę cię obrażać. Jestem tylko bardzo ciekaw.

— Tak?

Drżącymi dłońmi zapalił papierosa.

— Jeśli nie ma Boga, to znaczy, że nie ma też raju. A to znaczy, że miliony ludzi żyjących w nędzy i poniżeniu nie zaznają radości nawet po śmierci. To jaki w takim razie jest sens tak ogromnego cierpienia tylu nieszczęśników? Po co żyjemy i po co tak strasznie cierpimy, skoro wszystko i tak pójdzie na marne?

— Bóg istnieje. A zatem i raj.

— Nie, nie. Mówisz tak, żeby mnie pocieszyć, bo jest ci mnie żal, a jak wrócisz do Niemiec, znów zaczniesz myśleć, że Boga wcale nie ma.

— Po raz pierwszy od wielu lat jestem bardzo szczęśliwy — odpowiedział Ka. — Dlaczego mam nie wierzyć w to, co ty?

— Bo jesteś ze stambulskiej elity — wyjaśnił Necip. — A oni nie wierzą w Boga. Wierzą w to, co Europejczycy, i dlatego mają się za lepszych od innych.

— Może i należałem do elity w Stambule — powiedział Ka — ale w Niemczech nie byłem wart funta kłaków. Byłem nikim.

Patrząc w piękne, zadumane oczy chłopaka, Ka wyczuł, że nastolatek próbuje w wyobraźni postawić się na jego miejscu.

— To dlaczego naraziłeś się władzy i uciekłeś do Niemiec? — spytał po chwili. Widząc smutek na twarzy Ka, dodał szybko: — Nieważne! Nawet gdybym był bogaty, wstydziłbym się tego i jeszcze mocniej wierzył w Boga.

— Jeśli Bóg zechce, pewnego dnia wszyscy będziemy bogaci — powiedział Ka.

— Myślisz pewnie, że dla mnie wszystko jest bardzo proste. A nie jest. Ja też nie jestem taki prosty, prymitywny. Wcale nie chcę być bogaty. Pragnę zostać pisarzem, poetą. Teraz piszę powieść *science fiction*. Może wydrukują ją w „Oszczepie”, jednej z tutejszych gazet, ale ja chciałbym, żeby ukazała się w tysiącach egzemplarzy gazet stambulskich, a nie w siedemdziesięciu pięciu egzemplarzach w Karsie. Mam przy sobie streszczenie. Gdybym ci je przeczytał, powiedziałbyś mi, czy mam jakieś szanse?

Ka zerknął na zegarek.

— Jest króciutkie! — dodał Necip.

W tym momencie zgasło światło i cały Kars pogrążył się w ciemnościach. Necip w świetle kominka podbiegł do kontuaru, chwycił świecę i kapnąwszy na stół parafiną, przykleił ją do blatu. Z przejęciem, co jakiś czas głośno przełykając ślinę, drżącym głosem zaczął czytać tekst z mocno wygniecionej kartki:

Był rok 3579. Na czerwonej planecie Gazzali, dzisiaj jeszcze nie odkrytej, mieszkali bardzo bogaci ludzie, a życie było o wiele łatwiejsze niż dziś. Lecz niezależnie od tego, co mogą sobie pomyśleć materialiści, mieszkańcy tej planety nie przestali interesować się kwestią duszy. Przeciwnie, wszyscy byli bardzo ciekawi takich spraw, jak byt i niebyt, człowiek i wszechświat, Bóg i jego wyznawcy. Dlatego w najdalszym zakątku czerwonej planety otwarto Islamskie Liceum Oratorstwa i Sztuk Wszelakich, którego uczniowie należeli do najzdolniejszych i najbardziej pracowitych Gazzalian. Wśród wielu osób nauki pobierało tu dwóch przyjaciół: Necip i Fazıl, którzy nazwali się tak na cześć Necipa Fazıla, autora dzieł napisanych 1600 lat temu, ale nadal aktualnych, bo poruszających wciąż żywotne problemy konfliktów między Wschodem a Zachodem. Setki razy czytali wiekopomne dzieło mistrza pod tytułem *Wielki Wschód*. Nocą, w tajemnicy przed wszystkimi, spotykali się w sypialni, na górnym łóżku Fazıla, wchodzili pod kołdrę i godzinami obserwowali spadające i topniejące na kryształowym dachu błękitne płatki śniegu, które porównywali do znikającej planety. Szeptem rozmawiali o sensie życia i planach na przyszłość.

Pewnego dnia nad ich czystą przyjaźnią, którą ludzie o złych sercach nieraz już próbowali zniszczyć, zawisły ciemne chmury. Obaj przyjaciele zakochali się w dziewicy o imieniu Hicran. Nie przestali jej kochać nawet wtedy, gdy okazało się, że jej ojciec jest niewierzący! Przeciwnie, miłość przyjaciół do Hicran stała się jeszcze silniejsza. I zrozumieli, że na czerwonej planecie jest za dużo o jednego z nich. Że jeden musi umrzeć. Obiecali więc sobie, że ten, który odejdzie, bez względu na to, ile lat świetlnych będzie go dzielić od świata żywych, wróci, by opowiedzieć drugiemu, jak wygląda życie po śmierci.

Nie mogli zdecydować, który powinien zginąć i jaką śmiercią, gdyż obaj wiedzieli, że prawdziwe szczęście może dać tylko poświęcenie dla dobra przyjaciela. Kiedy jeden — na przykład Fazıl — proponował, by obaj w tej samej chwili dotknęli gołymi rękami przewodów elektrycznych, drugi natychmiast się domyślał, że w przygotowanym dla niego przewodzie płynąłby słabszy prąd; wiedział, że to podstęp przyjaciela, który chciał umrzeć, aby on był szczęśliwy. Ten straszliwy dylemat dręczył ich miesiącami, aż pewnej nocy rozwiązał się sam: Necip, wróciwszy wieczorem z zajęć, znalazł na łóżku ciało ukochanego przyjaciela zastrzelonego z zimną krwią.

Rok później Necip ożenił się z Hicran, a w noc poślubną opowiedział jej o umowie zawartej z Fazılem. Wyjaśnił też, że powinni niebawem spodziewać się wizyty ducha przyjaciela. Hicran wyznała wówczas, że to właśnie Fazıla kochała nad życie i że po jego śmierci płakała całymi dniami. Wyszła za Necipa, ponieważ był przyjacielem ukochanego i jest do niego podobny. Młodzi małżonkowie nie kochali się ani tamtej nocy, ani żadnej następnej. Zabronili sobie bowiem miłości do dnia, w którym Fazıl wróci z zaświatów.

Mijały lata, a ich dusze — a potem ciała — zaczęły pożądać siebie nawzajem. Pewnego wieczoru, podczas międzyplanetarnej inspekcji w ziemskim miasteczku Kars nie mogli się już powstrzymać. Kochali się długo i namiętnie, jakby zapomnieli o Fazılu, którego wspomnienie męczyło ich przez cały czas. Zaraz potem w ich sercach wezbrało przerażające poczucie winy. Mieli nawet wrażenie, że wyrzuty sumienia nie pozwalają im oddychać, legli więc w bezruchu. Wtedy ekran stojącego na stoliku telewizora zamigotał i pojawiła się na nim świetlista postać Fazıla. Rany na czole i pod dolną wargą krwawiły, jakby śmiertelne strzały oddano przed chwilą.

— Bardzo cierpię — powiedział Fazıl. — Widziałem już wszystko, co było do zobaczenia na tamtym świecie. (Jego podróże opiszę ze szczegółami na podstawie wskazówek Ibn Al-Arabiego* i Al-Ghazalego**, wyjaśnił Necip.) Słyszałem największe komplementy z ust boskich aniołów i wspiąłem się na szczyty niebios, których nikt nawet nie śmiał zdobywać. Widziałem stamtąd, jak smażą się w piekle kolonialiści, dumni pozytywiści, którzy naigrawali się z wiary prostych ludzi, jak giną w piekielnych mękach ateiści w krawatach. Mimo to nie zaznałem szczęścia, ponieważ cały czas myślałem o was.

Mąż i żona z przerażeniem przyglądali się nieszczęśliwej zjawie.

_____

* Ibn Al-Arabi (1165–1240) — muzułmański filozof i mistyk, autor m.in. *Księgi o podróży nocnej do najbardziej szlachetnego miejsca*.
** Al-Ghazali (1058–1111) — jeden z najwybitniejszych teologów muzułmańskich pochodzenia perskiego, autor m.in. *Niszy świateł*.

— Tym, czego od lat najbardziej się obawiałem, nie był wcale widok was wtulonych w siebie. Zwłaszcza szczęście Necipa było dla mnie ważniejsze niż cokolwiek innego. Nasza wzajemna miłość — to prawdziwe uczucie dwóch wiernych przyjaciół — nie pozwoliła nam zabić ani siebie, ani tego drugiego. Ponieważ każdy z nas cenił życie przyjaciela ponad wszystko, staliśmy się jak rycerze noszący zbroję nieśmiertelności. Ach, było wspaniale! Niestety, nagła śmierć przekonała mnie, w jak wielkim byłem błędzie.

— Nie! — zakrzyknął Necip. — Nigdy nie ceniłem bardziej własnego życia niż twojego!

— Gdyby tak było, teraz stąpałbym wśród żywych — odparło widziadło. — A ty nigdy nie ożeniłbyś się z przecudną Hicran. Umarłem, bo tego chciałeś! Ukryłeś to swoje pragnienie przed wszystkimi, nawet przed samym sobą.

Necip znów ostro zaprotestował, ale duch nie zwracał na niego uwagi.

— Ale nie tylko myśl o tym, że pragnąłeś mojej śmierci, zmąciła mój spokój na tym świecie — ciągnął. — Czułem, że maczałeś palce w tym perfidnym mordzie, że działałeś do spółki z wrogami szarijatu!

Necip nie przerywał mu już i nie sprzeciwiał się.

— Jest tylko jeden sposób, bym uwolnił się od udręki i abyś ty oczyścił się z podejrzeń — dodało widmo. — Znajdź mojego zabójcę. Przez siedem lat i siedem miesięcy nie udało się wskazać nawet jednego podejrzanego. Chcę, by moja śmierć została pomszczona. Niech kara spotka tego, kto brał udział w owej zbrodni, a nawet tego, kto chciał, by się dokonała. Dopóki ów nikczemnik nie zostanie ukarany, dopóty ja nie zaznam wiecznego spokoju tu ani wy nie doznacie spokoju w waszym świecie.

Mąż i żona, przerażeni i zalani łzami, nie mogli się sprzeciwić słowom ducha, który tymczasem zniknął.

— No i co się potem stało? — zapytał Ka.

— Jeszcze nie zdecydowałem — wyjaśnił Necip. — Myślisz, że to się może sprzedać? — Widząc, że Ka milczy, dodał pospiesznie: — Piszę tylko o tym, w co sam głęboko wierzę. O czym według ciebie opowiada ta historia? Co czułeś, kiedy ją czytałem?

— Z przerażeniem stwierdziłem, że całym sercem wierzysz, że życie doczesne jest tylko przygotowaniem do egzystencji po tamtej stronie.

— Tak jest — odparł Necip zadowolony. — Ale to nie wszystko. Bóg chce, żebyśmy na tym świecie też byli szczęśliwi. Tylko że to strasznie trudne!

Obaj pogrążyli się w zadumie.

Po chwili włączono prąd, ale zgromadzeni w *çayhane* ludzie nadal milczeli, jakby wokół wciąż panowały ciemności. Właściciel lokalu zaczął walić pięściami, żeby uruchomić zepsuty telewizor.

— Siedzimy tu już dwadzieścia minut — odezwał się Necip. — Moi koledzy pewnie umierają ze strachu.

— Jacy koledzy? — zapytał Ka. — Czy Fazıl jest razem z nimi? A właściwie czy to są wasze prawdziwe imiona?

— Oczywiście, że nie. Necip to mój pseudonim, podobnie jak bohatera opowieści. I nie wypytuj jak policjant! A Fazıl w ogóle omija takie miejsca — dodał Necip tajemniczo. — Jest najbardziej religijny z nas. I jemu najbardziej ufam. Tylko boi się, że jeśli wmiesza się w coś politycznego, narobi sobie kłopotów i wyrzucą go ze szkoły. Ma wuja w Niemczech, który kiedyś weźmie go do siebie. Bardzo się lubimy, jak chłopaki z mojej opowieści, i jestem przekonany, że pomściłby moją śmierć. Właściwie to jesteśmy sobie jeszcze bliżsi niż ci w mojej historii. Nawet jeśli jesteśmy daleko, wiemy doskonale, co robi ten drugi!

— To co teraz porabia Fazıl?

— Hmm — odparł Necip, przybierając zamyśloną minę. — Czyta coś w sypialni.

— Kim jest Hicran?

— To też nie jest jej prawdziwe imię. Ale Hicran nie wybrała go sama — my ją tak nazwaliśmy. Niektórzy wciąż piszą do niej listy miłosne, ale ze strachu ich nie wysyłają. Gdybym miał córkę, chciałbym, żeby była jak ona — piękna, mądra i dzielna. Jest przywódczynią dziewcząt w chustach, niczego się nie boi, ma klasę! Chodzi własnymi ścieżkami. Mówią, że na początku była niewierząca, jak jej ojciec, żyła podobno jak bezbożnica, była modelką w Stambule. Występowała w telewizji, pokazywała nogi i tyłek. A potem przyjechała tu kręcić reklamę jakiegoś szamponu: miała w niej iść aleją Gaziego Ahmeta Muhtara Paszy — najpiękniejszą, najbiedniejszą i najbrudniejszą ulicą miasta — stanąć nagle przed kamerą i machając jak flagą swoimi cudnymi brązowymi włosami do pasa, powiedzieć: „Mimo brudu panującego w Karsie, dzięki Blendaxowi moje włosy są wciąż piękne i lśniące". Reklama miała być pokazywana na całym świecie. Pomyśl tylko, cały świat by się z nas wyśmiewał! I wtedy dwie dziewczyny z ośrodka kształcenia, które dopiero rozpoczynały swoją wojnę o chusty, rozpoznały ją z innych reklam i zdjęć w magazynach, gdzie opisywano wywoływane przez nią skandale i jej romanse z synami stambulskich bogaczy. Zaprosiły ją na herbatę. Poszła tak dla hecy. Spotkanie szybko ją znudziło, więc powiedziała dziewczynom: „Skoro wasza religia" — tak jest, nie powiedziała „nasza", ale „wasza" — „zabrania wam pokazywania włosów, a państwo każe odkrywać głowy, zróbcie jak ta, jak jej tam..." — tu wymieniła imię zagranicznej gwiazdy rocka — „...zgolcie głowy na łyso, a w nosy wetknijcie po metalowym kolczyku! Wtedy cały świat na pewno się wami zainteresuje!". A nasze dziewczyny były tak zaskoczone, że zaczęły się razem z nią śmiać! To rozochociło Hicran. „Ściągajcie z waszych ślicznych główek te szmaty! Wyłaźcie z mroków średniowiecza!" — powiedziała i wyciągnęła rękę, by zdjąć chustkę z głowy najbardziej gapowatej z nich. I ta ręka nagle zesztywniała. Hicran padła wtedy na podłogę i zaczęła błagać o wybaczenie (wiemy to od niezbyt rozgarniętego brata owej gapowatej dziewczyny). Następnego dnia znów odwiedziła dziewczyny i następnego też. Już nie wróciła do Stambułu. Wierz mi, stała się świętą, która chustę pognębionej anatolijskiej kobiety przemieniła w sztandar!

— To dlaczego w swojej opowieści nie powiedziałeś o niej niczego poza tym, że była dziewicą? — zapytał Ka.

— Dlaczego Necip i Fazıl, zanim zdecydowali się nawzajem pozabijać, nie zapytali jej, co o tym wszystkim myśli?

Zapadła pełna napięcia cisza. Necip uniósł swe piękne oczy — jedno z nich dwie godziny i trzy minuty później miał roztrzaskać pocisk — wpatrywał się w śnieg, który wolno opadał w ciemność.

— To ona! Ona! — wyszeptał nagle rozgorączkowany.

— Kto?

— Hicran! Na ulicy!

13.

O mojej religii nie będę dyskutować z niewierzącym

Spacer z Kadife w śniegu

Weszła do *çayhane*. Miała na sobie bordowy płaszcz, a na nosie czarne okulary, które upodabniały ją do bohaterki filmu *science fiction*. Na głowie zaś zamiast symbolu upolitycznionego islamu zawiązała zwykłą chustkę, jakie na co dzień nosiły tysiące Turczynek. Kiedy Ka zauważył, że zmierza w jego kierunku, zerwał się na równe nogi jak uczeń, który wita wchodzącego do klasy nauczyciela.

— Jestem Kadife, siostra Ipek — powiedziała, lekko się uśmiechając. — Wszyscy czekają z kolacją. Ojciec przysłał mnie po pana.

— A skąd pani wiedziała, że tu jestem? — zapytał Ka.

— Tutaj każdy wie wszystko o wszystkich — odparła Kadife, tym razem bez cienia uśmiechu.

Ka dostrzegł na jej twarzy smutek, którego nie zrozumiał.

— Mój przyjaciel, poeta i pisarz — przedstawił Necipa.

Spojrzeli na siebie, ale nie podali sobie ręki. Ka wyczuł napięcie. Później zastanawiał się nad tym spotkaniem i doszedł do wniosku, że prawdziwa muzułmanka tylko w taki sposób mogła się przywitać z obcym mężczyzną. Biały jak ściana Necip wpatrywał się w Kadife, jakby była przybyłą z kosmosu Hicran, bohaterką jego opowiadania. Ale Kadife wyglądała tak zwyczajnie, że żaden z siedzących w *çayhane*

141

mężczyzn nawet się nie odwrócił, by spojrzeć w jej stronę. Nie była ani w połowie tak piękna jak siostra. Mimo to Ka, idąc chwilę później obok niej zasypaną śniegiem aleją Atatürka, czuł wyraźne zadowolenie. Pociągała go jej otulona chustką świeża, sympatyczna twarz. Patrzył głęboko w jej piwne oczy, takie same jak jej starszej siostry, i nie mógł się pozbyć wrażenia, że właśnie dopuszcza się zdrady.

Na początku, ku wielkiemu zdziwieniu Ka, dyskutowali o pogodzie. Kadife wiedziała na ten temat co najmniej tyle, ile samotni starcy, których życie odmierzały kolejne radiowe wiadomości. Mówiła, że napływ fal niskiego ciśnienia i zimnego powietrza znad Syberii nie powinien trwać dłużej niż dwa dni, że jeśli opady śniegu nie ustaną, drogi będą zamknięte jeszcze przez następne dwie doby, że wysokość pokrywy śnieżnej w Sarıkamış* osiągnęła już sto sześćdziesiąt centymetrów. Że mieszkańcy Karsu nie wierzą meteorologom, a najczęściej powtarzana plotka głosi, że w prognozie pogody podawane są temperatury o pięć, sześć stopni wyższe niż przewidywane, aby nie wywoływać jeszcze większego przygnębienia wśród obywateli (ale nikt poza nią nie rozmawiał o tym z Ka). Kadife opowiadała, że kiedy była mała, razem z siostrą chciały, by śniegu było więcej i więcej. Śnieg przypominał Kadife, że życie jest piękne i kruche, że ludzie — mimo wzajemnej niechęci — są bardzo do siebie podobni, że wszechświat i czas są nieskończone, a ludzkie istnienie boleśnie ograniczone. Dlatego kiedy padał śnieg, wszyscy stawali się lepsi. Jakby okrywa-

---

* Sarıkamış — miasteczko na zachód od Karsu, znane z klęski wojsk osmańskich podczas kampanii zimowej 1915 r., podczas której większość osmańskich żołnierzy zmarła z wyczerpania i odmrożenia.

jąc wzajemną wrogość, zazdrość i gniew, przybliżał ich do siebie.

Zamilkli na chwilę. W ciszy przeszli ulicą Şehita Cengiza Topela. Wszystkie sklepy były już zamknięte, nigdzie nie było żywej duszy. Spacer z Kadife z jednej strony sprawiał radość, z drugiej jednak budził niepokój. Ka wbił wzrok w wystawę jakiegoś sklepu przy końcu ulicy — jakby w obawie, że zakocha się także w Kadife, jeśli dłużej patrzeć będzie w jej oczy. Czy rzeczywiście kochał starszą siostrę dziewczyny? Wiedział tylko, że bardzo chce się w kimś zakochać. Zakochać do szaleństwa.

Na końcu uliczki znajdowała się oświetlona witryna, do której przyklejono wyrwaną z zeszytu kartkę z informacją: „W związku z wieczornym przedstawieniem uległ zmianie termin spotkania z panem Zihnim Sevükiem, kandydatem reprezentującym Partię Wolnej Ojczyzny”. Przez szybę ciasnej piwiarni Neşe zobaczyli aktorów z Sunayem Zaimem na czele. Dwadzieścia minut przed rozpoczęciem spektaklu artyści pili piwo tak prędko, jakby to miał być ich ostatni toast w życiu.

Na szybie piwiarni Ka zauważył wydrukowane na żółtym papierze ostrzeżenie: „Człowiek jest arcydziełem Bożym, a samobójstwo bluźnierstwem”, które ktoś przykleił między plakatami wyborczymi. Zapytał Kadife, co myśli o samobójstwie Teslime.

— O Teslime to pan już sobie napisze w Stambule i w Niemczech. Na pewno uda się nieźle sprzedać jej ciekawą historię — odparła poirytowana.

— Dopiero poznaję Kars — wyjaśnił Ka — a zaczynam mieć wrażenie, że nikomu nie będę mógł opowiedzieć o tym, co tu się dzieje. Chce mi się płakać nad kruchością życia człowieka i daremnym cierpieniem.

— Tylko niewierzący, którzy nigdy nie czuli bólu, myślą, że ludzkie cierpienie jest daremne — odparła Kadife. — Niewierzący, którzy zaczynają choć trochę cierpieć, nie potrafią wytrwać długo bez Boga. I w końcu zaczynają wierzyć.

— Ale Teslime zrobiła inaczej: cierpienie doprowadziło ją do wyboru samobójstwa i śmiertelnego grzechu — ciągnął Ka z uporem, który zawdzięczał wypitemu alkoholowi.

— Tak. Jeśli Teslime zmarła śmiercią samobójczyni, to znaczy, że odeszła w grzechu. Dwudziesty dziewiąty werset Sury Kobiety* wyraźnie zakazuje samobójstw. Ale nawet jeśli, zabijając się, popełniła grzech, nie osłabiło to naszej głębokiej miłości do niej.

— Twierdzi pani, że możecie kochać nieszczęśnika, którego odtrąciła religia — Ka próbował zrobić wrażenie na Kadife. — Czy chce pani zatem powiedzieć, że wierzycie w Boga, kierując się nie sercem, lecz rozumem? Jak ludzie Zachodu, którym rozum zastąpił Boga?

— Święty Koran to zbiór Bożych nakazów. I nie nam, zwykłym śmiertelnikom, oceniać ich sens — odparła Kadife zdecydowanie. — Nie znaczy to oczywiście, że żaden z aspektów naszej religii nie podlega dyskusji. Ale o mojej religii nie będę dyskutować z niewierzącym, proszę wybaczyć.

— Ma pani rację.

— Nie należę do przymilnych muzułmanów, którzy każdemu zwolennikowi laicyzmu opowiadają, jak bardzo laicki może być islam — dodała.

— Ma pani rację.

— Znów przyznaje mi pan rację, ale ja myślę, że pan w to wcale nie wierzy — powiedziała Kadife z uśmiechem.

— I znów się pani nie myli — odparł Ka z powagą.

---

* Sura Kobiety (An-Nisa) — 4 sura Koranu.

Szli w milczeniu. Czy mógłby pokochać ją zamiast Ipek? Nie pociągały go kobiety w chustach, ale nie mógł się powstrzymać od rozważenia takiej ewentualności.

Kiedy weszli w zatłoczoną ulicę Karadağ, najpierw zaczął opowiadać o poezji, potem napomknął o tym, że Necip jest pisarzem, i wreszcie, dochodząc do sedna, zapytał Kadife, czy wie, że w liceum koranicznym ma wielu wielbicieli, którzy nazywają ją Hicran.

— Jak mnie nazywają?

W skrócie opowiedział jej wszystko, co słyszał o Hicran.

— To wierutne bzdury — stwierdziła. Kilka kroków później dodała jednak: — Ale historię z szamponem już słyszałam — uśmiechnęła się ciepło. Przypomniała, że pomysł golenia głów dla zwrócenia na siebie uwagi zachodnich mediów pierwszy ogłosił publicznie pewien znienawidzony nowobogacki pismak. Najwyraźniej ją także posądzano o podobny cynizm. — Tylko jedna rzecz się zgadza. Kiedy po raz pierwszy zdecydowałam się na odwiedziny koleżanek w chustach, zrobiłam to wyłącznie dla żartu! Poza tym byłam ciekawa. Tak, poszłam tam z ciekawości i dla zabawy.

— I co było potem?

— Przyjechałam do Karsu, bo gotowi byli mnie przyjąć do tutejszego ośrodka kształcenia. Koniec końców, te dziewczyny były moimi koleżankami z klasy i skoro zaprosiły mnie na herbatę, to niezależnie od światopoglądu nie wypadało odmówić. Chociaż już wtedy czułam, że jestem po ich stronie. Tak je wychowali rodzice. I nawet państwo, które uczy w szkołach religii, ich w tym wspierało. Teraz zaś tym samym dziewczynom, którym stale powtarzano, by zasłaniały głowy, nagle wszyscy zaczęli mówić: „Odkryjcie się, bo państwo tak chce". Ja też pewnego dnia włożyłam chustę tylko po to, by zamanifestować swoją solidarność z nimi. To miał być polityczny protest. Demonstracja dla zabawy, ale z duszą na ramieniu. Może dlatego, że jestem córką ateisty i zagorzałego opozycjonisty. To był jednorazowy incydent polityczny, „gest wolności", jeśli się wspomina po latach jak dobry żart. Ale nagle wszyscy — państwo, policja i miejscowe gazety — zaczęli naciskać na mnie tak bardzo, że nie mogłam już się przyznać do tej niepoważnej motywacji. Nie było odwrotu. Zatrzymali nas, oskarżając o demonstrowanie bez zezwolenia. Gdybym następnego dnia po opuszczeniu aresztu powiedziała, że rezygnuję, bo i tak od początku w to nie wierzyłam, cały Kars plułby mi w twarz. Teraz jednak wiem, że to wszystko stało się nie bez przyczyny. Miałam odnaleźć właściwą drogę. Tak chciał Bóg. Kiedyś byłam ateistką jak pan. I niech pan tak na mnie nie patrzy, bo pomyślę, że mi współczuje.

— Wcale nie.

— Ależ tak. Lecz ja nie sądzę, że jestem bardziej żałosna niż pan. Nie czuję się też lepsza. Chcę, żeby pan o tym wiedział.

— A co pani ojciec na to wszystko?

— Jakoś sobie radzimy. Ale sprawy zaczynają się wymykać spod kontroli. I to mnie martwi, bo oboje bardzo się kochamy. Na początku ojciec był ze mnie dumny — to, że pewnego dnia włożyłam chustę i poszłam w niej do szkoły, uznał za formę buntu. Stał ze mną przed lustrem w mosiężnej ramie, które zostało nam po mamie, i patrzył, jak wyglądam w chuście. I pocałował mnie przed tym lustrem. Chociaż bardzo mało rozmawialiśmy, jednego byłam pewna: że moja decyzja nie była dla niego religijną demonstracją, ale wyrazem buntu przeciw państwu. I za to mnie szanował. Sprawiał wrażenie, jakby chciał powiedzieć: „Patrzcie, to jest właśnie m o j a córka". Ale w duchu bał się tak samo jak ja. Wiem, że był przerażony, kiedy nas aresztowano, i żałował, że to wszystko się stało. Twierdził, że policja polityczna nie interesowała się mną, tylko nim. Ludzie z wywiadu, którzy kiedyś inwigilowali lewicowców i demokratów, teraz śledzili środowiska religijne. Było więc jasne, że zaczęli od córki dawnego aktywisty. Wycofanie się z tego wszystkiego stało się niemożliwe, dlatego ojciec nadal musiał mnie wspierać, co było coraz trudniejsze. Zaczął się zachowywać jak starcy, którzy przestają słyszeć domowe odgłosy — szum pieca, zrzędzenie żony i skrzypienie zawiasów u drzwi. Przestał reagować na moją walkę u boku dziewcząt w chustach. Kiedy któraś z nich przychodzi do naszego domu, ojciec najpierw przeprowadza swoją małą wendetę, zachowując się jak okrutny ateista, ale w końcu folguje sobie, narzekając na państwo. Uważam, że dziewczęta są wystarczająco dojrzałe do dyskusji z nim, dlatego organizuję te wieczorne spotkania. Dziś będzie z nami Hande. Po samobójstwie Teslime uległa naciskom rodziców i postanowiła zdjąć chustę. Ale nie ma w sobie wystarczająco dużo siły, by to postanowienie zrealizować. Ojciec czasem mówi, że to wszystko przypomina mu dawne czasy, kiedy stał po stronie komunistów. Powtarza, że komuniści dzielą się na dwie grupy: pierwsi są zuchwali — chcą wykształcić lud i wprowadzić kraj na drogę rozwoju, drudzy zaś są naiwni — wierzą w równość i sprawiedliwość. Zuchwali marzą o władzy, wszystkich pouczają i robią więcej szkody niż pożytku. Naiwni krzywdzą tylko siebie. Ale i tak niczego więcej nie osiągną. Zgnębieni wyrzutami sumienia, chcą dzielić niedolę biedoty i żyją w jeszcze gorszej nędzy. Ojciec był kiedyś nauczycielem. Potem zwolniono go z pracy, torturowano, wyrywając nawet paznokcie, trafił też do więzienia. Później prowadzili razem z matką sklep papierniczy i zarabiali na życie, robiąc kserokopie albo tłumacząc francuskie powieści. Bywało, że chodził od drzwi do drzwi i sprzedawał encyklopedię na raty. Kiedy jest nam wszystkim bardzo źle albo nie mamy pieniędzy, a czasem ot, tak, bez powodu — przytula nas mocno i płacze. Strasznie boi się, że spotka nas coś złego. Po wypadku z dyrektorem ośrodka kształcenia policja zaczęła się kręcić po hotelu, a ojca znów ogarnął paniczny strach. Co nie przeszkadza mu gderać i zrzędzić w ich obecności... Słyszałam, że widział się pan z Granatowym. Proszę nie mówić o tym ojcu!

— Nie powiem — obiecał Ka. Przystanął, by strząsnąć śnieg z palta. — Czy nie powinniśmy iść tamtędy do hotelu?

— Tędy też możemy. Śnieg nie przestaje padać i miło się z panem rozmawia. Pokażę panu ulicę rzeźników. Czego chciał Granatowy?

— Niczego.

— Czy mówił coś o nas? O moim ojcu lub siostrze?

Ka dostrzegł niepokój na twarzy Kadife.

— Nie pamiętam — odparł.

— Wszyscy się go boją. My też... Proszę spojrzeć, wszystkie te sklepy należą do najlepszych rzeźników w okolicy.

— Co ojciec robi w ciągu dnia? — zapytał Ka. — Nigdy nie wychodzi z hotelu?

— On tym hotelem zarządza. Wydaje dyspozycje każdemu: pokojowym, sprzątaczce, praczce i portierom. Pomagamy mu razem z siostrą. Ojciec bardzo rzadko wychodzi do miasta. Jaki jest pana znak zodiaku?

— Bliźnięta — powiedział Ka. — Podobno strasznie kłamią. Ale sam nie wiem...

— Czego pan nie wie? Tego, czy sam kiedykolwiek skłamał, czy tego, że Bliźnięta są kłamliwe?

— Skoro wierzy pani w gwiazdy, powinna pani z nich odczytać, że dzisiejszy dzień jest dla mnie naprawdę wyjątkowy.

— Tak, siostra wspominała, że napisał pan wiersz.

— Czy siostra mówi pani o wszystkim?

— Widzi pan, mamy tu dwa rodzaje rozrywki: rozmowy o wszystkim i telewizję. Rozmawiamy, oglądając telewizję, a oglądając — zapominamy. Mam piękną siostrę, prawda?

— Tak, bardzo — przyznał Ka z szacunkiem. — Ale pani też jest ładna — dodał uprzejmie. — Czy to też jej pani powtórzy?

— Nie powtórzę — powiedziała Kadife. — Niech to będzie nasza mała tajemnica. Wspólny sekret to doskonały początek przyjaźni.

Strzepnęła śnieg z długiego bordowego płaszcza.

14.

Jak pan pisze wiersze?

Przy kolacji o miłości,
chustach i samobójstwie

Przed Teatrem Narodowym zobaczyli tłum czekający na spektakl, który niebawem miał się rozpocząć. Nie zważając na wciąż padający śnieg, na chodniku i w drzwiach liczącego sto dziesięć lat budynku stali bezrobotni, odświętnie ubrana młodzież i dzieciarnia, która pouciekała z domów. Było też kilka rodzin w komplecie. Ka po raz pierwszy w Karsie zobaczył otwarty czarny parasol. Kadife wspomniała o zaplanowanym na wieczór występie poety, który miał przedstawić widzom swój najnowszy wiersz. Ka nie chciał o tym rozmawiać, stwierdził tylko, że nigdzie się nie wybiera i nie ma czasu na takie głupstwa.

Znowu poczuł natchnienie. Szedł szybko, unikając dalszej rozmowy. Pod pretekstem doprowadzenia się do porządku przed planowaną kolacją prędko wbiegł na górę, zdjął palto i zasiadłszy przy niewielkim stole, zaczął pospiesznie notować. Wiersz mówił o przyjaźni i wspólnych sekretach. Pełen był śniegu, gwiazd, motywów tego wyjątkowo udanego dnia i słów Kadife. Ka patrzył na układ wersów z przyjemnością i podnieceniem, jakby oglądał obraz. Swojej rozmowie z Kadife nadał nie dostrzeżony wcześniej sens. W utworze nazwanym *Przyjaźń gwiazd* dowodził, że wszyscy na ziemi posiadają własne gwiazdy, które mają przyjaciółki. Każdy człowiek, jak każda gwiazda, ma swoje lustrzane odbicie i nosi w sercu tę drugą osobę jak największy sekret. Chociaż Ka słyszał melodię wiersza i widział doskonałość jego formy, zmuszony był pominąć niektóre wersy i słowa. Przychodziły mu do głowy pewnie dlatego, że był w świetnym humorze, jego myśli krążyły bowiem wokół Ipek i kolacji, na którą już był spóźniony.

Postawiwszy ostatnią kropkę, zbiegł na parter. Minął recepcję i skierował się do niewielkiego apartamentu zajmowanego przez właścicieli hotelu. W wysokim pokoju, przy ustawionym na środku stole siedzieli Kadife, Ipek i ich ojciec, pan Turgut. Ka domyślił się, że trzecia dziewczyna, w szykownej bordowej chuście zasłaniającej włosy, to Hande, koleżanka Kadife. Naprzeciwko niej siedział dziennikarz, pan Serdar. Widząc wyraźnie zadowoloną ze spotkania niewielką grupę biesiadników, niedbale zastawiony stół i zręczne ruchy radosnej Kurdyjki Zahide, która szybko i bezszelestnie krążyła między kuchnią a salonem, Ka zrozumiał, że pan Turgut i jego córki mają zwyczaj często i długo zasiadać do wieczornego posiłku.

— Cały dzień myślałem o panu, cały dzień się martwiłem! Gdzie się pan podziewał?! — zakrzyknął pan Turgut, wstając z miejsca. Podszedł do niego i mocno go przytulił, a Ka pomyślał, że mężczyzna zaraz się rozpłacze. — W każdej chwili może się stać coś strasznego — dodał tamten dramatycznie.

Ka usiadł na wskazanym przez pana Turguta miejscu na drugim końcu stołu i łapczywie jadł podaną mu gorącą zupę z soczewicy. Pozostali mężczyźni zaczęli sączyć rakı. Kiedy w pewnej chwili całe towarzystwo skupiło uwagę na ekranie telewizora stojącego za jego plecami, Ka, korzystając z okazji, zrobił to, o czym marzył od dłuższego czasu — zaczął się przyglądać twarzy Ipek.

Wiem dobrze, jak bardzo był szczęśliwy w tamtej chwili: w swoim zeszycie napisał, że był jak dzieciak, który z radości wymachuje rękami i nogami. Niecierpliwił się jakby w obawie, że nie zdąży na pociąg, który miał zabrać ich oboje do Frankfurtu. Patrząc na ciepłe światło padające spod abażuru na założone stertą książek, gazet, hotelowych rejestrów i faktur biurko pana Turguta, wyobraził sobie, że twarz Ipek oświetlać będzie podobny promień lampy stojącej na jego biurku w jego maleńkim frankfurckim mieszkaniu.

Poczuł na sobie wzrok Kadife. Kiedy ich spojrzenia się spotkały, Ka dostrzegł na jej twarzy grymas zazdrości, który natychmiast skryła pod konspiracyjnym uśmiechem.

Towarzystwo przy stole od czasu do czasu zerkało w kierunku włączonego telewizora. Właśnie rozpoczęto transmisję z Teatru Narodowego. Wysoki jak tyczka aktor, którego Ka po raz pierwszy zauważył przy wysiadaniu z autobusu w dniu przyjazdu do Karsu, kiwając się na boki, zaczął zapowiadać przedstawienie, ale pan Turgut niespodziewanie zmienił kanał. Zgromadzeni przy stole goście długo wpatrywali się w rozmyty biało-czarny obraz.

— Tato — powiedziała Ipek. — Dlaczego chcesz na to patrzeć?

— Widzisz, tutaj też pada śnieg — odparł ojciec. — Tak jak w Karsie. Przynajmniej na tym kanale nadają prawdziwy obraz i rzetelne informacje! A poza tym wiesz, że denerwuje mnie, kiedy ktoś w mojej obecności ogląda jeden kanał dłużej, niż powinien.

— Może więc tata wyłączy telewizor? — wtrąciła się Kadife. — Bo w mieście dzieją się rzeczy, które denerwują nas wszystkich.

— Wyjaśnijmy sprawę naszemu gościowi — powiedział zawstydzony ojciec. — Czuję się niezręcznie, wiedząc, że nie ma pojęcia, o czym mowa.

— Ja również — dodała Hande. Miała nadzwyczaj piękne, wielkie i gniewne czarne oczy.

Wszyscy umilkli.

— Ty opowiedz, Hande — zaproponowała Kadife. — Nie ma się czego wstydzić.

— Przeciwnie, jest wiele powodów do wstydu, ale dlatego trzeba o tym opowiadać — odparła Hande i w jednej chwili jej twarz rozjaśnił dziwny blask. — Dziś mija czterdzieści dni od samobójstwa Teslime* — rzekła z uśmiechem, jakby wspominała coś miłego. — Była najbardziej wierzącą, najbardziej waleczną spośród nas. Dla niej chusta była nie tylko wyrazem miłości do Boga, symbolizowała wiarę i honor. Nikt nie mógł przypuszczać, że popełni samobójstwo! Nauczyciele i ojciec, wszyscy bezlitośnie naciskali, by zdjęła chustę. Ale Teslime była uparta. W tej szkole uczyła się od trzech lat i wkrótce by ją skończyła, gdyby nie decyzja o usunięciu z zajęć. Któregoś dnia ludzie z policji przyszli do jej ojca, prowadzącego rodzinny sklepik. Straszyli, że jeśli Teslime nie zdejmie chusty i nie wróci do szkoły, zlikwidują mu sklep, a jego usuną z miasta. Ojciec więc zagroził Teslime, że wyrzuci ją z domu. Kiedy i to nie poskutkowało, wymyślił, że wyda ją za czterdziestopięcioletniego policjanta, który niedawno owdowiał. Policjant zaczął nawet przychodzić do ich sklepu z bukietami kwiatów. Teslime mówiła o nim „staruch ze stalowymi oczami" i strasznie się go brzydziła. Wspomniała nawet, że zrezygnuje z noszenia chusty, byle tylko za niego nie wyjść. Ale nie była w stanie tego zrobić. Niektóre z nas uważały, że powinna, aby uniknąć tego ślubu. Inne radziły, by zagroziła ojcu, że popełni samobójstwo. I to ja najbardziej popierałam ten pomysł. Nie chcia-

---

* W islamie zwyczaj nakazuje spotkać się w gronie najbliższych i wspominać zmarłego w czterdzieści dni po jego śmierci.

łam, żeby Teslime odkryła włosy. Ileż to razy powtarzałam jej, że samobójstwo jest lepsze od uległości. Nie wiem, dlaczego tak mówiłam. Czytałyśmy o innych samobójstwach w gazetach i wydawało się nam, że ich przyczyną był brak wiary, nieszczęśliwa miłość i przywiązanie do rzeczy materialnych. Byłyśmy pewne, że groźba poskutkuje. Nie przypuszczałam, że Teslime to zrobi. Była tak bardzo religijna! A potem pierwsza uwierzyłam w informacje o jej śmierci. Czułam, że na jej miejscu mogłabym zrobić to samo.

Hande wybuchnęła płaczem. Pozostali siedzieli w milczeniu. W końcu Ipek podeszła do niej, pocałowała ją, pogłaskała po twarzy. Kadife wstała, przytuliła je obie. Wszyscy próbowali żartować, a pan Turgut, z pilotem w ręku, mówił coś uspokajająco, jakby usiłował odwrócić uwagę zapłakanego dziecka; pokazywał w telewizorze żyrafy, a Hande — jak dziecko, które czeka na pocieszenie — spojrzała na ekran. Przez chwilę wszyscy oglądali zadowoloną z życia parę żyraf, podążających przed siebie jakby w zwolnionym tempie po zacienionej równinie, gdzieś bardzo daleko, może nawet w samym sercu Afryki, i na moment zapomnieli o bożym świecie.

— Po samobójstwie Teslime Hande zdecydowała się nie martwić dłużej rodziców, zdjąć chustę i wrócić do szkoły — wyjaśniła Kadife, spoglądając na Ka. — Wychowali ją z trudem w biedzie. Poświęcili dla niej wszystko, tak jak inne rodziny poświęcają się dla swoich jedynych synów. Marzyli, by córka zajęła się nimi na starość. Hande jest bardzo mądra. — Kadife mówiła cicho, ale tak, by dziewczyna słyszała jej słowa. Zapłakana Hande słuchała, wpatrzona wraz z innymi w telewizor. — Najpierw próbowałyśmy ją przekonać, żeby zmieniła zdanie. Bałyśmy się, że reszta też zrezygnuje z walki. Ale kiedy zrozumiałyśmy, że odkrycie głowy jest lepszym rozwiązaniem od śmierci, postanowiłyśmy jej pomóc. Bardzo trudno jest dziewczynie, która uznaje chustę za symbol i nakaz Boży, wyjść między ludzi z gołą głową. Teraz Hande całymi dniami siedzi zamknięta w domu i rozmyśla nad swoją decyzją.

Ka, jak reszta towarzystwa, siedział zakłopotany usłyszaną przed chwilą opowieścią, ale kiedy dotknął przypadkiem ramienia Ipek, znów poczuł zadowolenie. Pan Turgut szybko zmieniał kanały, a Ka, jakby w poszukiwaniu ciepła jej skóry, jeszcze bardziej przysunął się do Ipek. Kiedy ona zrobiła to samo, zapomniał o przygnębiającej atmosferze. Na ekranie zamigotał obraz Teatru Narodowego. Tyczkowaty prezenter opowiadał, jak bardzo jest dumny z udziału w pierwszej w historii Karsu telewizyjnej transmisji na żywo spoza studia. Czytając program przedstawienia, obiecywał wieczór pełen wzruszających opowieści, sekretnych zwierzeń bramkarza drużyny narodowej, wstydliwych tajemnic świata polityki, scen z Szekspira i Hugo, niespodziewanych wyznań i skandali, wielkich nazwisk ze świata teatru i kina, żartów, piosenek i zaskakujących zwrotów akcji. A pośród tego wszystkiego Ka, „nasz największy poeta, powracający w ciszy po latach". Pod stołem Ipek chwyciła go za rękę.

— Podobno nie wybiera się pan tam dziś wieczorem — zagaił pan Turgut.

— Tutaj czuję się doskonale, jestem bardzo szczęśliwy, proszę pana — wyjaśnił Ka, silniej opierając się o ramię Ipek.

— Naprawdę nie chciałabym psuć panu dobrego nastroju — wtrąciła Hande, a wszyscy nagle jakby przelękli się jej — ale przyszłam tu dziś ze względu na pana. Nie czytałam żadnej z pańskich książek, ale to, że był pan w Niemczech, że jeździ pan po świecie, to mi wystarczy. Proszę powiedzieć, czy napisał pan ostatnio jakiś wiersz?

— Tu, w Karsie, nawet kilka.

— Pomyślałam, że może będzie mi pan mógł opowiedzieć o sztuce koncentracji. Ciekawi mnie na przykład, jak pan pisze wiersze. To chyba wymaga skupienia?

To pytanie najczęściej słyszał podczas tureckich wieczorków poetyckich w Niemczech. Zadawały je głównie kobiety, a Ka za każdym razem wzdragał się, jakby chciały wtargnąć w jego prywatność.

— Nie wiem, jak się pisze wiersze — odparł. — Dobry wiersz przychodzi jakby z oddali. — Zobaczył niedowierzające spojrzenie Hande. — Co ma pani na myśli, mówiąc o koncentracji?

— Cały dzień próbuję, ale nijak nie potrafię sobie wyobrazić tego jednego: widoku siebie bez chusty. Za to przychodzą mi do głowy rzeczy, o których najchętniej bym zapomniała.

— Na przykład?

— Kiedy zaczęło przybywać dziewcząt w chustach, przysłali do nas z Ankary pewną kobietę, specjalistkę od perswazji. Miała przekonać nas do odsłonięcia głów. Całymi godzinami rozmawiała z nami na osobności. Zadawała setki pytań w stylu: Czy ojciec bije matkę? Czy masz rodzeństwo? Ile ojciec zarabia? Co nosiłaś, zanim włożyłaś chustę? Czy kochasz Atatürka? Jakie obrazy wiszą w twoim domu? Ile razy w miesiącu chodzisz do kina? Czy kobieta i mężczyzna są równi? Kto jest ważniejszy: Bóg czy państwo? Ile dzieci chciałabyś mieć? Czy ktoś z rodziny kiedyś cię molestował? Odpowiedzi zapisywała na kartce, wypełniała jakieś formularze. Miała umalowane usta, farbowane włosy i odkrytą głowę. Wyglądała szykownie, jak kobiety w magazynach mody. Mimo to była — jak by to ująć — zwyczajna. I chociaż jej pytania doprowadzały nas czasem do łez, polubiłyśmy ją. Miałyśmy nawet nadzieję, że poradzi sobie z brudem tego miasta. A potem zaczęłam o niej śnić. Początkowo nie zwracałam na to uwagi. Ale teraz, kiedy wyobrażam sobie, jak idę między ludzi z rozpuszczonymi, odsłoniętymi włosami, widzę siebie podobną do niej, do specjalistki od perswazji. Jestem elegancka jak ona, noszę buty na cienkich obcasach i sukienki jeszcze krótsze niż ona. Mężczyźni oglądają się za mną. To mi się podoba, chociaż bardzo się wstydzę.

— Hande, o tym może nie opowiadaj — wtrąciła Kadife.

— Opowiem. Ponieważ wstydzę się w m y ś l a c h, a nie m y ś l i. Tak naprawdę wcale nie wierzę, że po odsłonięciu włosów natychmiast stanę się niewolnicą pożądania, która chce podniecać mężczyzn. Zrobię przecież coś, w co tak naprawdę nie wierzę. Wiem jednak, że człowiek może bezwiednie dać się porwać namiętności. Nawet jeśli nie ma na nią ochoty. Wszyscy przecież — kobiety i mężczyźni — grzeszymy w snach z ludźmi, których za dnia wcale nie pożądamy.

— Wystarczy, Hande — przerwała jej Kadife.

— No, ale czy tak nie jest?

— Nie — odparła Kadife i odwróciła się w stronę Ka.

— Dwa lata temu Hande miała wyjść za bardzo przystojnego Kurda. Ale chłopak wmieszał się w politykę. Zamordowali go...

— To nie ma nic wspólnego z moim problemem — żachnęła się dziewczyna. — Nie mogę zrezygnować z noszenia chusty, bo nie potrafię skupić się na tej myśli i wyobrazić sobie siebie z odkrytą głową. Za każdym razem gdy zaczynam medytować, przeobrażam się albo w złą i obcą specjalistkę od perswazji, albo w niewolnicę pożądania. Gdyby chociaż raz udało mi się oczyma wyobraźni zobaczyć siebie wchodzącą do szkoły z odsłoniętymi włosami, spacerującą po korytarzach i biegnącą na zajęcia, wtedy może znalazłabym w sobie siłę, by to zrobić. I wtedy byłabym wolna, ponieważ odsłoniłabym włosy z własnej woli, a nie z policyjnego przymusu. Niestety, nie umiem się skoncentrować i wyobrazić sobie tej chwili.

— To nie jest istotne — powiedziała Kadife. — Nawet jeśli się poddasz, zawsze będziesz naszą ukochaną Hande.

— Nie będę — stwierdziła dziewczyna. — W rzeczywistości gardzicie mną za to, że odeszłam od was i zdecydowałam się odsłonić włosy. — Spojrzała na Ka. — Czasami wyobrażam sobie jakąś dziewczynę z gołą głową, jak przekracza próg szkoły, idzie korytarzem i wchodzi do klasy, za którą tak bardzo tęsknię, że przypomina mi się zapach szkoły i ciężkie powietrze sal. Widzę ją przez szybę w drzwiach klasy i rozumiem, że ta dziewczyna to nie ja. Zaczynam płakać.

Wszyscy pomyśleli, że Hande za chwilę znów zaleje się łzami.

— Wcale się nie boję, że zostanę kimś innym — wyjaśniła. — Najbardziej przeraża mnie to, że może nigdy już nie będę mogła włożyć chusty ponownie. Boję się, że zapomnę. Myślę, że z tego powodu można popełnić samobójstwo. — Znów spojrzała na Ka. — Czy chciał się pan kiedyś zabić? — zapytała uwodzicielskim tonem.

— Nie, ale tutaj człowiek zaczyna się zastanawiać.

— Dla wielu dziewcząt w naszej sytuacji samobójstwo to manifestacja. W ten sposób mówią: „Moje ciało należy tylko do mnie". Dlatego właśnie zabijają się te, które utraciły dziewictwo, albo dziewice, pod presją rodziny wychodzące za mężczyzn, których wcale nie kochają. W samobójstwie widzą drogę do czystości i niewinności. Czy napisał pan kiedyś wiersz o samobójstwie? — I zwracając się do Ipek, dodała: — Bardzo męczę pani gościa? Dobrze, więc niech powie mi tylko, skąd się wzięły wiersze, które napisał w Karsie, a potem dam mu spokój.

— Kiedy czuję, że nadchodzi natchnienie, moje serce wypełnia wdzięczność do tego, kto je przysyła. Jestem wtedy bardzo szczęśliwy.

— Czy to on każe panu wtedy myśleć tylko o poezji? Kim on jest?

— Choć nie wierzę, czuję, że to Bóg posyła mi wiersze.

— Nie wierzy pan w Boga czy w to, że może on zsyłać natchnienie?

— Bóg zsyła na mnie natchnienie, tego jestem pewien.

— Biedny Ka zdążył się już przekonać, jak silne się tu porobiły niektóre religijne grupy — wtrącił pan Turgut. — Może mu nawet grozili... No i nawrócił się ze strachu.

— Nie, mówię szczerze — zaprzeczył Ka. — Chcę być jak wszyscy tutaj.

— Pan wciąż się boi. Jak panu nie wstyd?

— Tak, boję się! — nieoczekiwanie wrzasnął Ka. — Powiem więcej: jestem przerażony! — Zerwał się z miejsca, jakby poczuł, że ktoś celuje do niego.

Towarzystwo przy stole siedziało zdezorientowane.

— Gdzie?! — krzyknął pan Turgut, jakby teraz to w jego stronę skierowano nie istniejący pistolet.

— Ja się nie boję. I nic mnie nie obchodzi, co się ze mną stanie — mruknęła Hande do siebie.

Ale i ona, podobnie jak pozostali, siedziała wpatrzona w Ka z nadzieją, że poeta pomoże jej zrozumieć, o co chodzi. Po latach pan Serdar opowiadał mi, że w tamtej chwili Ka był biały jak kreda, ale na jego twarzy zamiast grymasu przerażenia zagościła błoga radość. Służąca upierała się nawet, że poeta w tamtym momencie emanował niezwykłym światłem, które rozlało się po całym pokoju. Od tego dnia Ka był dla niej jak święty. Ktoś powiedział podobno: „Nadchodzi natchnienie". Reszta przyjęła te słowa z ekscytacją i strachem większym niźli obawa przed wymierzoną w nich wyimaginowaną bronią.

Później Ka, rozmyślając nad przeżyciami tej nocy, miał napisać w swoim zeszycie, że to pełne napięcia wyczekiwanie przypominało seanse spirytystyczne. Ćwierć wieku temu uczestniczyliśmy z Ka w takich wieczorkach, urządzanych potajemnie przez otyłą matkę jednego z naszych przyjaciół w domu mieszczącym się na bocznej uliczce Nişantaşı. Siadaliśmy wówczas w towarzystwie niezadowolonych z życia gospodyń domowych, pianisty ze sparaliżowanymi palcami, nerwowej gwiazdy filmowej w średnim wieku (zawsze pytaliśmy, czy przyjdzie), jej mdlejącej co chwila siostry, emerytowanego oficera zalecającego się do podstarzałej artystki i owego przyjaciela, który wprowadzał nas do salonu tylnymi drzwiami. Ktoś mówił: „Duchu, duchu, jeśli jesteś — daj znak!", po czym zapadało nerwowe wyczekiwanie i długa cisza, przerywana dziwacznymi puknięciami, skrzypieniem krzeseł, jękiem, a czasem nawet odgłosem celnie wymierzonego w nogę od stołu kopniaka. „Duch przyszedł", mówił wtedy ktoś drżącym głosem.

Ale teraz Ka nie wyglądał jak człowiek, który spotkał zjawę — z rozanieloną miną szedł w kierunku kuchennych drzwi.

— Sporo wypił — stwierdził pan Turgut. — Trzeba mu pomóc.

Powiedział to tylko po to, by wszyscy pomyśleli, że to z jego polecenia Ipek pobiegła w kierunku Ka. Poeta osunął się na krzesło stojące koło kuchennych drzwi. Wyjął z kieszeni zeszyt i długopis.

— Nie mogę pisać, kiedy wszyscy stoicie wkoło i gapicie się na mnie — rzucił z wyrzutem.

— Zaprowadzę cię do drugiego pokoju — zadecydowała Ipek.

Przeszli przez wypełnioną cudownym aromatem kuchnię, gdzie Zahide właśnie polewała syropem ekmek kadayıfı*, minęli jakiś zimny pokój i weszli do ciemnego pomieszczenia na tyłach mieszkania. Ipek pierwsza, Ka za nią.

— Czy tu będziesz mógł pisać? — spytała, zapalając lampę.

Ka zobaczył czysty pokój i starannie posłane dwa łóżka. Na niewielkim stoliku, który siostry zamieniły w toaletkę, leżały tubki z kremem, szminki, mały flakon wody kolońskiej, olejek migdałowy, nieciekawa kolekcja butelek po alkoholach, książki, kosmetyczka zapinana na suwak i pudełko po szwajcarskich czekoladkach pełne szczotek, długopisów, *nazar boncuğu**, naszyjników i bransoletek. Usiadł na rogu łóżka, przy oszronionym oknie.

— Tutaj mogę pisać — stwierdził. — Ale nie zostawiaj mnie samego.

— Dlaczego?

— Nie wiem — odparł i po chwili dodał: — Boję się.

Wiersz zaczął od wspomnienia z dzieciństwa, kiedy to dostał od wujka pudełko szwajcarskich czekoladek. Inspirację stanowiło oczywiście pudełko stojące na toaletce Ipek, choć najpierw wpadł mu w oko jej dziecięcy zegarek (o tym, że należał do niej w dzieciństwie, dowiedział się dwa dni później). Ka myślał potem, że — nawiązując do owego zegarka — mówił coś o dzieciństwie i życiu.

— Nie chcę, żebyś się w ogóle oddalała — wyznał — bo strasznie jestem w tobie zakochany.

---

* *Ekmek kadayıfı* — rodzaj deseru przygotowanego na bazie ciasta nasączonego syropem, podawanego z orzechami lub kajmakiem.

** *Nazar boncuğu* (w Polsce znane także jako oko proroka) — zazwyczaj ozdoba z błękitnych korali (lub same korale), pełniąca funkcję talizmanu.

— Przecież nawet mnie nie znasz — odparła Ipek.

— Są dwa rodzaje mężczyzn — powiedział Ka pouczającym tonem. — Jedni, zanim zakochają się w dziewczynie, muszą wiedzieć, jakie lubi kanapki, jak czesze włosy, jakimi głupstwami zaprząta sobie głowę, dlaczego złości się na ojca. Chcą znać wszystkie opowieści i plotki na jej temat. Drudzy, i do nich należę właśnie ja, aby móc się zakochać, muszą wiedzieć o niej jak najmniej.

— Czyli zakochałeś się, bo nic o mnie nie wiesz? I wierzysz, że to naprawdę miłość?

— Miłość, dla której człowiek jest gotów na wszystko, wygląda właśnie tak.

— Kiedy dowiesz się, jakie jadam kanapki i jak się czeszę, przestaniesz mnie kochać.

— Wtedy będziemy sobie bliżsi, a namiętność łącząca nasze ciała zmieni się w radość i ciepłe wspomnienia, które jeszcze bardziej nas zwiążą.

— Siedź na tym łóżku, nie wstawaj — przerwała Ipek. — Nie będę się z tobą całować, kiedy ojciec jest obok. — Na początku nie stawiała oporu, ale teraz, odpychając Ka, dodała: — Nie podoba mi się... On jest tutaj...

Ka wymusił ostatni pocałunek i usiadł na brzegu łóżka.

— Musimy jak najszybciej wziąć ślub i stąd uciec. Nawet nie wiesz, jak nam będzie dobrze we Frankfurcie.

Zapadła cisza.

— Jak mogłeś zakochać się we mnie, skoro nic o mnie nie wiesz? — zapytała po chwili.

— Bo jesteś piękna... Bo marzę o naszym wspólnym szczęściu... Bo mogę powiedzieć ci o wszystkim i wcale się tego nie wstydzę. Wyobrażam sobie, że kochamy się bez przerwy.

— Co ty w ogóle robiłeś w Niemczech?

— Byłem zajęty wierszami, których nie mogłem pisać... Wciąż się masturbowałem... Samotność to problem dla dumy. Człowiek ukrywa się, chowa we własnej skorupie. Prawdziwy poeta ma zawsze ten sam dylemat: jeśli jest szczęśliwy zbyt długo, staje się banalny, jeśli jest zbyt nieszczęśliwy — wkrótce nie będzie mógł znaleźć natchnienia... Szczęście i prawdziwa poezja mogą żyć razem bardzo krótko. Potem szczęście strąci w banał poetę lub jego dzieła. Albo prawdziwa poezja zniszczy szczęście. Strasznie się boję, że wrócę do Frankfurtu i znów będę nieszczęśliwy.

— Zostań w Stambule — powiedziała Ipek.

Ka spojrzał na nią uważnie.

— Chciałabyś mieszkać w Stambule? — wyszeptał. Nagle poczuł, że bardzo pragnie, by Ipek czegoś od niego zażądała.

Kobieta wyczuła to natychmiast.

— Niczego nie chcę — odparła.

Ka wiedział, że działa chaotycznie, ale czuł też, że nie ma innego wyjścia, jak tylko się spieszyć, bo nie będzie mógł zbyt długo zostać w Karsie — niebawem nie będzie tu już mógł złapać oddechu. Przysłuchiwali się niewyraźnym głosom dochodzącym z drugiego pokoju i chrzęstowi śniegu miażdżonego przez furmankę przejeżdżającą pod oknem. Ipek, stojąc w drzwiach, w zadumie wysupływała zaplątane w szczotkę włosy.

— Tutaj wszystko jest tak biedne i beznadziejne, że człowiek zapomina o własnych pragnieniach — stwierdził Ka.

— Tutaj można marzyć wyłącznie o śmierci... Pojedziesz ze mną?

Ipek nie odpowiedziała.

— Jeśli miałbym usłyszeć coś niemiłego, lepiej nie odpowiadaj.

— Nie wiem — szepnęła ze wzrokiem wbitym w szczotkę. — Czekają na nas...

— Coś tu się święci. Czuję to. Ale nie wiem, o co chodzi... — stwierdził Ka. — Ty mi powiedz.

Nagle wyłączono prąd. Ipek nawet nie drgnęła. Ka chciał ją przytulić, ale wciąż siedział zdjęty strachem, że będzie musiał samotnie wracać do Frankfurtu.

— Nie możesz pisać w tych ciemnościach — powiedziała Ipek. — Chodźmy.

— Co mam zrobić, żebyś mnie pokochała?

— Bądź sobą — odparła i wyszła z pokoju.

Było mu tak dobrze na tym łóżku, że wstał z prawdziwą niechęcią. Przysiadł na chwilę w lodowatym pokoju obok kuchni i przy świetle świecy zapisał w zielonym zeszycie wiersz pod tytułem *Pudełko czekoladek*.

Kiedy się podniósł, Ipek stała tuż przed nim. Zrobił ruch, jakby chciał ją objąć i wtulić twarz w jej włosy, ale wszystko w jego głowie nagle zawirowało, jak w szybko zapadających ciemnościach. W świetle kuchennej świecy zobaczył przytulone do siebie Ipek i Kadife; były jak dwie kochanki.

— Ojciec chciał, żebym do was zajrzała — wyjaśniła Kadife.

— W porządku, moja droga.

— Napisał coś?

— Napisałem — wtrącił się Ka, wychodząc z mroku. — A teraz chętnie bym wam pomógł.

Kiedy przekroczył próg kuchni, w środku nie było nikogo. Nalał rakı do szklanki i wypił jednym haustem. Oczy natychmiast zaszły mu łzami. Później napełnił szklankę wodą.

Wyszedł z kuchni i znów otoczyła go ciemność. W oddali dostrzegł stół oświetlony pojedynczą świecą i ruszył w jego kierunku. Ludzie siedzący przy nim razem z cieniami na ścianach zwrócili się w jego stronę.

— Udało się panu napisać wiersz? — zapytał pan Turgut po krótkim, wyrażającym dezaprobatę milczeniu.

— Owszem.

— Gratulacje. — Wetknął w dłoń Ka szklankę i napełnił ją rakı. — A o czym?

— Przyznaję rację każdemu, kogo tu spotykam. Strach, który przechadzał się po ulicach, kiedy byłem w Niemczech, zagnieździł się teraz w moim wnętrzu.

— Doskonale pana rozumiem — powiedziała Hande ciepło.

Ka uśmiechnął się z wdzięcznością. Nie zdejmuj tej swojej chustki, dziewczyno — pomyślał.

— Skoro przyznaje pan rację każdemu, kogo tu spotyka, podczas wizyty u szejcha musiał pan powiedzieć, że wierzy w Boga — stwierdził pan Turgut. — Jeśli tak, to chciałbym coś wyjaśnić: u nas, w Karsie, Boga nie reprezentuje szejch Saadettin!

— A kto? — najeżyła się Hande.

Gospodarz nie dał się sprowokować. Był uparty i kłótliwy, ale miał zbyt miękkie serce, by stać się nieprzejednanym ateistą. Ka pomyślał, że pan Turgut troszczy się o spokój swych córek tak samo, jak boi się, że zasady utrzymujące j e g o świat przepadną na zawsze. Ale nie był to lęk uwikłanego w politykę człowieka, lecz strach ojca, drżącego na myśl o utracie najważniejszej pozycji przy stole, gdzie co wieczór w obecności córek i ich gości godzinami dyskutowano o polityce i boskiej naturze.

Włączono światło i pokój nagle pojaśniał. Mieszkańcy Karsu byli do tego przyzwyczajeni, zachowywali się zatem tak, jakby nic się nie zmieniło — rozbłyskającym lampom nie towarzyszyły radosne okrzyki, nikt nie kłócił się o pierwszeństwo zdmuchnięcia świec, jak bywało w Stambule, kiedy Ka był jeszcze dzieckiem. Pan Turgut, włączywszy telewizor, znów zaczął zmieniać kanały, a Ka wpatrzony w dziew-częta wyszeptał, że Kars jest niebywale cichym miejscem.

— Dlatego że boimy się nawet własnego głosu — odpar-ła Hande.

— Słychać tylko milczenie śniegu — dodała Ipek.

Wszyscy wpatrywali się przez jakiś czas w zmieniające się na ekranie obrazy. Ka dotknął pod stołem ręki Ipek — byłby zapewne szczęśliwy, mogąc przez resztę życia za dnia obijać się w jakiejś mało zajmującej pracy, a wieczorem oglądać telewizję satelitarną i trzymać pod stołem dłoń tej kobiety.

15.

Wszyscy pragniemy jakiejś jednej, najważniejszej rzeczy

W Teatrze Narodowym

Ka biegł w kierunku Teatru Narodowego, żeby wziąć udział w spektaklu. Dokładnie siedem minut wcześniej doszedł do wniosku, że byłby szczęśliwy, gdyby mógł spędzić resztę życia w Karsie razem z Ipek. Serce waliło mu jak młotem, czuł się tak, jakby wyruszył samotnie na wojenną wyprawę. W ciągu tych siedmiu minut wydarzenia potoczyły się tak szybko, jakby rządziły się własną oczywistą logiką.

Najpierw pan Turgut włączył transmisję z Teatru Narodowego. Towarzystwo siedzące przy stole, słysząc niesamowity hałas zebranej na widowni publiczności, zrozumiało, że na scenie musi się dziać coś naprawdę nadzwyczajnego. W takich chwilach budziła się w nich ochota, by choć na jedną noc uciec od nudy prowincjonalnego życia, ale paraliżował ich strach, że może się wydarzyć coś złego. W aplauzie miejskich notabli, usadowionych w pierwszych rzędach, i młodzieży ściśniętej za ich plecami czuć było wyraźne i niekłamane napięcie. Z przyczyn technicznych operator nie mógł sfilmować całej widowni, dlatego ciekawość telewidzów wciąż rosła.

Na scenie sławny niegdyś bramkarz opowiadał mrożącą krew w żyłach historię rozegranego przed piętnastoma laty meczu z Anglią, podczas którego Turcja poniosła sromotną i niezapomnianą porażkę. Zdążył właśnie opisać pierwszą z jedenastu straconych bramek, gdy na ekranach telewizorów pojawił się tyczkowaty prezenter. Bramkarz umilkł, pojąwszy, że nadeszła pora reklam. Tyczkowaty mężczyzna w ciągu kilku sekund odczytał z kartki tekst ogłoszeń (do sklepu spożywczego Tadal dowieziono wędzoną wołowinę, a w siedzibie kursów naukowych rozpoczęto zapisy na zajęcia przygotowawcze do egzaminów wstępnych na uniwersytet), powtórzył program wieczoru i wspomniał o planowanym występie Ka.

— Muszę jednak stwierdzić ze smutkiem, że wielkiego poety, który przybył do naszego przygranicznego miasta aż z Niemiec, nadal nie ma wśród zgromadzonych — patrzył w kamerę z zatroskaną miną.

— Jeśli pan się tam zaraz nie zjawi, będzie straszny wstyd — rzekł pan Turgut, odwracając się od telewizora.

— Nawet nie zapytali, czy przyjdę... — bronił się Ka.

— Tutaj jest taki zwyczaj — wyjaśnił gospodarz. — Gdyby pana zaprosili, na pewno by pan nie poszedł. A teraz trzeba iść, żeby nie pomyśleli, że ich pan nie szanuje.

— Będziemy pana oglądać w telewizorze — zapewniła gorliwie Hande.

W tej samej chwili otworzyły się drzwi. Stojący w progu chłopak z recepcji powiedział szybko:

— Dyrektor ośrodka kształcenia właśnie zmarł w szpitalu.

— Biedny głupek... — mruknął pan Turgut i utkwił wzrok w twarzy Ka. — Islamiści zaczęli sprzątać. Każdego z nas po kolei. Żeby się z tego wywinąć, lepiej niech pan mocniej uwierzy w Boga, bo boję się, że wkrótce w Karsie nawet umiarkowana religijność nie wystarczy, żeby zachować życie.

— Ma pan rację — odparł Ka. — Już wcześniej zdecydowałem, że przestanę uciekać przed Bożą miłością, którą ostatnio zacząłem czuć głęboko w sercu.

Wszyscy wyczuli sarkazm w jego słowach. Ka był tak bardzo pijany, że nie byłby w stanie wymyślić naprędce tak celnej repliki, domyślali się więc, że musiał dumać nad tym wszystkim wcześniej.

Tymczasem Zahide, z dużym garnkiem w jednej i odbijającą świetlne refleksy aluminiową łyżką wazową w drugiej dłoni, podeszła do stołu.

— Zostało jeszcze trochę zupy na dnie, a grzech wylewać. Która dziewczynka chce dokładki? — zapytała z troskliwym matczynym uśmiechem.

Ipek, która właśnie odradzała poecie wyprawę do Teatru Narodowego, tłumacząc, że boi się o niego, umilkła nagle i razem z Hande i Kadife odwróciła się w stronę uśmiechniętej Kurdyjki. Ka pomyślał, że jeśli Ipek zażyczy sobie dokładki, to pojedzie z nim do Frankfurtu i wezmą ślub. Wtedy pójdę do Teatru Narodowego i przeczytam *Śnieg* — postanowił.

— Ja poproszę! — powiedziała Ipek i podała talerz.

Już na ulicy, maszerując w głębokim śniegu, Ka znów poczuł, że jest tutaj obcy i że zapomni o tym mieście, kiedy tylko z niego wyjedzie. Wrażenie to trwało zaledwie chwilę. Podejrzewał, że spełnia się jego przeznaczenie, że sens życia stał się nagle niepojętą dlań tajemną geometrią. Pragnął poczuć radość, jaką przyniosłoby mu rozwikłanie tej tajemnicy, ale wiedział też, że nie jest wystarczająco silny, by sprostać wyzwaniu.

Prowadząca do Teatru Narodowego ośnieżona szeroka ulica, z falującymi na wietrze wyborczymi chorągiewkami, świeciła pustką. Ka, patrząc na zamarznięte rozłożyste dachy starych domów, na ich rzeźbione ściany i drzwi oraz okazałe, choć staroświeckie fasady, przypuszczał, że dawni mieszkańcy miasta (może byli to Ormianie zajmujący się handlem w Tbilisi? A może zbierający podatki od lokalnych mleczarzy osmańscy oficerowie?) żyli radośnie i spokojnie. Ale wszyscy ci Ormianie, Rosjanie, mieszkańcy Wielkiej Porty i Turcy pamiętający pierwsze lata Republiki, którzy przemienili Kars w skromne centrum cywilizacji, dawno się stąd wynieśli, a ulice pozostały puste, jakby nikt już się tu później nie wprowadził. W przeciwieństwie jednak do miast widm karskie ulice nie budziły przerażenia. Ka z podziwem patrzył, jak bladopomarańczowe światło ulicznych latarń i zimna biel prześwitujących zza oszronionych szyb neonów muskają śnieg oblepiający gałęzie platanów i oliwników i przeglądają się w przystrojonych wielkimi soplami słupach elektrycznych. Śnieg padał w podniosłej, niemal świętej ciszy. Ka nie słyszał niczego poza własnymi stłumionymi krokami i swoim szybkim urywanym oddechem. Żaden pies nie szczekał. Tak jakby tutaj właśnie kończył się świat. Wszystko wkoło zamarło, zahipnotyzowane ruchem płatków śniegu. Ka obserwował ich chaotyczny taniec: jedne opadały powoli, inne zdecydowanie i pewnie się unosiły. W ciemność.

Przystanął pod daszkiem salonu fotograficznego Aydın Foto Sarayı i w czerwonawym świetle tablicy reklamowej z wielkim skupieniem zaczął oglądać pojedynczy płatek, który spoczął na jego rękawie.

Powiał wiatr, zastygły krajobraz jakby ożył i czerwone światło zza szyby salonu nagle zgasło. Ciemność zdusiła oliwnik po drugiej stronie ulicy. Zobaczył tłum przy drzwiach Teatru Narodowego, policyjny minibus w oddali i ludzi stłoczonych w półotwartych drzwiach *çayhane* znajdującej się naprzeciwko.

Kiedy wszedł na widownię, zakręciło mu się w głowie od panującej na sali wrzawy i nerwowego pośpiechu. Powietrze przesycał odór alkoholu, papierosów i ludzkich oddechów. Wiele osób bezczynnie podpierało ściany. W kącie znajdował się bufet, w którym sprzedawano lemoniadę i obwarzanki. Przed drzwiami śmierdzącej toalety zobaczył rozmawiających szeptem młodych ludzi; szybko minął policjantów w niebieskich mundurach i tkwiących nieco dalej ich kolegów w cywilu z krótkofalówkami w dłoniach. Jakiś dzieciak, trzymając ojca za rękę, pilnie obserwował ziarna prażonego grochu, pływające w butelce z lemoniadą.

Ka zauważył, że ktoś pod ścianą w podnieceniu macha ręką — z początku nie był jednak pewien, czy do niego.

— Poznałem cię z daleka. Po palcie.

Ucieszył się na widok znajomej twarzy Necipa. Uścisnęli się energicznie.

— Wiedziałem, że przyjdziesz — powiedział chłopak.

— Strasznie się cieszę. Czy mogę ci zadać jedno pytanie? Myślałem właśnie o dwóch bardzo ważnych sprawach.

— Aż o dwóch?

— Jesteś bardzo mądry. Na tyle, żeby zrozumieć, że rozum to nie wszystko — mówił Necip. Zaciągnął Ka do kąta, w którym mogli spokojnie porozmawiać. — Czy powiedziałeś Hicran — Kadife — że jestem w niej zakochany, że jest sensem mojego życia?

— Nie.

— Wyszliście razem z *çayhane*. W ogóle nie rozmawialiście na mój temat?

— Powiedziałem, że jesteś ze szkoły koranicznej.

— No i? Nic nie mówiła?

— Nie.

Umilkli.

— To jasne, że nie mówiliście o mnie nic więcej — przyznał wreszcie Necip z ogromnym wysiłkiem. Przełknął ślinę. — Kadife jest starsza ode mnie o cztery lata, pewnie w ogóle nie zwróciła na mnie uwagi. Kto wie, może rozmawialiście o sprawach poufnych? Może nawet roztrząsaliście tajne problemy polityczne! Nie pytam o to. Ale jednego jestem ciekaw... To dla mnie bardzo ważne, kwestia życia i śmierci. Nawet jeśli Kadife nie zwróci na mnie uwagi — zajęłoby to pewnie całe lata, a potem już będzie zamężna — twoja odpowiedź sprawi, że albo będę ją kochać przez całe życie, albo zapomnę o wszystkim w tej chwili. Proszę cię, powiedz prawdę natychmiast i bez zastanowienia.

— Zatem słucham — rzekł Ka oficjalnym tonem.

— Czy rozmawialiście o rzeczach błahych? O tym, co pokazują w telewizji, o bzdurach, plotkach, zakupach? Wiesz, o co mi chodzi? Czy Kadife jest mądra? A może przywiązuje wagę do spraw powierzchownych? Jeśli tak, to znaczy, że zakochałem się w niej nadaremnie.

— Nie, nie rozmawialiśmy o rzeczach błahych — odpowiedział Ka uroczyście.

Zauważył, że odpowiedź ostatecznie załamała chłopaka. Młody człowiek nadludzkim wręcz wysiłkiem próbował zebrać siły.

— Ale uznałeś, że jest osobą niezwykłą?

— Owszem.

— Mógłbyś się w niej zakochać? Jest przecież bardzo ładna. I ładna, i niezależna. Żadna ze znanych mi Turczynek nie jest taka.

— Jej siostra jest ładniejsza — odparł Ka — skoro już mówimy o urodzie.

— Właśnie, po co o tym rozmawiamy? — zapytał Necip. — Z jakiego powodu Wielki Bóg każe mi wciąż rozmyślać o Kadife? — Otworzył szeroko wielkie zielone oczy, z których jedno miało być rozerwane na strzępy za pięćdziesiąt jeden minut. Wyglądał zaskakująco dziecinnie.

— Nie wiem — odparł Ka.

— Wiesz, ale nie chcesz powiedzieć.

— Nie wiem.

— Najważniejsze to móc mówić o wszystkim — stwierdził Necip usłużnie. — Gdybym został pisarzem, chciałbym umieć wyrazić wszystko, co nieopisywalne. Czy możesz mi powiedzieć prawdę chociaż ten jeden, jedyny raz?

— Pytaj.

— Wszyscy czegoś pragniemy, jakiejś jednej, najważniejszej rzeczy. Prawda?

— Prawda.

— Czego więc pragniesz?

Ka uśmiechnął się w milczeniu.

— To proste — wyjaśnił Necip z dumą. — Chcę się ożenić z Kadife, zamieszkać w Stambule i zostać pierwszym na świecie islamistą, który pisze powieści *science fiction*. Wiem, że to niemożliwe, ale i tak o tym marzę. I nie mam pretensji, że nie opowiadasz o sobie, ja cię rozumiem. Jesteś mną w przyszłości. Widzisz we mnie własną młodość i dlatego mnie lubisz. Czytam to w twoim spojrzeniu. — W kąciku ust Necipa pojawił się przebiegły uśmieszek i Ka przestraszył się nie na żarty.

— Jesteś więc mną sprzed dwudziestu lat?

— Tak. I umieszczę tę scenę w powieści fantastycznej, którą pewnego dnia napiszę. Czy mogę położyć dłoń na twoim czole?

Ka pochylił się, a Necip dotknął jego czoła z wprawą osoby, która robi to nie po raz pierwszy.

— A teraz ci powiem, co myślałeś dwadzieścia lat temu.

— Bawicie się w ten sposób z Fazılem?

— Z Fazılem czasem myślimy o tym samym. Natomiast między tobą a mną rozciąga się czas. A teraz słuchaj: Jest zimowy dzień, ty siedzisz w szkole, w liceum, pada śnieg, rozmyślasz. Słyszysz w sercu głos Boga, ale próbujesz o nim zapomnieć. Czujesz, że wszystko jest jednością, ale myślisz, że jeśli zamkniesz oczy na tego, kto pozwala ci tak czuć, będziesz mądrzejszy. I utracisz radość. Masz rację. Wiesz przecież, że tylko nieszczęśliwi mędrcy mogą pisać dobre wiersze. Dla wybitnej poezji bohatersko poświęcasz wiarę. I nawet nie przychodzi ci na myśl, że kiedy przestaniesz słyszeć ten głos wewnątrz siebie, zostaniesz kompletnie sam.

— Dobrze. Masz rację, właśnie tak myślałem — stwierdził Ka. — A teraz ty myślisz to samo?

— Wiedziałem, że o to zapytasz — powiedział Necip zadowolony. — Czy ty nie chcesz w Niego uwierzyć? Chcesz, prawda? — Nagle oderwał lodowatą dłoń od czoła Ka. — Mogę ci powiedzieć mnóstwo rzeczy. Na przykład, że coś podszeptuje mi: „Nie wierz w Boga". Bo tak żarliwa wiara zawsze pozostawia wątpliwość, rozumiesz? A kiedy dociera do mnie, że żyję tylko dzięki wierze, zaczynam się zastanawiać, co by było, gdyby Bóg nie istniał (tak samo jak w dzieciństwie myślałem, co by było, gdyby umarli nagle moi rodzice). I wtedy mam wizję. Wiem, że powstała z mojej miłości do Boga, więc się nie boję. Oglądam ją z ciekawością.

— Opowiedz, co widzisz.

— Napiszesz o tym wiersz? Nawet nie będziesz musiał wspominać mojego imienia. Mam tylko jedną prośbę.

— Słucham.

— Przez ostatnie pół roku napisałem do Kadife trzy listy. Żadnego nie wysłałem. Nie ze wstydu, ale dlatego że pracownicy poczty otworzyliby je i przeczytali. Połowa Karsu to konfidenci. Tak jak połowa ludzi w tym teatrze. Wszyscy nas obserwują. A na dodatek nasi patrzą.

— Nasi?

— Młodzi islamiści. Są strasznie ciekawi, o czym rozmawiamy. Przyszli tu zrobić awanturę. Dowiedzieli się, że wojsko i świeccy planują na dziś publiczną demonstrację siły — będą wystawiać to stare przedstawienie *Czarczaf* i poniżać dziewczęta w chustach. Nie znoszę polityki, ale moi koledzy mają rację. Jestem dla nich podejrzany, bo nie angażuję się tak jak reszta. Listów ci nie dam. Znaczy nie teraz, nie na oczach wszystkich. Później. Chcę, żebyś je przekazał Kadife.

— Teraz nikt nie patrzy. Daj mi szybko, a potem opowiedz o swojej wizji.

— Listy mam tutaj, ale nie przy sobie. Bałem się kontroli przy drzwiach. Poza tym koledzy mogliby mnie przeszukać. Spotkajmy się dokładnie za dwadzieścia minut w kiblu na końcu korytarza, z boku sceny.

— Wtedy opiszesz mi swoją wizję?

— Uwaga, idzie tu jeden z nich — syknął Necip, rozglądając się ukradkiem. — Znam go. Nie patrz w tamtą stronę i rozmawiaj normalnie, jak gdyby nigdy nic.

— Dobrze.

— Cały Kars chce wiedzieć, dlaczego tu przyjechałeś. Myślą, że wysłała cię władza albo zachodnie mocarstwa z jakąś tajną misją. Koledzy kazali, żebym cię o to wypytał. To prawda, te wszystkie plotki?

— Nie.

— To co mam im powiedzieć? Po co tu przyjechałeś?

— Nie wiem.

— Wiesz, tylko znów wstydzisz się powiedzieć. — Umilkł. — Przyjechałeś tu, bo jesteś nieszczęśliwy — zawyrokował po chwili.

— Po czym poznałeś?

— Po oczach. Nigdy jeszcze nie spotkałem kogoś o tak smutnym spojrzeniu... Ja też nie jestem szczęśliwy. Ale jestem młody i smutek daje mi siłę. W tym wieku wolę być smutny niż szczęśliwy. W Karsie tylko głupi i źli potrafią cieszyć się życiem. Ale w twoim wieku chciałbym już znaleźć jakieś źródło radości.

— Mój smutek chroni mnie przed życiem — zapewnił Ka. — Nie martw się o mnie.

— To świetnie. Nie jesteś zły, prawda? Masz w twarzy coś takiego, że chciałbym opowiedzieć ci o wszystkim, nawet o najdziwniejszych sprawach. Gdybym powiedział o nich kolegom, zaraz robiliby sobie żarty...

— Nawet Fazıl?

— Fazıl jest inny. Jest gotów wziąć odwet na moich wrogach i zawsze wie, o czym myślę. Teraz ty coś powiedz. Tamten człowiek patrzy na nas.

— Jaki człowiek? — zapytał Ka, zerkając na ludzi stojących na końcu widowni.

Jajogłowy mężczyzna, dwóch pryszczatych chłopaków i biednie ubrani młodzieńcy o nastroszonych brwiach — wszyscy byli odwróceni w kierunku sceny. Niektórzy kiwali się, jakby byli pijani.

— Chyba nie tylko ja piłem tego wieczoru — mruknął Ka.

— Zawsze upijają się na smutno — wyjaśnił Necip. — A ty piłeś, żeby zdławić rozpierającą cię radość.

Wypowiadając ostatnie słowo, Necip niespodziewanie zanurkował w tłum. Ka nie był nawet pewien, czy dobrze go zrozumiał. Był rozluźniony, jakby zamiast hałasu wypełniającego teatr słyszał kojącą melodię. Ktoś zamachał ręką, jakiś gburowato wyglądający pracownik teatru usłużnym gestem posadził go na jednym z kilku krzeseł przeznaczonych dla „artystów".

Wiele lat później dzięki wydobytym z archiwów telewizji Przygraniczny Kars taśmom wideo miałem okazję zobaczyć, co tamtego wieczoru działo się na deskach teatru. Gdy odgrywano skecz parodiujący reklamę jednego z banków, Ka, który od lat nie oglądał tureckiej telewizji, niewiele z niego zrozumiał. Owszem, pojął, że człowiek, który chciał wpłacić pieniądze, był śmiesznym snobem przesadnie naśladującym zachodni styl bycia. Nawiązująca do teatru Bachtina i Brechta Grupa Teatralna Sunaya Zaima podczas tournée po miasteczkach jeszcze mniejszych od Karsu zwykła odgrywać tę scenę w sposób wyjątkowo nieprzyzwoity. Dandysowaty klient był pokazany jako typ obrzydliwie zniewieściały, więc bywalcy omijanych przez kobiety i przedstawicieli władzy *çayhane* umierali ze śmiechu. Podczas drugiego skeczu Ka zorientował się, że wąsaty mężczyzna przebrany za kobietę wylewającą sobie na głowę „szampon z odżywką Kelidor" to Sunay Zaim. Druga scenka nie różniła się niczym od wersji prezentowanej podczas występów w zapadłych wsiach, przed biednym, rozgoryczonym tłumem mężczyzn, którym Sunay chciał zafundować osobliwe „antykapitalistyczne *katharsis*". Teraz także, klnąc siarczyście, udawał, że wpycha sobie w tyłek reklamowany specyfik. Nieco później żona Zaima, Funda Eser, w parodii popularnej reklamy kiełbasy kangal, ważąc w dłoni spore pęto, z lubieżnym uśmiechem pytała: „Czy to końskie, czy ośle?" — i — na szczęście nie posuwając się dalej w swoich dociekaniach — znikała za kulisami.

Potem na scenę znowu wyszedł znany w latach sześćdziesiątych bramkarz Vural, by nadal gawędzić o odbywających się przed laty w Stambule rozgrywkach z Anglią. Opowiadał więc o jedenastu przepuszczonych bramkach, romansach ze znanymi artystkami i sprzedanych meczach. Słuchano go z masochistyczną przyjemnością, podśmiewając się z groteskowych i pożałowania godnych typów, jakich pełno było dokoła.

16.

Miejsce, w którym nie ma Boga

Wizja Necipa i wiersz Ka

Po dwudziestu minutach Ka wszedł do toalety usytuowanej na końcu chłodnego korytarza. Zobaczył Necipa, który stał obok załatwiających się do pisuarów mężczyzn. Na wysokim suficie toalety Ka zobaczył wyrafinowaną sztukaterię w kształcie róży.

Weszli do zwolnionej ubikacji. Jakiś bezzębny starzec przyglądał im się z uwagą. Necip z radością uściskał poetę. Wsadził nogę w szczelinę w ścianie i zwinnie wspiął się do góry. Na rezerwuarze odnalazł ukryte koperty, zeskoczył na podłogę i z namaszczeniem zdmuchnął kurz pokrywający papier.

— Chcę, żebyś przekazał coś Kadife, kiedy będziesz jej dawać te listy — powiedział. — Bardzo dużo o tym myślałem. Kiedy je przeczyta, nie będę miał już żadnych nadziei i złudzeń. Chcę, żebyś powiedział jej to otwarcie.

— Jeśli mam jej powiedzieć, że ją kochasz, ale i że nie ma dla was żadnej nadziei, to po co w ogóle informować Kadife o czymkolwiek?

— W przeciwieństwie do ciebie nie boję się życia ani własnych namiętności — odparł Necip. Zaniepokoił go smutek w oczach Ka. — Te listy są moim jedynym ratunkiem: nie umiem żyć, nie kochając z pasją. Ale żeby zakochać się z wzajemnością, muszę najpierw zapomnieć o Kadife. Wiesz, na kogo później przeleję całe uczucie? — Podał Ka listy.

— Na kogo? — zapytał Ka, wsadzając je do kieszeni palta.

— Na Boga.

— Opowiedz mi swoją wizję.

— Najpierw otwórz okno. Okropnie tu śmierdzi.

Ka szarpnął za przerdzewiałą zasuwę i z trudem uchylił maleńkie okno toalety. Przez chwilę w uniesieniu, jakby byli świadkami cudu, patrzyli na płatki śniegu bezgłośnie opadające w ciemność.

— Jaki ten świat jest piękny! — wyszeptał Necip.

— Jak myślisz, co jest w nim najlepszego? — zapytał Ka. Zapadła cisza.

— Wszystko! — stwierdził w końcu zachwycony Necip.

— Ale czy życie czasem nas nie unieszczęśliwia?

— Owszem, ale to nasza wina, a nie świata. Ani tego, kto go stworzył.

— Opowiedz mi lepiej tę wizję.

— Najpierw połóż rękę na moim czole i przepowiedz mi przyszłość — poprosił Necip, otwierając szeroko oczy. Dwadzieścia sześć minut później jedno z nich zostanie roztrzaskane razem z fragmentami czaszki. — Chcę, żeby moje życie było długie i pełne. Czuję, że spotka mnie wiele wspaniałych rzeczy. Tylko nie wiem, o czym będę myślał za dwadzieścia lat, a bardzo jestem ciekaw.

Ka prawą dłonią dotknął delikatnej skóry na czole Necipa.

— Aaach, o mój Boże! — wybełkotał, odsuwając rękę jak oparzony. — Ileż tam się działo!

— Mów!

Ka położył dłoń na czole chłopaka.

— Za dwadzieścia lat, kiedy będziesz już miał za sobą trzydzieste siódme urodziny, zrozumiesz wreszcie, że przyczyną całego zła na świecie — czyli tego, że biedacy są ubodzy i głupi, a bogacze zamożni i sprytni — całej tej wulgarności, przemocy i bezduszności, które każą ci czuć się winnym i sprawiają, że myślisz o śmierci, przyczyną tego wszystkiego jest fakt, że wszyscy ludzie na ziemi myślą tak samo — powiedział Ka. — Zrozumiesz, że skoro wszyscy tylko udają ludzi prawych, a potem głupieją i umierają, ty też możesz być uznany za dobrego człowieka, choć w rzeczywistości wybierzesz zło i nieuczciwość. Ale wówczas zdasz sobie sprawę, że konsekwencje takiej egzystencji są straszliwe. Ręka mi drży, gdy ją trzymam na twoim czole, pewnie dlatego, że...

— Że co?

— Jesteś mądry i już dziś doskonale wiesz, o czym mówię. I dlatego chcę, żebyś sam to powiedział.

— Co powiedział?

— Wiem, że właśnie przez to masz poczucie winy, choć twierdzisz, że czujesz się winny nędzy i rozpaczy biedoty.

— Czy — uchowaj Boże! — przestanę wierzyć w Niego? — zapytał Necip. — Przecież wtedy na pewno umrę!

— Nie stanie się to w mgnieniu oka, jak w wypadku nieszczęsnego dyrektora z twojej opowieści, który nagle w windzie stracił wiarę. Będzie się działo powoli i nawet tego nie zauważysz. Będziesz umierać tak wolno, że pewnego dnia ockniesz się na tamtym świecie jak człowiek, który poprzedniego wieczoru wypił za dużo rakı.

— Czy tak właśnie dzieje się z tobą?

Ka oderwał dłoń od jego czoła.

— Przeciwnie. Ja bardzo wolno zaczynam wierzyć w Boga. Zdałem sobie z tego sprawę dopiero po przyjeździe do Karsu. Dlatego jestem taki szczęśliwy i mogę pisać.

— Jesteś teraz szczęśliwy i mądry — powiedział Necip.

— Zadam ci więc pytanie. Czy człowiek naprawdę może

poznać przyszłość? A nawet jeśli jej nie zna, czy może odnaleźć spokój, wierząc, że jednak wie, co go czeka? Napiszę o tym w mojej pierwszej powieści *science fiction*.

— Niektórzy ludzie wiedzą... — powiedział Ka. — Pan Serdar z „Gazety Przygranicznego Miasta" na przykład. Napisał, co będzie się działo dziś wieczorem, i dawno już to wydrukował.

Spojrzeli na kartkę, którą Ka wyciągnął z kieszeni: „...Przerywany aplauzem i wiwatami spektakl...".

— To właśnie musi być szczęście — stwierdził Necip.

— Gdybyśmy mogli pisać w gazetach o tym, co nas spotka, a potem przeżywać to w zadziwieniu, stalibyśmy się poetami własnego losu. W gazecie piszą, że recytowałeś swój ostatni wiersz. Który to?

Ktoś zapukał do drzwi, więc Ka poprosił, by Necip prędko opowiedział mu o swojej wizji.

— Już mówię — uspokoił go Necip. — Ale nikomu ani słowa. Nie podoba im się ta moja zażyłość z tobą.

— Nikomu ani słowa — obiecał Ka. — A teraz opowiadaj.

— Kocham Boga nad życie — zaczął Necip drżącym głosem. — Czasem pytam siebie, co by było, gdyby — uchowaj Boże! — On nie istniał. I wtedy zaczynam widzieć coś przerażającego.

— Słucham.

— Widzę to nocą, w ciemnościach. Wyglądam przez okno, a przede mną jak mury jakiegoś zamczyska wznoszą się dwie wysokie, ślepe ściany. Jakby dwie twierdze stały naprzeciwko siebie! Z przerażeniem patrzę na powstały między nimi wąski korytarz przypominający ulicę. Tutaj, w miejscu, w którym nie ma Boga, ulica jest pełna śniegu i błota, jak w Karsie. Jest tylko jedna różnica — cała ma kolor purpurowy! Gdy wzrok mój dobiega do środka ulicy, coś mówi mi: „Stój!"

— ale ja patrzę już w stronę jej końca. W stronę końca świata. Rośnie tam jedno drzewo — bezlistne, nagie, ostatnie. Pod wpływem mojego spojrzenia nagle oblewa je czerwień i drzewo zaczyna płonąć! Czuję się winny, że byłem ciekaw tego miejsca opuszczonego przez Stwórcę. Wtedy czerwone drzewo powraca do swej poprzedniej postaci. Nie mogę się powstrzymać i znów patrzę w kierunku końca świata, a samotne drzewo ponownie czerwienieje i płonie. I tak aż do rana.

— Dlaczego tak bardzo przeraża cię ta wizja?

— Bo jakiś szatan podszeptuje mi czasem, że może być częścią prawdziwego świata. Świata, w którym żyjemy. Ale to tylko wytwór mojej wyobraźni, bo — uchowaj Boże — jeśli takie miejsce rzeczywiście by istniało, znaczyłoby to, że Boga nie ma. A ponieważ obaj wiemy, że takie miejsce nie istnieje, wytłumaczenie jest jedno: j a nie wierzę w Boga. To zaś jest gorsze niż śmierć.

— Rozumiem — powiedział Ka.

— Sprawdziłem w encyklopedii, że słowo „ateista" wywodzi się od greckiego *átheos*. A to wcale nie oznacza człowieka, który nie wierzy w Boga, lecz porzuconego przez bogów samotnika. Czyli żaden z nas nie może być ateistą, bo przecież Bóg nie opuści go, nawet gdybyśmy sobie tego życzyli. Żeby stać się prawdziwym ateistą, trzeba najpierw być człowiekiem Zachodu.

— A ja chciałbym być człowiekiem Zachodu, który wierzy w Boga — wyznał Ka.

— Ten, którego Bóg opuścił, zostanie samotny nawet, jeśli co wieczór grać będzie w karty z przyjaciółmi, będzie się śmiać, żartować i każdego dnia wygłupiać w szkole z kolegami.

— Ale prawdziwa miłość może być pocieszeniem.

— Pod warunkiem, że druga osoba pokocha ciebie tak, jak ty kochasz ją.

Ktoś znów zapukał do drzwi. Necip objął Ka i ucałował w policzki jak mały chłopiec, po czym wyszedł z kabiny. Wtedy Ka zobaczył, że stojący za drzwiami mężczyzna jednak poszedł do innej toalety. Ponownie więc zamknął drzwi i patrząc na padający śnieg, zapalił papierosa. Zapamiętał dokładnie wizję Necipa, czując, że będzie mógł nadać jej w swoim zeszycie kształt wiersza, jeśli oczywiście nagle nie zjawi się przybysz z Porlock.

Człowiek z miasta Porlock! Nasz ulubiony temat w trakcie ciągnących się do północy rozmów w czasach licealnych. Każdy, kto choć trochę interesuje się poezją angielską, słyszał o nocie, jaką Coleridge dołączył do jednego ze swych utworów. *Kubla Chan, czyli wizja doznana we śnie — fragment** opatrzony jest notatką, w której autor tłumaczy, że pod wpływem zażytego lekarstwa (choć tak naprawdę chodziło o opium) zasnął i że w cudownym, głębokim śnie słowa czytanej wcześniej książki przerodziły się w niezależny byt i stały się poematem. Poematem idealnym, który powstał sam z siebie, bez jakiegokolwiek wysiłku! Tuż po przebudzeniu Coleridge pamiętał dokładnie każde jego słowo. Wyjął papier, pióro i atrament, zaczął szybko i z pasją notować wers po wersie. Udało mu się zapisać znaną wszystkim część utworu, gdy nagle ktoś zapukał do drzwi. Wstał więc i wpuścił przybysza: to jakiś człowiek z pobliskiego miasta Porlock przyszedł pożyczyć pieniądze. Coleridge przepędził intruza, pędem wrócił na miejsce, ale okazało się, iż zapomniał dalszą część poematu. W głowie zostały mu tylko strzępki natchnionych zdań i zaledwie ulotna mgiełka atmosfery, jaką chciał w nim zawrzeć.

Ponieważ żaden człowiek z Porlock nie zmącił jego myśli, Ka, gdy został wezwany na scenę, wciąż miał w głowie

---

* Przeł. Zygmunt Kubiak (*Twarde dno snu. Tradycja romantyczna w poezji języka angielskiego*, Noir Sur Blanc, Warszawa 2002).

swój wiersz. Kiedy tak stał naprzeciwko widowni, górował wzrostem nad innymi artystami. Również popielate niemieckie palto odróżniało go od reszty.

Wrzawa na widowni ustała. Rozbrykani uczniowie, bezrobotni i gotowi do protestów islamiści milczeli, nie wiedząc, czy śmiać się, czy wszczynać awanturę. Posadzeni w pierwszych rzędach urzędnicy, nauczyciele, policja, która cały dzień za nim chodziła, wicewojewoda i zastępca komendanta wiedzieli już, że Ka jest poetą.

Tyczkowaty prezenter przestraszył się tej ciszy. Zadał więc pytanie żywcem wyjęte z telewizyjnego „programu kulturalnego":

— Jest pan poetą — powiedział. — Proszę nam powiedzieć, czy trudno jest pisać wiersze.

Pod koniec tej krótkiej, wymuszonej konwersacji — chciałem szybko zapomnieć, że ją kiedykolwiek oglądałem — publiczność wciąż nie miała pojęcia, czy trudno jest tworzyć poezję, wiedziała natomiast doskonale, że Ka przyjechał z Niemiec.

— Co pan myśli o naszym uroczym Karsie? — zapytał następnie prezenter.

— Jest bardzo piękny, bardzo biedny i bardzo smutny — stwierdził Ka po krótkim wahaniu.

Dwaj uczniowie ze szkoły koranicznej, stojący gdzieś z tyłu sali, zaśmiali się głośno. „Biedna to jest twoja dusza!" — krzyknął któryś. Ośmieleni tym pozostali — a było ich sześciu, może siedmiu — zaczęli coś wrzeszczeć. Jedni robili sobie żarty; inni krzyczeli bełkotliwie. Kiedy przyjechałem do Karsu, pan Turgut opowiedział mi, jak siedząca przed telewizorem Hande na widok tego wszystkiego wybuchła płaczem.

— W jaki sposób reprezentował pan w Niemczech literaturę turecką? — pytał tymczasem prezenter.

— Niech powie lepiej, po co tu przyjechał! — krzyknął ktoś z sali.

— Przyjechałem, ponieważ byłem nieszczęśliwy — odparł Ka. — Tutaj jest mi lepiej. Proszę posłuchać mojego wiersza.

Po krótkiej chwili zaskoczenia i kilku niewyraźnych okrzykach w sali rozległ się spokojny głos Ka.

Kiedy po latach oglądałem na wideo występ mego przyjaciela, byłem urzeczony i zafascynowany. Po raz pierwszy widziałem, jak recytuje swą poezję przed takim tłumem. Mówił w skupieniu, jakby ostrożnie stawiał stopy. Jakże daleki był od fałszu! Dwukrotnie zawahał się, jakby sobie o czymś przypomniał, poza tym recytował płynnie, bez zająknienia.

Gdy Necip zorientował się, że słucha poetyckiej wersji swojej wizji, że wszystko, co mówił o miejscu, w którym nie ma Boga, zostało słowo po słowie przeniesione do wiersza, wstał z miejsca. A Ka wciąż recytował, jakby zauroczony rytmem utworu, przypominającym rytm padającego śniegu. Kilka osób zaczęło bić brawo. Ktoś z tyłu coś krzyknął, a jeszcze ktoś inny do tego krzyku się dołączył. Nie było wiadomo, czy komentują kolejne wersy, czy wyrażają dezaprobatę. To była ostatnia okazja, bym mógł zobaczyć mego przyjaciela — człowieka, który był mi bliski przez dwadzieścia siedem lat. Potem widziałem jeszcze przez chwilę tylko cień jego sylwetki, padający na ciemną zieleń scenografii.

17.

Ojczyzna albo chusta

Sztuka o dziewczynie,
która spaliła swój czarczaf

Kiedy Ka skończył recytować poemat, tyczkowaty prezenter powoli i wyraźnie zapowiedział najważniejszy punkt wieczoru: sztukę *Ojczyzna albo chusta*.

W środkowych i ostatnich rzędach, zajętych przez uczniów ze szkoły koranicznej, rozległy się gwizdy i krzyki, z przodu sali zaś, gdzie siedzieli urzędnicy, słychać było pojedyncze brawa. Reszta tłumu ściśniętego wokół widowni czekała na przedstawienie z nabożną ciekawością. W przeciwieństwie do niektórych widzów spod sceny ludzi tych bardzo rozbawiły odgrywane na początku facecje, obsceniczne żarty Fundy Eser, jej nie zawsze uzasadniony taniec brzucha i odegrana wraz z Zaimem scenka na temat byłej pani premier i jej skorumpowanego małżonka.

Ojczyzna albo chusta przypadła publiczności do gustu, ale nie kończące się zaczepki i okrzyki uczniów ze szkoły koranicznej dały się wszystkim we znaki. Momentami nikt nie był w stanie usłyszeć, co mówią aktorzy. Ale ta dwudziestominutowa, prosta i nieco już przestarzała sztuka miała na tyle solidną konstrukcję, że prawdopodobnie byłaby zrozumiała nawet dla osób nie słyszących, i to w każdych warunkach. A oto w skrócie jej treść:

1. Kobieta cała zawinięta w czarny jak smoła czarczaf chodzi po ulicach, mówi do siebie i rozmyśla. Coś jej leży na sercu.

2. Niewiasta zrzuca czarczaf, manifestując tym samym własną niezależność. Teraz jest odsłonięta i szczęśliwa.

3. Rodzina, narzeczony i znajomi, wspierani przez brodatych muzułmanów, z różnych przyczyn sprzeciwiają się tej decyzji i chcą, by znów przywdziała zasłonę. Bohaterka wybucha gniewem i pali swój czarczaf.

4. Widząc to, brodaci fanatycy z *tespihami* w dłoniach ostro reagują, ciągną kobietę za włosy i już mają wyprawić ją na tamten świat...

5. ...kiedy pojawiają się młodzi żołnierze Republiki, by wyzwolić niewinną z rąk oprawców.

Od połowy lat trzydziestych aż do wybuchu drugiej wojny światowej ta krótka sztuka, przy wsparciu władz dążących do europeizacji kraju i ograniczenia religijnych wpływów, była wielokrotnie wystawiana w anatolijskich liceach i Domach Ludowych. Zapomniano o niej na początku lat pięćdziesiątych, kiedy wraz z nasileniem tendencji demokratycznych osłabła znacznie siła kemalistowskiej rewolucji. Funda Eser, która zagrała główną bohaterkę, powiedziała mi później, podczas spotkania w jednym ze stambulskich studiów nagraniowych, że wydarzenia, które nastąpiły po tamtym spektaklu w Karsie, nie pozwoliły jej poczuć tej samej zasłużonej dumy, jaka była udziałem jej matki, odtwarzającej tę postać w 1948 roku w liceum w Kütahyi. I chociaż Funda Eser wyglądała tak, jak trawieni przez narkotyki, zmęczenie i strach artyści, którzy o wszystkim dawno już zapomnieli, bardzo naciskałem na nią, by opowiedziała mi dokładnie, co się stało tamtego wieczoru. Rozmawiałem zresztą na ten temat z wieloma świadkami, pozwalam więc sobie zrekonstruować ze szczegółami, co się wówczas wydarzyło.

Widownia Teatru Narodowego z początku była kompletnie zaskoczona. Tytuł *Ojczyzna albo chusta* kojarzył się ludziom z polityczną sztuką na temat spraw bieżących i poza kilkoma starcami nikt nie spodziewał się, że zobaczy na scenie zakutaną w czarczaf kobietę. Oczekiwano raczej dobrze znanej islamskiej chusty — od dawna traktowanej jak polityczny symbol. Tajemnicza kobieta w czarnej zasłonie była dumna, a nawet harda, i to nie dawało widowni spokoju. Również radykalni urzędnicy, patrzący z politowaniem na manifestowanie uczuć religijnych poprzez ubiór, poczuli szacunek dla tej postaci. Jakiś uczeń ze szkoły koranicznej, domyśliwszy się, kto jest ukryty pod czarnym zawojem, parsknął śmiechem, doprowadzając pierwsze rzędy do furii.

Gdy kobieta, manifestując swoją wolność i dążenie do nowoczesności, zaczyna zdejmować czarczaf, publiczność w pierwszej chwili zamiera z przerażenia! Nawet najbardziej prozachodni zwolennicy laicyzmu skamienieli ze strachu, widząc, że spełniły się ich utopijne marzenia. Tak naprawdę, bojąc się rozpolitykowanych islamistów, już dawno pogodzili się z tym, że w Karsie nigdy nic się nie zmieni. Nie mieli najmniejszego zamiaru zdzierać siłą chust z kobiecych głów, jak to bywało w pierwszych latach Republiki. Marzyli tylko, by pozostałe kobiety nie poddały się islamskiej propagandzie i nie pozakładały chust ze strachu, jak ich irańskie koleżanki.

— Ci kemaliści w pierwszych rzędach to nie żadni kemaliści, tylko tchórze! — powiedział potem pan Turgut do Ka.

Wszyscy bali się, że widok rozbierającej się na scenie kobiety w czarczafie sprowokuje zebraną na sali hordę bezrobotnych i szukających wrażeń mężczyzn, nie wspominając już o fanatykach religijnych. Mimo to jakiś nauczyciel zajmujący miejsce tuż przy scenie wstał i nieśmiało, acz zdecydowanie zaczął oklaskiwać pozbywającą się czarczafu Fundę Eser. Niektórzy od razu domyślili się, że nie była to polityczna manifestacja, lecz rodzaj striptizu, wyraz uwielbienia dla krągłych, nagich kobiecych ramion oraz zgrabnej szyi, zwłaszcza że widz spojrzenie miał mętne od alkoholu i ledwo trzymał się na nogach. Garstka młodych ludzi z tylnych rzędów gniewnym okrzykiem obwieściła, co myśli o zachowaniu nauczyciela.

Republikanie z pierwszych rzędów również nie byli zadowoleni. Zamiast skromnego, spragnionego wiedzy wiejskiego dziewczęcia w okularach zobaczyli spoglądającą na nich spod czarczafu Fundę Eser, która kilka minut wcześniej wykonała na scenie pełen ognia taniec brzucha! Czy to miało znaczyć, że zasłony zrzucają tylko nierządnice i kobiety lekkich obyczajów? Jeśli tak, to sztuka powtarzała islamską propagandę! Zastępca wojewody krzyknął: „To nie tak! To wszystko nie tak!". I nawet chór służalczych głosów, który mu zawtórował, nie był w stanie powstrzymać Fundy Eser. Większość widzów w pierwszych rzędach z cichą aprobatą i niepokojem oglądała poczynania dzielnej dziewczyny, która postanowiła walczyć o własną niezależność, tylko z końca sali dobiegały pogróżki. Ale nikogo one nie zaniepokoiły. Siedzący na przedzie zastępca wojewody, zastępca komendanta policji (odważny i pracowity pan Kasım, który swego czasu dał się we znaki nawet kurdyjskim terrorystom), inni urzędnicy wysokiego szczebla, dyrektor wojewódzkiego oddziału Urzędu do Spraw Gruntów, dyrektor do spraw kultury, którego głównym zajęciem było konfiskowanie i wysyłanie do Ankary kaset z kurdyjskimi piosenkami (siedział wraz z żoną, dwiema córkami, czterema synami w krawatach i trzema bratankami), oraz oficerowie w cywilu z żonami nie zwracali uwagi na garstkę uczniów, którzy sami dobrze nie wiedzieli, jak powinni się zachować. Wszyscy czuli się bezpiecznie pod okiem rozproszonej po budynku policji w cywilu, stojących pod ścianą funkcjonariuszy w mundurach i żołnierzy, ukrytych podobno za kulisami. Choć każdy wiedział, że telewizja transmitująca spektakl nadawała tylko na obszarze Karsu, wszyscy mieli poczucie, że widzi ich cały kraj, z Ankarą włącznie. Zgromadzona pod sceną śmietanka towarzyska Karsu, nie różniąc się pod tym względem niczym od otaczającej ją hałastry, odnotowawszy w świadomości obecność kamer telewizyjnych, słuchała płynących ze sceny banałów, bzdur i politycznych prowokacji, próbując przekonać samą siebie, że ma do czynienia ze sztuką szlachetniejszą niż w rzeczywistości. Pozostali widzowie co chwila odwracali się, by sprawdzić, czy ekipa telewizyjna nadal filmuje, inni machali w kierunku kamer, jeszcze inni, onieśmieleni ich obecnością, stali jak sparaliżowani w najdalszym kącie sali. Wiadomość o tym, że wieczorny spektakl transmitowany będzie na żywo, u większości mieszkańców miasta obudziła pragnienie obejrzenia z bliska prac ekipy telewizyjnej, a tylko nieliczni śledzili efekty jej działań w domu przed telewizorem.

Funda Eser włożyła czarczaf do miedzianej miski, tak jakby składała gotową do prania bieliznę, dokładnie oblała go benzyną i zaczęła ugniatać, jakby istotnie robiła przepierkę. A ponieważ benzynę przypadkowo wlano do butelki po płynie do prania „Akif", którego używało całe miasto, zgromadzeni w teatrze widzowie — oraz pozostali przed telewizorami — odetchnęli z ulgą, sądząc, że zbuntowana dziewczyna zmieniła jednak zdanie.

— Pierz, kochana, pierz dokładnie! — krzyknął ktoś z końca sali.

Rozległy się śmiechy, kilka osób z przodu mocno się obruszyło, ale w gruncie rzeczy wyrażona została opinia zgromadzonych.

— A gdzie masz swoje omo?! — zawołał jeszcze ktoś inny. Nikt się specjalnie nie złościł na tych młodych, religijnych chłopaków. Owszem, irytowali widownię, ale wywoływali również salwy śmiechu. Większość widzów, jak choćby urzędnicy państwowi z pierwszych rzędów, miała wtedy tylko jedno życzenie: żeby ta prowokacyjna, wyciągnięta z lamusa sztuka w jakobińskim stylu bez problemów dobiegła końca. Wiele osób po latach mówiło mi to samo: wszyscy, od urzędnika po biednego kurdyjskiego ucznia, chcieli tej nocy zobaczyć w teatrze coś ciekawego i trochę się rozerwać. Być może niektórzy wychowankowie szkoły koranicznej gotowi byli narobić nieco zamieszania, ale nie byli groźni.

Tymczasem Funda Eser robiła pranie nie mniej wytrwale niż gospodynie domowe w telewizyjnych reklamach. Następnie wyjęła z miski mokry czarczaf i udając, że wiesza tkaninę na sznurze, rozpostarła go jak wielką czarną chorągiew. Czując na sobie zaskoczone spojrzenia widowni, usiłującej pojąć, co za chwilę nastąpi, przypaliła róg czarczafu zapalniczką, którą wyjęła z kieszeni. Dało się słyszeć trzask płomieni trawiących tkaninę. Całą widownię oświetlił dziwny, przerażający blask.

Kilkanaście osób, nie wierząc własnym oczom, zerwało się na równe nogi. Nikt, absolutnie nikt się tego nie spodziewał. Nawet najwięksi zwolennicy laicyzmu siedzieli jak sparaliżowani. Kiedy kobieta rzuciła na scenę płonący czarczaf, niektórzy w przerażeniu patrzyli, czy płomienie nie zajęły stuletnich teatralnych desek i brudnej, połatanej aksamitnej kurtyny, pamiętającej najlepsze lata w historii miasta. Większość struchlała, widząc, że sytuacja całkowicie wymknęła się spod kontroli. Teraz już wszystko mogło się zdarzyć.

Z miejsc zajętych przez uczniów szkoły koranicznej dobiegał hałas i odgłosy szamotaniny. Rozległy się wrzaski, gwizdy i pełne dezaprobaty buczenia.

— Bezbożnicy! Wrogowie islamu! — krzyczał ktoś. — Przeklęci ateiści!

Pierwsze rzędy wciąż nie mogły wyjść z osłupienia. Samotny, dzielny nauczyciel wstał, nawołując do porządku:

— Cisza! Proszę państwa, proszę oglądać!

Ale nikt go nie słuchał. Wrzaski, obelgi, gwizdy i polityczne okrzyki przybierały na sile. Powiało grozą. Wojewódzki inspektor do spraw zdrowia, doktor Nevzat, poderwawszy się na równe nogi, pociągnął ku drzwiom swoich synów w marynarkach i krawatach, córkę z warkoczami i odzianą w krepową suknię w barwach pawiego ogona małżonkę, która była tego wieczoru zdecydowanie najszykowniejszą kobietą na sali. Do wyjścia zmierzał już handlujący skórami pan Sadık — jeszcze nie tak dawno jeden z najbogatszych mieszkańców miasta (przyjechał tu w sprawach biznesowych z Ankary) oraz jego przyjaciel ze szkoły podstawowej, pan Sabit, adwokat i członek Partii Ludowej. Ka zauważył, że panika udzieliła się wszystkim w pierwszych rzędach. Hałasy i zamieszanie przeszkadzały mu w zapisywaniu w zielonym zeszycie słów ostatniego wiersza. Przestraszony, że wszystko wyleci mu z głowy, zaczął się zastanawiać, którędy opuścić salę. Poza tym chciał jak najszybciej znaleźć się obok Ipek. W tej samej chwili powszechnie lubiany i szanowany dyrektor Zarządu Telekomunikacji, pan Recai, podbiegł do spowitej dymem sceny.

— Córeńko! — zakrzyknął. — Bardzo nam się wszystkim spodobała wasza rewolucyjna sztuka. Ale już wystarczy. Niech pani patrzy, wszyscy zdenerwowani! Jeszcze dojdzie do rozruchów.

Rzucony na scenę czarczaf dopalał się, a majacząca w dymie Funda Eser zaczęła recytować monolog, który udało mi się później odnaleźć w wydanym w 1936 roku przez wydawnictwo Domów Ludowych egzemplarzu *Ojczyzny al-*

bo czarczafu. Dodajmy, że autor sztuki uznał ów monolog za najbardziej udany jej fragment.

Cztery lata po opisywanych tu wydarzeniach odwiedziłem dziewięćdziesięciodwuletniego autora *Ojczyzny...*, będącego w pełni sił fizycznych i mentalnych, w jego stambulskim mieszkaniu. Opędzając się od niesfornych wnuków (a właściwie prawnuków) i wspominając inne swoje dzieła (*Atatürk nadchodzi, Zbiór przedstawień o Atatürku dla szkół licealnych, Wspomnienia o Nim* itp.), opowiadał, jak w latach trzydziestych w tym kulminacyjnym momencie sztuki licealistki i światli urzędnicy zrywali się do owacji i płakali ze wzruszenia. Nie miał pojęcia o wydarzeniach w Karsie.

Tymczasem na końcu widowni Teatru Narodowego nie było słychać niczego poza wrzaskami uczniów ze szkoły koranicznej. I choć z przodu było trochę ciszej, zaledwie kilka osób mogło wyraźnie słyszeć słowa Fundy Eser. Aktorka opowiadała o powodach zrzucenia czarczafu, o tym, że wszystkie nowoczesne i liberalne narody powinny — jak ona — wyzwolić się z krępujących je fezów, kwefów i zawojów, symbolizujących zacofanie i rzucających cień na ludzkie dusze. Powinny biec w kierunku Europy. Mało kto słyszał te słowa, do wszystkich natomiast dotarła głośna odpowiedź, jaka rozległa się na końcu sali:

— Sama biegnij do tej swojej Europy! Leć! Leć na golasa!

To dziwne, ale nawet w pierwszych rzędach rozległy się chichoty i oklaski. Wszyscy z przodu byli zdezorientowani, rozczarowani i mocno już przestraszeni. Ka, jak wielu innych, wstał z miejsca. Każdy mówił coś innego, tylne rzędy wrzeszczały jak oszalałe, przemykający się do drzwi próbowali zerkać za siebie. Funda Eser zaś z uporem recytowała.

18.

Nie strzelać, broń jest nabita!

Rewolucja na scenie

Od tego momentu wydarzenia potoczyły się błyskawicznie. Na scenę wyszli dwaj brodaci fanatycy w *takke*. W rękach trzymali sznur i noże — z każdego ich gestu przebijało zdecydowanie: postanowili ukarać bohaterkę graną przez Fundę Eser, która paląc swój czarczaf, sprzeciwiła się Bożemu nakazowi.

Schwytana aktorka wiła się buntowniczo i prowokacyjnie, przez co wyglądała bardziej jak ofiara gwałtu (którą często grała w wiejskich teatrach Anatolii) niż bohaterka walcząca o postęp. Wygiąwszy się do tyłu, bezskutecznie usiłowała przemówić błagalnym wzrokiem do zgromadzonych na widowni mężczyzn. Jeden z fanatyków (aktor grający ojca w poprzedniej scenie; miał na twarzy niewprawnie wykonaną charakteryzację) najpierw ciągnął Fundę za włosy, a potem rzucił ją na deski. Drugi zaś przyłożył jej do gardła nóż, przybierając pozę niczym Abraham składający w ofierze Izaaka, uwiecznieni na renesansowym płótnie. Wszystko to wyglądało jak ucieleśnienie panujących wśród urzędników i sympatyzujących z Zachodem intelektualistów obaw przed buntem religijnych reakcjonistów. Pierwsi zadrżeli urzędnicy z przodu sali i starcy za ich plecami.

Funda Eser i dwaj ludzie szarijatu stali w bezruchu dokładnie osiemnaście sekund. Ale ponieważ na widowni trwała już Sodoma i Gomora, wielu mieszkańców miasta, z którymi później rozmawiałem, upierało się, że bezruch tej trójki na scenie trwał o wiele dłużej. Uczniów ze szkoły koranicznej rozeźlił karykaturalny wygląd dwóch podłych i wstrętnych fanatyków oraz pomysł, by zamiast dziewczyny w chuście przedstawić dylemat kobiety zawiniętej w czarczaf. Zrozumieli też, że wszystko było odważną, przemyślaną prowokacją. Dając upust złości, wrzeszcząc i rzucając w scenę czym popadło — poduszką czy połówką mandarynki — czuli, że wpadają w pułapkę, a bezradność podsycała jeszcze ich gniew. Dlatego najbardziej odpowiedzialny w całej grupie, wysoki i szeroki w barach uczeń ostatniej klasy Abdurrahman Öz (ojciec, który trzy dni później przyjechał z Sivasu, by odebrać jego ciało, wpisał do dokumentów inne nazwisko), bezskutecznie usiłował spacyfikować i usadzić na miejscu swoich kolegów. Rozlegające się w różnych kątach sali oklaski i okrzyki zwykłych, zaciekawionych widzów dodały odwagi rozgniewanym uczniom. Ale najważniejsze było coś innego: młodzi islamiści, do tej pory mało skuteczni w porównaniu z kolegami z okolicznych powiatów, tej nocy po raz pierwszy poczuli, że mówią jednym, silnym głosem. Z zadowoleniem i niedowierzaniem stwierdzili, że potrafią wzbudzić strach wśród przedstawicieli państwa i wojska. Teraz nie mogli już przepuścić stworzonej przez telewizyjną transmisję okazji do publicznej manifestacji. W ten oto sposób zapomniano, że u podstaw coraz większego zamętu leżała zwykła chęć zabawy. Wielokrotnie oglądając taśmę z zapisem tych wydarzeń, zauważyłem, że niektórzy śmiali się, słysząc wykrzykiwane przez uczniów przekleństwa i slogany; że głośno wyrażając swoje znudzenie niezrozumiałym przedstawieniem i manifestując dezaprobatę dla aktorów, dodawali odwagi rozrabiającym chłopcom. Jedni mówili, że gdyby ci z przodu nie wzięli wszystkiego na poważnie i nie wpadli w panikę, sprawy nigdy nie zaszłyby tak daleko. Inni twierdzili nawet, że urzędasy i bogacze, wiedząc, co się za chwilę stanie, w ciągu kilkanastu sekund pouciekali razem z rodzinami, znaczy — wszystko wcześniej zaplanowała Ankara...

Ka wybiegł z sali, kiedy hałas uniemożliwił mu zapisanie słów rodzącego się wiersza. Właśnie na scenie pojawił się wyczekiwany wybawiciel Fundy Eser. Był to rzecz jasna Sunay Zaim. Miał na sobie wojskowy mundur z lat trzydziestych, a na głowie barani kołpak, jaki nosili bohaterowie wojny wyzwoleńczej*. Wyszedł zdecydowanym krokiem (nikt nie zauważył, że odrobinę utyka), a brodaci fanatycy w przerażeniu padli na ziemię. Samotny stary nauczyciel znów zerwał się na nogi z owacją dla Sunaya.

— Brawo! Niech żyje! — krzyknęło kilka osób.

Aktor, oświetlony ostrym, białym reflektorem, wyglądał jak anioł przybywający z zaświatów.

Wszyscy zwrócili uwagę na urok Sunaya Zaima i bijący od niego blask. W latach siedemdziesiątych wcielał się on w role Che Guevary, Robespierre'a czy młodotureckiego przywódcy Envera Paszy i dzięki odgrywaniu tych twardych, zdecydowanych i tragicznych bohaterów, obdarzony delikatną, niemal kobiecą urodą, zyskał uznanie lewicującej młodzieży. Urody tej nie zdołały też do końca zniszczyć objazdowe występy, podczas których aktor trwale uszkodził sobie nogę. Teraz palcem wskazującym odzianej w białą rękawiczkę dłoni dotknął podbródka i rozkazał:

— Cisza!

---

* Tur. Kutuluş Savaşı — wojna wyzwoleńcza, toczona w latach 1919–1923, zakończona powstaniem Republiki Tureckiej.

Całkiem niepotrzebnie, gdyż, po pierwsze, nie było tego w tekście sztuki, a po drugie, na sali i tak zapanowało głuche milczenie. Ci, którzy stali, zdążyli już usiąść.

— W potwornych męczarniach! — usłyszeli ze sceny. Ponieważ nikt nie zrozumiał, kto przeżywa owe męczarnie, była to prawdopodobnie tylko część zdania, które Sunay miał zamiar wypowiedzieć. Kiedyś może widzowie skojarzyliby te słowa z ludem, z narodem, teraz jednak mieszkańcy Karsu nie mieli pojęcia, czy w potwornych męczarniach odbywa się oglądane przez nich przedstawienie, czy umiera w nich Republika, Funda Eser lub też oni sami. Co jak co, ale akurat te słowa dokładnie oddawały ich nastrój. Cała widownia milczała w pełnym zdziwienia przerażeniu.

— Cnotliwy i ukochany narodzie turecki! — mówił Sunay Zaim. — Nikt nie zawróci cię ze słusznej drogi do oświecenia. Nie obawiaj się. Reakcjoniści, oszołomy i religijni fanatycy nie powstrzymają trybów historii. Połamią się ręce podniesione na Republikę, wolność i myśl oświeceniową.

Na sali panowała martwa cisza. Rozległa się tylko prześmiewcza replika rzutkiego chłopaka, który siedział dwa fotele obok Necipa. Wszyscy jakby skamienieli, mając jeszcze nadzieję, że wybawiciel Fundy Eser, który nadał sens nudnemu przedstawieniu, rzuci zaraz dwa, trzy dosadne słowa albo opowie coś mądrego, co będą mogli powtórzyć po powrocie do domów. Ten jednak milczał. Po obu stronach sceny zamajaczyły sylwetki dwóch żołnierzy. Tylnymi drzwiami za widownią weszli następni trzej. Ostentacyjnie przemaszerowali przez salę i dołączyli do dwóch na scenie. Widzowie najpierw przelękli się jeszcze bardziej, a potem rozbawiło ich to przemyślne aktorskie zagranie. Po chwili zobaczyli znajomą twarz Okularnika — bystrego siostrzeńca właściciela kiosku stojącego naprzeciwko Teatru Narodowego, który całymi dniami przesiadywał w budce wuja. Teraz pędził w kierunku sceny, zbliżył się do Sunaya Zaima, a gdy tamten się nachylił, wyszeptał mu coś do ucha.

Cały Kars widział, jak twarz Sunaya Zaima spochmurniała w jednej chwili.

— Właśnie otrzymaliśmy wiadomość, że dyrektor ośrodka kształcenia umarł w szpitalu — powiedział. — Ta wstrętna zbrodnia będzie ostatnim atakiem na Republikę, laicyzm i Turcję!

Widownia nie zdążyła jeszcze ochłonąć po tej wstrząsającej wiadomości, kiedy stojący na scenie wojskowi zdjęli z ramion broń, przeładowali ją i wycelowali w tłum. Bez wahania wystrzelili z potwornym hukiem.

Można by pomyśleć, że to świat duchów zareagował na smutną wieść o śmierci dyrektora. Nieliczni mieszkańcy Karsu, mający doświadczenie w roli teatralnych widzów, domyślili się, że patrzą na nowatorski rodzaj inscenizacji, wzorowany niewątpliwie na jakichś zachodnich trendach.

Teatralne fotele zadygotały, jakby wstrząsała nimi jakaś potężna siła. Przerażeni odgłosem strzałów ludzie myśleli, że to siedzące obok osoby drżą ze strachu. Kilku widzów najwyraźniej chciało wstać z miejsca, dygocący na scenie religijni fanatycy rozglądali się za jakąś kryjówką.

— Nie ruszać się! — wrzasnął Zaim.

W tym momencie żołnierze ponownie naładowali broń i wycelowali w widownię. Niski chłopak, którego dzieliły od Necipa tylko dwa fotele, zerwał się na nogi i krzyknął zadziornie:

— Śmierć cholernym bezbożnikom! Śmierć niewiernym faszystom!

Znów padły strzały.

Widownia znów się zatrzęsła, znów powiało grozą.

Młodzieniec, który krzyczał przed chwilą, opadł na fotel i zaraz zerwał się z niego, machając bezładnie rękami.

Ci, którzy do tej pory świetnie się bawili, słuchając komentarzy i okrzyków uczniów szkoły koranicznej, teraz także roześmiali się na widok chłopaka padającego niczym od prawdziwej kuli między rzędy widowni.

Część widzów dopiero przy trzeciej salwie zrozumiała, że amunicja była prawdziwa. Huk strzałów czuli głęboko w trzewiach. Jak wtedy, gdy żołnierze nocą wyłapywali na ulicach szajki terrorystów... Ogromny niemiecki piec, który od czterdziestu czterech lat ogrzewał salę, wydał nagle z siebie dziwny dźwięk i z przestrzelonej rury gniewnie syknął dym — jak para z gigantycznego czajnika. Ktoś zauważył mężczyznę, który z zakrwawioną głową gramolił się w kierunku sceny, ktoś inny poczuł zapach prochu. I chociaż rozwój wypadków zapowiadał wybuch paniki, prawie nikt nie ruszył się z miejsca. Wszyscy siedzieli jak sparaliżowani. Tylko pani Nuriye, nauczycielka literatury, która przy każdej wizycie w Ankarze chadzała na przedstawienia Teatru Państwowego, po raz pierwszy tego wieczoru wstała, by owacją nagrodzić niezwykle realistyczne efekty specjalne. Dokładnie w tym samym momencie Necip zerwał się na równe nogi jak uczeń, który zgłasza się do odpowiedzi.

Żołnierze strzelili po raz kolejny. Według raportu, nad którym całymi tygodniami tajnie pracował inspektor w randze majora przysłany z Ankary, czwarta salwa przyniosła śmierć dwóm osobom. Jedną z ofiar był Necip. Upadł na ziemię, trafiony w czoło i oko. Ponieważ jednak słyszałem kilka wersji tego wydarzenia, nie będę się upierał, że chłopak zginął dokładnie w tamtym momencie. Widzowie z przednich i środkowych rzędów zgadzali się co do jednego: po trzeciej salwie Necip zauważył, że kule były prawdziwe, lecz błędnie ocenił sytuację. Dwie sekundy przed śmiercią wstał i na tyle głośno, że usłyszało go wielu widzów (choć nie utrwalono tego na taśmie wideo), krzyknął: „Stać, nie strzelać, broń jest nabita!".

W ten sposób potwierdził przeczucia pozostałych widzów. Jeden z pięciu naboi wystrzelonych w pierwszej salwie utkwił w gipsowych liściach lauru zdobiących lożę specjalną, w której ćwierć wieku temu zasiadał wraz z psem oddelegowany do Karsu konsul generalny Związku Radzieckiego. Najwyraźniej żołnierz, który strzelał — Kurd z Siirtu — nie miał najmniejszej ochoty na zabijanie kogokolwiek. Kolejna kula — z podobnej przyczyny, a także dzięki niewprawnej ręce strzelca — trafiła w sufit, strząsając liczące sto dwadzieścia lat odspojenia farby i wapna, które jak śnieg pospadały prosto na głowy widzów. Inny nabój utkwił w drewnianej balustradzie usytuowanej pod stanowiskiem kamerzysty. Dawno temu służyła ona jako poręcz biednym i romantycznym Ormiankom, które mogły sobie pozwolić jedynie na zakup najtańszych miejsc stojących na występy trup teatralnych z Moskwy, pokazy linoskoczków czy koncerty orkiestr kameralnych. Czwarta kula, przedziurawiwszy fotel znajdujący się w kącie na drugim końcu sali, utkwiła w ramieniu trudniącego się sprzedażą części zamiennych do ciągników i innego sprzętu rolniczego pana Muhittina, który siedział w towarzystwie małżonki i owdowiałej niedawno bratowej. Biedak, patrząc na osypujące się kawałki sufitu w pierwszej chwili pomyślał zaskoczony, że to one na niego spadły. Piąta kula przeszła przez lewe szkło okularów i czaszkę drzemiącego staruszka, który przyjechał niedawno z Trabzonu do odbywającego w Karsie służbę wojskową wnuka. Kula wyleciała przez kark nieszczęśnika, a następnie utknęła w koszyku z podpłomykami i jajami na twardo, a ściślej — w jednym z jaj sprzedawanych przez dwunastoletniego Kurda, który przechadzając się między rzędami, w tym właśnie momencie wyciągał rękę, by wydać resztę któremuś z widzów.

Podaję te wszystkie szczegóły, ponieważ chcę wyjaśnić, dlaczego większość widzów zgromadzonych tego dnia w Teatrze Narodowym mimo regularnego ostrzału siedziała na swoich miejscach jak trusie. Śmierć chłopaka — trafionego przy drugiej salwie w skroń, szyję i kilka centymetrów powyżej serca — który wcześniej zdążył wykazać się sporą odwagą i ostrym językiem, potraktowano jako rozrywkowy element wywołującego dreszcz grozy przedstawienia. Jedna z kolejnych dwóch kul utkwiła w piersi innego ucznia szkoły koranicznej (siedzącego z tyłu cichego młodzieńca, którego siostra cioteczna była pierwszą w mieście samobójczynią), a druga wbiła się w tarczę umieszczonego dwa metry nad projektorem zegara. Wskazówki pokrytego kurzem i pajęczynami czasomierza od sześćdziesięciu lat nie przesunęły się nawet o minutę. Obecność dokładnie w tym samym miejscu kolejnego naboju, wystrzelonego podczas trzeciej salwy, dowodziła, że snajper wyznaczony do wykonania zadania, łamiąc złożoną na Koran przysięgę, uparcie robił wszystko, by nikogo nie zabić, co zostało dodatkowo potwierdzone przez inspektora. W raporcie znalazła się także sprawa trafionego podczas trzeciej salwy zagorzałego islamisty i gorliwego agenta lokalnych służb wywiadowczych w jednej osobie. Na marginesie raportu zaznaczono, że rodzina, która domagała się od państwa wysokiego odszkodowania, nie miała do swoich roszczeń żadnych podstaw prawnych. Ostatnie dwie kule trafiły ulubieńca konserwatystów i bigotów pana Rızę, który swego czasu doprowadził do wykopania studni głębinowej w dzielnicy slumsów, oraz posługacza, który dla ledwo chodzącego pana Rızy był wsparciem także w dosłownym znaczeniu. Naprawdę trudno powiedzieć, dlaczego nikt się nie ruszył z miejsca, kiedy ci dwaj nierozłączni pechowcy konali w konwulsjach na środku sali, a żołnierze przeładowywali broń. „My tam, z tyłu widowni, czuliśmy, że dzieje się coś okropnego", wyznał po latach właściciel sklepu z nabiałem i natychmiast zażądał utajnienia swojego nazwiska. „Baliśmy się, że jak który drgnie, to zwróci na siebie uwagę. Dlatego siedzieliśmy bez ruchu".

Pierwszej kuli z czwartej salwy nie potrafił odnaleźć nawet sam inspektor. Druga zraniła obwoźnego sprzedawcę, który przyjechał z Ankary, by zarobić tu na ratalnej sprzedaży encyklopedii i gier planszowych (nieborak zmarł dwie godziny później na skutek upływu krwi). Trzecia wyłupała gigantyczną dziurę w przedniej części loży, którą podczas spektakli wystawianych na początku dwudziestego wieku zajmował handlujący skórami Ormianin Kirkor Çizmeciyan i jego wystrojona w futra rodzina. Według zeznań świadków pozostałe dwie kule, które rozpłatały piękne zielone oko i jasne, szerokie czoło Necipa, nie uśmierciły go od razu. Wpatrzony w scenę chłopak miał przed śmiercią krzyknąć jedno słowo: „Widzę!".

Wszyscy, którzy w popłochu uciekali w stronę drzwi i wrzeszczeli wniebogłosy, po ostatniej salwie zupełnie znieruchomieli. Telewizyjny operator musiał się chyba skulić pod ścianą, ponieważ obracająca się do tej pory z prawa na lewo kamera zamarła w bezruchu. Zgromadzeni przed telewizorami mieszkańcy Karsu widzieli jedynie tłum na scenie i posłusznie milczących widzów z pierwszego rzędu. Ale odgłos wystrzałów i wrzaski sprawiły, że większość zrozumiała, iż w Teatrze Narodowym dzieją się straszne rzeczy. Nawet ci, którzy przed północą, znudzeni przedstawieniem, zaczęli już drzemać, na dźwięk strzałów otworzyli oczy i utkwili błędny wzrok w telewizyjnych ekranach.

Sunay Zaim był zawodowcem i doskonale wiedział, co robić.

— Dzielni żołnierze, spełniliście już swoją powinność — stwierdził.

Odwrócił się zgrabnie w kierunku wciąż rozciągniętej na scenie Fundy Eser, pochylił się i szarmancko podał jej dłoń. Kobieta powoli wstała.

Emerytowany urzędnik z pierwszego rzędu również wstał i zaklaskał. Kilka osób z przodu dołączyło do niego. Z tyłu sali też ktoś bił brawo — w szoku albo z przyzwyczajenia. Reszta milczała jak grób. Wyglądali, jakby zaczynali dochodzić do siebie po straszliwym pijaństwie. Jedni na widok konających ludzi głupkowato się uśmiechali, myśląc zapewne, że ich śmierć jest częścią przedstawienia, inni powoli wystawiali głowy ze swoich kryjówek. Niespodziewanie rozległ się głos Sunaya Zaima:

— To nie gra, to początek rewolucji! — ryknął gniewnie.
— Wszystko dla ojczyzny! Zaufajcie tureckiej armii! Żołnierze, zabierzcie ich!

Dwóch żołnierzy zabrało ze sceny brodatych fanatyków. Pozostali znów przeładowali broń i właśnie ruszyli w stronę widowni, kiedy zza kulis wyskoczył osobliwy typ. Zachowywał się dziwacznie i prostacko, więc wszyscy poznali od razu, że nie był ani aktorem, ani tym bardziej żołnierzem. Wielu patrzyło na niego z nie skrywaną nadzieją — niech powie wreszcie, że to wszystko żarty!

— Niech żyje Republika! — wrzasnął. — Niech żyje armia! Niech żyje naród turecki! Niech żyje Atatürk!

Kurtyna zaczęła powoli opadać. Obaj mężczyźni na scenie zrobili dwa kroki do przodu i znaleźli się przed nią. Ów dziwny typ miał wojskowe buty, a w ręku pistolet marki Kırıkkale.

— Do diabła z fanatykami! — krzyknął i zszedł po schodach prosto między widzów.

Dwóch uzbrojonych mężczyzn ruszyło za nim. Kiedy żołnierze zaczęli aresztować uczniów szkoły koranicznej, dziwaczna trójka wybiegła z budynku szybkim truchtem, wywrzaskując polityczne hasła. Żaden z mężczyzn nie spojrzał w przerażone oczy zebranych w teatrze ludzi.

Wszyscy trzej byli radośni i podnieceni. Po nie kończących się targach i awanturach w ostatniej chwili udało im się wziąć udział w tej małej rewolucji. Sunay Zaim, któremu zostali przedstawieni zaraz po jego przybyciu do miasta, najpierw nawet nie chciał słyszeć o współpracy z nimi. Uznał, że uzbrojone opryszki, zamieszane w ciemne sprawki, mogą splamić „dzieło", które zamierzał wystawić. Nie mógł jednak zaprzeczyć, że ludzie otrzaskani z bronią być może będą mu potrzebni, jeśli motłoch, który prawdopodobnie nie doceni walorów artystycznych sztuki, postanowi wyrazić swoją dezaprobatę. Mówiono potem, że aktor miał z tego powodu wielkie wyrzuty sumienia i nie potrafił się pogodzić z rzezią, jaką przeprowadziła owa banda. Ale były to — jak zresztą w innych przypadkach — jedynie pogłoski.

Kiedy wiele lat później odwiedziłem Kars, lokalny przedstawiciel Arçelika, pan Muhtar, oprowadził mnie po na wpół zburzonym Teatrze Narodowym, którego resztki przerobiono na magazyn tejże firmy. Na wszelkie sposoby próbował ignorować moje pytania o tamten wieczór i to, co po nim nastąpiło. Stwierdził krótko, że od czasów ormiańskich miasteczko widziało niejedną zbrodnię i masakrę. Jeśli w istocie zależało mi na uszczęśliwieniu jego mieszkańców, natychmiast po powrocie do Stambułu powinienem napisać o świeżym powietrzu, pięknych widokach i szczerych ludziach, zamiast odgrzebywać ich dawne grzechy. A potem poprowadził mnie między rzędami lodówek, pralek i pieców, które niczym nocne widziadła gnieździły się w ciemnym i zagrzybionym magazynie, i pokazał mi jedyny ślad, jaki został po tamtej nocy: pozostawioną przez jedną z kul wielką dziurę w prywatnej loży Kirkora Çizmeciyana.

19.

Jak pięknie padał śnieg!

Noc rewolucji

Na czele uzbrojonej trójki, która wśród przerażonych spojrzeń widowni, wykrzykując polityczne hasła, radośnie wybiegła z teatru, stał były komunistyczny dziennikarz o pseudonimie Z. Demirkol. W latach siedemdziesiątych znany był jako pisarz, poeta, a częściej jako ochroniarz komunistycznych działaczy. Kawał chłopa. Po wojskowym przewrocie w 1980 roku uciekł do Niemiec, a po zburzeniu muru berlińskiego na mocy specjalnego glejtu wrócił do kraju, by bronić nowoczesnego państwa i Republiki przed kurdyjską partyzantką i religijnymi fanatykami. Dwóch pozostałych osobników było członkami grupy nacjonalistów, którzy w latach 1979–1980 ścierali się na ulicach Stambułu z ludźmi Z. Demirkola. Teraz tę trójkę połączyły chęć obrony ojczyzny i zamiłowanie do awantur. Mówiło się też, że od początku wszyscy byli agentami na usługach rządu. Przestraszeni widzowie, którzy przypadkiem razem z nimi zbiegali po teatralnych schodach, myśleli, że biorą oni udział w trwającym na górze makabrycznym przedstawieniu.

Z. Demirkol na widok śniegu, który grubą warstwą pokrywał ulice i chodniki, ucieszył się jak dziecko i dwukrotnie strzelił w powietrze.

— Niech żyje naród turecki! Niech żyje Republika! — krzyknął.

Ludzie wychodzący z teatru rozpierzchli się na boki. Niektórzy patrzyli na niego z lękliwym uśmiechem, inni przystanęli, jakby zawstydzeni, że opuścili budynek przed czasem. Z. Demirkol i jego kompani, niewiele myśląc, pobiegli w górę aleją Atatürka. Wywrzaskiwali polityczne slogany i robili dużo hałasu. Staruszkowie utykający w zaspach i ojcowie stojący na czele stłoczonych w ciasne grupki rodzin po krótkiej konsternacji zaczęli bić im brawo.

Przy skrzyżowaniu z aleją Küçük Kazıma Beja wesoła kompania zrównała się z Ka. Na ich widok poeta najpierw przeszedł na chodnik, a potem skręcił aż pod oliwniki.

— Panie poeto! — wrzasnął Z. Demirkol. — Albo ty ich zabijesz, albo oni ciebie, zrozumiano?!

W tym momencie wiersz, którego Ka do tej pory nie zdążył zapisać i który miał zatytułować *Miejsce, w którym nie ma Boga*, całkiem wyleciał mu z głowy.

Z. Demirkol z kompanami pomaszerował dalej aleją Atatürka. Ka nie miał zamiaru iść za nimi, więc skręcił w ulicę Karadağ. Czuł wstyd i wyrzuty sumienia, jak w młodości, gdy wychodził z politycznych zebrań. Wtedy wstydził się nie tylko za siebie, nie tylko dlatego, że był człowiekiem bogatej burżuazji z Nişantaşı. Wstydził się egzaltacji swoich kolegów i ich zbyt żarliwych dyskusji. Teraz miał nadzieję, że przypomni sobie chociaż strzępy ostatniego wiersza, postanowił więc trochę przedłużyć spacer i nie wracać od razu do hotelu.

W oknach zobaczył kilka osób, z ciekawością i niepokojem wyglądających na ulicę. Trudno powiedzieć, czy wiedział w tamtej chwili o okropnościach, jakie zdarzyły się w teatrze. Owszem, pierwsze strzały rozległy się, zanim wyszedł z budynku, ale mógł przecież uznać je — podobnie jak Z. Demirkola i jego kompanię — za osobliwy koncept autora przedstawienia.

Całą uwagę skupił na zapomnianym utworze, ale gdy tylko poczuł, że nadchodzi kolejna fala natchnienia, postanowił poczekać odrobinę, aż wiersz uformuje się w jego głowie.

W oddali rozległy się dwa strzały i natychmiast przepadły bez echa w przytłaczającej bieli.

Jak pięknie padał śnieg! Jak pewnie, obficie i cicho! Tak jakby nigdy nie zamierzał przestać. Szeroka ulica Karadağ biegła wzniesieniem, zasypanym sięgającym kolan białym puchem. Ginęła w czarnej czeluści nocy, biała i tajemnicza. Pamiętający czasy ormiańskie trzypiętrowy budynek ratusza świecił pustką. Zwisające z oliwnika sople, złączone z grubym śniegowym kożuchem, oblepiającym zaparkowany pod drzewem samochód, tworzyły lodowo-śniegową firanę. Ka minął ormiański dom z oknami zabitymi deskami. Zasłuchany we własny oddech i chrzęst śniegu pod stopami, poczuł się na tyle silny, by oprzeć się głosowi prawdziwego życia i szczęścia, który go przywoływał.

W małym parku z rzeźbą Atatürka, znajdującym się na wprost rezydencji wojewody, nie było żywej duszy. Pusty był także chodnik przed najwytworniejszym budynkiem Karsu, pamiętającym jeszcze rosyjskie czasy, w którym teraz urzędował skarbnik miejski. Kiedy siedemdziesiąt lat temu, tuż po pierwszej wojnie światowej, wojska carskie i osmańskie wycofały się z regionu, z tego właśnie gmachu zarządzano utworzonym w Karsie przez Turków niezależnym państwem, tu znajdowała się siedziba jego władz. Wzniesiona przez Ormian, pilnie strzeżona teraz rezydencja wojewody była w owym czasie — jako kwatera głowy efemerycznego państewka — obiektem szturmu angielskich żołnierzy. Ka nie zwolnił kroku i skręcił w prawo, w kierunku parku. Minął kolejną piękną i smutną budowlę ormiańską i uszedłszy jeszcze kawałek, zobaczył majaczący w oddali czołg. Nieco dalej, obok szkoły koranicznej, stała wojskowa ciężarówka.

Musiała przyjechać niedawno, bo śnieg nie zdążył jej jeszcze porządnie zasypać. W oddali znów rozległ się strzał. Ka zawrócił. Nie zauważony przez żołnierzy, którzy próbowali się ogrzać w wychłodzonej stróżówce przed rezydencją wojewody, poszedł w dół aleją Armii. Zrozumiał, że nowy wiersz uda się zachować w pamięci pod warunkiem, iż nic nie przerwie tej śnieżnej ciszy, a on natychmiast wróci do hotelowego pokoju.

W połowie wzniesienia usłyszał jednak hałas dobiegający z drugiej strony ulicy. Zwolnił. Dwóch ludzi kopało w drzwi Zarządu Telekomunikacji. W padającym śniegu zamigotały samochodowe reflektory, zabrzęczały też łańcuchy na kołach. Z czarnego cywilnego auta, które podjechało przed budynek Telekomunikacji, wysiadło dwóch mężczyzn: pierwszego Ka widział w teatrze, drugi miał w ręku broń, a na głowie wełniany beret.

Przybysze dołączyli do pozostałej dwójki i po chwili zaczęła się sprzeczka. W świetle lamp Ka dostrzegł Z. Demirkola. Rozpoznał głosy jego kompanów.

— Jak to nie masz klucza — powiedział jeden z nich.

— Jesteś szefem Telekomunikacji czy nie? Przyprowadzili cię tu, żebyś powyłączał telefony! Jak to: „zapomniałem klucza?"

— Telefonów miejskich nie wyłącza się tu, lecz w nowej centrali przy alei Dworcowej — wyjaśniał dyrektor generalny.

— Słuchaj no pan, to jest rewolucja, a my chcemy wejść do środka — powiedział Z. Demirkol. — Wejdziemy wszędzie tam, gdzie chcemy. Zrozumiano? Gdzie klucz?

— Śnieg za dwa dni stopnieje, otworzą drogi i państwo was z tego rozliczy.

— Panie, to my jesteśmy to państwo, którego się tak pan boi — wyjaśnił Z. Demirkol podniesionym głosem. — Otwierasz czy nie?

— Bez pisemnego nakazu nie otworzę!

— No to zobaczymy! — Z. Demirkol wyciągnął pistolet i dwukrotnie strzelił w powietrze. — Dawać mi go pod ścianę. Jak się będzie dalej upierać, to go nafaszerujemy.

Nikt oczywiście nie uwierzył w jego groźby, ale uzbrojeni ludzie Z. Demirkola i tak zaciągnęli dyrektora pod ścianę budynku. Potem jeszcze popchnęli nieco w prawo, żeby w razie strzelaniny nie uszkodzić okna, które znalazło się tuż za jego plecami. Śnieg nie był tu jeszcze ubity i nieszczęsny pan Recai wpadł w zaspę. Przeprosili, podali dłonie, podnieśli. Zdjęli mu krawat i związali nim ręce. Przy okazji uzgodnili, że do rana zlikwidują wszystkich zdrajców ojczyzny przebywających w Karsie.

Na rozkaz Z. Demirkola naładowali broń i niczym pluton egzekucyjny ustawili się w rzędzie na wprost nieszczęsnego dyrektora. W oddali rozległ się huk. (To strzelali dla postrachu żołnierze rozstawieni w ogrodzie przed bursą szkoły koranicznej). Wszyscy umilkli w oczekiwaniu. Sypiący przez cały dzień śnieg teraz przestał padać. Zapanowała cudowna, mistyczna cisza. Po chwili ktoś stwierdził, że starzec ma prawo do ostatniego papierosa (pan Recai wcale nie był stary). Wetknęli mu go w usta, przypalili, po czym, znudzeni, znów zaczęli kopać i walić w drzwi kolbami karabinów.

— Panowie, nie żal wam państwowego mienia? — wymruczał związany dyrektor. — Rozwiążcie mnie. Otworzę.

Gdy grupa weszła do budynku, Ka pomaszerował dalej. Co jakiś czas słyszał pojedyncze strzały, które brzmiały jak szczekanie psa — mało absorbująco. Całą uwagę skupił na zastygłej, harmonijnej ciemności nocy. Przez chwilę stał przed opuszczoną ormiańską kamienicą. Potem zaczął się przyglądać ruinom kościoła i stalaktytom sopli uczepionym gałęzi widmowatych drzew w otaczającym go ogrodzie. W martwym, bladożółtym świetle wszystko wyglądało jak obraz wyjęty z koszmarnego snu. Ka poczuł się winny, ale był też wdzięczny temu smutnemu, zapomnianemu miastu, że napełniło mu duszę poezją.

Nieco dalej zobaczył w oknie rozgniewaną matkę i syna stojącego na chodniku, który tłumaczył cierpliwie: „Idę tylko zobaczyć, co się dzieje". Ka ruszył dalej. Przy skrzyżowaniu z aleją Faika Beja natknął się na dwóch mężczyzn mniej więcej w jego wieku. Jeden był wysoki, dobrze zbudowany, drugi — szczupły, drobny jak dziecko. Wybiegli właśnie w panice ze sklepu obuwniczego. Ci dwaj kochankowie, którzy od dwunastu lat dwa razy w tygodniu mówili swym żonom: „Idę do *çayhane*", i przychodzili tu, by się spotkać w pachnącym klejem sklepiku, przed chwilą przerażeni usłyszeli, jak spiker w telewizorze piętro wyżej ogłasza godzinę policyjną. Ka skręcił w aleję Faika Beja i minąwszy kolejne dwie przecznice, znalazł się przed sklepem, gdzie rano stał stragan z pstrągami. Zobaczył kolejny czołg. Maszyna — jak cała okolica — była zanurzona w tajemniczej ciszy, nieruchoma, martwa. Ka myślał, że w czołgu nikt nie siedzi. Ale za chwilę właz drgnął i ze środka wyjrzała głowa, która kazała mu natychmiast wracać do domu. Ka zapytał o drogę do hotelu Karpalas. Zanim jednak żołnierz zdążył odpowiedzieć, poeta zauważył nieoświetlony budynek redakcji „Gazety Przygranicznego Miasta" — już wiedział, jak dotrzeć do celu. Odwrócił się i odszedł.

Na widok jasno oświetlonego, ciepłego hotelowego holu Ka poczuł ogromną radość. Gdy zauważył ubranych w piżamy gości, którzy paląc papierosy, oglądali telewizję, zrozumiał, że stało się coś wyjątkowego, ale jak dzieciak unikający nieprzyjemnego tematu uciekł myślami jak najdalej. Z jakąś lekkością wszedł do mieszkania pana Turguta. Wszyscy biesiadnicy wciąż siedzieli przy stole, wpatrzeni w ekran telewizora. Gospodarz wstał z miejsca i tonem pełnym pretensji oświadczył, że bardzo się o niego martwili, kiedy tak długo nie wracał.

— Pięknie recytowałeś swój wiersz — powiedziała Ipek.

— Byłam z ciebie dumna.

Ka wiedział, że nie zapomni tej chwili do końca życia. Był tak szczęśliwy, że gdyby nie pytania pozostałych dziewcząt i cierpiętnicza mina pana Turguta, pewnie od razu by się rozpłakał.

— Wojsko chyba nie próżnuje — stwierdził gospodarz niepewnie. Nie wiedział, czy cieszyć się z tego faktu, czy nie.

Na stole panował nieopisany bałagan. Ktoś, pewnie Ipek, strzepnął popiół z papierosa do skórki po mandarynce. Ka pamiętał, że podobnego czynu dopuściła się dawno temu daleka krewna ojca, młodziutka ciotka Münire, przez co matka ją od tamtej pory lekceważyła, nie zważając na inne, bardzo zresztą wytworne maniery kuzynki.

— Ogłosili godzinę policyjną — powiedział pan Turgut.

— Proszę powiedzieć, co się wydarzyło w teatrze.

— Polityka mnie nie interesuje — odrzekł Ka pod wpływem dziwnego impulsu i całe towarzystwo, z Ipek na czele, zrozumiało, o co mu chodzi. Mimo wszystko poczuł wyrzuty sumienia.

Miał ochotę tylko siedzieć w milczeniu i patrzeć na Ipek. Panująca w domu atmosfera „rewolucyjnej nocy" wyraźnie go irytowała. Nie dlatego, że źle wspominał przeżyte w dzieciństwie wojskowe przewroty, ale dlatego że każdy pytał go o wydarzenia z teatru. Chwilę później, zmęczona przejściami tej nocy, Hande zasnęła w kącie, a Kadife wlepiła wzrok w telewizor, który Ka z uporem ignorował. Pan Turgut wciąż wyglądał na zaaferowanego.

Ka posiedział jeszcze trochę obok Ipek, trzymając ją za rękę, po czym wstał i poprosił, by poszła z nim do pokoju na górze. Odmówiła. Kiedy zorientował się, że jej decyzja jest ostateczna, opuścił mieszkanie pana Turguta w pokoju na piętrze. Poczuł znajomy zapach drewna. Starannie powiesił palto na haczyku, zapalił lampkę przy łóżku. Zaczął zapisywać wiersz. Poczuł tak ogromne zmęczenie, że nagle w jedno zlały mu się notowane pospiesznie w zielonym zeszycie wersy nowego utworu, jego łóżko, pokój, hotel, ośnieżone ulice Karsu i wreszcie — cały świat.

Wiersz, który zatytułował *Noc rewolucji*, zaczynał się od wspomnienia wojskowych przewrotów z dzieciństwa, kiedy to nocą domownicy w piżamach słuchali radia i żołnierskich marszów. Kończył się natomiast obrazem rodziny przy świątecznym stole. Dlatego właśnie Ka uznał później, że źródłem tego utworu była pamięć, a nie rewolucja, której był świadkiem. Na symbolicznym płatku śniegu umieścił go więc na gałęzi Pamięci. Główną tezą wiersza była — może i nie całkiem doskonała — błogosławiona umiejętność odizolowania się od koszmarów tego świata. Tylko artysta, który ją posiadł, mógł czuć się spełniony. I właśnie to było sztuką najtrudniejszą dla poety.

Ka skończył wiersz, zapalił papierosa i wyjrzał przez okno.

20.

Niech żyje naród i ojczyzna!

Przespana noc i ranek

Ka spał bez przerwy dziesięć godzin i dwadzieścia minut. Przyśnił mu się śnieg, który rzeczywiście padał znów na pobielałą ulicę, widoczną zza uchylonej zasłony. W skąpym świetle lampy rozjaśniającej różową tabliczkę z nazwą hotelu wyglądał łagodnie i miękko. Może właśnie dzięki tej cudownej miękkości tłumił huk strzałów na ulicach miasta i Ka mógł w spokoju spać tak długo.

A przecież oblężona przez czołg i dwie wojskowe ciężarówki bursa szkoły koranicznej była zaledwie dwie ulice dalej. Do starcia nie doszło w głównej bramie, do dziś będącej dowodem maestrii ormiańskich kowali, lecz przy zwykłych drewnianych drzwiach, wiodących do świetlicy i sypialni uczniów ostatnich klas. Najpierw żołnierze dla postrachu kilka razy strzelili z zaśnieżonego ogrodu w ciemność. Ponieważ najbardziej zaciekli „bojownicy" poszli do Teatru Narodowego i tam ich aresztowano, w bursie zostali tylko uczniowie niezaangażowani w sprawy polityczne. Ale i oni po obejrzeniu transmisji telewizyjnej z teatru nabrali wiatru w żagle i zabarykadowawszy się za pomocą stołów i ławek, wykrzykiwali: „Allahü ekber!"* — na przemian z politycz-

---

* Dosłownie: „Bóg jest największy".

nymi hasłami. Dwóch uczniów, którzy najwyraźniej postradali zmysły, zaczęło przez okno toalety rzucać w wojsko skradzionymi ze stołówki nożami i widelcami oraz szarżować na przeciwnika z jedynym posiadanym pistoletem. Żołnierze otworzyli ogień. Trafiony w środek czoła szczuplutki chłopak o ślicznej twarzy zginął na miejscu. Zapłakane dzieciaki w piżamach, które z nudów przyłączyły się do awantury, czego gorzko już żałowały, oraz te bardziej zaangażowane, poturbowane podczas starć, hurtem załadowano do ciężarówki i przetransportowano do komendy. Podróż urozmaicały im kopniaki i dotkliwe razy. Śnieżna zadymka sprawiła, że niewiele osób zauważyło, że coś zdarzyło się w internacie.

Większość mieszkańców miasta nie spała, ale zamiast siedzieć w oknach i patrzeć na ulicę, wciąż tłoczyła się przed telewizorami. Po tym, jak Sunay Zaim obwieścił, że to już nie przedstawienie, że właśnie rozpoczęła się rewolucja, wojsko zabrało prowokatorów, a zabitych i rannych ułożyło na widowni. Na scenie pojawił się doskonale wszystkim znany zastępca wojewody pan Umman i jak zwykle oficjalnym i poirytowanym, ale budzącym zaufanie tonem, w którym pobrzmiewała lekka trema z powodu „transmisji na żywo", ogłosił zakaz poruszania się po mieście. Miał obowiązywać do południa dnia następnego. A ponieważ nikt już nie wyszedł na opuszczoną przezeń scenę, telewidzowie przez kolejne dwadzieścia minut gapili się na nieruchomą kurtynę Teatru Narodowego. Potem obraz zniknął, a sekundę później pojawiła się znów ta sama kurtyna, która powoli poszła w górę — rozpoczęto retransmisję przedstawienia.

Taki obrót rzeczy mocno zaniepokoił telewidzów. Bezskutecznie próbowali zrozumieć, co się dzieje w mieście. Półprzytomni i pijani całkowicie stracili poczucie czasu, a reszta zamarła przed telewizorami, obawiając się, że wszystko zaczyna się od nowa. Niektórzy niezaangażowani politycznie mieszkańcy Karsu — jak ja wiele lat później — po raz kolejny z uwagą oglądali przedstawienie, w nadziei, że zrozumieją cały ten chaos, jaki zapanował w teatrze podczas transmisji.

Oglądali więc ponownie, jak Funda Eser parodiuje byłą panią premier, żartuje z telewizyjnej reklamy i radośnie wykonuje taniec brzucha, a tymczasem przez nikogo nie zauważony oddział specjalny policji, zakończywszy przeszukanie wojewódzkiego oddziału Partii Równości Ludów, mieszczącego się w budynku Halita Paszy, zatrzymał jedynego człowieka, którego zastał na miejscu — Kurda, pełniącego obowiązki woźnego — a następnie spakował i zabrał wszystkie papiery, jakie udało się znaleźć w szufladach i szafach. Ci sami funkcjonariusze, poruszający się po mieście wozem pancernym, aresztowali też po kolei wszystkich członków zarządu partii, których twarze i adresy doskonale znali z poprzednich przeszukań. Wszystkich podejrzewano o prokurdyjskie sympatie i działalność separatystyczną.

Ale nie byli to jedyni kurdyjscy nacjonaliści w Karsie. Jak później poinformowała policja, trzy ciała znalezione nad ranem w spalonej taksówce marki Murat na drodze do Digoru, należały do bojówkarzy sympatyzujących z PKK. Śnieg nie zdążył zasypać pojazdu. Wszyscy trzej kilka miesięcy wcześniej przyjechali do Karsu w celu infiltracji grup politycznych w mieście. Przestraszeni wydarzeniami minionej nocy, zdecydowali się uciekać w góry taksówką. Na widok zamkniętej z powodu opadów śniegu drogi stracili ostatnią nadzieję, co doprowadziło do sprzeczki między nimi, w wyniku której przypadkowo zdetonowali bombę. Oświadczenia matki jednego z nich, szpitalnej sprzątaczki, twierdzącej, jakoby syn zaginął bez śladu zabrany spod domu przez niezidentyfikowanych uzbrojonych mężczyzn, nie uwzględniono w protokole sprawy. Zignorowano również zeznania starszego brata ofiary, właściciela taksówki. Mężczyzna bez-skutecznie próbował dowodzić, że jego brat nie był kurdyj-skim nacjonalistą. Ba, nie był nawet Kurdem...

Właściwie wszyscy obywatele zrozumieli już, że w mia-steczku dokonuje się wojskowy przewrót i że tam, gdzie wciąż jak nocne widziadła krążyły dwa czołgi, działo się — mówiąc oględnie — coś bardzo dziwnego. Ponieważ jednak wszystko działo się w czasie telewizyjnej retransmisji tea-tralnego przedstawienia, a śnieg, jak w starych bajkach bez przerwy padał za oknami, nikt szczególnie się nie bał. Lekko zaniepokojone były tylko osoby powiązane w jakiś sposób z polityką.

Na przykład szanowany przez wszystkich Kurdów dzien-nikarz i badacz folkloru pan Sadullah, który przeżył już nie-jeden wojskowy przewrót, na wieść o zakazie wychodzenia na ulice zaczął się przygotowywać do spędzenia najbliż-szych dni w celi. Zapakował do walizki ukochaną piżamę w niebieskie paski, lekarstwo na prostatę, proszki nasenne, wełnianą *takke* i skarpety, zdjęcie mieszkających w Stambu-le córki i wnuczki oraz z trudem zebrane materiały do roz-prawy na temat kurdyjskich elegii. I czekał przed telewizo-rem, popijając z żoną herbatę. Na ekranie Funda Eser znów radośnie potrząsała biodrami. Dobrze po północy rozległo się głośne pukanie do drzwi, pożegnał się więc z żoną, wziął walizkę i otworzył. Nie zobaczywszy nikogo na korytarzu, wyszedł na ośnieżoną pustą ulicę i stojąc tak w tajemni-czym świetle koloru siarki, zanurzony we wspomnieniach o tym, jak w dzieciństwie jeździł na łyżwach po zamarznię-tej rzece Kars, został zabity strzałami w pierś i głowę, odda-nymi przez nieznanych sprawców.

Kiedy kilka miesięcy później stopniały śniegi, odnale-ziono kolejne ofiary tamtej nocy. Stawiając sobie za wzór powściągliwość karskiej prasy, będę starał się mówić o nich jak najmniej, by jeszcze bardziej nie zasmucać szanownych czytelników. Co do plotek, jakoby nieznanymi sprawcami byli Z. Demirkol i jego kumple, to — przynajmniej jeśli chodzi o pierwsze godziny nocy — mijają się one z prawdą. W tym czasie bowiem Z. Demirkol z kompanią osiągnął swój cel — najpierw wyłączył telefony, następnie zaatakował siedzibę miejscowej telewizji i upewniwszy się, że jej pracownicy stoją co do jednego po stronie rewolucji, skoncentrował wszystkie siły na znalezieniu barda. Świtało już, kiedy Z. Demirkol i jego ludzie z maniackim wręcz uporem poszukiwali „pieśniarza o mocnym głosie", który będzie opiewał „ziemię pogranicza i jej bohaterów" i sprawi, że rewolucja stanie się faktem!

Szukali w koszarach, szpitalach, liceum technicznym i w otwieranych o świcie *çayhane*. W końcu znaleźli jednego wśród dyżurnych strażaków. Biedaczyna z przerażeniem pomyślał, że ludzie Z. Demirkola chcą go aresztować, a może nawet zastrzelić, i dopiero gdy znalazł się w studiu, doszedł do siebie. To właśnie jego głos — wydobywający się z umieszczonego w holu telewizora i wibrujący wśród hotelowych murów, gipsowych ścianek i zasłon — Ka usłyszał tuż po przebudzeniu. Zza wpółodsłoniętych kotar wlewała się do cichego, wysokiego pokoju dziwna jasność bijąca od śniegu. Ka spał świetnie, wypoczął, ale zanim jeszcze wstał z łóżka, powróciły wspomnienia minionej nocy i poczuł w sercu ukłucie gotowe zmącić jego pewność i spokój. Jak zwykły gość hotelowy, czerpiący przyjemność z przebywania w obcym miejscu i korzystania z nie swojej łazienki, umył twarz, ogolił się, przebrał i zabrawszy klucz z mosiężnym breloczkiem, zszedł do holu.

Kiedy w telewizji zobaczył pieśniarza i zdał sobie sprawę z tego, jak przejmująca była cisza, która ogarnęła miasto (goście w holu rozmawiali szeptem), zaczął pojmować wydarzenia minionej nocy. Chłodno uśmiechnął się do recepcjonisty i jak zniecierpliwiony podróżny, nie mający ochoty marnować czasu w mieście niszczącym siebie przemocą i politycznymi mrzonkami, skierował swe kroki do jadalni, aby zjeść śniadanie. Na samowarze dymiącym w kącie stał brzuchaty czajnik, obok niego, na talerzu, leżał cienko pokrojony żółty ser, a w misce nie najlepiej prezentowały się pozbawione połysku oliwki.

Ka usiadł przy stole pod oknem. Przez chwilę zapatrzył się na ośnieżoną ulicę, która zza firanki wyglądała chyba jeszcze ładniej niż w rzeczywistości. Było w niej coś tak melancholijnego, że zaczął przypominać sobie po kolei wszystkie spisy ludności i spisy przedwyborcze, podczas których zabraniano obywatelom opuszczania mieszkań. Przypomniał sobie dawne przeszukiwania i wojskowe przewroty, kiedy radio grało marsze wojskowe i przekazywało komunikaty sztabu kryzysowego, a on przez cały czas miał ochotę chodzić po pustych ulicach. Lubił tamte dni, zmuszające wszystkich do rozmów o jednym, dni, w których wszystkie ciotki, wujowie i sąsiedzi byli sobie bliscy. Lubił je prawie tak, jak inni lubią świąteczne dni ramadanu*. Stambulska burżuazja, wśród której dorastał — ta bardziej i mniej zamożna — chcąc choć trochę zakamuflować swoje zadowolenie z przewrotów wojskowych, wprowadzających w jej życie bezpieczeństwo i porządek, z uśmiechem i lekką nonszalancją traktowała obowiązujące w tym czasie śmieszne rygory (malowanie wapnem chodników na wzór wojskowych koszar, zatrzymywanie mężczyzn noszących zarost lub zbyt długie włosy

---

* Ramadan (arab.) — okres postu, podczas którego od wschodu do zachodu słońca zabronione jest m.in. jedzenie, picie, palenie tytoniu czy odbywanie stosunków seksualnych. Po zachodzie słońca każdego dnia muzułmanie razem spożywają odświętny posiłek.

i upokarzające golenie ich na pokaz). Najbogatsi mieszkańcy Stambułu bardzo bali się żołnierzy, którymi skrycie gardzili, widząc w nich wyłącznie żyjących od pierwszego do pierwszego urzędników związanych bezwzględną dyscypliną.

Na pustej ulicy, wyglądającej jak arteria wyludnionego setki lat temu miasta, Ka zobaczył wojskową ciężarówkę i skupił na niej całą swoją uwagę tak, jak zwykł to robić, kiedy był dzieckiem. Tymczasem do jadalni wszedł mężczyzna przypominający handlarza bydłem. Zbliżywszy się do Ka, uścisnął go i energicznie ucałował.

— Powinszować, dobry panie! Niech żyje naród i ojczyzna!

Ka całkiem już zapomniał, że starsi ludzie składali sobie gratulacje przy okazji wojskowych przewrotów, podobnie jak podczas świąt i innych uroczystych okazji.

— Powinszować... — burknął pod nosem, zawstydzony.

Otworzyły się kuchenne drzwi i Ka krew uderzyła do głowy, bo do jadalni weszła Ipek. Ich spojrzenia spotkały się; poeta poczuł zakłopotanie. Miał ochotę wstać z miejsca, ale kobieta uśmiechnęła się do niego i podeszła do człowieka, który przed chwilą zasiadł przy innym stoliku. W ręku miała tacę, a na niej filiżankę i talerz, które postawiła przed gościem niczym kelnerka.

Ka ogarnęły poczucie winy, przygnębienie i żal: wyrzucał sobie, że nie powitał jej tak, jak powinien, chociaż wiedział, że tak naprawdę chodziło o coś innego. Ostatniej nocy wszystko zrobił źle: i to, że jej — niemal zupełnie obcej kobiecie — niespodziewanie zaproponował małżeństwo, i to, że ją pocałował (co akurat było miłe), że ściskał jej rękę przy wspólnej kolacji, że jak pospolity Turek upił się i ostentacyjnie okazywał jej swoje zainteresowanie... A teraz nie miał pojęcia, co należy powiedzieć, i marzył, by na zawsze została kelnerką obsługującą sąsiednie stoliki.

— Herbaty! — krzyknął grubiańsko człowiek przypominający handlarza bydłem.

Ipek z pustą tacą automatycznie podeszła do samowara. Kiedy podała mężczyźnie herbatę i zbliżyła się do Ka, ten czuł tylko szum krwi w uszach.

— Co się stało? — zapytała Ipek z uśmiechem. — Dobrze spałeś?

Myśl o minionej nocy i wczorajszym szczęściu przestraszyła go.

— Śnieg chyba już nigdy nie przestanie padać — wydukał.

Patrzyli na siebie w milczeniu. Ka wiedział, że nie jest w stanie rozmawiać, że cokolwiek powie, zabrzmi nienaturalnie. Siedział więc milcząco, dając jej do zrozumienia, że to jedyna rzecz, na jaką go w tej chwili stać. Patrzył w jej duże, lekko zezujące piwne oczy. Ipek zorientowała się, że ma przed sobą innego człowieka. On natomiast pojął, że kobieta wyczuła mroczniejszą stronę jego osobowości i zaakceptowała ją. Ta akceptacja mogła ich przywiązać do siebie na zawsze.

— Jeszcze trochę popada — powiedziała ostrożnie.

— Nie ma chleba.

— Och, przepraszam cię.

W jednej chwili stała już przy ladzie z samowarem. Odłożyła tacę i zaczęła kroić pieczywo.

Ka poprosił o chleb, ponieważ nie mógł dłużej wytrzymać tej rozmowy. A teraz patrzył w kierunku Ipek, jakby chciał powiedzieć: „Właściwie to sam mogłem sobie ukroić".

Ipek miała na sobie długą do kostek brązową spódnicę i biały sweter, spięty szerokim paskiem, modnym w latach siedemdziesiątych. Była szczupła w talii i krągła w biodrach. Wzrostem pasowałaby do Ka. Spodobały mu się jej kostki u nóg. Pomyślał, że jeśli nie wrócą razem do Frankfurtu, będzie z bólem wspominał, jak bardzo był szczęśliwy tutaj, trzymając ją za rękę, całując pół żartem, pół serio i przekomarzając się z nią.

Kiedy Ipek skończyła kroić chleb, Ka uciekł od niej wzrokiem, zanim ona zdążyła spojrzeć na niego.

— Nakładam panu ser i oliwki — oświadczyła oficjalnie, przypominając, że nie są w jadalni sami.

— Bardzo proszę — odparł tym samym tonem.

Po chwili ich oczy znów się spotkały i Ka zrozumiał, że Ipek przez cały czas była świadoma jego spojrzenia. Przestraszył się na myśl, że mogła doskonale sobie radzić z subtelnościami w stosunkach damsko-męskich, które dla niego zawsze były nie opanowaną sztuką. Poza tym od dawna bał się, że Ipek mogłaby być dla niego jedyną szansą na szczęście.

— Chleb przywiozła przed chwilą wojskowa ciężarówka — wyjaśniła ze słodkim uśmiechem, który dla niego był źródłem udręki. — Zahide utknęła w domu po ogłoszeniu godziny policyjnej, dlatego ja zajmuję się kuchnią... Przerazili mnie ci żołnierze.

Oczywiście. Mogli przecież przyjść po Hande albo Kadife. Albo jej ojca...

— Ze szpitala zabrali salowe, żeby sprzątnęły krew w Teatrze Narodowym — wyszeptała i usiadła przy jego stoliku. — Przeszukali internaty, szkołę koraniczną i siedziby partii... Było kilka ofiar. Setki osób aresztowano, część wypuszczono nad ranem.

Mówiła szeptem, tak jak się mówi w niespokojnych czasach, a Ka przypomniał sobie uniwersyteckie stołówki sprzed dwudziestu lat, w których historie tortur i informacje o innych okrucieństwach przekazywano sobie z mieszaniną gniewu, zmartwienia i dziwacznej dumy. W takich chwilach, pełen zniechęcenia i poczucia winy, chciał zapomnieć o tym, że żyje w Turcji, czym prędzej wrócić do domu w Niemczech i oddać się jakiejś lekturze. A teraz, w nadziei, że przerwie wywód Ipek, gotów był wypowiedzieć pełne ubolewania: „Straszne, to naprawdę straszne!". Lecz za każdym razem, gdy otwierał usta, pojawiało się poczucie, że cokolwiek powie, i tak zabrzmi to fałszywie i głupio. Jadł więc markotnie swój chleb z serem.

Ipek wciąż szeptem opowiadała o tym, że w górach utknęły wozy wysłane do kurdyjskich wsi po krewnych uczniów ze szkoły koranicznej, którzy mieli zidentyfikować ciała zabitych. O tym, że mieszkańcy miasta dostali jeden dzień na przekazanie posiadanej broni i że ogłoszono zakaz prowadzenia działalności politycznej i organizowania kursów koranicznych. Ka patrzył na jej dłonie, oczy, gładką cerę i brązowe włosy opadające na kark. Czy naprawdę ją kochał? Spróbował sobie wyobrazić, jak idą razem Kaiserstrasse we Frankfurcie i jak wychodzą z kina po wieczornym seansie i wracają do domu. Ale szybko ogarnął go pesymizm. Popatrzył na leżący w koszyku chleb, pokrojony przez nią w grube pajdy jak w biednych, wiejskich domach i — co gorsza — ułożony w staranną piramidę, jak w byle jakiej stołówce.

— Opowiedz mi o czymś innym — poprosił.

Ipek mówiła właśnie, jak pewien zadenuncjowany człowiek został aresztowany dwa domy dalej, kiedy uciekał przez ogród. Umilkła. Zobaczył strach w jej oczach.

— Wiesz, wczoraj byłem bardzo szczęśliwy, po raz pierwszy od lat napisałem kilka wierszy — wyjaśnił. — Ale teraz nie mogę znieść tych wszystkich historii.

— Wczorajszy wiersz był piękny.

— Pomożesz mi, zanim całkiem poddam się zniechęceniu?

— Co mam robić?

— Idę na górę do pokoju — powiedział Ka. — Przyjdź za chwilę i pomasuj mi skronie. Tylko to, nic więcej.

Jeszcze gdy to mówił, zobaczył popłoch w jej oczach. Pojął, że nie będzie mogła spełnić tej prośby. Przecież była tutejsza. Małomiasteczkowa. A on, obcy, zażyczył sobie czegoś, co było dla niej kompletnie niezrozumiałe. Nie powinien nawet myśleć o tak idiotycznej propozycji, powinien wiedzieć, że jest nie do spełnienia.

Opuścił jadalnię. Ruszył szybko po schodach, żałując, że tak łatwo przekonał siebie o tym, iż ją kocha. Wszedł do pokoju i rzucił się na łóżko. Pomyślał, że głupotą był przyjazd do Karsu. Błędem był przyjazd do Turcji. Co by powiedziała matka, która próbowała trzymać go z dala od poezji i literatury i pragnęła, by wiódł normalne życie? Co powiedziałaby, widząc, że jego szczęście zależy od „zajmującej się kuchnią" kobiety z Karsu, która kroi chleb w grube pajdy? Co powiedziałby ojciec, gdyby zobaczył, jak jego syn klęka przed wiejskim szejchem i ze łzami w oczach rozprawia z nim o Bogu? Padał śnieg. Smutne, wielkie płatki wolno znikały za oknem.

Usłyszał pukanie do drzwi. Zerwał się z łóżka i otworzył z nadzieją. Tak, to była Ipek. Z zupełnie zmienioną twarzą wyjaśniła, że właśnie przyjechał wojskowy wóz i dwóch mężczyzn — jeden z nich był żołnierzem — pytało o niego. Powiedziała, że Ka jest w hotelu i obiecała, że go powiadomi.

— Dobrze.

— Jeśli chcesz, zrobię ci ten masaż przez chwilę... — zaproponowała.

Ka wciągnął dziewczynę do środka, zamknął drzwi, pocałował i posadził na łóżku. Ułożył się wygodnie z głową na jej dłoniach. Przez jakiś czas siedzieli tak w ciszy, patrząc na wrony łażące po śniegu na studziesięcioletnim dachu ratusza.

— W porządku, wystarczy. Dziękuję — powiedział Ka.

Wstał, powoli zdjął z haka popielate palto i wyszedł. Schodząc do holu, powąchał trzymane w ręku okrycie. Kojarzyło mu się z Frankfurtem. Nagle zatęsknił za swoim niemieckim życiem. Przypomniał sobie jasnowłosego Hansa Hansena, sprzedawcę z Kaufhofu, który bardzo mu pomógł podczas kupowania palta i dwa dni później — kiedy Ka dał je do skrócenia. Może to aż nazbyt niemieckie imię i wyjątkowo jasne włosy ekspedienta sprawiły, że Ka wspomniał go także, przebudziwszy się następnej nocy.

21.

Nie znam żadnego z nich
Ka w zimnych salach grozy

Przysłali po niego starą ciężarówkę w rodzaju tych, które nawet w Turcji rzadko się już widziało. Ubrany po cywilnemu młody mężczyzna z orlim nosem i bladą cerą posadził go na środku przedniego siedzenia. Sam usadowił się obok, od strony drzwi, jakby chciał mu dać do zrozumienia, by wybił sobie z głowy ewentualną ucieczkę. Poza tym był grzeczny, zwracał się do Ka per „szanowny panie", toteż poeta wywnioskował, że nie ma do czynienia z policjantem, lecz oficerem wywiadu. To zaś pozwoliło mu żywić nadzieję, że nikt nie będzie obchodził się z nim brutalnie.

Jechali wolno pustymi białymi ulicami. Ponieważ szoferka z bogato wyposażoną w popsute zegary i kontrolki deską rozdzielczą umiejscowiona była dość wysoko, Ka widział od czasu do czasu wnętrza mijanych mieszkań. Wszędzie migały włączone telewizory, ale cały Kars zamknął się w sobie, ukrył za szczelnie zaciągniętymi zasłonami. Było to już całkiem inne miasto, a Ka miał wrażenie, że ci dwaj obok niego siedzieli oczarowani urokiem pokrytych śniegiem oliwników, porosyjskich domów i baśniowych ulic, widocznych przez szybę, którą wycieraczki z trudem nadążały odśnieżać.

Stanęli przed komendą i, przemarznięci na kość, wbiegli szybko do środka. W porównaniu z dniem wczorajszym na korytarzu był taki tłok i hałas, że choć poeta spodziewał się zamieszania, to i tak poczuł niepokój. Panowały tu poruszenie i bałagan charakterystyczne dla miejsc, w których jednocześnie wiele się dzieje. Wszystko to trochę przypominało sądowe korytarze, bramy stadionów piłkarskich lub dworce autobusowe. Ale było coś jeszcze: atmosfera paniki i śmierci, jaką czuje się w przesiąkniętych smrodem jodyny szpitalach. Na myśl, że gdzieś obok jakiś człowiek mógł być właśnie poddawany torturom, Ka poczuł ból i strach.

Gdy wchodził na górę po tych samych schodach, które poprzedniego dnia pokonywał razem z Muhtarem, instynkt kazał mu przyjąć swobodę ruchów i pewność siebie ludzi będących po właściwej stronie. W oddali słychać było stukot maszyn do pisania, podniesione głosy mężczyzn rozmawiających przez krótkofalówki i polecenia wydawane krzykiem człowiekowi roznoszącemu herbatę. Na ustawionych przed drzwiami ławkach czekali na przesłuchanie skuci z sobą kajdankami, poturbowani młodzi ludzie o posiniaczonych twarzach. Ka starał się omijać ich wzrokiem.

Zaprowadzono go do pokoju przypominającego ten, w którym znaleźli się wczoraj z Muhtarem. Choć poeta konsekwentnie twierdził, że nie widział twarzy zabójcy dyrektora ośrodka kształcenia, policjanci uparli się, by spróbował wskazać go w grupie młodych islamistów, przetrzymywanych w celach na dole. Ka zrozumiał, że po ogłoszeniu rewolucji kontrolę nad policją przejęła Narodowa Organizacja Wywiadowcza, co zaostrzyło ich wzajemne relacje.

Śledczy o okrągłej twarzy zapytał go, gdzie był poprzedniego dnia koło czwartej. Ka zmartwiał.

— Powiedziano mi, że dobrze by było, gdybym spotkał się z szejchem Saadettinem — zaczął, lecz śledczy natychmiast mu przerwał:

— Nie! Wcześniej!

A kiedy Ka milczał, przypomniał mu o spotkaniu z Granatowym. Zachowywał się tak, jakby było mu przykro, że wie o wszystkim i musi go stawiać w niewygodnej sytuacji. Ka wziął to za dobrą monetę. Gdyby to był zwykły policjant, pewnie najpierw oskarżyłby go o ukrywanie prawdy, a potem brutalnie wywalił kawę na ławę, manifestując przy okazji sprawność i wszechwiedzę policji. Tymczasem śledczy o krągłej twarzy cierpliwie opowiadał, jakim okrutnym terrorystą, wielkim spiskowcem i straszliwie zawziętym wrogiem Republiki jest pozostający na usługach Iranu Granatowy. Z pewnością to on zamordował telewizyjnego prezentera — dlatego zresztą wysłano za nim list gończy. Granatowy tymczasem jeździ po Turcji i mobilizuje zwolenników szarijatu.

— Kto pana do niego zaprowadził?

— Uczeń liceum koranicznego. Imienia nie znam — odparł Ka.

— Proszę spróbować go zidentyfikować — powiedział śledczy. — Niech się pan dobrze przygląda. Zajrzy pan przez okienko wartownicze w drzwiach celi. I proszę się nie bać, nie rozpoznają pana.

Na dół prowadziły szerokie schody. Przed ponad stu laty w tym wysokim, ciasnym budynku mieścił się szpital ormiańskiej organizacji dobroczynnej, a w najniżej usytuowanych pomieszczeniach urządzono skład drewna i służbówkę dla sprzątających. Po 1940 roku w budynku otwarto liceum — zburzono niektóre ściany, a na dole urządzono szkolną stołówkę. Większa część karskiej młodzieży, która później wkroczyła na drogę walczącego z Zachodem marksizmu, w latach sześćdziesiątych tutaj właśnie łykała pierwsze w życiu tabletki tranu i wymiotując prawie od ich obrzydliwego zapachu, popijała je ayranem*, przygotowa-

_____

* Ayran — słony mleczny napój podawany na zimno.

nym na bazie mleka w proszku przysyłanego przez UNICEF.
Teraz w obszernej piwnicy wydzielono wąski korytarz i cztery cele.

Po wprawnych ruchach policjanta, który włożył na głowę Ka oficerską czapkę, można było wnioskować, że robił to już wcześniej wielokrotnie.

— Strasznie się boją oficerskich czapek — wyjaśnił orlonosy funkcjonariusz, który przyjechał po Ka do hotelu.

Podeszli do drzwi pierwszej celi po prawej stronie. Policjant energicznie otworzył żelazne okienko wielkości dłoni i wrzasnął na cały głos:

— Uwagaaa! Komendant!

Ka zajrzał do środka.

W pomieszczeniu wielkości sporego łóżka zobaczył pięć osób, może więcej: siedziały jedna na drugiej, ściśnięte pod brudną ścianą naprzeciwko. Teraz niezdarnie — żaden z chłopców nie był przecież jeszcze w wojsku — stanęli na baczność i zamknęli oczy, jak im pewnie wcześniej przykazano. (Ka zauważył jednak, że kilku zerka na niego spod przymkniętych powiek). Choć od ogłoszenia wybuchu rewolucji nie minęło jeszcze nawet jedenaście godzin, wszyscy mieli ogolone głowy i spuchnięte, nabiegłe krwią oczy i twarze. W celi było jaśniej niż na korytarzu, mimo to wszyscy aresztanci wyglądali identycznie. Ka poczuł w głowie zamęt. Wstyd i strach mieszały się w nim ze współczuciem. I z radością, że w celi nie ma Necipa.

Za drugimi i trzecimi drzwiami również nikogo nie rozpoznał.

— Nie ma się czego bać — mówił uspokajająco orlonosy. — Przecież i tak pan stąd wyjedzie, kiedy otworzą drogi.

— Nie znam żadnego z nich — powiedział Ka z cieniem buntu w głosie.

Później rozpoznał kilka twarzy: w teatrze jeden z chłopców rzucał wyzwiska pod adresem Fundy Eser. Teraz miał go przed sobą. Przypomniał sobie też innego, który wcześniej zawzięcie wykrzykiwał polityczne slogany. Przyszło mu nawet do głowy, że jeśli na nich doniesie, okazując tym samym gotowość do współpracy, będzie mógł udać, że nie rozpoznaje Necipa, gdyby spotkał go w którejś z cel (w końcu te dzieciaki nie zrobiły nic złego). Ale nie wskazał nikogo.

— Komendancie — zajęczał błagalnie jakiś poobijany chłopak. — Nie mówcie nic matce, proszę!

Wyglądało na to, że podekscytowani puczyści pobili ich już na samym początku rewolucji, bez użycia odpowiedniego sprzętu — za pomocą pięści i wojskowych butów. W ostatniej celi Ka też w nikim nie rozpoznał zabójcy dyrektora ośrodka kształcenia. Odetchnął z ulgą, bo wśród przerażonych chłopców nie było Necipa.

Na górze zrozumiał, że śledczy z krągłą twarzą i jego przełożeni zrobią wszystko, by jak najszybciej złapać zabójcę dyrektora i może go nawet natychmiast powiesić, byle tylko wykazać się pierwszym sukcesem rewolucji. W pokoju pojawił się jeszcze emerytowany major, który mimo zakazu wyszedł z domu i tylko sobie znanym sposobem dotarł do komendy. Chciał przekonać funkcjonariuszy, by wypuścili jego aresztowanego bratanka. A jeśli się nie da, uprzejmie prosi o ulgowe potraktowanie dzieciaka i niezadręczanie torturami. Ta biedaczka, jego matka, zapisała go do szkoły koranicznej, zwiedziona opowieściami o darmowych paltach i marynarkach dla uczniów... Emerytowany major przekonywał, że rodzina jest w rzeczywistości z gruntu republikańska i żyje w absolutnej zgodzie z kemalistowską myślą. Ale śledczy o okrągłej twarzy przerwał jego monolog:

— Majorze, tu nikomu nie dzieje się krzywda — powiedział i odciągnął Ka na bok.

Zabójca dyrektora oraz Granatowy (Ka domyślił się, że dla nich to ta sama osoba) wraz ze swoimi ludźmi mogli być wśród aresztowanych, których przetrzymywano na Wydziale Weterynarii.

Tak więc Ka i orlonosy funkcjonariusz znów znaleźli się w starej wojskowej ciężarówce. Poeta zaciągnął się papierosem, upojony czarem pustej ośnieżonej drogi, i odetchnął, uwolniony wreszcie od przygnębiającej atmosfery komendy. W głębi duszy czuł złośliwą satysfakcję, że doszło do wojskowego przewrotu i państwo nie zostanie oddane w ręce religijnych fanatyków. Żeby stłumić resztki wyrzutów sumienia, poprzysiągł sobie nie współpracować ani z wojskiem, ani z policją. Kiedy po chwili poczuł, że nadchodzi natchnienie, bez wahania zwrócił się do oficera wywiadu:

— Czy możemy zatrzymać się gdzieś na herbatę? — zapytał.

Większość *çayhane* była zamknięta, ale na ulicy Kanal znaleźli jeden otwarty lokal, który od zaparkowanej na rogu wojskowej ciężarówki dzieliła na tyle duża odległość, że raczej nie powinni wzbudzać ciekawości żołnierzy. W środku siedziało trzech młodych mężczyzn, nie licząc praktykanta czekającego na koniec godziny policyjnej. Na widok dwóch ludzi — jednego w cywilu i jednego w oficerskiej czapce — wszyscy zamarli.

Śledczy natychmiast wyjął pistolet z kieszeni płaszcza i budząc podziw Ka, fachowo ustawił chłopaków pod ścianą z widokami szwajcarskich miasteczek, przeszukał ich i zabrał dokumenty. Poeta doszedł do wniosku, że nic poważnego już się nie wydarzy, usiadł więc jak najbliżej lodowatego pieca i spokojnie zapisał w zeszycie nowy wiersz.

Utwór, który miał później nazwać *Ulice ze snów*, zaczynał się od opisu ośnieżonych ulic Karsu i w trzydziestu sześciu wersach opowiadał o starych stambulskich alejach, Ani

— starożytnym ormiańskim mieście-widmie — i innych miastach: pustych, przerażających i pięknych, jakie Ka widywał jedynie w snach.

Kiedy skończył pisać, zobaczył, że w telewizji zamiast pieśniarza, który występował o poranku, znów pokazywano wczorajsze występy w Teatrze Narodowym. Bramkarz Vural dopiero zaczął opowieść o swych burzliwych miłościach i przepuszczonych bramkach, co oznaczało, że za dwadzieścia minut Ka będzie miał szansę zobaczyć siebie recytującego wiersz. Bardzo chciał przypomnieć sobie zapomniany utwór.

Tymczasem przez tylne drzwi do *çayhane* weszły cztery kolejne osoby, które śledczy z wprawą ustawił pod ścianą. Prowadzący lokal Kurd, tytułując go co chwila komendantem, tłumaczył mętnie, że owa czwórka nie złamała zakazu wychodzenia na ulicę, gdyż przeszła przez ogród na tyłach posesji. Wiedziony instynktem oficer postanowił to sprawdzić, tym bardziej że jeden z przybyłych nie miał dowodu osobistego i nazbyt mocno dygotał ze strachu. Rozkazał mu więc wrócić do domu drogą, którą przyszedł. Resztę spod ściany przekazał wezwanemu szoferowi i wyszedł za drżącym jak osika podejrzanym. Ka, wepchnąwszy szybko zeszyt do kieszeni palta, pobiegł za nimi. Przez tylne drzwi *çayhane* wyszli na ośnieżone i lodowato zimne podwórze. Nie zwracając uwagi na ujadanie przywiązanego łańcuchem psa, przeskoczyli niski murek, po trzech oblodzonych stopniach weszli do betonowego, nie otynkowanego budynku, wyglądającego jak większość domów w Karsie. Następnie zeszli do piwnicy, przesiąkniętej odpychającą mieszanką zapachu snu i węgla. Mężczyzna, który szedł z przodu, zatrzymał się przy huczącym piecu i pochylił nad wykonanym z pustych kartonów i skrzynek po warzywach legowiskiem. W skleconym naprędce barłogu Ka zobaczył śpiącą młodą, bladą i niezwykle urodziwą kobietę. Odruchowo odwrócił wzrok. Podejrzany podał funkcjonariuszowi swój paszport. Piec syczał tak bardzo, że Ka nie słyszał, o czym rozmawiają. Zobaczył, że mężczyzna podaje śledczemu jeszcze jeden paszport. Mieli przed sobą małżeństwo Gruzinów, którzy przyjechali do Turcji w poszukiwaniu pracy.

Kiedy śledczy i Ka wrócili do *çayhane*, bezrobotni młodzi ludzie nadal stojący pod ścianą, odzyskawszy swoje dokumenty, natychmiast zaczęli się skarżyć na gruzińską parę. Kobieta miała gruźlicę, a mimo to pracowała jako prostytutka — sypiała z przyjeżdżającymi do miasta mleczarzami i handlarzami skór. Jej mąż, jak inni Gruzini, pracował za pół stawki i brał każdą robotę, jaka się trafiała — bardzo rzadko zresztą — na targu robotników. I oczywiście odbierał tym samym chleb tureckim obywatelom... Małżonkowie byli biedni i skąpi. Oszczędzali na hotelach i mieszkali w kotłowni za pięć amerykańskich dolarów wręczanych co miesiąc dozorcy. Mówili, że kiedy wrócą do kraju, kupią sobie dom i nie będą pracować aż do śmierci. W kotłowni gromadzili popakowane w pudła tanie skórzane ubrania, które mieli sprzedać po powrocie do Tbilisi. Dwukrotnie deportowano ich z Turcji, ale za każdym razem jakoś udawało im się wrócić do piwnicznego lokum. Młodzi ludzie zgodnie twierdzili, że władza wojskowa powinna wreszcie wyplenić w Karsie wszystkie pasożyty, nie usunięte przez skorumpowaną policję.

I tak oto bezrobotna młodzież, ośmielona zaproszeniem śledczego, zasiadła z nim przy jednym stole i popijała herbatę podaną przez zadowolonego ze zmiany atmosfery gospodarza. Chłopcy mówili o marzeniach związanych z rewolucją, żalili się na skorumpowanych polityków i opowiadali wiele interesujących plotek, które ocierały się o donosicielstwo. Rozprawiali o nielegalnym uboju bydła, korupcji w przedsiębiorstwie monopolowym Tekel i szmuglowanych w ciężarówkach przez Armenię tanich robotnikach, których ukrywano potem w barakach na budowach, rzadko kiedy wypłacając im pensje... Ci młodzi ludzie sprawiali wrażenie, jakby nie domyślali się nawet, że wojskowy przewrót został zorganizowany przeciwko kurdyjskim separatystom i islamistom, którzy mieli wygrać w najbliższych wyborach.

W drodze powrotnej w ciężarówce Ka zauważył, że mężczyzna z orlim nosem wyjął z kieszeni paszport Gruzinki i dokładnie przyglądał się jej fotografii. Poczuł podniecenie, domyślając się, o co chodzi tamtemu, i wstyd, że zajrzał mu przez ramię.

Kiedy weszli na Wydział Weterynarii, natychmiast pojął, że tutaj sprawy mają się o wiele gorzej niż w budynku komendy. Szedł lodowato zimnymi korytarzami i powoli zaczynał rozumieć, że żaden z pracujących tu funkcjonariuszy nie ma czasu na współczucie. Przywieziono tu kurdyjskich nacjonalistów, terrorystów podejrzanych o ataki bombowe i kolportaż ulotek oraz odnotowanych przez wywiad ich zwolenników. Widać było, że policja, wojsko i prokuratura ostro wzięły się za przesłuchiwanie uczestników manifestacji organizowanych przez obydwie grupy. Na pierwszy ogień poszli pomocnicy stacjonującej w górach kurdyjskiej partyzantki, którzy ułatwiali przenikanie jej członków do miasteczek i wsi. Tutaj metody indagowania podejrzanych były o wiele bardziej bezwzględne niż stosowane podczas przesłuchań radykalnych islamskich aktywistów.

Potężnie zbudowany funkcjonariusz wziął Ka pod ramię tak, jakby chciał pomóc niepełnosprawnemu staruszkowi. Zaprowadził go do trzech sal wykładowych, gdzie działy się straszliwe rzeczy. Mój przyjaciel omijał potem ten drażliwy temat, sporządzając notatki w zielonym zeszycie, zatem i ja postaram się napisać jak najmniej o tym, co zobaczył owego dnia na Wydziale Weterynarii.

Na widok osób zgromadzonych w pierwszej sali, nadeszła go myśl, jak ulotne jest ludzkie życie. Patrząc przez kilka sekund na podejrzanych, których już przesłuchano, miał wrażenie, że przeniósł się w czasy średniowiecza, na tereny odległych cywilizacji albo do krajów jeszcze nie odkrytych. Ka i zamknięci w pierwszym pomieszczeniu ludzie czuli, że ich życie gaśnie jak wypalona świeca. Miejsce to poeta nazwał w swoim zeszycie „salą żółtą".

W drugim pomieszczeniu przebywał krócej. Popatrzył w oczy jednego z przetrzymywanych tam ludzi i przypomniał sobie, że widział go wczoraj w jednej z *çayhane*. Odwrócił głowę. Wiedział, że to oczy człowieka, który był teraz w odległym kraju niespełnionych marzeń.

Weszli do trzeciej sali i Ka w głębokiej ciszy, jaka ogarnęła jego duszę, poczuł obecność jakiejś wszechpotężnej siły, która szczędząc ludziom własnej mądrości, zmieniała ich życie w torturę. Udało mu się ominąć spojrzenia. Jedyne, co widział, to kolor, który nagle zabarwił jego myśli. A ponieważ najbardziej przypominał on odcień czerwieni, Ka postanowił nazwać to miejsce „salą czerwoną". Wrażenie, że życie ludzkie jest krótkie i pełne winy, jakiego doznał podczas wizyty w dwóch poprzednich salach, teraz — mimo straszliwego widoku — stało się dla Ka źródłem ulgi.

Wiedział, że wzbudził podejrzenia, nie rozpoznawszy nikogo. Był szczęśliwy, że nigdzie nie napotkał Necipa i niemal z radością przyjął propozycję śledczego z orlim nosem, by obejrzeć jeszcze ciała w szpitalu.

W kostnicy mieszczącej się w podziemiach lecznicy pokazano mu najpierw ciało islamskiego bojówkarza, zastrzelonego podczas drugiej salwy, który wydał się wszystkim najbardziej podejrzany. Ka nigdy wcześniej go nie widział. Uważnie pochylił się nad zwłokami i obejrzał je w napięciu. Drugie ciało należało do malutkiego staruszka, który sprawiał wrażenie, jakby zamarzł na lodowatej płycie marmuru. W miejscu roztrzaskanego lewego oka dziadka zionęła czarna dziura. Pokazano go, ponieważ wyglądał niepozornie, jak opisany przez poetę zabójca dyrektora ośrodka kształcenia. Niestety, nieboszczyk nie mógł już wyjaśnić funkcjonariuszom, że przyjechał do Karsu z Trabzonu tylko w odwiedziny do odbywającego tu służbę wojskową wnuka. Przy trzecim ciele Ka zaczął się pocieszać, że już niebawem zobaczy Ipek... Ten człowiek też miał przestrzelone oko. Ka pomyślał nawet, że to dziwny zbieg okoliczności: może wszystkie ciała w kostnicy wyglądały podobnie? Podszedł, by spojrzeć z bliska na białą twarz leżącego na zimnym blacie chłopaka. W jednej chwili coś w nim umarło.

To był Necip. Ta sama dziecinna buzia. Te same, wysunięte jak u pytającego dziecka usta. Ka przeszywała zimna szpitalna cisza. Ten sam młodzieńczy trądzik. Ten sam haczykowaty nos. Ta sama brudna uczniowska kurtka. Łzy napłynęły mu do oczu, ale powstrzymał je z przestrachem. Starał się myśleć o czymś innym. O czymkolwiek. Pośrodku czoła, którego dotykał dwanaście godzin wcześniej, ział głęboki otwór. Necip wyglądał jak nieboszczyk nie dlatego, że jego twarz miała bladobłękitny odcień, ale dlatego, że leżał nienaturalnie wyciągnięty i sztywny jak kawałek drewna.

Ka poczuł wdzięczność, że sam jest cały i zdrowy. Pochylił się, chwycił chłopca za ramiona i ucałował w oba policzki. Były zimne, ale jeszcze nie całkiem zesztywniałe. Zielone półotwarte oko zerkało na Ka. Poeta otrząsnął się. Z trudem odwrócił się w stronę wywiadowcy i wyjaśnił, że ten właśnie młody człowiek zaczepił go wczoraj na ulicy, powiedział, że pisze utwory fantastyczne, i zaprowadził do kryjówki Granatowego. Ucałował go, bowiem młodzieniec ów miał czyste serce.

22.

Człowiek stworzony, by zagrać Atatürka

Wojskowa i teatralna
kariera Sunaya Zaima

Informację na temat identyfikacji zwłok przywiezionych do kostnicy natychmiast zawarto w sporządzonym i podpisanym naprędce protokole. Ka i orlonosy śledczy wsiedli do wojskowej ciężarówki, która płosząc lękliwe psy, ruszyła powoli przed siebie. Jechali pustymi ulicami, a na wietrze łopotały chorągiewki przedwyborcze i wielkie transparenty z napisem, że samobójstwo jest bluźnierstwem. Im dłużej jechali, tym częściej Ka widział rozsuwane w oknach zasłony i ciekawskie twarze rozbawionych dzieciaków albo zaniepokojone miny ich ojców, zerkających na mijający ich domy pojazd. Ale nie oni byli teraz najważniejsi. Wciąż miał przed oczami nieruchomą twarz Necipa i jego sztywniejące ciało. Próbował sobie wyobrazić, jak Ipek go pociesza po powrocie do hotelu. Ale samochód, minąwszy pusty rynek, wjechał w aleję Atatürka i zatrzymał się kilka metrów za wzniesionym dwie przecznice za Teatrem Narodowym dziewięćdziesięcioletnim porosyjskim budynkiem.

Znaleźli się przed jednopiętrową posiadłością, której urok i nędza zaskoczyły Ka już pierwszego wieczoru. Kiedy miasto przeszło w ręce Turków, w pierwszych latach Republiki, przez dwadzieścia trzy lata żył tu wystawnie handlujący ze Związkiem Radzieckim drewnem i skórami słynny pan Maruf z rodziną. Rezydencję, wyposażoną między innymi w sanie i powozy, obsługiwali kucharze i liczna służba. Pod koniec drugiej wojny światowej i na początku zimnej wojny bezpieka zatrzymywała wszystkich bogaczy znanych z prowadzenia interesów z Sowietami i prawie wszystkich oskarżono o szpiegostwo. Tak właśnie przepadli na zawsze właściciele pięknej posiadłości. Prawie przez dwadzieścia lat budynek stał pusty, a w połowie lat siedemdziesiątych zajęła go frakcja marksistowskich bojowników i urządziła tu swoją tajną centralę. Podobno tutaj właśnie zaplanowano kilka politycznych zabójstw (wliczając w to zamach na byłego burmistrza, adwokata pana Muzaffera, z którego wyszedł tylko lekko pokiereszowany). Po przewrocie 1980 roku budynek opustoszał. Potem zorganizowano w nim magazyn pralek i pieców sprzedawanych w sklepiku obok, a przed trzema laty pewien przedsiębiorczy krawiec, powróciwszy w rodzinne strony z pieniędzmi zarobionymi najpierw w Stambule, a potem w Arabii Saudyjskiej, w miejscu magazynu otworzył zakład krawiecki.

Ka zaraz za progiem zobaczył stare, gigantyczne maszyny do szycia, zawieszone na ścianach monstrualne nożyce i urządzenia do przyszywania guzików, które w ciepłym świetle pomieszczenia wyłożonego tapetą w pomarańczowe róże wyglądały jak narzędzia tortur.

Sunay Zaim był w zniszczonym płaszczu, swetrze i wojskowych butach, które miał na sobie przed dwoma dniami, kiedy Ka widział go po raz pierwszy. Trzymając w palcach papierosa bez filtra, chodził po pokoju tam i z powrotem. Na widok poety jego twarz pojaśniała, jakby spotkał dobrego znajomego. Podszedł żwawo i ucałował go. W geście tym wiele było z odświętnej radości, jaką okazał w hotelowej jadalni podobny do handlarza bydłem typ, winszujący Ka z okazji rewolucji. Ale było w nim też coś przesadnie przyjacielskiego. Później poeta miał tę zaskakującą manifestację koleżeńskości tłumaczyć naturalnym odruchem: byli przecież dwójką stambulczyków, którym w trudnych chwilach przyszło spotkać się w miejscu tak biednym i zapomnianym jak Kars. Ka wiedział już jednak, że to Zaim był częściowo odpowiedzialny za trudne położenie ich obu.

— Ciemny orzeł przygnębienia trzepocze we mnie każdego dnia — powiedział Sunay Zaim, rozkoszując się własną tajemniczością. — Ale nie poddam się i tobie radzę to samo. Wszystko będzie dobrze.

Ka rozejrzał się. W śnieżnobiałej poświacie zobaczył wyposażone w potężny piec przestronne pomieszczenie o wysokim, zdobionym sztukateriami suficie. Na widok ludzi z krótkofalówkami, taksujących go wzrokiem dwóch olbrzymich ochroniarzy, map, broni, maszyny do pisania i najróżniejszych dokumentów, zebranych na stojącym przy drzwiach biurku, zrozumiał, że trafił do kwatery głównej, a Sunay Zaim najwyraźniej miał tu sporo do powiedzenia.

— Kiedyś, w najgorszym dla mnie czasie — kontynuował Sunay, przechadzając się po pokoju — jeździłem do najodleglejszych, najbiedniejszych i najpodlejszych prowincjonalnych miast tylko po to, by dowiedzieć się, że nie ma tam miejsca dla moich sztuk, a ja sam nie mam nawet gdzie przenocować, bo mój stary przyjaciel, który kiedyś podobno mieszkał w okolicy, już dawno się wyprowadził... Wtedy właśnie zacząłem czuć, jak szamocze się we mnie ból zwany przygnębieniem. Robiłem wszystko, by nie dać się złapać. Odwiedzałem po kolei lekarzy, adwokatów i nauczycieli, każdego, kto mógłby się zainteresować nowoczesną sztuką i nami — posłańcami nowoczesnego świata. A kiedy okazywało się, że nikt nie mieszka pod ostatnim wskazanym mi adresem, że policja i tak nie zgodzi się na wystawienie spektaklu albo że naczelnik stacji — moja ostatnia deska ratunku

238

— którego chciałem prosić o zgodę na występ, nie raczy mnie nawet wpuścić do gabinetu, czułem z przerażeniem, że to przygnębienie we mnie wzbiera. Drzemiący w mojej piersi orzeł rozpościerał leniwie skrzydła i trzepocąc nimi, dusił mnie od środka. Wtedy wystawiałem swoje sztuki w najpodlejszych *çayhane*, a jeśli nawet takich nie było — na rampach autobusowych dworców, a gdy któraś z naszych dziewcząt wpadła w oko naczelnikowi stacji — na dworcu kolejowym, na schodach, chodnikach, w remizach, pustych szkolnych klasach, podrzędnych barach, stajniach, a nawet w witrynie salonu fryzjerskiego. Wszystko po to, by nie poddać się przygnębieniu.

Do pomieszczenia weszła Funda Eser i Sunay natychmiast zamiast „ja" zaczął mówić „my". Łącząca ich zażyłość była tak widoczna, że Ka nie był zdziwiony tą zmianą. Funda Eser, która zdecydowanie nie należała do kobiet drobnej postury, szybko i z gracją zbliżyła się, by uścisnąć mu dłoń. Szeptem powiedziała coś do męża, odwróciła się i opuściła pokój tak samo energicznie, jak doń weszła.

— To były nasze najgorsze lata — ciągnął Sunay. — Wszystkie gazety pisały o tym, jak popadliśmy w niełaskę widowni i dyrygujących tym krajem głupców z Ankary i Stambułu. A kiedy dostałem szansę, jaka spotyka wyłącznie geniuszy, tak, dokładnie wtedy, gdy miałem okazję wpłynąć swą sztuką na bieg historii, grunt usunął mi się spod nóg i wpadłem w najobrzydliwsze bagno, jakie trudno sobie nawet wyobrazić. Lecz tam też się nie załamałem, tam też walczyłem z przygnębieniem. Nigdy nie obawiałem się, że tonąc w błocie, brudzie, ohydzie i biedzie, stracę szansę na spotkanie z tym, co prawdziwe i najcenniejsze. A ty czemu jesteś taki przerażony?

W drzwiach zamajaczyła postać odzianego w białą koszulę lekarza z torbą w ręku. Z przesadnym pośpiechem wydobył ciśnieniomierz, obwiązał taśmą ramię Sunaya, który w tym czasie z tragicznym wyrazem twarzy patrzył na światło wpadające przez okno. Jego mina przypomniała Ka początek lat osiemdziesiątych, kiedy to Sunay „popadł w niełaskę" widzów. Ka dobrze pamiętał jego role z lat siedemdziesiątych, dzięki którym aktor zdobył ogromną popularność. Złoty wiek lewicujących grup teatralnych, czas, w którym rozbłysła gwiazda Sunaya Zaima. Wśród niezliczonych małych grup teatralnych wyróżniały go nie tylko talent i pracowitość. Widzowie dostrzegli w nim przywódcę naznaczonego przez Boga. Młoda turecka publiczność pokochała go jako silnego męża stanu, Napoleona, Lenina, Robespierre'a, jakobińskiego rewolucjonistę w stylu Envera Paszy, i wcielenie wielu innych, podobnych im bohaterów ludowych. Licealiści i „postępowi" studenci, zrywając się co chwila do owacji, ze łzami patrzyli, jak głośno i odważnie mówi w imieniu udręczonego ludu, jak na wymierzony przez oprawcę policzek odpowiada butnie, że nadejdzie dzień rewanżu, i jak w czarnej godzinie (wszyscy grani przez niego bohaterowie prędzej czy później musieli trafić za kratki), zaciskając w cierpieniu zęby, podnosi na duchu przyjaciół. Jak dla dobra ludu, z bólem serca, popełnia okrutne czyny. Mówiono, że zdecydowanie i pasja, widoczne zwłaszcza w scenach przejęcia władzy i wymierzania sprawiedliwości, są śladem żołnierskiej edukacji Sunaya. Uczył się w Akademii Wojskowej Kuleli*, ale w ostatniej klasie wyrzucono go za wagary i niesubordynację. Zdarzało mu się bowiem uciekać łódką do Stambułu i łazić po teatrach na Beyoğlu. Próbował też potajemnie wystawić sztukę *Zanim stopnieją lody* na deskach szkolnego teatru.

---

* Akademia Wojskowa Kuleli — założone w 1845 r. prestiżowe liceum wojskowe w Stambule. Kształcili się tu m.in. przyszli sułtanowie, prezydenci, liderzy polityczni i osobistości świata kultury.

Po wojskowym przewrocie w 1980 roku zabroniono występować lewicowym grupom i postanowiono nakręcić wysokobudżetowy film o Atatürku z okazji setnej rocznicy jego urodzin. Kiedyś nikt nie był w stanie nawet wyobrazić sobie, że tego jasnowłosego i niebieskookiego bohatera i wielbiciela Zachodu mógłby zagrać turecki aktor. Do wiekopomnej roli w tym historycznym filmie, który nigdy nie powstał, rozważano raczej zagraniczne kandydatury Laurence'a Oliviera, Curda Jürgensa czy Charltona Hestona. Ale zaangażowana w sprawę obsady gazeta „Hürriyet"* przekonała cały naród, że już czas, by Atatürka zagrał jego rodak. Czytelnicy za pomocą wyciętych z gazety kuponów mogli głosować na swego faworyta. Sunay, który znalazł się w pierwszej grupie kandydatów, po długiej i prawdziwie demokratycznej kampanii oraz promocji własnej osoby szybko wysunął się na prowadzenie i zdystansował konkurentów. Widzowie natychmiast poczuli, że przystojny, budzący podziw i zaufanie, wprawiony w rolach rewolucjonistów Sunay może zagrać Ojca Turków.

Pierwszym błędem aktora było zbyt poważne potraktowanie publicznego głosowania. Prawie codziennie występował w telewizji i udzielał wywiadów dla gazet. Publikował fotografie rodzinne na dowód szczęśliwego pożycia z Fundą Eser. Mówił o swoim domu, zwykłym życiu, politycznych poglądach, za wszelką cenę starając się dowieść, że zasłużył na rolę Atatürka i ma nawet podobne słabości jak on, zalety, upodobania i cechy (rakı, taniec, szykowne stroje, wrodzona kindersztuba). Pozując do zdjęć z tomem *Nutuku***, usi-

* „Hürriyet" (pol. wolność) — gazeta wydawana w Stambule od 1948 r.
** *Nutuk* (pol. mowa, przemówienie) — słynna, trwająca trzydzieści sześć godzin mowa Atatürka, wygłoszona w 1927 r. podczas zjazdu Republikańskiej Partii Ludowej.

łował przekonać wszystkich, że czyta ją na okrągło. (Kiedy pewien felietonista przeszedł do ataku, kpiąc, że aktor zamiast oryginału kartkuje skróconą — napisaną współczesną turecczyzną — wersję dzieła, Sunay natychmiast kazał się sfotografować na tle biblioteczki z oryginalnymi tomami przemówienia. Niestety, mimo ogromnego wysiłku nie udało mu się nakłonić wydawcy do opublikowania tego drugiego zdjęcia w tej samej gazecie). Chodził na wernisaże, koncerty i ważne mecze piłkarskie, każdemu, nawet trzeciorzędnemu reporterowi gotów udzielić wywiadu na temat: Atatürk i malarstwo, Atatürk i muzyka, Atatürk i sport. Z nijak nie przystającą do wizerunku jakobińskiego rewolucjonisty chęcią przypodobania się wszystkiemu i wszystkim zaczął udzielać wywiadów wrogiej Zachodowi religijnej prasie. W jednej z takich rozmów, odpowiadając na zadane bez głębszego podtekstu pytanie, wypalił: „Oczywiście pewnego dnia, jeśli naród wyrazi taką wolę, jestem gotów zagrać nawet proroka Mahometa". To niefortunne stwierdzenie wywołało lawinę reakcji.

Zaangażowane politycznie proislamskie pisemka zakrzyknęły zgodnie, że nikt nie może się wcielić w postać Proroka. I niech Bóg broni! Oburzeniem kipiały gazety z tytułami w rodzaju: *Nie okazał szacunku Prorokowi!* Ów brak szacunku z godziny na godzinę stawał się coraz większy, by w końcu okazać się straszliwą profanacją. Skoro wojsko nie potrafiło uspokoić islamistów, musiał to zrobić sam Sunay. Z nadzieją urwania łba hydrze zaprezentował się konserwatywnym czytelnikom ze świętym Koranem w dłoni, dowodząc, jak bardzo kocha proroka Mahometa, który był przecież także nowoczesnym człowiekiem. A to już było wodą na młyn kemalistowskich felietonistów, nie mogących znieść jego dotychczasowej pozy „skrojonego na miarę". Zaczęto pisać, że Atatürk przenigdy nie zabiegał o łaski religijnych fanatyków. Z kolei gazety opowiadające się za władzą wojska opublikowały zdjęcia, na których Sunay dumnie pozował z Koranem, i pytały przewrotnie: „Czy to jest Atatürk?". Na to wszystko proislamska prasa, bardziej z chęci samoobrony niż atakowania aktora, przypuściła szturm z przeciwnej strony. Fotografie sączącego rakı Sunaya podpisywano retorycznymi zapytaniami w stylu: „I to on ma grać naszego Proroka?", oraz stwierdzeniami: „Pije jak Atatürk!". W ten sposób wybuchająca w prasie co kilka miesięcy awantura między islamistami i świeckimi skupiła się na skromnej osobie Sunaya Zaima. Była intensywna, lecz krótka.

Tylko w jednym tygodniu gazety opublikowały mnóstwo fotografii: Sunay rozkoszujący się piwem w nakręconej przed laty reklamie, Sunay dostający manto w jakimś filmie z czasów młodości, Sunay zaciskający pięść na tle flagi z sierpem i młotem, Sunay oglądający żonę obcałowywaną na scenie przez innych aktorów... Napisano setki stron o tym, że nadal jest komunistą, a jego żona lesbijką, że oboje robili dubbing do nielegalnych filmów pornograficznych, że dla pieniędzy gotów jest zagrać nie tylko Atatürka, ale i samego diabła. Dowodzono, że sztuki Brechta wystawiał za pieniądze przysyłane z Niemiec wschodnich, a po wojskowym zamachu stanu oskarżył Turcję o torturowanie szwedzkich wolontariuszek, które przybyły do kraju, by prowadzić badania. Pojawiło się jeszcze wiele, wiele innych rewelacji. W tym samym czasie „pewien wysoki rangą oficer", wezwawszy Sunaya do sztabu generalnego, poinformował go, że aktor musi zrezygnować z udziału w plebiscycie, gdyż tak zadecydowała armia. A nie był to ten sam dobry, rozważny człowiek, który najpierw rozprawiał się z dziennikarzami za ukrytą krytykę wojska mieszającego się do polityki, by potem uspokoić ich nieco pudełkiem czekoladek, lecz jego bardziej konsekwentny i obdarzony większym poczuciem humoru kolega po fa-

chu. Na widok żalu i strachu malujących się na twarzy Sunaya nie zmiękł ani odrobinę, przeciwnie — drwił sobie
bezlitośnie z poglądów politycznych, manifestowanych za
pomocą metody „na Atatürka". Dwa dni wcześniej bowiem
Sunay wybrał się z wizytą do rodzinnego miasteczka, gdzie
lokalni producenci tytoniu i tysiące bezrobotnych próżniaków witali go owacjami. Niczym uwielbiany przez wszystkich polityk podróżował w eskorcie kilkunastu wozów, a na
rynku miejskim wszedł na pomnik Atatürka i wśród grom-
kich braw uścisnął mu rękę. Kiedy zainteresowana tą niezwykłą popularnością stambulska bulwarówka zapytała go,
czy planuje przejście ze sceny do polityki, odparł bez wahania: „Jeśli naród tak zechce...". Krótko potem Kancelaria Premiera ogłosiła, że produkcja filmu o Ojcu Turków zostaje
chwilowo zawieszona.

Sunay był doświadczony na tyle, by nie dać się złamać
porażce. Definitywnie dobiły go dopiero następne wydarzenia. Przez miesiąc występował w telewizji tak często, że
wszyscy natychmiast rozpoznawali jego głos jako głos Ojca
Turków. Nie mógł więc już dostać pracy jako lektor. Ponieważ
dziwnie wyglądałby niedoszły Atatürk nieudacznik malują-
cy ściany z wiadrem farby w ręku albo zachwalający usługi
jakiegoś banku, nie było dlań miejsca w reklamie. Producenci, którzy wcześniej chcieli, by grał dla nich ojca wybie-
rającego solidne i tanie produkty, odwrócili się teraz plecami. Ale najgorsze było to, że ufający słowu pisanemu naród
uwierzył, iż Sunay jest wrogiem i religii, i Atatürka. Niektórzy byli nawet przekonani, że nie protestował, gdy jego żonę
całowali obcy mężczyźni. Większość, nawet jeśli nie dawała
wiary plotkom, szeptała między sobą, że przecież nie ma
dymu bez ognia. Publiczność przychodząca zwykle na spektakle znikła, a na ulicach wiele osób na jego widok przysta-
wało, mówiąc tylko: „Wstyd, naprawdę wstyd!". Żądny sensa-

cji uczeń szkoły koranicznej, pewny, że Sunay rzeczywiście szkalował Proroka, na jednym z przedstawień zaczął wymachiwać nożem. Kilka osób plunęło aktorowi w twarz. Całe to zamieszanie trwało pięć dni. Szóstego Sunay i jego żona przepadli bez wieści.

A potem pojawiło się wiele plotek. Mówiono, że pod przykrywką nauki w Brechtowskim teatrze Berliner Ensemble zgłębiali tajniki terroryzmu albo że dzięki dofinansowaniu przez francuskie Ministerstwo Kultury trafili do Francuskiego Szpitala dla Umysłowo Chorych La Paix w Şişli. Tymczasem prawda była taka, że oboje postanowili się ukryć w położonym nad brzegiem Morza Czarnego domu należącym do matki Fundy Eser, malarki. Rok później jako animatorzy zabaw dla turystów zaczęli występować w poślednim hoteliku w Antalyi: każdego ranka grali na plaży w siatkówkę z niemieckimi i holenderskimi gośćmi, popołudniami łamanym niemieckim zabawiali dzieciarnię w przebraniach Karagöza i Hacivata*, wieczorami zaś wcielali się w role padyszacha i jego żony, prezentującej w haremie taniec brzucha. To był początek trwającej dziesięć lat kariery Fundy Eser jako tancerki orientalnej. Sunay przez trzy miesiące wytrzymywał tę błazenadę, po czym na oczach przerażonego tłumu turystów sprał niemiłosiernie szwajcarskiego fryzjera, przyłapanego na flirtowaniu z Fundą, która tak bardzo zżyła się z wieczorną rolą haremowej hurysy, że nie miała zamiaru porzucać jej nawet podczas plażowych zabaw. Wiadomo, że później pracowali jeszcze jako wodzireje i komedianci w domach weselnych i lokalach rozrywkowych Antalyi i okolic. Program wieczoru zawsze wyglądał jednakowo. Najpierw Sunay przedstawiał ukochanego przez tłum pio-

---

* Karagöz i Hacivat — dwaj protagoniści w klasycznym tureckim teatrze cieni.

senkarza, połykacza ognia lub kabareciarza trzeciej kategorii, monologował przez chwilę na temat instytucji małżeństwa, Republiki albo Atatürka, Funda Eser pląsała w orientalnym tańcu, po czym oboje w bardzo zdyscyplinowany sposób odgrywali ośmio- lub dziesięciominutową scenę w stylu zabójstwa króla z *Makbeta*. Wszystko kończyły brawa. Tak powstawały fundamenty Grupy Teatralnej Sunaya Zaima, która niebawem miała zacząć podróżować ze swym programem po całej Anatolii.

Lekarz skończył mierzyć ciśnienie i aktor wydał rozkaz przez krótkofalówkę przyniesioną przez ochroniarzy. Przeczytał coś, co napisano na świstku papieru podsuniętym mu pod nos, a następnie skrzywił się z obrzydzeniem.

— Każdy na każdego donosi — mruknął. Po czym dodał, że podczas objazdowych występów w Anatolii napatrzył się na ludzi, którzy dali się stłamsić melancholii. — Całymi dniami siedzą bezczynnie w *çayhane*. W każdym mieście setki, w całym kraju tysiące, miliony bezrobotnych, zrezygnowanych, ospałych i nieszczęśliwych mężczyzn, moich braci. Nie mają siły, by pozapinać te swoje wytłamszone, poplamione kurtki, doprowadzić się do porządku albo śmiać się z czegokolwiek. Nie mają energii, by machnąć ręką, ani cierpliwości, by cię wysłuchać do końca — powiedział. — Przygnębienie nie pozwala im zasnąć, czują masochistyczną satysfakcję z powolnej śmierci, jaką zadają im wypalane codziennie papierosy, a zrozumiawszy bezsens mówienia o czymkolwiek, urywają zdanie w połowie. Oglądają telewizję nie dla rozrywki, lecz dlatego że nie mogą znieść widoku innych melancholików. Chcą umrzeć, ale myślą, że nie są warci nawet śmierci. W wyborach, czekając na zasłużoną według nich karę, masochistycznie głosują na najbardziej obrzydliwe typy i najgorsze partie. A nad wiecznie obiecujących coś polityków przedkładają wojsko, które wciąż im grozi...

Do pokoju weszła Funda Eser. Musiała przysłuchiwać się ich rozmowie, bo natychmiast dodała, że wszyscy ci ludzie mają jeszcze nieszczęśliwe żony. Zajmują się one domem i dziećmi, których mają więcej, niż mieć powinny, harują w miejscach, o których ich mężowie nie mają zielonego pojęcia. Pracują jako sprzątaczki, robotnice w fabrykach tytoniu, tkaczki, pielęgniarki... Gdyby nie te bezustannie utyskujące i wiecznie zapłakane kobiety, zalewające całą Anatolię, miliony podobnych, nie ogolonych, wałkoniących się bezrobotnych i zgnuśniałych mężczyzn w utytłanych koszulach znikłyby jak żebracy, którzy umierają mroźną nocą w byle jakim kącie. Jak pijaczkowie, którzy wracając z knajpy, wpadają do studzienki kanalizacyjnej i znikają bez śladu, albo jak zdziecinniali dziadkowie, gubiący się gdzieś po drodze. I właśnie tu, w „biednym miasteczku Kars", żyło wielu takich mężczyzn, dla których jedyną rozrywkę stanowiło dręczenie własnych żon, wstydliwie kochanych za to, że cudem utrzymują ich przy życiu.

— Dziesięć lat poświęciłem moim nieszczęśliwym braciom. Robiłem wszystko, by wygrzebali się z marazmu i przygnębienia — powiedział Sunay. Nie, nie szukał współczucia.

— Zamykali nas setki razy, bo byliśmy dla nich komunistami, zachodnimi szpiegami, zboczeńcami, świadkami Jehowy, alfonsem i prostytutką. Torturowali, bili. Próbowali zgwałcić. Obrzucali kamieniami. Ale nauczyli się też szanować radość i wolność, które dawali im moi ludzie i moje przedstawienia. Więc teraz, mając największą szansę w życiu, nie mogę okazać słabości.

Do pokoju weszło dwóch mężczyzn. Jeden znów podał Sunayowi włączoną krótkofalówkę. Głos w aparacie mówił, że otoczono właśnie jedne ze slumsów w dzielnicy Sukapı, a ktoś ze środka otworzył ogień. Informowano, że znajdował się tam kurdyjski bojówkarz z rodziną. Na tej samej częstotliwości słychać było jeszcze wydającego rozkazy żołnierza, którego pozostali nazywali komendantem. Chwilę później „komendant", zwróciwszy się do Sunaya, streścił akcję i zapytał aktora o zdanie. Nie rozmawiał z nim jak z przywódcą politycznej rewolty, ale jak z bliskim kolegą.

— W Karsie stacjonuje niewielka brygada — wyjaśnił Sunay, widząc zainteresowanie Ka. — W czasie zimnej wojny większość wojsk rozlokowano w Sarıkamış na wypadek ewentualnego ataku Sowietów. Ci tutaj mogli najwyżej opóźnić pierwsze natarcie. Teraz przydają się do ochrony granicy z Armenią.

I znów zaczął opowiadać. Kiedy po przyjeździe do miasta wysiadł, tak jak Ka, z autobusu jadącego z Erzurumu, poszedł do restauracji Yeşilyurt i tam przypadkiem natknął się na Osmana Nuriego Çolaka, którego znał od trzydziestu lat z okładem. Chodzili razem do tej samej klasy Akademii Wojskowej Kuleli. Osman był tam wtedy jedynym człowiekiem mającym pojęcie o Pirandellu i dramatach Sartre'a.

— W przeciwieństwie do mnie nie udało mu się wylecieć ze szkoły za brak dyscypliny, ale wojsko niezbyt go pociągało. Pewnie dlatego nie został oficerem. Poza tym żartowano, że i tak był zbyt niskiego wzrostu, by awansować. Teraz, po latach, jest zły i rozżalony, ale myślę, że nie z powodów zawodowych. Żona odeszła i zabrała mu dziecko. Ma dość samotności, nudy i małomiasteczkowych plotek, chociaż sam jest największym plotkarzem. Wtedy w restauracji to on zaczął mówić o nielegalnym uboju, kredytach w Banku Rolnym i kursach koranicznych, za które wziąłem się zaraz po ogłoszeniu puczu. Tamtego wieczoru trochę za dużo wypił. Ucieszył się na mój widok, miał się przed kim poskarżyć, wyżalić. I trochę w ramach wymówki, a trochę dla przechwałki powiedział, że musi następnego dnia wstać wcześnie rano, bo cały nadzór nad Karsem spoczywa w jego rękach. Komendant brygady pojechał do Ankary z cierpiącą na reumatyzm żoną, zastępujący go pułkownik dostał nagłe wezwanie na zebranie w Sarıkamış, a wojewoda utknął w Erzurumie. Teraz cała władza nad tym miastem spoczęła w jego rękach! Śnieg nie przestawał padać i wiadomo już było, że drogi, jak każdej zimy, pozostaną nieprzejezdne przez kilka dni. Od razu zrozumiałem, że na taką szansę czekałem całe życie. I poprosiłem o następną podwójną rakı dla mego przyjaciela.

Sztywnoręki*, jak nazywał go Sunay, czyli licealny kolega pułkownik Osman Nuri Çolak, którego głos Ka słyszał przed chwilą w krótkofalówce, pomysł przeprowadzenia tej dziwacznej rewolucji uznał początkowo za żart albo wygłup wymyślony przy wódce i sam nawet stwierdził dowcipnie, że całą sprawę uda się załatwić za pomocą dwóch czołgów (potwierdził to później raport sporządzony przez wspomnianego już inspektora przysłanego z Ankary). Potem nie mógł się już wycofać jak tchórz, wszedł w to, wierząc zresztą, że koniec końców i Ankara będzie zadowolona z obrotu spraw. Nie szukał żadnej prywatnej zemsty, nie pałał gniewem ani chęcią zysku. (Z raportu inspektora wynikało, że Sztywnoręki złamał własne zasady i z powodu jakiejś kobiety kazał swoim ludziom wtargnąć do domu stomatologa kemalisty w dzielnicy Republiki). Pół kompanii, wykorzystywanej zazwyczaj do przeszukiwania domów i szkół, cztery ciężarówki i dwa czołgi model T-1, które z powodu kłopotów z częściami należało uruchamiać z wielką wprawą i delikatnością — to wszystkie siły, jakie udało się zaangażować do rozpętania rewolucji. Jeśli nie liczyć grupy specjalnej Z. Demirkola, która wzięła na siebie wykroczenia dokonane przez „nieznanych sprawców", prawie całą robotę załatwili pracowici funkcjonariusze policji i wywiadu. Przez lata dzięki pomo-

---

* Çolak — dosłownie: ktoś o niesprawnej dłoni lub całej ręce.

cy co dziesiątego mieszkańca miasta pieczołowicie przygotowywali teczki obywateli, pewni, że nadejdzie moment, gdy staną się przydatne. Funkcjonariusze ci na wieść o planowanym uderzeniu rozpuścili plotkę, że zwolennicy laicyzmu organizują manifestację w Teatrze Narodowym. Radość śledczych była tak ogromna, że postanowili wysłać oficjalne telegramy do kolegów pechowo wypoczywających akurat poza miastem, by namówić ich do natychmiastowego powrotu i wzięcia razem z nimi udziału w tym wielkim święcie, które miało być ukoronowaniem ich pracy.

Z odgłosów dobiegających z włączonej krótkofalówki wynikało, że potyczka w dzielnicy Sukapı weszła w kolejną fazę. Najpierw rozległy się trzy strzały, a kilka sekund później ten sam dźwięk odbił się echem po ośnieżonej dolinie. Ka uznał, że zwielokrotniony zgrzytem aparatu hałas był bardziej efektowny.

— Nie bądźcie okrutni — wycedził Sunay do krótkofalówki — ale pokażcie, że rewolucja trwa, państwo jest silne i nikomu nie da sobie w kaszę dmuchać.

Z zadumaną miną w wielce dramatyczny sposób chwycił się palcem wskazującym i kciukiem lewej dłoni za podbródek. Zobaczywszy ten gest, Ka przypomniał sobie jedną z historycznych sztuk wystawianych w połowie lat siedemdziesiątych, w której Sunay wypowiadał te same słowa. Teraz aktor nie był już jednak tak przystojny, miał zmęczoną, zniszczoną i pobladłą twarz.

Sunay wziął z biurka wojskową lornetkę z lat czterdziestych. Włożył grube, wytarte, filcowe palto, które nosił od dziesięciu lat, podróżując po kraju, wetknął na głowę barani kołpak i chwyciwszy Ka pod ramię, wyprowadził go na zewnątrz. Poeta przystanął, zaskoczony zimnem. Poczuł, jak bardzo małe i słabe były wobec tego zimna ludzkie marzenia, chęci i zwykłe polityczne szachrajstwa. Zauważył, że

Sunay utyka na lewą nogę bardziej, niż mu się wcześniej wydawało. Idąc po zaśnieżonym chodniku, pomyślał z radością, że w całym mieście tylko oni teraz spacerują po ulicach. I nie była to jedynie przyjemność obcowania z ujmującym pięknem miasta i jego urokliwymi, starymi rezydencjami ani nawet nagłe pragnienie miłości — Ka poczuł rozkosz bycia blisko władzy.

— To najładniejsze miejsce w Karsie — powiedział Sunay. — Razem z moją kompanią jestem tu trzeci raz w ciągu dziesięciu lat. Za każdym razem po zmroku przychodzę pod te oliwniki i platany, słucham srok i wron i patrzę z melancholią na twierdzę, most i liczącą czterysta lat łaźnię.

Stali teraz na moście nad zamarzniętą rzeką Kars. Sunay pokazał palcem jeden z baraków wzniesionych na wzgórzu po lewej stronie. Nieco niżej jechał czołg, a za nim wojskowy wóz.

— Widzimy was! — krzyknął do krótkofalówki.

Przyłożył do oczu lornetkę. Po chwili w krótkofalówce rozległy się dwa strzały, po czym ich echo odbiło się w dolinie rzeki. Czy to było pozdrowienie dla nich? Dalej, przed mostem, czekało dwóch ochroniarzy. Patrzyli na dzielnicę slumsów, która rozrosła się tu sto lat po tym, jak rosyjskie armaty zburzyły rezydencje osmańskich oficerów, na park po drugiej stronie rzeczki, w którym kiedyś bawiła się miejscowa burżuazja, i na miasto rozciągające się za nim.

— To Hegel pierwszy zauważył, że teatr i historia powstały z tej samej materii — odezwał się Sunay. — Przypominał, że historia, jak teatr, wciąż każe komuś odgrywać jakąś rolę. I tak jak na teatralne deski, na scenę historii wychodzą tylko odważni...

Całą doliną wstrząsnął huk. Ka zrozumiał, że to umieszczony na czołgu karabin maszynowy ruszył do akcji. Czołg strzelił z działa, ale niecelnie. Potem żołnierze rzucili granaty. Jakiś pies zaszczekał. Otworzyły się drzwi chałupy, dwie osoby wyszły na zewnątrz. Podniosły ręce. Przez wybite okna domu buchały języki ognia. Ludzie położyli się w śniegu. Czarny pies, z radością poszczekując, biegał dokoła, a potem zwiesił głowę nad nimi. Jakiś mężczyzna z tyłu nagle zaczął biec, żołnierze otworzyli ogień. Upadł na ziemię i zaległa cisza. Później ktoś jeszcze krzyczał, ale Sunay odwrócił się, nie zważając już na nikogo.

Razem z obstawą ponownie weszli do zajętej przez Sunaya szwalni. Kiedy Ka przekroczył próg budynku i zobaczył przepiękne stare tapety, poczuł, że nadchodzi natchnienie. Przycupnął w kącie.

Szczerze pisał o przyjemności, jaką czerpał, stojąc u boku władzy, reprezentowanej przez Sunaya Zaima, o ich koleżeństwie i poczuciu winy wobec popełniających samobójstwa dziewcząt. Później nadał wierszowi tytuł *Samobójstwo i władza*. A jeszcze później pomyślał, że wszystko, czego doświadczył w Karsie, udało mu się najwierniej i najdobitniej oddać w tym właśnie, niemal idealnym utworze.

23.

Bóg jest na tyle sprawiedliwy, by wiedzieć, że problem nie dotyczy rozumu i wiary, ale całego życia

Z Sunayem w kwaterze głównej

Sunay Zaim, wiedząc, że Ka skończył pisać wiersz, wstał od zasypanego papierami biurka, podszedł do niego, utykając, i pogratulował.

— Wiersz, który recytowałeś wczoraj w teatrze, był bardzo nowoczesny — stwierdził. — Wielka szkoda, że widownia w naszym kraju nie dorosła jeszcze do awangardowej poezji. Dlatego ja w swoich dziełach wykorzystuję to, co rozumie przeciętny widz — taniec brzucha i przygody bramkarza Vurala. A później zawsze wplatam we wszystko przenikający do naszej codzienności, najbardziej nowoczesny teatr życia. Wolę mieszać sztukę niską i wysoką w przedstawieniach dla ludu, niż grywać bulwarowe komedie dzięki wsparciu finansowemu któregoś z banków. A teraz powiedz mi, przyjacielu, dlaczego nie wskazałeś żadnego z podejrzanych na komendzie ani na Wydziale Weterynarii?

— Nie rozpoznałem nikogo.

— Gdy zobaczyli twoją reakcję na widok zwłok chłopaka, który cię zaprowadził do Granatowego, natychmiast chcieli cię aresztować. Stałeś się dla nich podejrzany, bo przyjechałeś z Niemiec w przededniu rewolucji i byłeś w cukierni, kiedy zastrzelono dyrektora ośrodka kształcenia. Chcieli cię przesłuchać, siłą wyciągnąć wszystkie tajemnice. Powstrzymałem ich, poręczyłem za ciebie.

— Dziękuję.

— Ale nadal nikt nie rozumie, dlaczego go pocałowałeś.

— Nie wiem — przyznał Ka. — Miał w sobie coś szczerego. Myślałem, że będzie żył sto lat.

— Mam ci powiedzieć, co to było za ziółko z tego twojego Necipa?

Wyjął kartkę, z której odczytał spisane informacje na temat chłopaka. W marcu ubiegłego roku Necip uciekł ze szkoły, brał udział w akcji tłuczenia szyb w piwiarni Neşe, sprzedającej alkohol w trakcie ramadanu. Czas jakiś pracował jako kurier dla Partii Dobrobytu, którą musiał opuścić z powodu zbyt radykalnych poglądów lub też okropnego ataku wściekłości, jakim przeraził wszystkich (skoro istniały dwie wersje zdarzeń, w partii musiało działać kilku donosicieli). Od osiemnastu miesięcy usiłował wkupić się w łaski odwiedzającego Kars Granatowego, którego uwielbiał nad życie. Napisał „niezrozumiałą" dla śledczych historię, którą złożył w redakcji lokalnej islamskiej gazety, wydawanej w siedemdziesięciu pięciu egzemplarzach. Razem z kolegą Fazılem Necip planował zabójstwo felietonisty tejże gazety — emerytowanego farmaceuty, który kilka razy pocałował go w podejrzany sposób (oryginał listu wyjaśniającego, jaki chłopcy mieli pozostawić na miejscu zbrodni, został skradziony z archiwów wywiadu i dołączony do dokumentacji, która znalazła się w rękach Sunaya). W różnych okolicznościach widziano Necipa w towarzystwie kolegów, jak — rozbawiony — przechadzał się aleją Atatürka. Pewnego dnia zauważono i odnotowano, że wykonywał niecenzuralne gesty w kierunku przejeżdżającego obok policyjnego radiowozu.

— Narodowa Organizacja Wywiadowcza świetnie się tu sprawuje — podsumował Ka.

— Wiedzą też, że poszedłeś do naszpikowanego podsłuchem domu szejcha Saadettina, ucałowałeś jego rękę i, płacząc, tłumaczyłeś, że wierzysz w Boga. Wiedzą, że się poniżyłeś przed jego ludźmi. Nie mają tylko pojęcia, dlaczego to zrobiłeś. Kilku lewicowych poetów w tym kraju zdążyło się już nawrócić i zmienić poglądy. Chcieli to zrobić, jeszcze zanim tamci dojdą do władzy.

Ka poczerwieniał. Czując, że Sunay traktuje jego zmieszanie jako oznakę słabości, zawstydził się jeszcze bardziej.

— Wiem, że przygnębiło cię to, co widziałeś dziś rano. Policja okropnie traktuje tych młodych ludzi. Zdarzają się nawet dranie, którzy biją ich dla przyjemności. Ale nie mówmy teraz o tym. — Podał Ka papierosa. — W młodości, jak ty, chodziłem po ulicach Nişantaşı i Beyoğlu, w upojeniu oglądałem zachodnie filmy, czytałem Sartre'a i Zolę. Wierzyłem, że Europa jest naszą przyszłością. I nie sądzę, żebyś chciał teraz bezczynnie patrzeć, jak rozpada się cały ten z trudem zbudowany świat, twoje siostry pod przymusem wkładają chusty, a poezja, którą tworzysz, niezgodna z myślą religijną, jak w Iranie trafia na indeks. Pochodzisz z mojego świata. W Karsie nikt oprócz nas nie czytał T.S. Eliota.

— Muhtar, kandydat na burmistrza z ramienia Partii Dobrobytu, czytał — sprostował Ka. — Jego bardzo interesuje poezja.

— Nawet nie musieliśmy go aresztować — stwierdził Sunay z uśmiechem. — Pierwszemu policjantowi, który do niego poszedł, wręczył oświadczenie, że wycofuje swoją kandydaturę.

Usłyszeli eksplozję. Zadrżały okienne futryny, zabrzęczały szyby. Obaj popatrzyli w stronę, z której dobiegł hałas — w okna wychodzące na rzekę Kars. Nie dostrzegli niczego poza ośnieżonymi topolami i zamarzniętym dachem opuszczonego budynku stojącego po drugiej stronie ulicy. Podbiegli do okna. Na ulicy nie było nikogo oprócz ochroniarza czekającego przed drzwiami. Nawet w południe Kars wyglądał przygnębiająco.

— Dobry aktor — zaczął nagle Sunay teatralnym tonem — przedstawia energię, która przez lata, setki lat ukryta była w mrokach historii, nie wybuchła i nie została nazwana. Przez całe życie gra w najdalszych zakątkach świata, na nieprzetartych szlakach i na najbardziej zapyziałych teatralnych scenach, szukając głosu, który podaruje mu prawdziwą wolność. Kiedy go znajdzie, musi bez obaw podążać za nim do samego końca.

— Za trzy dni, kiedy śnieg stopnieje i otworzą drogi, Ankara wystawi rachunek za przelaną tu krew — powiedział Ka. — I to nie dlatego, że ci na górze nie lubią jej widoku. Nie spodoba im się, że problem rozwiązał za nich ktoś inny. A mieszkańcy Karsu znienawidzą cię za twój dziwaczny spektakl. I co wtedy zrobisz?

— Widziałeś lekarza. Mam chore serce, nie będę żył długo. Nie dbam o to — oświadczył Sunay. — Posłuchaj, mówią, że gdybyśmy znaleźli na przykład zabójcę dyrektora ośrodka kształcenia i natychmiast go powiesili, transmitując wszystko w telewizji, wtedy w całym Karsie zrobiłoby się cicho jak makiem zasiał.

— Już teraz nikt nic nie mówi — stwierdził Ka.

— Podobno przygotowują samobójcze ataki bombowe.

— Jeśli kogoś powiesicie, może być jeszcze gorzej.

— Boisz się, że będzie ci wstyd, kiedy Europa zobaczy, co się tutaj dzieje? A wiesz, ilu ludzi trafiło na stryczek, żeby oni mogli zbudować ten swój nowoczesny świat, który cię tak fascynuje? Takiego jak ty liberała, idealistę o ptasim móżdżku Atatürk natychmiast kazałby powiesić! — powiedział Sunay. — I pamiętaj, że uczniowie, których widziałeś dziś w celi, na zawsze wyryli sobie w pamięci każdy centymetr twojej twarzy. A bomby gotowi są rzucać wszędzie, byle tylko dać o sobie znać. Wczoraj wieczorem recytowałeś na scenie swój wiersz — dla nich to znaczy, że współpracujesz z nami... Każdy, kto choć trochę przypomina człowieka Zachodu i chce tutaj żyć, potrzebuje armii strzegącej laickości tego kraju. Szczególnie jest ona potrzebna zadufanym w sobie, poniżającym zwykły lud intelektualistom. Inaczej religijni fanatycy powyrzynają po kolei ich i ich malowane żony. Ale ci zarozumialcy mają się za Europejczyków i z wyższością kręcą nosem na armię, która przecież gwarantuje im spokój. Czy myślisz, że kiedy już powstanie tu drugi Iran, ktokolwiek będzie pamiętał, że ty, strachliwy liberał, płakałeś nad jakimiś dzieciakami ze szkoły koranicznej? Wtedy zabiją cię, bo będziesz zbyt zachodni. Zginiesz, bo akurat ze strachu zapomnisz wyznania wiary, bo jesteś snobem, bo nosisz krawat albo to palto. A tak w ogóle to skąd je masz? Czy mogę włożyć je podczas spektaklu?

— Oczywiście.

— Dam ci ochronę, żeby go ktoś nie podziurawił. Na ulice będzie można wyjść w drugiej połowie dnia, za chwilę ogłoszę to w telewizji. Nie ruszaj się stąd teraz.

— W Karsie nie ma terrorystów, których należałoby się szczególnie obawiać — stwierdził Ka.

— Nam wystarczą ci, którzy są — powiedział Sunay. — Tym krajem można rządzić tylko wtedy, gdy zaszczepi się wśród ludzi strach przed fanatykami. I zawsze potem okazuje się, że ten strach jest uzasadniony. Jeśli lud, przerażony religijnym fanatyzmem, nie odda się w ręce państwa i armii, czekają go zacofanie i anarchia, jak na Bliskim Wschodzie albo w niektórych azjatyckich państwach, gdzie wciąż rządzą rodowo-plemienne układy.

Wyprostowany jak struna Sunay perorował pewnym siebie głosem, patrząc co jakiś czas w umieszczony tuż nad głowami nie istniejących widzów punkt w przestrzeni. Ka przypomniał sobie pozy, jakie aktor przybierał dwadzieścia lat wcześniej na teatralnych deskach. Ale nie było mu do śmiechu. Czuł, że teraz sam jest częścią jego anachronicznej sztuki.

— Proszę mi w końcu powiedzieć, czego ode mnie chcecie — zażądał.

— Bez mojej pomocy trudno ci będzie ocalić głowę w tym mieście. I choćbyś nie wiem jak podlizywał się islamistom, podziurawisz palto. Ja jestem tu twoim jedynym przyjacielem. Jedynym aniołem stróżem. Nie zapominaj, że jeśli stracisz i moją sympatię, trafisz prosto do którejś z cel w piwnicach komendy głównej. Wiesz, co cię tam czeka. A twoi przyjaciele z „Cumhuriyetu" nie uwierzą tobie, lecz wojsku. Zapamiętaj to.

— Zapamiętam.

— To powiedz mi wreszcie, co dziś rano zataiłeś przed policją i ogarnięty wyrzutami sumienia schowałeś w sercu.

— Chyba zaczynam wierzyć w Boga — powiedział Ka z uśmiechem — i chyba nadal to przed sobą ukrywam.

— Sam siebie oszukujesz! Nawet jeśli tak jest, wiara w pojedynkę nie ma sensu. Chodzi o to, by wierzyć jak biedota, by być jednym z nich. Dopiero gdy będziesz jeść to, co oni, żyć razem z nimi, śmiać się i złościć na te same rzeczy, wtedy uwierzysz w ich Boga. Żyjąc inaczej, nie możesz tego zrobić. Bóg jest na tyle sprawiedliwy, by wiedzieć, że problem nie dotyczy rozumu i wiary, ale całego życia. Ale nie o to teraz pytam. Za pół godziny wystąpię w telewizji z orędziem dla miasta. Chcę przekazać wszystkim dobrą nowinę. Powiem, że schwytano zabójcę dyrektora ośrodka kształcenia. Prawdopodobnie ta sama osoba zamordowała wcześniej burmistrza. Czy mogę obwieścić, że to ty dziś rano rozpoznałeś zabójcę? A potem wystąpisz ty i wszystko potwierdzisz?

— Ależ ja nikogo nie rozpoznałem!

Sunay, chwyciwszy Ka za rękę w sposób daleki od teatralnej finezji, pociągnął go za sobą szerokim korytarzem. Po chwili znaleźli się w białym pokoju, którego okna wychodziły na wewnętrzny dziedziniec. Zerknąwszy do środka, Ka chciał natychmiast się odwrócić i wyjść. Bardziej niż brud panujący w pomieszczeniu przeraziła go ostentacyjnie wyeksponowana prywatność jego mieszkańców. Na sznurze rozciągniętym między okienną zasuwą a wbitym w ścianę gwoździem rozwieszono rajstopy. W stojącej w kącie otwartej walizce Ka zobaczył suszarkę, rękawiczki, koszule i gigantyczny biustonosz, który mógł należeć tylko do Fundy Eser. Obok, przy zasypanym papierami i kosmetykami stole siedziała Funda i czytając, jadła coś łyżką z niewielkiej miski. Kompot? — pomyślał Ka. A może zupę?

— Oboje jesteśmy tu dla nowoczesnej sztuki... Jesteśmy z sobą zrośnięci jak syjamskie bliźnięta — powiedział Sunay, ściskając ramię poety.

Ka nie miał pojęcia, o czym tamten mówi. Teatralna fikcja myliła mu się z rzeczywistością.

— Bramkarz Vural zniknął — powiedziała Funda Eser. — Wyszedł rano i nie wrócił.

— Spił się pewnie gdzieś — stwierdził Sunay.

— Ale gdzie? — zapytała kobieta. — Wszystko pozamykane, sam zakazałeś ludziom wychodzić na ulice. Żołnierze już go szukają. Boją się, że ktoś go porwał.

— I oby tak było! — podsumował Sunay. — Może obedrą go ze skóry i obetną mu język, a my będziemy mieć spokój.

Mimo ostrych słów i mało wytwornych manier ich dialog skrzył się dowcipem, a widoczne jak na dłoni małżeńskie braterstwo dusz budziło w Ka szacunek i zazdrość. Kiedy w pewnym momencie poeta napotkał wzrok Fundy Eser, odruchowo skłonił się prawie do ziemi.

— Szanowna pani, wczoraj wieczorem wyglądała pani wspaniale — powiedział z nutą prawdziwej adoracji.

— Ależ drogi panie — odparła kobieta lekko zawstydzona. — W naszym teatrze to widz, a nie aktor zasługuje na komplementy.

Spojrzała na męża. Rozmawiali szybko, jak zapracowany król z królową, zatroskani o losy państwa. Ka z podziwem i zaskoczeniem obserwował, jak małżonkowie ustalają, w jakim ubiorze powinien wystąpić Sunay przed telewizyjną widownią (strój cywilny? mundur? a może garnitur?), jak spisują tekst orędzia (część przygotowała Funda), jak czytają donos właściciela hotelu Şen Kars, w którym zatrzymali się podczas poprzedniego pobytu w mieście, oraz jego prośbę o łagodniejsze traktowanie (wyraźnie zaniepokojony częstymi wizytami żołnierzy informował o dwóch podejrzanych młodych gościach), a także jak notują na paczce papierosów popołudniowy program dla telewizji Przygraniczny Kars (czwarta i piąta emisja wieczornego przedstawienia z Teatru Narodowego, trzykrotne powtórzenie orędzia Sunaya Zaima, występy pieśniarza poświęcone bohaterom przygranicza, film dokumentalny o turystycznych urokach Karsu, film turecki *Gülizar*).

— A co zrobić z naszym poetą, który ma mętlik w głowie, bo myśli o Europie, a sercem jest przy uczniach z koranicznych szkół? — zapytał Sunay.

— To dobry chłopak — powiedziała Funda Eser ze słodkim uśmiechem. — Widać po twarzy. Pomoże nam.

— Ale on płacze nad islamistami!

— Zakochany jest, to dlatego — stwierdziła Funda. — Ostatnio bardzo uczuciowy się zrobił.

— A! Zakochany poeta? — zapytał Sunay, przesadnie gestykulując. — Naprawdę, tylko naiwny poeta może się zajmować miłością, kiedy trwa rewolucja.

— On nie jest naiwnym poetą. Jest tylko naiwnie zakochany.

Małżonkowie jeszcze przez jakiś czas kontynuowali swoją grę, która rozzłościła Ka i porządnie namąciła mu w głowie. Potem wszyscy usiedli przy wielkim szwalniczym stole, żeby napić się wspólnie herbaty.

— Chcę, byś zrozumiał, że najrozsądniej będzie nam pomóc — zagaił Sunay. — Kadife jest kochanką Granatowego. Granatowy przyjeżdża do Karsu nie z powodów politycznych, ale z miłości. Policja nie aresztowała go, bo chciała, żeby naprowadził ją na ślad młodych islamistów. I teraz tego żałuje. Wczoraj wieczorem, przed starciem w bursie, przepadł jak kamień w wodę. Wszyscy młodzi islamiści z tego miasta bezgranicznie go uwielbiają. Są z nim bardzo mocno związani. On gdzieś tu jest i na pewno się do ciebie odezwie. Możesz mieć problem z powiadomieniem nas, dlatego zrobimy tak jak ze świętej pamięci nieboszczykiem dyrektorem — przymocujemy ci mikrofon, a nawet dwa. Do palta przyczepimy bezprzewodowy nadajnik, żebyś nie musiał się obawiać, kiedy Granatowy cię znajdzie. A po spotkaniu, kiedy już się oddalisz, natychmiast go aresztujemy. — Sunay po minie poety zorientował się, że pomysł ten nie bardzo mu przypadł do gustu. — Nie naciskam — dodał. — Po tym, co dziś zrobiłeś, wydaje mi się, że jesteś ostrożniejszy, niż można by sądzić. Umiesz zadbać o siebie. Ale powinieneś się mieć na baczności w towarzystwie Kadife. Wywiad podejrzewa, że o wszystkim donosi Granatowemu. O rozmowach własnego ojca z gośćmi przy kolacji pewnie też. Może zdrada ją podnieca? A może robi to, bo ma ręce związane miłością? A jak ty uważasz, co ma w sobie takiego fascynującego?

— Kto? Kadife? — zapytał Ka.

— Granatowy, oczywiście! — warknął Sunay ze złością. — Dlaczego wszyscy są zapatrzeni w tego mordercę? Dlaczego stał się legendą w całej Anatolii? Rozmawiałeś z nim. Czy możesz mi to wyjaśnić?

Ka, widząc, jak Funda Eser zaczyna dokładnie i czule czesać męża plastikowym grzebieniem, zamilkł na dobre, całkowicie rozkojarzony.

— Pamiętaj, żeby wysłuchać mojego orędzia — polecił Sunay. — A teraz ciężarówką odwieziemy cię do hotelu.

Do końca godziny policyjnej zostały trzy kwadranse. Ka poprosił o zezwolenie na samodzielny powrót do hotelu. Wielkodusznie się na to zgodzili.

Spacer po opustoszałej szerokiej alei Atatürka, cisza zasypanych śniegiem bocznych ulic, widok ośnieżonych oliwników i porosyjskich domów nieco rozjaśniły mu w głowie. Kiedy całkiem już doszedł do siebie, zorientował się, że ktoś za nim idzie. Minął aleję Halita Paszy i skręcił w lewo w aleję Küçük Kazıma Beja. Drepczący z tyłu agent z trudem nadążał za Ka, dysząc ciężko i zapadając się co chwila w miękkim śniegu. Kilka kroków za nim biegło wesoło przyjacielskie czarne psisko z białą łatą na czole, które Ka widział na dworcu poprzedniego dnia. Poeta obserwował ich przez moment, ukryty w jednym z porozrzucanych po dzielnicy Yusufa Paszy sklepów z galanterią. Kiedy zasapany agent odpowiednio się zbliżył, Ka niespodziewanie zastąpił mu drogę.

— Idzie pan za mną w celach wywiadowczych czy jako ochrona?

— Jak pan sobie życzy, szanowny panie.

Mężczyzna był tak zmęczony, że nie miałby pewnie siły w razie czego bronić ani Ka, ani samego siebie. Wyglądał przynajmniej na sześćdziesiąt pięć lat, miał pomarszczoną twarz, słaby głos i wyblakłe oczy. Ka pomyślał, że bardziej niż policjanta przypominał biedaczynę wystraszonego widokiem przedstawiciela władzy. Zrobiło mu się żal na widok rozchodzonych buciorów Sümerbanku, jakie nosili wszyscy policjanci w kraju.

— Pan jest z policji. Jeśli ma pan legitymację służbową, może mógłby pan nakazać otworzyć restaurację Yeşilyurt? Posiedzielibyśmy sobie trochę.

Nie musieli nawet zbyt długo pukać do drzwi lokalu. I tak właśnie w towarzystwie agenta o imieniu Saffet Ka zaczął oglądać telewizyjne przemówienie Sunaya. Popijając rakı, dzielił się z czarnym psiskiem jedzonym w milczeniu rogalikiem. Orędzie nie różniło się niczym od wystąpień nadawanych w podobnych sytuacjach. Kiedy aktor oskarżał Kurdów, podjudzanych przez zewnętrznych wrogów Republiki, religijnych fanatyków i barbarzyńskich polityków gotowych na wszystko, by zdobyć przyzwolenie elektoratu na doprowadzenie Karsu na skraj przepaści, Ka poczuł znużenie.

Poeta pił właśnie drugą rakı, kiedy jego towarzysz z nabożeństwem wskazał palcem Sunaya w telewizorze. Cechy, jakie mogłyby od biedy zdradzać jego agenturalny fach, przepadły w okamgnieniu. Ten zmęczony stary człowiek wyglądał teraz jak biedny, szary obywatel, a na jego twarzy malował się przepraszający wyraz jak u zmartwionego petenta.

— Pan go zna. A nawet więcej: on pana szanuje — powiedział. — Mam ogromną prośbę. Jeśli pan łaskawie przedłoży mu ją, może wreszcie skończy się moja gehenna. Błagam, niech mnie odwołają ze śledztwa w sprawie zatruć. Niech przeniosą gdzie indziej!

Na prośbę poety wstał i zaryglował drzwi restauracji. Usiadł z powrotem przy stole i zaczął wyjaśniać, czego dotyczyło to „śledztwo".

Wyjątkowo zagmatwana historia — której zrozumienie utrudniały dodatkowo kulawa narracja nieszczęsnego agenta i podlane alkoholem, porządnie już roztańczone myśli poety — zaczynała się od podejrzeń, jakoby niewinnie wyglądający cynamonowy sorbet, sprzedawany obok kanapek i papierosów w odwiedzanym gromadnie przez wojsko i pracowników wywiadu, usytuowanym w centrum miasta stoisku Modern Büfe, był w istocie śmiertelną trucizną. Pierwszy zwrócił na to uwagę oficer rezerwy piechoty ze Stambułu. Dwa lata temu, na krótko przed wykonaniem wyjątkowo ciężkiego i niewdzięcznego zadania, młodzieniec ów zaczął się trząść jak w febrze. Dygotał tak potwornie, że nie mógł stać o własnych siłach. Kiedy w lazarecie okazało się, że uległ zatruciu, rozżalony chłopak, którego widziano już pośród zmarłych, zrzucił całą winę na gorący sorbet wypity z ciekawości w bufecie przy skrzyżowaniu alei Küçük Kazıma Beja z aleją Kazıma Karabekira.

Historia ta pewnie szybko poszłaby w niepamięć, gdyby nie przypomniano sobie, że nie tak dawno dwóch innych oficerów rezerwy trafiło do lazaretu z podobnymi objawami. Tak samo trzęśli się i mamrotali, słaniali na nogach i jednogłośnie zrzucali winę na ten sam gorący cynamonowy sorbet. Okazało się, że napój ów został wprowadzony do bufetowego menu przez jego właścicieli, krewnych pewnej kurdyjskiej staruszki, wynalazczyni specyfiku, który zrobił furorę wśród członków jej rodziny i sąsiadów. Wszystkie te informacje napłynęły do sztabu dywizji w Karsie dzięki sprawnie przeprowadzonej inwigilacji. Ale dokonana na Wydziale Weterynarii analiza chemiczna podkradzionych próbek babcinego sorbetu nie wykazała śladów trucizny. I możliwe, że sprawę by zamknięto, gdyby nie pewien generał. Rozmawiając o tej historii z małżonką, ku własnemu przerażeniu dowiedział się, że popija ona ów gorący specjał całymi szklankami jako rewelacyjne remedium na reumatyzm. Wiele oficerskich żon, ba, wielu oficerów popijało ów sorbet w celach medycznych lub po prostu dla poprawy nastroju. W wyniku szybkiego śledztwa generał zorientował się, że napój sprzedawany w centrum miasta, przez które sam przejeżdżał dziesięć razy dziennie, uznany został za relaksującą nowinkę ostatnich miesięcy. Nie żałowali go sobie oficerowie ani ich bliscy, szeregowcy na przepustce ani rodziny odwiedzające żołnierzy w koszarach.

Generał postanowił przekazać sprawę wywiadowi i inspektorom ze sztabu generalnego, bo choć w zaciętym konflikcie armia zdobyła zdecydowaną przewagę nad bojówkami PKK, marzący o przyłączeniu się do górskiej partyzantki bezrobotni, bezczynni i zblazowani młodzi Kurdowie marzyli także o okrutnej zemście na żołnierzach. Przepełnieni nienawiścią, opracowywali plany podkładania bomb, porwań, przewrócenia pomnika Atatürka, zatrucia wody w Karsie i wysadzenia mostów — nie umknęły one uwagi rozmaitych agentów, czujnie drzemiących w miejskich *çayhane*. Dlatego sprawę sorbetu potraktowano poważnie. Ze względu na delikatność materii odrzucono opcję przesłuchania właścicieli bufetu przy użyciu tortur. Zamiast tego do kuchni kurdyjskiej babki, zachwyconej popularnością wynalazku, oraz do nieszczęsnego lokalu wysłano agentów powiązanych z urzędem wojewódzkim. Działający w bufecie wywiadowca stwierdził najpierw, że babciny wynalazek, szklanki, rozwieszone na wywiniętych rączkach blaszane nabierki, ścierki do rąk, pudełko na drobne czy dłonie pracowników nie miały kontaktu z żadną podejrzaną substancją. Tydzień później, zmożony gorączką i ciągłymi wymiotami, z objawami zatrucia, musiał zrezygnować z pracy.

Tymczasem agent ulokowany w dzielnicy Atatürka w babcinej kuchni wykazał się większą sumiennością. Spisywał wszystko — od wizytujących domostwo gości po zakupione produkty (marchew, jabłka, śliwki i suszoną morwę, kwiat granatu, dziką różę i prawoślaz lekarski) — i każdego wieczoru wysyłał przełożonym szczegółowy meldunek. Jego raporty w krótkim czasie zmieniły się jednak w peany na cześć gorącego sorbetu. Agent opróżniał każdego dnia pięć lub sześć karafek i sumiennie donosił, że nie widzi w tym żadnej szkody, tylko same pożytki oraz że babciny eliksir jako sporządzany w górach napój wspomniany jest w słynnym eposie *Mem i Zin**. Przysłani z Ankary specjaliści uznali, że nie należy ufać agentowi ze względu na jego kurdyjskie pochodzenie. Na podstawie raportów wywnioskowali, że sorbet z tajemniczych przyczyn truje wyłącznie Turków, nie działając zupełnie na Kurdów. Konstatacja ta stała jednak w niejakiej sprzeczności z oficjalnym stanowiskiem państwa, według którego Turcy i Kurdowie niczym się od siebie nie różnią, specjaliści musieli więc przemyślenia zachować dla siebie. Po jakimś czasie wysłana ze Stambułu delegacja medyków utworzyła w karskim szpitalu specjalny oddział w celu zbadania trucicielskiego specyfiku. Ponieważ jednak nowo powstałą jednostkę w nadziei na darmowe usługi zaczęli szturmować zdrowi jak rydze mieszkańcy miasta, skarżący się na łysienie, łuszczycę, jąkanie czy rupturę, prestiż prowadzonych tu prac naukowych został niepokojąco nadszarpnięty.

W ten właśnie sposób na odkrycie sorbetowego spisku, który być może przybliżył już ku śmierci tysiące żołnierzy, znów spadło na barki pracowitych wywiadowców, a więc także Saffeta. Do obserwacji osób konsumujących sorbet, warzony z natchnieniem przez kurdyjską babinę, zatrudniono całą armię agentów. Ale teraz nie chodziło już o to, w jaki sposób trucizna trafia do żołądków porządnych obywateli, lecz o jednoznaczne stwierdzenie, czy mieszkańcy miasta rzeczywiście ulegają zatruciu. Dlatego też agenci śledzili

---

* *Mem i Zin* — epos autorstwa Ehmede Xane (1651–1707), poety i filozofa kurdyjskiego.

wszystkich obywateli, cywili i wojskowych, nie mogących odmówić sobie szklanki gorącego cynamonowego rarytasu. Ka obiecał solennie, że wspomni wciąż monologującemu na telewizyjnym ekranie Sunayowi o zgryzocie agenta, który stracił nerwy i zniszczył obuwie, wypełniając to kosztowne i wielce męczące zadanie.

Agent zaś był tak zadowolony, że wychodząc, ucałował poetę z wdzięcznością i własnoręcznie odsunął zasuwę w drzwiach.

24.

Ja, Ka

Sześcioramienny płatek śniegu

Ka szedł do hotelu oczarowany widokiem pustych, ośnieżonych ulic, a za nim wciąż biegło czarne psisko. Siedzącemu w recepcji Cavitowi zostawił liścik dla Ipek: „Przyjdź natychmiast". Gdy znalazł się w pokoju, rzucił się na łóżko i zaczął myśleć o matce. Nie trwało to długo, bo już po chwili zastanawiał się, dlaczego Ipek jeszcze nie ma. Czekanie na nią szybko skłoniło go do bolesnego wniosku, że fascynacja tą kobietą i w ogóle pomysł przyjazdu do Karsu były straszną głupotą.

Minęło mnóstwo czasu, a Ipek nadal nie przychodziła.

W końcu trzydzieści osiem minut po tym, jak Ka przekroczył próg hotelu, Ipek stanęła w drzwiach jego pokoju.

— Poszłam po węgiel — wyjaśniła. — Pomyślałam, że kiedy skończy się godzina policyjna, będą straszne kolejki, więc za dziesięć dwunasta wyszłam przez tylny dziedziniec. A po dwunastej zajrzałam jeszcze na rynek. Gdybym wiedziała, że czekasz, przyszłabym natychmiast.

Ka, zachwycony energią i witalnością, które wniknęły do pokoju wraz z Ipek, przeraził się nagle, że ta radosna chwila zniknie niebawem bez śladu. Patrzył na długie, błyszczące włosy kobiety i jej ruchliwe, drobne dłonie. (Lewa dotknęła po kolei włosów, nosa, paska, framugi drzwi, pięknej, długiej szyi, ponownie włosów oraz naszyjnika z nefrytem, który Ka widział po raz pierwszy).

— Okropnie się w tobie zakochałem. I straszliwie cierpię — wyznał poeta.

— Nie przejmuj się, taki nagły wybuch miłości równie prędko gaśnie.

Ka objął ją pospiesznie i próbował pocałować. Nie opierając się, spokojnie i ze swobodą oddała pocałunek. Dotyk jej drobnych rąk, który czuł na ramionach, i słodkie, delikatne pocałunki doprowadziły go niemal do utraty zmysłów. Dzięki wrodzonej umiejętności szybkiej zmiany nastroju, ogarnięty podnieceniem, natychmiast zapomniał o czarnej rozpaczy. Był tak szczęśliwy, że całkowicie skoncentrował się na tej niezwykłej chwili. Jego zmysły wyostrzyły się, gotowe odbierać wszystko, co docierało z zewnątrz.

— Ja też chcę się z tobą kochać — powiedziała Ipek. Przez chwilę patrzyła przed siebie, a potem wbiła w poetę zdecydowane orzechowe spojrzenie. — Ale już ci mówiłam, że nie wtedy, kiedy ojciec jest tutaj, tuż obok.

— A kiedy ojciec wyjdzie?

— Nigdy — odparła. — Muszę już iść — dodała, otwierając drzwi.

Ka patrzył, jak szła ciemnym korytarzem, a po chwili znikła na schodach. Zamknął drzwi, usiadł na łóżku i wyjął z kieszeni zeszyt. Na czystej stronie zaczął notować wiersz, który natychmiast zatytułował *Bezradność, trudności*.

Po raz pierwszy od dnia, w którym przybył do Karsu, pomyślał, że nie ma niczego do roboty poza uganianiem się za Ipek i pisaniem wierszy. Refleksja ta stała się źródłem poczucia bezradności, ale i zadziwiającej swobody. Wiedział, że jeśli uda mu się namówić Ipek do wspólnego wyjazdu z miasta, będzie z nią szczęśliwy do końca życia. Poczuł przypływ wdzięczności dla śniegu, który zasypując drogi, sprawił, że nastąpił szczęśliwy splot okoliczności i wszystko — miejsce i czas — zaczęło mu sprzyjać.

Włożył palto i nie zauważony przez nikogo wyszedł na ulicę. Nie poszedł w kierunku Ratusza, ale w stronę przeciwną — aleją Narodowej Niepodległości. Skręcił w lewo i maszerował dalej w dół. W aptece Bilim kupił witaminę C w tabletkach. Dotarł do alei Faika Beja, gdzie znów skręcił w lewo, i oglądając witryny restauracji i barów, doszedł do skrzyżowania z aleją Kazıma Karabekira. Pozdejmowano już wszystkie propagandowe chorągiewki przedwyborcze, które wczoraj nadawały ulicy kolorowy i wesoły wygląd; wszystkie sklepy były otwarte. W małym punkcie z kasetami i artykułami papierniczymi dudniła muzyka. Zmarznięci ludzie, którzy wylegli na ulice tylko po to, by nie siedzieć w domu, łazili tam i z powrotem, gapiąc się na wystawy albo siebie nawzajem. Tłum, który zatłoczonymi minibusami przyjeżdżał z okolicznych powiatów, by spędzić dzień na leniwym przesiadywaniu w *çayhane* albo odwiedzinach u fryzjera, nie dotarł dzisiaj do miasta. Pustki fryzjerskich salonów i *çayhane* spodobały się poecie. Biegające po ulicach dzieciaki sprawiły, że całkiem zapomniał o strachu, ba, poczuł nawet zadowolenie. Na małych pustych parcelach, pokrytych śniegiem placach, w parkach przed urzędami i na szkolnych boiskach, mostach przerzuconych nad rzeką Kars i zboczach Ka widział chmary dzieciarni, oddającej się bez reszty jeździe na sankach, walce na śnieżki, bieganiu i kłótniom pełnym przekleństw. Niektórzy stali wręcz z boku i pociągali nosem. Tylko kilkoro nosiło zimowe kurtki. Większość miała na sobie szkolne marynarki, szaliki i *takke*. Ka obserwował radosną ciżbę, szczęśliwą, że z powodu wojskowego przewrotu zamknięto szkoły. Kiedy zimno za bardzo mu doskwierało, odwiedzał najbliższą *çayhane*, wypijał herbatę, siedząc przy stole na wprost agenta Saffeta, po czym znów wychodził na zewnątrz.

Przyzwyczaił się do cichej obecności agenta i wcale się go nie bał. Wiedział, że jeśli tamci rzeczywiście chcieli go obserwować i tak przydzieliliby mu niewidzialnego „opiekuna". Agent jawny zawsze odwracał uwagę od wywiadowcy ukrytego. Dlatego kiedy w pewnej chwili Ka stracił Saffeta z oczu, poważnie się przestraszył i poszedł go szukać. Znalazł go w alei Faika Beja, w miejscu, gdzie poprzedniego dnia natknął się na czołg. Zadyszany Saffet z reklamówką w ręku również go szukał.

— Pomarańcze bardzo tanie, nie mogłem się oprzeć! — wytłumaczył. Podziękował Ka, że na niego poczekał. Stwierdziwszy, że poeta dowiódł tym samym swojej dobrej woli, dodał: — Jeśli od tej chwili będzie mi pan mówił, dokąd chce pójść, obaj nie zmęczymy się nadaremno.

Ale Ka nie miał pojęcia, dokąd pójdzie. Kiedy później razem z agentem siedzieli w kolejnej pustej *çayhane* o oszronionych szybach, stwierdził, że ma ochotę wypić dwie rakı i odwiedzić szejcha Saadettina. W tej chwili nie było szans na ponowne spotkanie z Ipek, a on tak bardzo się bał, że znów zaczną go dręczyć myśli o niej. Wolał już obnażyć swoją duszę przed szejchem, chciał opowiedzieć mu o swojej miłości do Boga, grzecznie porozmawiać o Nim i sensie świata. Ale agenci podsłuchujący rozmowy w siedzibie bractwa pewnie zaśmiewaliby się do rozpuku z jego zwierzeń. Przechodząc przed skromnym domem szejcha przy ulicy Baytarhane, przystanął jednak na chwilę. Popatrzył w górę, w okna. Potem zobaczył, że drzwi biblioteki wojewódzkiej są otwarte. Wszedł do środka i wspiął się po ubłoconych schodach. Do zawieszonej przy podeście tablicy ogłoszeniowej poprzypinano pinezkami siedem egzemplarzy lokalnych pism. Tak jak „Gazeta Przygranicznego Miasta" zostały wydrukowane po południu poprzedniego dnia, dlatego rozwodziły się tylko nad sukcesem wieczornego spektaklu i opadami śniegu, które sparaliżowały miasto. Choć w szkołach odwołano zajęcia, w czytelni siedziało pięciu czy sześciu uczniów i kilku emerytowanych urzędników, którzy zapewne uciekli tu z własnych nie dogrzanych domów. W jakimś kącie wśród zniszczonych słowników i poszarpanych ilustrowanych encyklopedii dla dzieci Ka znalazł tomy ukochanej w dzieciństwie *Encyklopedii „Hayat"*. Do ich tylnych okładek przyklejone były składane do wewnątrz tablice, przedstawiające ludzkie organy lub części samochodu albo statku. Ka odruchowo wziął do ręki czwarty tom w poszukiwaniu umieszczonej na końcu ryciny z matką i dzieckiem ułożonym w jej wielkim brzuchu jak w jaju. Ale rycinę ktoś wyrwał, pozostawiając tylko kawałki poszarpanego papieru.

Poeta z uwagą przeczytał jedno z haseł na 324 stronie tomu.

ŚNIEG. *Forma stała, jaką przybiera woda w atmosferze, opadając, przenosząc się lub unosząc. Zazwyczaj te piękne kryształy przybierają kształt gwiazdek. Każdy kryształ ma charakterystyczną dla siebie budowę. Tajemnica śniegu od wieków ciekawiła i zachwycała człowieka. W 1555 roku w szwedzkim mieście Uppsala duchowny Olaus Magnus po raz pierwszy stwierdził, że każdy płatek śniegu ma wyjątkowy sześcioramienny kształt.*

Nie potrafię powiedzieć, ile razy Ka przeczytał ten fragment i jak dokładnie zapamiętał rysunek śnieżnego kryształu. Kiedy wiele lat później poszedłem do jego domu na Nişantaşı i długo ze wzruszeniem rozmawiałem o nim z jego wiecznie niespokojnym i podejrzliwym ojcem, poprosiłem o zgodę na obejrzenie starej domowej biblioteczki. Nie chciałem przy tym oglądać dziecinnego księgozbioru w pokoju Ka, lecz bibliotekę jego ojca w ciemnym kącie salonu. Zobaczyłem tam starannie oprawione dzieła prawnicze, wydane w latach czterdziestych powieści tureckie i przekłady książek zagranicznych. Mój wzrok padł na charakterystyczną obwolutę *Encyklopedii „Hayat"* stojącej między telefonem i książką telefoniczną. Zerknąłem na przekrój anatomiczny ciężarnej kobiety z ryciny wklejonej przy tylnej okładce czwartego tomu. Potem otworzyłem encyklopedię na chybił trafił — na 324 stronie. Obok hasła „śnieg" zobaczyłem włożoną między kartki trzydziestoletnią bibułę do osuszania atramentu.

Ka, jak uczeń odrabiający pracę domową, zerkając do encyklopedii, wyjął z kieszeni zeszyt i zapisał kolejny, dziesiąty już wiersz. Zaczął od niepowtarzalnego płatka śniegu i wyobrażenia dziecka w łonie matki, którego nie odnalazł na stronach *Encyklopedii „Hayat"*. Utwór, będący ostateczną rozprawą z problemem własnego „ja", problemem życia w tym świecie, ze swoimi obawami, charakterem i własną niepowtarzalnością, zatytułował po prostu *Ja, Ka*.

Nie zdążył napisać ostatniego wersu, bo poczuł, że ktoś stoi przy jego stole. Podniósł głowę znad zeszytu i zamarł: to był Necip. Nie okazał przerażenia ani zdziwienia, ale zaczął wyrzucać sobie, że uwierzył w śmierć osoby, której nie można pozbawić życia.

— Necip — wyjąkał. Chciał go objąć i przytulić.

— To ja, Fazıl — wyjaśnił chłopak. — Widziałem pana na ulicy, szedłem za panem. — Zerknął w kierunku stołu, przy którym siedział Saffet. — Niech mi pan szybko powie, czy to prawda, że Necip nie żyje?

— Prawda. Widziałem go na własne oczy.

— To dlaczego pan myślał, że ja to on? Widać, że wciąż nie jest pan pewny.

— Nie jestem.

Twarz Fazıla na chwilę trupio pobladła. Chłopak z trudem się uspokoił.

— On chce, żebym go pomścił. Dlatego wiem, że umarł. Ale kiedy otworzą szkoły, chciałbym wrócić do lekcji, żyć jak dawniej. Nie chcę się mieszać do polityki i zemsty.

— Poza tym zemsta to straszna rzecz.

— Ale zrobię to, jeśli on naprawdę tego chce — stwierdził Fazıl. — Mówił mi o panu, o tych listach, które pisał do Hicran, znaczy, do Kadife. Czy oddał je pan?

— Oddałem — powiedział Ka.

Nie spodobało mu się spojrzenie Fazıla. A może wyjaśnić, że miałem zamiar je oddać? — pomyślał. Ale było już na to za późno. Poza tym kłamstwo dodało mu pewności siebie. Cierpiętnicza mina Fazıla wywołała w nim niepokój.

Chłopak ukrył twarz w dłoniach i łkał przez chwilę. Był tak wściekły, że ani jedna łza nie spłynęła mu na policzek.

— Skoro Necip nie żyje, na kim mam się mścić? — zapytał z rozpaczą w głosie. Ka milczał, więc chłopak wbił w niego wzrok. — Pan to wie — powiedział.

— Podobno zdarzało wam się myśleć o tej samej rzeczy w jednym czasie — przypomniał poeta. — Skoro ty wciąż myślisz, znaczy, że on istnieje.

— Ta rzecz, o której on chce, żebym myślał, sprawia mi ból — wyznał Fazıl.

Ka po raz pierwszy zobaczył w jego oczach światło, które miał w sobie Necip. Pomyślał, że rozmawia z duchem.

— A o czym to każe ci teraz myśleć?

— O zemście — wyznał Fazıl i załkał.

Ka szybko pojął, że chłopak wcale nie chciał tego powiedzieć. Zrobił to, bo zauważył, że obserwujący ich agent wstaje od sąsiedniego stolika.

— Dokumenty proszę — rozkazał Saffet, mierząc Fazıla przesadnie surowym wzrokiem.

— Legitymacja szkolna jest u bibliotekarki.

Chłopak w mgnieniu oka rozpoznał policjanta w cywilu i z wysiłkiem próbował ukryć przerażenie. Podeszli do stołu bibliotekarki. Agent, zerknąwszy na legitymację wyrwaną z ręki wystraszonej kobiety, wiedział już, że ma przed sobą ucznia szkoły koranicznej. Spojrzał na Ka z wyrzutem, jakby chciał powiedzieć: „Wiedziałem!". A potem gestem dorosłego, który zabiera niesfornemu dziecku piłkę, schował legitymację do kieszeni.

— Zgłosisz się po to na komendę.

— Panie władzo — rzekł Ka — ten chłopak do niczego się nie miesza. Właśnie dowiedział się o śmierci przyjaciela. Niech mu pan odda legitymację.

Ale agent, który zachowywał się tak, jakby zapomniał już o własnej prośbie o wstawiennictwo u Sunaya, nie ustąpił. Ka wierzył, że uda mu się w jakimś odosobnionym miejscu odebrać legitymację Saffetowi, dlatego umówił się z Fazılem na godzinę szóstą przy moście Żelaznym. Chłopak natychmiast opuścił bibliotekę.

Wszyscy w czytelni siedzieli zaniepokojeni, sądząc, że ich także czeka kontrola dokumentów. Ale Saffet, jak gdyby nigdy nic, wrócił do swojego stolika i ponownie zatopił się w lekturze magazynu „Hayat" z początku 1960 roku. Dokładnie oglądał ostatnie zdjęcia byłego premiera Adnana Menderesa i nieszczęsnej księżniczki Soraji, która musiała się rozwieść z szachem perskim za karę, że nie obdarowała go potomkiem.

Ka doszedł w końcu do wniosku, że nie uda mu się odzyskać legitymacji Fazıla, i szybko opuścił bibliotekę. Widok białej ulicy i dzieciarni obrzucającej się wesoło śnieżkami znów sprawił, że poeta zapomniał o strachu. Miał ochotę biec. Na placu Hükümet Meydanı zobaczył tłum smutnych, zmarzniętych mężczyzn. Trzymając w dłoniach torby z materiału i owinięte gazetami i sznurkiem podłużne pakunki, stali w długiej, krętej kolejce. Byli to posłuszni mieszkańcy miasta, którzy poważnie potraktowali rozkaz wojska i zdecydowali się oddać ukrywaną broń. Ale państwo najwyraźniej nie miało do nich zaufania, bowiem lokalne władze nie wpuściły ich wszystkich do urzędu wojewódzkiego, zmuszając tym samym do oczekiwania na lodowatym zimnie. A przecież i tak większość obywateli na wieść o konfiskacie broni pod osłoną nocy zakopała swoje strzelby w zamarzniętej ziemi.

Wędrując aleją Faika Beja, Ka natknął się na Kadife. Twarz oblał mu rumieniec. Przed chwilą rozmyślał o Ipek i jej siostra — kobieta tak blisko z nią związana — wydała mu się nagle zjawiskowo piękna. Z trudem powstrzymał się, by nie objąć i nie pocałować dziewczyny.

— Muszę z tobą natychmiast porozmawiać — powiedziała Kadife. — Ale nie tu, ktoś cię śledzi. Czy możemy się spotkać o drugiej w hotelu, w pokoju dwieście siedemnaście? Ostatnie drzwi na końcu twojego korytarza.

— Czy tam będziemy mogli rozmawiać swobodnie?

Kadife szeroko otworzyła oczy.

— Jeśli nikomu, nawet Ipek, nie powiesz o naszym spotkaniu, wszystko zostanie między nami. — Na użytek otaczającego ich tłumu oficjalnie uścisnęła dłoń poety. — A teraz ukradkiem zerknij, czy łazi za mną jeden agent, czy dwóch. Potem mi powiesz.

Ka, uśmiechając się lekko, nieznacznie przytaknął, dziwiąc się, że potrafi w tej sytuacji zachować zimną krew. Przecież sama myśl o tym, że niebawem spotka się z Kadife w hotelowym pokoju, w tajemnicy przed jej starszą siostrą, przyprawiała go o zawrót głowy.

Nie miał teraz najmniejszej ochoty na przypadkowe spotkanie z Ipek, więc dla zabicia czasu przespacerował się jeszcze trochę po mieście. Nikt nie wyglądał na niezadowolonego z wojskowego przewrotu — dokładnie tak jak w czasach dzieciństwa Ka na ulicach panowała atmosfera radosnej odmiany i nowego początku. Kobiety z siatkami i dzieciakami pod pachą zaczęły już wybierać owoce i targować się ze sprzedawcami, a wąsaci mężczyźni dawno zajęli swoje miejsca na chodnikach i paląc papierosy bez filtra, gapili się na przechodniów albo gadali o tym i owym. Żebrak udający ślepca, którego Ka widział wczoraj dwukrotnie pod daszkiem pustego domu, stojącego między dworcem autobusowym a targowiskiem, zniknął. Poeta nie zauważył też parkujących zazwyczaj na środku ulicy ciężarówek, z których sprzedawano pomarańcze i jabłka. Mizerny zazwyczaj ruch kołowy zamarł teraz na dobre, trudno stwierdzić, czy z powodu stanu wyjątkowego, czy z powodu śniegu. Było za to więcej policjantów ubranych po cywilnemu (dzieciaki grające w piłkę przy alei Halita Paszy ustawiły jednego z nich na bramce). Gospodarze dwóch hoteli położonych niedaleko dworca autobusowego (Pan i Hürriyet), w rzeczywistości domów publicznych, organizatorzy koguciech walk i prowadzący nielegalny ubój rzeźnicy zawiesili na jakiś czas swoje nielegalne interesy. Jeśli zaś chodzi o pojedyncze strzały, rozlegające się od czasu do czasu w dzielnicach biedoty, nikt z przyzwyczajonych do tamtejszych nocnych potyczek mieszkańców miasta nie zwracał już na nie uwagi. Ta obojętność dźwięczała teraz w uszach Ka jak muzyka, sprawiając, że czuł się coraz bardziej wolny. I dlatego pomaszerował prosto do stoiska Modern Büfe przy skrzyżowaniu alei Küçük Kazıma Beja z aleją Kazıma Karabekira na szklankę gorącego cynamonowego sorbetu.

25.

Jedyna chwila wolności w Karsie

Ka i Kadife w hotelowym pokoju

Kiedy szesnaście minut później Ka wchodził do pokoju numer dwieście siedemnaście, był tak zdenerwowany myślą, że ktoś mógł go zauważyć, iż chcąc zacząć rozmowę od czegoś radosnego i błahego, wspomniał o sorbecie i kwaśnym smaku w ustach.

— Kiedyś mówiło się, że wściekli Kurdowie dosypują do sorbetu trucizny, żeby wymordować naszą armię — stwierdziła Kadife. — Państwo wysłało nawet tajnych inspektorów, by skontrolowali sprawę.

— I ty wierzysz w te historie?

— Wszyscy wykształceni cudzoziemcy, wszyscy ludzie Zachodu, którzy trafiają do Karsu, zaraz po usłyszeniu tej opowieści odwiedzają bufet, aby napić się sorbetu i udowodnić, że nie dają wiary spiskowym teoriom. I trują się jak głupcy, ponieważ te plotki są prawdą. Niektórzy Kurdowie są tacy nieszczęśliwi, przestali wierzyć w cokolwiek.

— Dlaczego więc państwo tak długo pozwalało na to wszystko?

— Widzę, że podobnie jak inni zachodni intelektualiści najbardziej ufasz państwu. I czynisz to całkiem nieświadomie! Narodowa Organizacja Wywiadowcza wie o wszystkim, o trującym sorbecie także. Ale nie zrobi nic, by to przerwać.

— A wie, że teraz jesteśmy tutaj?

— Nie bój się, jeszcze nie — odparła Kadife z uśmiechem. — Pewnego dnia na pewno się dowie, ale do tego momentu jesteśmy wolni. Ten ulotny czas to jedyna chwila wolności w Karsie. Doceń ją i zdejmij płaszcz.

— To palto chroni mnie przed złem — powiedział poeta. Na twarzy Kadife zobaczył strach, więc dodał: — Poza tym zimno tutaj.

Znajdowali się w niewielkim pomieszczeniu, które kiedyś służyło za podręczny składzik. Wąskie okno wychodziło na wewnętrzny dziedziniec, pośrodku stało nieduże łóżko, na którego krańcach nieśmiało przysiedli. Wszędzie czuć było charakterystyczny dla nie wietrzonych hotelowych pokoi zapach wilgotnego kurzu. Kadife położyła się na łóżku, usiłując przestawić termostat grzejnika. Był jednak zakręcony zbyt mocno, więc zrezygnowała. Widząc, że Ka wstaje, poirytowany, skrzywiła twarz w wymuszonym uśmiechu.

Poeta pojął, że Kadife delektuje się jego obecnością tu, u jej boku, w tym dziwnym, odosobnionym pokoju. Owszem, on także po wielu latach samotności czuł przyjemność przebywania w towarzystwie pięknej kobiety, ale jej zadowolenie nie było tak samo niewinne. W oczach dziewczyny zobaczył coś natchnionego i niszczycielskiego zarazem.

— Nie obawiaj się, poza biedaczyną z siatką pomarańczy nikt za tobą nie chodzi. Państwo tak naprawdę się ciebie nie boi, tylko chce cię trochę nastraszyć. A kto szedł za mną?

— Zapomniałem spojrzeć — wyznał Ka ze wstydem.

— Jak to? — Kadife rzuciła mu nienawistne spojrzenie.

— Jesteś zakochany, okropnie zakochany! — powiedziała, ale szybko opanowała zdenerwowanie. — Przepraszam, wszyscy tu bardzo się boimy — wyznała. Jej twarz w jednej chwili przybrała zupełnie inny wyraz. — Spraw, by moja siostra była szczęśliwa. To bardzo dobry człowiek.

— Czy myślisz, że ona mnie kocha? — zapytał Ka stłumionym głosem.

— Kocha, powinna kochać. Jesteś bardzo atrakcyjnym mężczyzną — odparła Kadife. I widząc, że Ka z trudem przyjął to wyznanie, dodała: — Jesteś przecież spod znaku Bliźniąt!

Szybko wyjaśniła, dlaczego mężczyzna spod Bliźniąt doskonale pasuje do kobiety spod znaku Panny. Z jej wywodu wynikało, że traktująca wszystko poważnie Panna mogła być bardzo szczęśliwa, obcując z dwoistą, niefrasobliwą i powierzchowną naturą Bliźniąt, a nawet mogła wiele się od nich nauczyć.

— Oboje zasługujecie na szczęśliwą miłość — zakończyła pocieszającym tonem.

— Czy rozmawiając z siostrą, odniosłaś wrażenie, że mogłaby wyjechać ze mną do Niemiec?

— Uważa, że jesteś bardzo przystojny — odpowiedziała Kadife. — Ale ci nie wierzy. To musi trochę potrwać. Mężczyźni tak niecierpliwi jak ty nie myślą o tym, jak kochać kobietę, ale jak ją zdobyć.

— Ona tak ci powiedziała? — zapytał Ka, unosząc brwi.

— W tym mieście nie ma dla nas ani miejsca, ani czasu — dodał zdecydowanie.

Kadife zerknęła na zegarek.

— Najpierw chcę ci bardzo podziękować za przyjście tutaj. Chodzi o coś ogromnie ważnego. Granatowy pragnie znów się z tobą spotkać i dać ci nowe przesłanie.

— Tym razem będą mnie śledzić i natychmiast go znajdą — powiedział poeta. — Wszystkich nas skatują. Tamto mieszkanie przeszukali. Policja miała tam podsłuch!

— I Granatowy wiedział o nim — odparła Kadife. — Wtedy, przed przewrotem, wygłosił filozoficzne przesłanie dla ciebie i, za twoim pośrednictwem, dla całego Zachodu. Mówił im, żeby nie wsadzali nosa w nie swoje sprawy, żeby zostawili w spokoju samobójczynie. Ale teraz wszystko się zmieniło. Dlatego Granatowy chce odwołać to, co mówił wcześniej. I, co najważniejsze, ma dla ciebie nowe przesłanie.

Kadife długo naciskała, a Ka długo się wahał.

— W tym mieście nie można niepostrzeżenie dotrzeć z jednego miejsca w drugie — powiedział w końcu.

— Jest taka furmanka. Codziennie raz albo dwa razy podjeżdża od strony dziedzińca pod kuchenne drzwi i zostawia butle z gazem, wodę albo węgiel. Przykryta plandeką, żeby śnieg i deszcz nie padały do środka, rozwozi towary w różne miejsca. Woźnica jest zaufany.

— Mam się schować pod plandeką jak złodziej?

— Ja tak robiłam wiele razy — wyznała Kadife. — To wielka przyjemność jechać tak przez całe miasto, będąc nie zauważonym przez nikogo. Jeśli się z nim spotkasz, z całego serca pomogę ci z Ipek. Bo chcę, żeby została twoją żoną.

— Dlaczego?

— Każdy pragnie szczęścia dla własnej siostry.

Ka wcale jej nie uwierzył. Wszystkie tureckie rodzeństwa, jakie znał, od urodzenia żywiły do siebie nienawiść, okazując sobie wyłącznie wymuszoną solidarność. Poza tym w każdym geście Kadife pobrzmiewała fałszywa nuta (lewa brew uniosła się bezwiednie, a półotwarte usta, wysunięte do przodu we wzorowanym na tureckich filmach grymasie niewinności, wyglądały jak buzia gotowego do płaczu dziecka). Kiedy jednak Kadife, zerknąwszy na zegarek, stwierdziła, że do przyjazdu furmanki dzieli ich siedemnaście minut, i przyrzekła, że jeśli Ka zgodzi się na wyprawę u jej boku do kryjówki Granatowego, to opowie mu o wszystkich rozmowach z siostrą, w jednej chwili podjął decyzję.

— Dobrze. Pojadę. Ale przede wszystkim powiedz, dlaczego tak bardzo mi ufasz.

— Podobno jesteś derwiszem, tak mówi Granatowy. On wierzy, że Bóg uczynił cię niewinnym, od dnia urodzin do śmierci.

— Dobrze — powiedział Ka pospiesznie. — A czy Ipek wie o tej mojej właściwości?

— A skąd miałaby wiedzieć? To opinia Granatowego.

— Proszę, powiedz mi wszystko, co Ipek myśli na mój temat.

— Właściwie już to zrobiłam — wyznała Kadife. Widząc rozczarowanie na twarzy Ka, zadumała się przez chwilę, albo udawała, że duma, Ka ze zdenerwowania nie potrafił tego ocenić. — Uważa, że jesteś zabawny — dodała w końcu. — Przecież przyjechałeś aż z Niemiec, masz pewnie mnóstwo do opowiedzenia!

— Jak ją przekonać do wyjazdu?

— Kobieta natychmiast — jeśli nie w pierwszej chwili, to po dziesięciu minutach — potrafi rozpoznać, kim jest mężczyzna, na którego patrzy. A przynajmniej rozpoznać, kim może być dla niej i czy sama będzie w stanie go pokochać. Dokładne zrozumienie tego wszystkiego musi trochę potrwać. Według mnie w tym czasie mężczyzna niewiele już może zdziałać. Opowiadaj jej o pięknych rzeczach i własnych marzeniach z nią związanych. Dlaczego ją kochasz, dlaczego chcesz się ożenić...

Ka milczał. Kadife, widząc jego niewinne, niemal dziecinne spojrzenie utkwione w oknie, powiedziała, że na pewno będą szczęśliwi po przenosinach do Frankfurtu, a Ipek rozchmurzy się, kiedy tylko wyjedzie z Karsu, i że właśnie wyobraża ich sobie, rozradowanych, spacerujących po frankfurckich ulicach w drodze do kina.

— Podaj mi nazwę kina, do którego moglibyście pójść we Frankfurcie — poleciła. — Jakiegokolwiek.

— Filmforum Höchst — powiedział Ka.

— Nie mają tam kin w stylu Alhambra, Marzenie albo Królestwo?

— Mają. Na przykład Eldorado!

Wpatrzona w płatki śniegu wirujące na hotelowym dziedzińcu, Kadife wyznała, że w czasach gdy grała jeszcze w teatrze uniwersyteckim, syn wuja pewnego kolegi z roku zaproponował jej rolę w turecko-niemieckim filmie. Odrzuciła ofertę, a teraz Ipek miała pojechać razem z Ka do tamtego kraju w poszukiwaniu szczęścia. Tak, starsza siostra zasłużyła na szczęście. Ale sama o tym nie wiedziała i dlatego nigdy go nie zaznała. Załamała się na wieść, że nie może mieć dziecka. Najsmutniejsze jednak było to, że Ipek, tak piękna, zgrabna, wrażliwa i szczera — i może dlatego właśnie taka nieszczęśliwa (tu głos Kadife się załamał) — w dzieciństwie była zawsze stawiana za wzór (głos załamał się znowu) i ona, Kadife, widząc te wszystkie jej zalety, zawsze czuła się zła i brzydka. Wtedy starsza, ładniejsza i lepsza siostra ukrywała swoją urodę, by jej nie ranić. (Kadife w końcu się rozpłakała). Dygocząc, pociągając nosem i ocierając łzy, dodała, że kiedy pewnego dnia spóźniła się na pierwszą lekcję w gimnazjum, nauczycielka biologii, pani Mesrure, zapytała: „Czy twoja mądra siostra również nie przyszła na czas?". I dodała: „Pozwalam ci na uczestnictwo w zajęciach tylko ze względu na nią". Oczywiście Ipek nie spóźniła się ani razu. („W tamtym czasie mieszkałyśmy w Stambule i nie byłyśmy jeszcze takie biedne", powiedziała Kadife, na co Ka odparł, że teraz przecież ubóstwo też im nie doskwiera. „Ale mieszkamy w Karsie", odparła szybko, a ja zostałem zmuszony tym samym skończyć tę dygresję).

Furmanka wjechała na dziedziniec. Był to stary, zwyczajny wóz z czerwonymi różami, zielonymi liśćmi i stokrotkami wymalowanymi na bocznych deskach. Z oszronionych nozdrzy leciwego, umęczonego wałacha buchała para. Śnieg przysypał palto i czapkę grubawego, lekko garbatego woźnicy. Ka z bijącym sercem popatrzył na ośnieżoną plandekę.

— Nie bój się — powiedziała tuż za jego plecami Kadife. — Nie zabiję cię.

Poeta zobaczył pistolet w jej rękach, ale nie pojął nawet, że kobieta mierzy w jego stronę.

— Nie, nie mam ataku nerwowego — wyjaśniła. — Ale jeśli teraz zrobisz coś nie tak, bądź pewny, że strzelę... Nie ufamy żadnemu dziennikarzowi, nikomu, kto idzie do Granatowego po informacje.

— Przecież to wy mnie szukaliście, nie ja was!

— Racja, tobie to nie przyszło do głowy, ale ludzie z wywiadu mogli przyczepić ci podsłuch, spodziewając się, że to my skontaktujemy się z tobą. Podejrzewam, że właśnie dlatego nie chciałeś przed chwilą zdjąć swojego ukochanego płaszcza. Teraz za to go zdejmiesz i szybko położysz na rogu łóżka.

Ka wykonał rozkaz. Kadife dłońmi drobnymi jak dłonie jej starszej siostry pospiesznie przeszukała każdy centymetr okrycia. Nie znalazłszy niczego, powiedziała krótko:

— Przepraszam — i dodała zaraz: — Zdejmuj marynarkę, koszulę i podkoszulek. Czasem przyklejają to do pleców albo piersi. W Karsie pewnie ze sto osób chodzi od rana do nocy z przyczepionym podsłuchem.

Ka zdjął marynarkę i jak chłopak pokazujący brzuch lekarzowi podciągnął koszulę wraz z podkoszulkiem. Kadife obejrzała go pobieżnie.

— Odwróć się — zakomenderowała. Zapadła cisza. — W porządku. Przepraszam za ten pistolet... Ale gdyby rzeczywiście przyczepili ci podsłuch, na pewno przerwaliby przeszukanie. Nigdy nie dają spokoju... — wyjaśniła, ale broń wciąż trzymała w dłoni. — A teraz słuchaj. Nie wspomnisz Granatowemu słowem o naszej rozmowie ani o naszej przyjaźni. Nie piśniesz o Ipek ani o tym, żeś się w niej zakochał. Granatowy nie znosi takich bzdur... Ale jeśli to zrobisz i on mimo wszystko cię nie skrzywdzi, bądź pewny, że ja to zrobię. Świetnie potrafi wyczuć, że coś się święci, i pociągnąć delikwenta za język. Udawaj, że widziałeś Ipek raz czy dwa razy, to wszystko. Zrozumiano? — zapytała jak lekarz stawiający diagnozę po skończonym badaniu.

— Tak.

— Okaż mu respekt. Za nic w świecie go nie lekceważ, przybierając te swoje pozy wyuczonego bufona, który zwiedził Europę. Nawet jeśli coś cię rozbawi, nigdy się nie śmiej... Pamiętaj, że Europejczycy, których z uwielbieniem naśladujesz, mają cię w głębokim poważaniu, ale trzęsą się ze strachu na myśl o Granatowym i takich jak on.

— Wiem.

— Jestem twoją przyjaciółką, bądź ze mną szczery — rozkazała Kadife z uśmiechem jak z marnego filmu.

— Woźnica podniósł plandekę — stwierdził Ka.

— Zaufaj mu, w zeszłym roku jego syn zmarł podczas walk z policją. I delektuj się podróżą.

Najpierw na dół ruszyła Kadife. Kiedy znikła w kuchni, on, widząc, że furmanka wjechała pod arkadę oddzielającą hotelowy dziedziniec od ulicy, wyszedł z pokoju tak, jak wcześniej ustalili. Na widok pustej kuchni poczuł niepokój. Woźnica czekał jednak w uchylonych drzwiach prowadzących na dziedziniec. Ka bezszelestnie położył się między butlami z gazem, tuż obok Kadife.

Podróż, którą na zawsze zachował w pamięci, trwała zaledwie osiem minut, ale Ka miał wrażenie, że zajęła dużo więcej czasu. Zaciekawiony, w jakiej części miasta się znajdują, słuchał rozmów mijanych ludzi i oddechu wyciągniętej obok kobiety. W pewnym momencie przestraszyła go grupa dzieciaków, które chwyciwszy za tylną deskę furmanki, zaczęły się ślizgać po zamarzniętym śniegu. Ale słodki uśmiech leżącej na wyciągnięcie dłoni Kadife spodobał mu się tak bardzo, że zapomniał o strachu. Był niemal tak zadowolony jak uczepione z tyłu wozu dzieci.

26.

To nie przez biedę jesteśmy tak przywiązani do Boga

Oświadczenie Granatowego
dla całego Zachodu

Kołysany łagodnie w furmance, której gumowe koła miękko toczyły się po śniegu, Ka poczuł, że nadchodzi natchnienie. Podskakując na wybojach, wjechali na chodnik i zatrzymali się. Po długiej, pełnej nowych wersów ciszy woźnica podniósł plandekę. Poeta miał przed sobą ośnieżone podwórko, zasłonięte ze wszystkich stron przez warsztaty samochodowe, spawalnie i jeden popsuty traktor. Czarny pies łańcuchowy zaszczekał krótko na widok ludzi wyłażących spod plandeki.

Przekroczyli próg drzwi z orzechowego drewna i kilka kroków dalej, za kolejnym wejściem, Ka zobaczył wpatrzonego w ośnieżone podwórko Granatowego. Rudziejące brązowe włosy, piegowata twarz i granatowe oczy mężczyzny zaskoczyły go jak za pierwszym razem. Skromny wystrój pokoju i niektóre przedmioty (ta sama szczotka do włosów, ta sama półotwarta torba, ta sama plastikowa popielniczka z osmańskimi figurami po bokach i logo Ersin Elektrik) sprawiały wrażenie, jakby Granatowy wcale nie zmienił kryjówki. Ale na jego twarzy Ka zobaczył chłodny uśmiech człowieka pogodzonego z rzeczywistością i szybko zrozumiał, że tamten w głębi serca gratulował sobie udanej ucieczki przed organizatorami przewrotu.

— Nie możesz już niczego napisać o samobójczyniach — stwierdził Granatowy.

— Dlaczego?

— Bo wojsko też sobie tego nie życzy.

— Nie jestem rzecznikiem armii — odparł ostrożnie Ka.

— Wiem.

Przez chwilę w napięciu mierzyli się wzrokiem.

— Wczoraj powiedziałeś, że możesz napisać o samobójczyniach w zachodniej prasie — zagaił Granatowy.

Ka zawstydził się na myśl o tym niewinnym kłamstwie.

— W jakiej zachodniej prasie? — drążył Granatowy. — W której z niemieckich gazet masz znajomości?

— We „Frankfurter Rundschau" — skłamał gładko Ka.

— Kogo?

— Niemieckiego dziennikarza, demokratę.

— Imię.

— Hans Hansen — odparł Ka, otulając się paltem.

— Mam oświadczenie dla Hansa Hansena, oświadczenie potępiające wojskowy przewrót w Karsie — stwierdził Granatowy. — Nie mamy dużo czasu, więc zacznijmy od razu.

Ka zaczął notować na ostatnich stronach zeszytu z poezją. Granatowy opowiadał, że od chwili ogłoszenia „teatralnej rewolucji" zabito co najmniej osiemdziesiąt osób (w istocie liczba ofiar, łącznie z osobami zastrzelonymi w teatrze, wyniosła siedemnaście), rewolucjoniści przeszukiwali domy i szkoły, czołgi zniszczyły dziewięć slumsów (w rzeczywistości cztery), uczniowie szkoły koranicznej umierali w wyniku tortur, a mieszkańcy niektórych ulic ścierali się w zbrojnych potyczkach (o tym Ka usłyszał po raz pierwszy). Nie rozwodząc się zbytnio nad cierpieniem Kurdów, Granatowy przesadził nieco, opowiadając o męce islamistów, i uznał, że zabójstwo dyrektora ośrodka kształcenia zostało przygotowane przez państwo, aby stworzyć pretekst do przeprowadzenia przewrotu. Według niego to wszystko miało „zapobiec zwycięstwu partii religijnej w demokratycznych wyborach". Kiedy Granatowy, chcąc dowieść słuszności swych słów, opowiadał o zawieszeniu działalności partii i stowarzyszeń oraz o innych podobnych szczegółach, Ka spojrzał na zasłuchaną, urzeczoną Kadife. Następnie na boku strony, którą potem wyrwał z zeszytu, zaczął gryzmolić obrazek dowodzący, że myślał wtedy o Ipek: szyję i włosy jakiejś kobiety, w tle dziecięcy domek i z komina wylatujący dym... Wiele lat wcześniej Ka powiedział mi, że dobry poeta powinien krążyć wyłącznie wokół prawd, w których istnienie boi się uwierzyć w obawie, że zniszczą jego twórczość. To właśnie sekretna muzyka tych obrotów miała być jego poezją.

Niektóre słowa Granatowego spodobały się Ka tak bardzo, że dokładnie zapisał je w zeszycie: „W przeciwieństwie do tego, co sądzą ludzie Zachodu, przyczyną naszego wielkiego przywiązania do Boga nie jest straszna bieda, ale ogromna ciekawość naszej roli w tym świecie i tego, co nas czeka po śmierci".

Ale w ostatnich słowach oświadczenia, zamiast bliżej zastanowić się nad tą ciekawością i problemem życia doczesnego, Granatowy przemówił do ludzi Zachodu w ten sposób:

— Czy Zachód, który zdaje się bardziej wierzyć w odkrytą przez siebie demokrację niż w Słowo Boże, będzie w stanie sprzeciwić się dokonanemu w Karsie wojskowemu przewrotowi, będącemu jawnym pogwałceniem tej demokracji? — zapytał dramatycznie. — A może nieważna jest demokracja, wolność i prawa człowieka, ale małpowanie zachodniego stylu życia przez resztę cywilizacji? Czy Zachód mógłby znieść istnienie demokracji swoich wrogów, tak bardzo się od nich różniących? Pragnę przemówić do tych narodów, które nie zaliczają się do Zachodu: „Bracia, nie je-steście sami...!" — umilkł na chwilę. — Tylko czy pański kolega z „Frankfurter Rundschau" opublikuje to wszystko?

— Trochę niezręcznie tak mówić wciąż „Zachód" i „Za-chód", jakby to była jedna osoba albo jakby wszyscy myśleli tak samo — ostrożnie wtrącił Ka.

— Ale ja tak właśnie uważam — powiedział Granato-wy. — Jest jeden Zachód i jeden światopogląd. Przekonania przeciwne reprezentujemy my.

— Na Zachodzie jest jednak inaczej — zauważył poeta.

— W odróżnieniu od tutejszych tamtejsi ludzie nie szczycą się tym, że myślą jak reszta. Każdy, nawet byle jaki skle-pikarz, chodzi dumny, bo ma własne zdanie. Dlatego jeśli zamiast „Zachód" powiemy „zachodni demokraci", łatwiej dotrzemy do sumień tamtych ludzi.

— Dobra. Niech pan robi, jak uważa. Czy są konieczne jeszcze jakieś poprawki?

— Przez tę odezwę na końcu zamiast informacji wyszło nam raczej osobliwe oświadczenie o charakterze informa-cyjnym — powiedział Ka. — Pod spodem redakcja umieści pański podpis... Może więc jeszcze kilka słów o panu...

— To już przygotowałem — odezwał się Granatowy. — Niech napiszą: „Jeden z najważniejszych islamistów Turcji i Bliskiego Wschodu". To wystarczy.

— W takim razie Hans Hansen tego nie wydrukuje.

— A to dlaczego?

— Wydrukowanie w socjaldemokratycznym „Frankfur-ter Rundschau" komunikatu podpisanego jedynie przez is-lamistę z Turcji będzie dla nich oznaczać opowiedzenie się po waszej stronie.

— Rozumiem. Znaczy się, pan Hans Hansen ma zwy-czaj zmieniać zdanie, kiedy sprawy nie idą po jego myśli — orzekł Granatowy. — Co mamy zrobić, żeby go przekonać?

— Nawet jeśli niemieccy demokraci sprzeciwiliby się wojskowemu zamachowi w Turcji — przewrotowi prawdziwemu, nie teatralnemu — na pewno byliby niespokojni, wiedząc, że osoby, po których stronie się opowiadają, to islamiści.

— To prawda. Oni wszyscy się nas boją — stwierdził Granatowy, a Ka nie był pewny, czy w jego głosie pobrzmiewała duma, czy też skarga i niezadowolenie.

— Dlatego — dodał poeta — jeśli pod oświadczeniem podpisze się jeszcze jakiś były komunista, liberał i któryś z kurdyjskich nacjonalistów, „Frankfurter Rundschau" na pewno je wydrukuje.

— Jak to?

— Zaraz możemy przygotować oświadczenie do spółki z dwoma innymi obywatelami, których znajdziemy tu, w Karsie — podpowiedział Ka.

— Nie będę pić wina, żeby przypodobać się ludziom Zachodu — powiedział dumnie Granatowy. — I nie będę się starał do nich upodobnić, żeby przestali się bać i zrozumieli, o czym mówię. Nie mam zamiaru schlebiać razem z bezbożnikami temu twojemu zachodniemu Hansowi Hansenowi tylko po to, żeby ktoś zechciał łaskawie nam współczuć! Co to za jeden, ten Hans Hansen? Czemu stawia tyle warunków? To Żyd? — Zapadła cisza. Domyśliwszy się, że Ka pojął, jak wielkie powiedział głupstwo, Granatowy popatrzył na poetę z nienawiścią. — Żydzi to najbardziej uciemiężony naród tego stulecia — stwierdził.

— Nie zmienię ani słowa w moim oświadczeniu, dopóki nie dowiem się czegoś więcej o tym Hansie Hansenie. Jak się poznaliście?

— Jeden turecki kolega powiedział mi, że we „Frankfurter Rundschau" ma się ukazać artykuł o Turcji i jego autor chciałby porozmawiać z kimś zorientowanym w temacie.

— A czemu to Hans Hansen nie porozmawiał z tym twoim kolegą, tylko z tobą?

— Bo kolega gorzej znał te kwestie...

— A co to za kwestie? Czekaj, zaraz ci powiem — przerwał Granatowy — tortury, prześladowania, straszne warunki w więzieniach i inne uwłaczające nam rzeczy.

— Prawdopodobnie uczniowie ze szkoły koranicznej zabili wtedy w Malatyi jakiegoś niewierzącego — wyjaśnił Ka.

— Nie pamiętam takiej sytuacji — powiedział ostrożnie Granatowy. — Tak zwani islamiści, którzy najpierw zabijają biednego niewierzącego, by zdobyć popularność, a potem pysznią się tym przed telewizyjnymi kamerami, są takimi samymi nikczemnikami, jak wszyscy ci, którzy nagłaśniają to zdarzenie, aby splamić ruch islamizmu na świecie. Jeśli Hans Hansen jest taki jak tamci, zapomnijmy o nim od razu.

— Hans Hansen zapytał mnie o sprawy związane z Turcją i Unią Europejską. Odpowiedziałem. Zadzwonił do mnie po tygodniu i zaprosił do siebie na kolację.

— Tak ni stąd, ni zowąd?

— Dokładnie tak.

— Bardzo podejrzane. Co widziałeś w jego domu? Przedstawił ci swoją żonę?

Ka stwierdził, że usadowiona tuż obok szczelnie zasłoniętych kotar Kadife słuchała teraz wyjątkowo uważnie.

— Rodzina Hansa Hansena była ładna i szczęśliwa — powiedział. — Tamtego wieczoru, po wyjściu z redakcji Herr Hansen zabrał mnie z dworca kolejowego. Pół godziny potem dotarliśmy do ładnego, oświetlonego domu z ogrodem. Bardzo miło mnie przyjęli. Zjedliśmy pieczonego kurczaka z ziemniakami. Jego żona najpierw ugotowała ziemniaki, a dopiero potem wsadziła je do piekarnika.

— Jaka była ta jego żona?

Ka w pośpiechu starał się sobie przypomnieć Hansa Hansena, sprzedawcę z Kaufhofu.

— Ingeborg i dzieci mieli jasne włosy i szlachetne rysy twarzy, a Hans był przystojnym blondynem o szerokich ramionach.

— A krzyż? Wisiał na ścianie?

— Nie pamiętam... Nie, nie wisiał.

— Na pewno był, ale nie zwróciłeś uwagi — uznał Granatowy. — W przeciwieństwie do wyobrażeń naszych ateistów, wszyscy inteligenci Europy są bardzo związani ze swoją religią i z tymi swoimi krzyżami. Ale nasi po powrocie do kraju nic o tym nie mówią, bo zależy im tylko na udowodnieniu reszcie, że wyższość zachodnich technologii jest zwycięstwem ateizmu... Mów, co widziałeś i o czym rozmawialiście.

— Herr Hansen pracuje w dziale zagranicznym „Frankfurter Rundschau", ale jest też wielkim miłośnikiem literatury. Rozmawialiśmy o poezji. O poetach, podróżach, opowieściach. Nawet się nie spostrzegłem, kiedy zrobiło się bardzo późno.

— Czy było im ciebie żal? Czy współczuli ci, że jesteś Turkiem, biednym i samotnym jak palec emigrantem? Ubolewali nad faktem, że znudzona, pijana niemiecka młodzież takich jak ty, niczyich Turków, podpala dla zabawy?

— Nie wiem. Nikt na mnie nie naciskał...

— Nawet jeśli cię nie wypytywali i nie zdradzali współczucia, musieli mieć w sobie potrzebę jego okazywania. Każdy człowiek ją ma. Tysiące turecko-kurdyjskich inteligentów w Niemczech zbiło na tej potrzebie niezłą fortunę.

— Bliscy Hansa Hansena byli dobrymi ludźmi. Byli ciepli i delikatni. Może trzymali się swoich zasad i dlatego nie dali mi odczuć, że jest im mnie żal. Polubiłem ich. I nawet gdyby było im mnie żal, nie miałbym im tego za złe.

— Chcesz powiedzieć, że ta sytuacja nie raniła twojej dumy?

— Może i raniła, ale i tak tamtego wieczoru byłem z nimi bardzo szczęśliwy. Ustawione po bokach lampki dawały przyjemne, pomarańczowe światło. Widelce i noże były trochę inne niż nasze, ale nie tak bardzo, bym poczuł się nieswojo... Telewizor przez cały czas był włączony, więc czasem zerkali na ekran i dzięki temu czułem się tam jak w domu. Kiedy widzieli, że mój niemiecki nie jest wystarczający, zaczynali mówić po angielsku. Po kolacji dzieci poprosiły ojca o pomoc przy lekcjach. Przed snem wszyscy się ucałowali. Czułem się na tyle swobodnie, że pod koniec kolacji wziąłem drugą porcję ciasta. Nikt tego nie zauważył, a nawet jeśli, to uznali to za rzecz naturalną. Potem bardzo dużo o tym myślałem.

— Jakie to było ciasto? — zainteresowała się Kadife.

— Tort wiedeński z czekoladą i nadzieniem figowym.

Zapadła cisza.

— A zasłony? Jakiego były koloru? — zapytała Kadife. — Jaki miały wzór?

— Białe albo kremowe — powiedział Ka, udając, że stara się przypomnieć sobie wnętrze domu niemieckiego dziennikarza. — A na nich rybki, kwiatki, niedźwiadki i kolorowe owoce.

— Coś jak materiał dla dzieci?

— Nie. Mimo wszystko wyglądały poważnie. Muszę to podkreślić: ta rodzina była szczęśliwa, ale nie wybuchała co chwila bezsensownym śmiechem, jak to bywa u nas. Wszyscy byli bardzo poważni. I może dlatego szczęśliwi. Dla nich życie było istotną sprawą, która wymaga odpowiedzialności. Nie tak jak u nas — wieczne użeranie się i egzamin z cierpienia! Ta ich powaga była twórcza i pełna życia. Mieli w sobie kolorową, wyważoną radość, jak te niedźwiadki i rybki na zasłonach.

— A obrus w jakim był kolorze? — pytała dalej Kadife.

— Zapomniałem — wyznał Ka i znów udał, że usiłuje przypomnieć sobie szczegóły.

— Ile razy tam byłeś? — pytał poirytowany Granatowy.

— Tamtego wieczoru byłem tak szczęśliwy, że bardzo chciałem ponownie ich odwiedzić. Ale Hans Hansen już nigdy więcej mnie nie zaprosił.

Pies na łańcuchu zaszczekał przeciągle. Na twarzy Kadife pojawił się smutek, Granatowy zaś patrzył ze wściekłą dezaprobatą.

— Wiele razy chciałem do nich zadzwonić — opowiadał Ka. — Czasem, łudząc się, że Hans Hansen zadzwonił z kolejnym zaproszeniem, ale nie zastał mnie w domu, wychodziłem z biblioteki i prawie biegłem do siebie. Bardzo chciałem znów zobaczyć ich piękne lustro z etażerką, fotele — chyba jasnożółte — cudowne pejzaże Alp powieszone na ścianach, na których nie było krzyża. Tęskniłem za ich pytaniami w rodzaju: „Czy panu smakuje?", które zadawali mi, krojąc przy stole chleb na drewnianej desce (wiecie, że Europejczycy jedzą znacznie mniej chleba niż my?). — Ka zauważył, że Granatowy patrzy teraz na niego z prawdziwym obrzydzeniem. — Trzy miesiące później pewien znajomy przywiózł z Turcji nowe wiadomości — ciągnął poeta. — Zadzwoniłem do Hansa Hansena pod pretekstem przekazania informacji na temat nieludzkich tortur, tyranii i okrucieństwa. Wysłuchał mnie uważnie i znów był delikatny i grzeczny. W gazecie ukazała się krótka notatka. Zasadniczo doniesienia o torturach i śmierci kompletnie mnie nie interesowały. Chciałem tylko, żeby on znów do mnie zadzwonił. Ale Hans Hansen nigdy już tego nie zrobił. Czasem mam ochotę napisać do niego list z pytaniem, jaki popełniłem błąd, dlaczego się nie odzywa. — Poeta uśmiechnął się, ale nawet to nie było w stanie rozchmurzyć Granatowego.

— To teraz będziesz miał kolejny powód, żeby do niego zadzwonić — powiedział złośliwie Granatowy.

— Żeby oświadczenie ukazało się w gazecie, musimy dostosować się do europejskich standardów i przygotować je wspólnie z innymi — pouczył Ka.

— Kim będzie ten kurdyjski nacjonalista i liberalny komunista, z którymi mam współpracować?

— Jeśli boi się pan policyjnych wtyczek, możecie sami zaproponować kandydatów — powiedział Ka.

— W szkole koranicznej jest wielu młodych Kurdów, których serca przepełnia gniew za to, co stało się z ich kolegami. Bez wątpienia zachodniemu dziennikarzowi zamiast religijnego kurdyjskiego nacjonalisty bardziej spodobałby się niewierzący nacjonalista. W naszym oświadczeniu Kurdów reprezentować może uczeń.

— Dobrze, niech pan zorganizuje ucznia — zgodził się Ka. — Myślę, że „Frankfurter Rundschau" nie będzie miało nic przeciwko młodzieży szkolnej.

— Tak jest. W końcu to pan tu reprezentuje Zachód — stwierdził z ironią Granatowy.

Ka udał, że nie zauważył złośliwości.

— Do roli byłego komunisty, obecnie demokraty, świetnie pasuje pan Turgut.

— Mój ojciec? — zapytała z niedowierzaniem Kadife.

Kiedy Ka próbował ją przekonać do tego pomysłu, przypomniała, że przecież jej ojciec nigdy nie wychodzi z domu. Zaczęli dyskutować. Granatowy próbował dowieść, że pan Turgut, jak reszta byłych komunistów, w rzeczywistości nie jest żadnym demokratą, tylko z radością przyjmuje wojskowy przewrót, który godzi w islamistów. Udaje tylko niezadowolenie, by nie splamić dobrego imienia lewicy.

— Mój ojciec niczego nie udaje! — oburzyła się Kadife.

Z drżenia jej głosu i wściekłego błysku oczu Granatowego Ka szybko wywnioskował, że jest właśnie świadkiem jednej z awantur wielokrotnie powtarzających się między tą parą. I zrozumiał, że jak inne umęczone kłótniami pary oboje nie mieli już siły, by zdobyć się na skrywanie tego faktu przed obcym. Kadife, z udręczoną miną i właściwą zakochanym kobietom determinacją, była gotowa odeprzeć każdy zarzut, bez względu na konsekwencje. Na dumnej twarzy Granatowego początkowo malowała się niezwykła wręcz czułość, ale w pewnej chwili wszystko się zmieniło i jego oczy błysnęły zdecydowaniem.

— Twój ojciec, jak reszta fałszywych ateistów i zapatrzonych w Europę lewicowych intelektualistów, jest w rzeczywistości nienawidzącym zwykłego ludu krętaczem! — wybuchnął.

Kadife złapała plastikową popielniczkę Ersin Elektrik i cisnęła nią w Granatowego. Ale — może świadomie — chybiła celu: popielniczka uderzyła w widoczek Wenecji na ściennym kalendarzu i cicho upadła na podłogę.

— Poza tym udaje, że nie widzi, jak jego córka spotyka się potajemnie z radykalnym islamistą — dodał Granatowy.

Kadife najpierw rzuciła się na niego z pięściami, a po chwili wybuchła płaczem. Kiedy Granatowy usadził ją w kącie na krześle, oboje zaczęli tak nienaturalną rozmowę, że Ka gotów był pomyśleć, że jest świadkiem przedstawienia przygotowanego specjalnie na jego użytek.

— Odszczekaj, coś powiedział — rozkazała Kadife.

— Odszczekuję — powiedział Granatowy czułym tonem, jakby uspokajał nadąsane dziecko. — I żeby ci to udowodnić, zgadzam się złożyć swój podpis obok podpisu twego ojca pod naszym oświadczeniem. Uczynię to, chociaż on od rana do nocy opowiada nieprzyzwoite dowcipy. Ale to wszystko może być zasadzka wymyślona przez tego tu — uśmiechnął się do Ka — przedstawiciela Hansa Hansena. Dlatego nie pójdę do waszego hotelu, rozumiesz, kochanie?

— Przecież ojciec się stamtąd nie ruszy — powiedziała Kadife tonem rozkapryszonej panny, który zaskoczył Ka. — Widok nędznych ulic Karsu wpędza go w przygnębienie.

— Droga Kadife, proszę go przekonać, żeby wyszedł na zewnątrz — poprosił Ka w dziwnie oficjalny sposób. Wcześniej nigdy tak do niej nie przemawiał. — Śnieg przecież wszystko zasypał.

Ich spojrzenia się spotkały. Kadife pojęła wreszcie, o co chodzi.

— Dobrze — odparła. — Ale najpierw trzeba przekonać ojca, żeby złożył swój podpis pod tym samym tekstem, co islamista i kurdyjski nacjonalista. A to, przepraszam, kto ma zamiar zrobić?

— Ja — zdecydował Ka. — A pani mi pomoże.

— Gdzie się spotkają? — zapytała Kadife. — A jeśli złapią biednego ojca i przez taką bzdurę na stare lata trafi za kratki?

— Tylko nie bzdurę — wtrącił się Granatowy. — Jeśli w europejskiej prasie pojawi się jedna czy dwie wiadomości o naszej sytuacji, Ankara przytrze nosa tym tutaj rewolucjonistom. I trochę spuszczą z tonu.

— Bardziej zależy ci na tym, aby w europejskich gazetach pojawiło się twoje imię, a nie wiadomość o wydarzeniach w Karsie — powiedziała Kadife.

Kiedy Granatowy także tę uwagę przyjął z wyrozumiałością i ciepłym uśmiechem, Ka poczuł do niego głęboki szacunek. Po raz pierwszy przyszło mu do głowy, że jeśli istotnie „Frankfurter Rundschau" opublikowałoby oświadczenie Granatowego, proislamskie gazetki natychmiast z dumą by ten fakt wyolbrzymiły. A to oznaczałoby jeszcze większą popularność Granatowego w całej Turcji. Zapadła długa cisza. Kadife wyjęła chusteczkę i powoli otarła łzy. Ka czuł, że jak tylko przekroczy próg, tych dwoje zacznie się kłócić, a potem kochać. Czy chcieli, żeby natychmiast stąd wyszedł? Gdzieś wysoko leciał samolot. Cała trójka nasłuchiwała jego ryku ze wzrokiem wbitym w niebo, widoczne w górnym fragmencie okna.

— Właściwie żaden samolot nigdy tu nie latał — stwierdziła Kadife.

— Dzieje się coś wyjątkowego — dodał Granatowy i po chwili uśmiechnął się z powodu własnej podejrzliwości. Poczuł jednak gniew, widząc, że Ka również się uśmiechnął.

— Jest o wiele zimniej niż minus dwadzieścia, a państwo podobno wciąż się upiera, że temperatura rośnie. — Popatrzył na poetę tak, jakby próbował mu udowodnić, że wcale się nie boi.

— Chciałabym żyć normalnie — wyznała nagle Kadife.

— Odrzuciłaś normalne życie burżuazji — stwierdził Granatowy. — I to właśnie czyni cię wyjątkową...

— Nie chcę być wyjątkowa. Chcę być jak wszyscy. Gdyby nie ten przewrót, może zdjęłabym chustę i wreszcie żyłabym jak inni.

— Przecież tutaj wszystkie kobiety zasłaniają włosy.

— Nieprawda. W moim środowisku większość wykształconych kobiet nie nosi chust. Już dawno przestałam być taka jak te nieliczne dziewczęta, wkładające je po to, by się upodobnić do reszty. W tym geście tkwi wyniosłość, która wcale mi się nie podoba.

— Wobec tego jutro zdejmiesz chustę — powiedział Granatowy. — I każdy pomyśli, że to kolejne zwycięstwo rewolucjonistów.

— Wszyscy wiedzą, że w przeciwieństwie do ciebie nie żyję tym, co pomyślą o mnie inni — odparła Kadife. I aż zarumieniła się z radości.

Granatowy i na tę odpowiedź zareagował wielkodusznym uśmiechem, choć widać było, że tym razem, aby za-

chować zimną krew, musiał zaangażować całą swoją wolę.
I wiedział, że nie umknęło to uwadze poety. Obaj mężczyźni znaleźli się w sytuacji, w której za nic nie mieli ochoty się znaleźć: Ka mimo woli poznał osobiste problemy Kadife i Granatowego. Poeta miał nieodparte wrażenie, że Kadife, wściekle atakując Granatowego przy obcym, świadomie narusza granice ich prywatności. Raniąc swojego mężczyznę, chciała sprawić, by Ka czuł się winny, że stał się świadkiem tej sceny. Dlaczego więc właśnie teraz przyszły mu na myśl miłosne listy napisane do niej przez Necipa, które od poprzedniego wieczoru nosił w kieszeni?

— Nazwisko żadnej z dziewcząt, które walczą o swoje chusty i są wyrzucane ze szkoły, nie trafi do gazet — powiedziała Kadife z tą samą zaciekłością. — Zamiast zdjęć kobiet, którym zrujnowano życie z powodu zasłoniętych włosów, gazety publikują fotografie przemawiających w ich imieniu ostrożnych, leniwych miejskich radykałów. Muzułmanka może się znaleźć w gazetach, tylko jeśli ma męża burmistrza i występuje u jego boku podczas państwowej uroczystości. Dlatego nie brak wiadomości o mnie, ale właśnie ich ukazanie się byłoby dla mnie przykre. Tak naprawdę współczuję tym biednym mężczyznom, którzy dwoją się i troją, żeby to o nich było głośno, kiedy my, kobiety, zadręczamy się, chcąc ochronić własną intymność. I dlatego uważam, że trzeba napisać o samobójczyniach. Poza tym czuję, że też mam prawo wydać oświadczenie dla Hansa Hansena.

— Świetnie — odezwał się Ka bez zastanowienia. — Z podpisem: „Reprezentantka muzułmańskich feministek".

— Nie mam zamiaru nikogo reprezentować — zaprotestowała. — Chcę stanąć przed Europą w pojedynkę, z własnym życiem, wszystkimi grzechami i wadami. Tak jak człowiek, który pragnie opowiedzieć swoją historię od początku do końca osobie nieznajomej albo komuś, kogo z pewnością nie zobaczy już nigdy więcej... Kiedy czytałam europejskie powieści, wydawało mi się, że ich bohaterowie mówili o sobie pisarzom w ten właśnie sposób. Chciałabym, żeby kilka osób w Europie tak przeczytało moją historię.

Gdzieś niedaleko rozległ się wybuch, cały dom zadrżał w posadach, zabrzęczały szyby. Ka i Granatowy zerwali się na równe nogi.

— Pójdę zobaczyć, co to było — powiedziała Kadife. Była najbardziej opanowana z całej trójki.

Ka delikatnie odsunął zasłonę.

— Nie ma woźnicy, odjechał — skonstatował sucho.

— Ryzykowałby, czekając tu na ciebie — odparł Granatowy. — Kiedy będziesz wychodził, skorzystaj z bocznych drzwi.

Poeta zrozumiał, że to znaczyło „idź już stąd". Ale nie ruszył się z miejsca, jakby na coś czekał. Mężczyźni popatrzyli na siebie z nienawiścią. Ka przypomniał sobie nagle strach, jaki w czasach studenckich ogarniał go, kiedy w ciemnym korytarzu spotykał podekscytowanego studenta — nacjonalistę z bronią w ręku. Wtedy jednak nie czuł tego erotycznego napięcia, jakie teraz wisiało w powietrzu.

— Może i mam paranoję — stwierdził samokrytycznie Granatowy — ale to nie wyklucza faktu, że możesz się okazać zachodnim szpiegiem. Możesz nawet nie wiedzieć, że jesteś agentem, ani nie mieć żadnych ukrytych zamiarów, co wcale nie zmienia naszej sytuacji. To ty jesteś tutaj obcy. A wątpliwości, które ni stąd, ni zowąd zasiałeś w głowie tej pełnej wiary dziewczyny, wszystkie te jej dziwactwa — tylko to potwierdzają. Oceniasz nas jak narcystyczny człowiek Zachodu. Kto wie, może w duchu nawet się z nas śmiejesz... Mnie to nie obchodzi i na Kadife pewnie też nie zrobiłbyś żadnego wrażenia. Ale ty w swojej naiwności sprzedałeś nam

europejską obietnicę szczęścia i sprawiedliwości. Pomiesza-
łeś nam w głowach! Nie, nie mam ci tego za złe. Czynisz zło
nieświadomie, jak wszyscy poczciwi ludzie. Skoro jednak
teraz dowiedziałeś się o tym wszystkim, nie będziesz już
mógł być uznany za niewinnego.

27.

**Wytrzymaj, dziecko,
z Karsu nadciąga pomoc!**

Ka przekonuje pana
Turguta, by podpisał
oświadczenie

Ka wyszedł z budynku, minął otoczone warsztatami samochodowymi podwórko i nie zauważony przez nikogo dotarł na rynek. W sklepiku bieliźniarsko-muzyczno-papierniczym, z którego wczoraj dobiegała melodia *Roberty* Peppina di Capri, kartka po kartce podał młodemu sprzedawcy listy Necipa z prośbą o ich skserowanie. Żeby to zrobić, musiał rozedrzeć koperty. Później umieścił listy w podobnych wyblakłych, tanich kopertach i naśladując pismo chłopaka, nakreślił szybko nazwisko adresatki: Kadife Yıldız.

Rozmyślał o Ipek, dla której walczył o szczęście, kłamiąc i knując. Szybkim krokiem ruszył w stronę hotelu. Śnieg znów zasypywał wszystko ogromnymi płatkami. Na ulicach panował przedwieczorny pośpiech. Ciągnięty przez zmęczonego konia wóz z węglem zatarasował i tak już zwężone przez zaspy skrzyżowanie ulicy Saray Yolu z aleją Halita Paszy. Wycieraczki stojącej za nim ciężarówki ledwo nadążały z odgarnianiem śniegu. W powietrzu Ka czuł dobrze mu znany z dzieciństwa smutek mroźnego zimowego wieczoru, kiedy wszyscy z plastikowymi reklamówkami w rękach spieszą do swoich domowych oaz szczęścia. Ale on w przeciwieństwie do reszty czuł się tak, jakby właśnie zaczynał nowy dzień.

Natychmiast poszedł do swojego pokoju. Kserokopie listów Necipa wepchnął na dno torby. Zdjął palto i powiesił je na wieszaku. Umył ręce z przesadną dokładnością. Odruchowo wyszczotkował zęby (zazwyczaj robił to wieczorem) i sądząc, że nadchodzi natchnienie, stanął koło okna. Czuł bijące od grzejnika przyjemne ciepło, a do głowy zamiast poezji przychodziły mu zapomniane zdarzenia sprzed lat: wstrętny typ, który przyczepił się do nich, gdy pewnego wiosennego poranka razem z matką wyszli kupić guziki na Beyoğlu... Znikająca mu z oczu na rogu Nişantaşı taksówka, która wiozła rodziców na lotnisko, skąd mieli wyruszyć w podróż po Europie... Wysoka, długowłosa i zielonooka dziewczyna, którą poznał podczas prywatki na wyspie Büyükada*, i wielodniowy przeszywający ból żołądka, kiedy po długim tańcu rozstali się, a on nie wiedział, gdzie jej szukać... Wszystkie te wspomnienia nie miały z sobą żadnego związku. Teraz Ka wiedział już dobrze, że życie — poza chwilami, kiedy człowiek czuł miłość i szczęście — było jedynie ciągiem nieistotnych zdarzeń.

Zszedł na parter. Ze zdecydowaniem gościa udającego się z dawno zaplanowaną wizytą i z opanowaniem zaskakującym nawet jego samego zastukał w białe drzwi mieszkania zajmowanego przez właściciela hotelu. Kurdyjska służąca przyjęła go z miną na wpół tajemniczą, na wpół zdradzającą szacunek, czyli taką, jaką zwykli przybierać bohaterowie powieści Turgieniewa. Kiedy wszedł do salonu, w którym wczoraj jadł kolację, zobaczył pana Turguta i Ipek, usadowionych przed telewizorem na sofie stojącej tyłem do drzwi wejściowych.

— Kadife, gdzieś ty się podziewała? Właśnie się zaczyna — powiedział gospodarz.

---

* Büyükada — największa z dziewięciu Wysp Książęcych na Morzu Marmara.

Przestronne, wysokie pomieszczenie, tonące w lśniącej za oknem, stłumionej śnieżnej bieli, wyglądało teraz inaczej niż poprzedniego wieczoru.

Na widok poety przekraczającego próg ich mieszkania ojciec z córką poczuli skrępowanie, niczym para, której prywatność została naruszona. Mimo to Ka, dostrzegłszy po chwili blask w oczach Ipek, doznał wszechogarniającej radości. Usiadł w fotelu tak, by móc patrzeć i na telewizor, i na ojca z córką. Po raz kolejny z zaskoczeniem odnotował, że kobieta jest jeszcze piękniejsza, niż sądził. To wzmogło jego strach, podsycając jednocześnie nadzieję na wspólne szczęście.

— Każdego dnia o szesnastej siadam tu z córkami i oglądam *Mariannę* — powiedział zawstydzony pan Turgut, choć jego słowa zabrzmiały tak, jakby chciał stwierdzić: „A zresztą nic ci do tego".

Marianna była popularną w całej Turcji meksykańską operą mydlaną, nadawaną pięć razy w tygodniu przez jedną z największych stambulskich stacji telewizyjnych. Tytułowa bohaterka, niewysoka, zielonooka, ciepła i kipiąca energią dziewczyna pochodziła ze społecznych nizin, choć jej jasna cera mogłaby świadczyć o czymś przeciwnym. Wiecznie borykała się z przeciwnościami losu, fałszywymi oskarżeniami, nie odwzajemnioną miłością i rozmaitymi nieporozumieniami. Melodramatyczna opowieść usiana była wspomnieniami z biednego, sierocego dzieciństwa długowłosej Marianny o niewinnej buzi. W takich chwilach pan Turgut i jego córki jeszcze mocniej przytulali się do siebie, dziewczęta opierały głowy na ramieniu ojca i każde z nich roniło jedną lub dwie łzy. Pan Turgut, zawstydzony swoim przywiązaniem do telewizyjnego tasiemca, podkreślał, że główną bohaterkę ceni za wojnę, jaką wypowiedziała kapitalistom, a scenariusz za to, że wiernie przedstawiał ubóstwo Meksyku. Czasem podekscytowany krzyczał w kierunku ekranu: „Wytrzymaj, dziecko, z Karsu nadciąga pomoc!", a córki uśmiechały się lekko przez łzy...

Kiedy rozpoczął się serial, na usta Ka wypełzł ledwo widoczny uśmiech. Ale gdy poeta zauważył niezadowolenie w oczach Ipek, szybko ściągnął brwi.

Już w pierwszej przerwie na reklamy Ka poruszył sprawę wspólnego oświadczenia i szybko udało mu się żywo zainteresować pana Turguta. Gospodarzowi wyraźnie schlebiało, że poeta zwrócił się właśnie do niego. Zapytał, skąd się wzięła idea napisania oświadczenia i kto zaproponował jego kandydaturę.

Ka wyjaśnił, że jest autorem obu pomysłów, a zainspirowały go rozmowy, jakie odbył z niemieckimi dziennikarzami demokratami. Pan Turgut zainteresował się nakładem „Frankfurter Rundschau" i zapytał, czy Hans Hansen jest humanistą. Ka, chcąc przygotować gospodarza na wiadomość o Granatowym, wspomniał coś o udziale w całym przedsięwzięciu pewnego „niebezpiecznego religijnego islamskiego radykała, który jednak pojął istotę demokracji". Ale gospodarz nie przejął się tym zbytnio i oświadczył, iż według niego nadmierne oddanie religii wynika z biedy, a on sam, choć nie wierzy w sprawę, o którą walczy jego córka wraz z koleżankami, darzy tych ludzi należnym szacunkiem. Dodał, że takie samo uznanie ma dla trzeciego sygnatariusza — nieznanego kurdyjskiego młodzieńca nacjonalisty — i że gdyby sam był tu, w Karsie, takim kurdyjskim chłopcem, zapewne również prezentowałby podobne poglądy. Pan Turgut był tak zaaferowany jak wtedy, gdy dodawał kurażu znękanej Mariannie.

— Może nie powinienem tego mówić publicznie, ale tak, sprzeciwiam się wojskowym przewrotom — wyznał podekscytowany.

Ka uspokoił go, mówiąc, że oświadczenie i tak przecież nie ukaże się w Turcji. Następnie wyjaśnił, że dla bezpieczeństwa spotkanie trzech sygnatariuszy może się odbyć wyłącznie w obskurnym pokoju na najwyższym piętrze hotelu Asya. Dodał, że można tam dotrzeć niepostrzeżenie przez osłonięty dziedziniec, na który wychodzą tylne drzwi sklepiku przylegającego do pobliskiego pasażu.

— Trzeba pokazać światu, że w Turcji żyją prawdziwi demokraci — odparł pan Turgut. A ponieważ zaczynała się kolejna część serialu, szybko umilkł. Zanim na ekranie pojawiła się tytułowa bohaterka, zdążył jeszcze zerknąć na zegarek. — Gdzie się podziewa Kadife? — mruknął pod nosem.

Ka, tak samo jak gospodarze, w milczeniu patrzył na ekran. W pewnym momencie zmęczona miłosną udręką Marianna weszła na piętro po schodach i upewniwszy się, że nikt jej nie obserwuje, objęła czekającego już na nią ukochanego. Nie pocałowali się, lecz zrobili coś, co na poecie wywarło większe wrażenie: przytulili się z całych sił. W długiej ciszy, jaka zapadła w filmie, dotarło do niego, że serial ogląda teraz całe miasto — mężowie z żonami, które wróciły z zakupów, gimnazjalistki i emerytowani staruszkowie — i że nie tylko smutne uliczki Karsu, ale wszystkie ulice w Turcji wyludniają się nagle dzięki przeżyciom długowłosej Meksykanki. Zrozumiał, że intelektualny cynizm, polityczne zmartwienia i kulturalny snobizm oddaliły go od uczuć, które odkrywała opera mydlana, a co gorsza — jałowość swojego życia zawdzięczał wyłącznie własnej głupocie. Był pewien, że Granatowy i Kadife przestali się już kochać i czule przytuleni w jakimś kącie oglądali teraz *Mariannę*.

— Przez całe życie czekałam na ten dzień — rzekła do ukochanego filmowa bohaterka, a Ka poczuł, że to zdanie, które dokładnie oddawało stan jego umysłu, nie pojawiło się przypadkowo. Próbował przyciągnąć spojrzenie Ipek, ale ukochana, z głową złożoną na ojcowskiej piersi i załzawionymi oczami, była absolutnie pochłonięta serialowym dramatem.

— Mimo to bardzo się martwię — powiedział przystojny ukochany Marianny. — Moja rodzina nie zgodzi się, byśmy byli razem.

— Dopóki się kochamy, nie mamy się czego bać — stwierdziła optymistycznie Marianna.

— Uważaj, dziecko! Twój prawdziwy wróg to właśnie ten facet! — wtrącił się pan Turgut.

— Chcę, żebyś mnie kochał bez obaw — zażądała bohaterka.

Ka, ciągle wpatrzony w twarz Ipek, dopiął wreszcie swego i przyciągnął jej uwagę. Ale dziewczyna szybko odwróciła wzrok. Podczas reklam powiedziała do ojca:

— Tato, myślę, że wyprawa do hotelu Asya może być dla ciebie zbyt niebezpieczna.

— Nie martw się — odparł pan Turgut.

— Od lat mówisz, że wychodzenie na ulice w Karsie zawsze przynosi nieszczęście.

— Tak jest. Ale jeśli mam tam nie pójść, to wyłącznie dla jakiejś zasady, a nie dlatego, że się boję — wyjaśnił pan Turgut i popatrzył na Ka. — Pytanie brzmi: Jako komunista, opowiadający się za laicyzmem człowiek postępu, demokrata i patriota, w co powinienem uwierzyć najpierw — w oświecenie czy wolę ludu? Jeśli absolutnie wierzę w oświecenie i europeizację, powinienem poprzeć wojskowy przewrót, który uderzył w religijnych fanatyków. Ale jeśli priorytetem jest wola ludu, a ja jestem stuprocentowym demokratą, muszę pójść podpisać to oświadczenie. A pan? W co pan wierzy?

— Niech pan stanie po stronie uciśnionych i podpisze dokument — nakłaniał Ka.

— Nie wystarczy być uciśnionym, trzeba jeszcze mieć rację! Większość uciśnionych błądzi tak, że ośmielam się twierdzić, iż są zwykłymi głupcami! To jak? W co wierzymy?

— On w nic nie wierzy — wtrąciła się Ipek.

— Każdy w coś wierzy — zaprotestował jej ojciec. — Proszę powiedzieć, co pan myśli.

Ka starał się wytłumaczyć, że jeśli pan Turgut podpisze oświadczenie, w Karsie zapanuje prawdziwa demokracja. Czuł też coraz większy niepokój, bo był niemal pewny, że Ipek może odmówić wyjazdu do Frankfurtu. Opanowanym głosem przekonywał pana Turguta, wciąż obawiając się, że nie zdoła wywabić go z hotelu. Możliwość swobodnego wygłaszania swoich dawnych poglądów bez najmniejszej wiary w ich sens przyprawiał go o zawroty głowy. Mamrocząc komunały na temat publicznych oświadczeń, demokracji i praw człowieka, dostrzegł w oczach Ipek błysk, który mówił mu, że kobieta nie wierzy w ani jedno jego słowo. Ale nie był to błysk potępienia, tylko pełen erotyzmu, prowokujący ognik. Tak, jakby stwierdzała: „Wiem, że pleciesz te wszystkie kłamstwa, bo mnie pożądasz”. W ten sposób kilka chwil po tym, jak dzięki telewizyjnej *Mariannie* poznał piorunującą siłę melodramatycznej uczuciowości, poeta odkrył jeszcze inną prawdę, której nie mógł wcześniej zrozumieć: na świecie istniały kobiety, dla których mężczyźni nie wierzący w nic poza miłością mogli być bardzo atrakcyjni... Z potężną energią, jaką przyniosło to drugie odkrycie, Ka wygłosił długi monolog o prawach człowieka, wolności słowa, demokracji i tym podobnych kwestiach. Wbijając w Ipek rozognione spojrzenie, z ekscytacją, jaką rodziła myśl, że może wkrótce będą się kochać w jego pokoju, wygłaszał frazesy do znudzenia powtarzane przez europejskich intelektualistów i ich tureckich naśladowców.

— Ma pan absolutną rację — przerwał mu pan Turgut, bo właśnie kończyły się reklamy. — Gdzież się podziewa ta Kadife?

Przez resztę filmu pan Turgut był niespokojny: chciał iść do hotelu Asya i bardzo się tego bał. Oglądając *Mariannę*, ze smutkiem starca zagubionego wśród wspomnień i marzeń rozprawiał o uwikłanej w politykę młodości, strachu przed aresztowaniami i poczuciu odpowiedzialności. Ka zrozumiał, że Ipek ma do niego żal za niepokój, jaki wywołał u jej ojca, i że jednocześnie zafascynowała ją jego siła przekonywania. Nie zrażał się więc ani tym, że kobieta unikała jego wzroku, ani sensem słów, które wypowiedziała, obejmując pana Turguta po skończonym filmie:

— Niech tato nie idzie, jeśli nie chce. Już dość się tato nacierpiał za innych.

Ka dostrzegł w jej spojrzeniu jakiś cień, ale właśnie przyszedł mu do głowy pomysł na nowy wiersz. Usadowił się na stojącym obok kuchennych drzwi krześle, na którym przed chwilą pochlipująca Zahide oglądała *Mariannę*, i zaczął notować z zadowoleniem.

Kiedy kończył pisać utwór, który potem — być może ironicznie — nazwał po prostu *Będę szczęśliwy*, do pokoju jak burza wtargnęła Kadife. Nie zwróciła na poetę uwagi. Pan Turgut zerwał się na równe nogi, uściskał ją i ucałował. Pytał, gdzie była i dlaczego ma takie lodowate ręce. W jego oczach pojawiły się łzy. Kadife wyjaśniła, że była w odwiedzinach u Hande. Zasiedziała się, a potem nie chciała już stracić nic z ukochanej *Marianny*, została więc do końca serialu.

— I jak tam nasza dziewczyna? — zapytał pan Turgut (chodziło o Mariannę), po czym, nie czekając na odpowiedź, przeszedł do dręczącego go tematu. Szybko streścił to, co powiedział mu Ka.

Kadife zachowywała się tak, jakby po raz pierwszy słyszała o oświadczeniu dla niemieckiej prasy. Na widok Ka udała wielkie zdziwienie.

— Bardzo się cieszę, że pana widzę — powiedziała, próbując zasłonić włosy. Szybko jednak przerwała swoje zmagania z chustą i usadowiwszy się przed telewizorem, zaczęła radzić coś ojcu.

Jej wcześniejsze zdziwienie było tak naturalne, że kiedy Ka usłyszał, z jakim zaangażowaniem przekonuje teraz ojca do podpisania oświadczenia i udziału w niebezpiecznym spotkaniu, pomyślał, że w każdym jej słowie musi tkwić fałsz. Granatowemu zależało na tym, by oświadczenie nadawało się do wydrukowania za granicą, więc podejrzenie o interesowność Kadife było uzasadnione. Ale dziewczynie chodziło o coś jeszcze. Ka odczytał to z przerażonego spojrzenia Ipek.

— Pójdę z tatą do hotelu Asya — zdecydowała Kadife.

— Nie chcę, żebyś miała przeze mnie kłopoty — powiedział na to pan Turgut afektowanym tonem, zaczerpniętym z mydlanych oper i czytanych kiedyś wspólnie z córkami powieści.

— Może mieszając się w coś takiego, naraża się tato na niepotrzebne ryzyko? — zasugerowała Ipek.

Ka odniósł wrażenie, że podobnie jak pozostałe osoby w pokoju, Ipek, mówiąc o jednym, miała na myśli coś innego. Czasami odwracała wzrok, by po chwili całą swoją uwagę skupić na rozmówcy, co wydawało się dziwnym sposobem na przekazanie zawoalowanej treści. O wiele później poeta zauważył, że w Karsie wszyscy — poza Necipem — z wrodzoną łatwością posługiwali się tym „kodem podwójnych znaczeń". Zastanawiał się potem, czy wynikało to z biedy, strachu, samotności, czy może z nieznośnej prostoty ich życia. Kiedy Ipek prosiła ojca, by nie wychodził z hotelu, Ka czuł, że kobieta chce w ten sposób rozdrażnić właśnie jego; a kiedy Kadife mówiła o oświadczeniu i przywiązaniu do ojca, w jej słowach pobrzmiewało wyłącznie przywiązanie do Granatowego.

W takich właśnie okolicznościach Ka wygłosił monolog, który później miał nazwać „najważniejszą w życiu przemową o podwójnym znaczeniu". Czuł, że jeśli nie uda mu się nakłonić pana Turguta do opuszczenia hotelu, raz na zawsze straci szansę na seks z Ipek. Potwierdzenie swych obaw zobaczył w jej wyzywającym spojrzeniu i uznał, że ma przed sobą ostatnią okazję, by zaznać szczęścia. Kiedy zaczął swój wywód, poczuł natychmiast, że słowa i myśli niezbędne do przekonania gospodarza były zarazem słowami i myślami, które kiedyś strąciły w pustkę jego życie. Ta świadomość rozbudziła w nim chęć zemsty na lewicowych ideałach własnej młodości, o jakich zaczął zapominać, nawet nie zdając sobie z tego sprawy. Rozprawiał o altruizmie, odpowiedzialności za ubóstwo i bolączki ojczyzny, o potrzebie dążenia do nowoczesności i poczuciu nieokreślonej solidarności. Przez chwilę miał nawet wrażenie, że wierzy w to, co mówi. Przypomniał sobie zdecydowanie, z jakim odrzucał rolę godnego pożałowania przedstawiciela tureckiej burżuazji, oraz tęsknotę za życiem zawieszonym między książkami i rozmyślaniem. I teraz z zapałem dwudziestolatka jeszcze raz powtórzył na głos tu, przed panem Turgutem, wszystko, w co kiedyś wierzył. Wszystko, co zasmucało słusznie sprzeciwiającą się jego poetyckim aspiracjom matkę i co w końcu zniszczyło mu życie, spychając go do ohydnej nory we Frankfurcie. W pewnym momencie poczuł nawet, że energia, z jaką wygłaszał swój monolog, była niemym wyznaniem skierowanym do Ipek. „Z taką właśnie siłą chcę kochać się z tobą!" — powiedziałby, gdyby mógł. Przyszło mu do głowy, że może te wszystkie przeklęte lewicowe slogany, które zniszczyły mu życie, przydadzą się wreszcie na coś i że to dzięki nim będzie mógł w końcu zaznać miłości z Ipek. I to akurat wtedy, gdy już całkiem przestał wierzyć w ich sens i najbardziej pragnął już tylko przytulić się do pięknej, mądrej dziewczyny, a potem pisać swoje wiersze w jakimś cichym kącie.

Pan Turgut zdecydował, że uda się do hotelu Asya „teraz, zaraz". Razem z Kadife poszedł do swojego pokoju, by przygotować się do wyprawy. Ka zbliżył się do Ipek, która wciąż tkwiła w tym samym miejscu, w nie zmienionej pozycji, jakby wciąż opierała się na piersi ojca.

— Będę czekać w swoim pokoju — wyszeptał Ka.

— Kochasz mnie?

— Bardzo.

— Naprawdę?

— Naprawdę!

Umilkli. Ka, idąc za spojrzeniem Ipek, popatrzył w okno. Śnieg znów zaczynał padać. Przed hotelem zapalono latarnię. Chociaż jej blask rozjaśniał biel wielkich wirujących płatków, przez to, że zmrok całkiem jeszcze nie zapadł, wydawało się, że świeci na marne.

— Idź już. Dołączę do ciebie, kiedy sobie pójdą.

28.

Różnica między miłością a udręką oczekiwania

Ka i Ipek w hotelowym pokoju

Ale Ipek nie przyszła od razu. Oczekiwanie na nią było jedną z największych męczarni, jakich Ka doświadczył w życiu. Przypomniał sobie lęk przed miłością i towarzyszącym jej koszmarem tęsknoty. Zaraz po wejściu do pokoju rzucił się na łóżko, po chwili jednak wstał, wygładził ubranie, poszedł umyć ręce. Poczuł, że krew odpływa mu z palców, ramion, a nawet twarzy. Drżącymi dłońmi uczesał włosy i patrząc na własne odbicie w lustrze, ponownie je zmierzwił. Stwierdził, że wszystkie te czynności zajęły mu bardzo mało czasu, i z niepokojem wyjrzał przez okno.

Najpierw na ulicy powinien był zobaczyć pana Turguta z córką. A może wyszli, gdy był w toalecie? Skoro tak, to Ipek już dawno powinna była przyjść na górę. A może teraz właśnie siedzi w swoim pokoju, który widział wczoraj, i robi makijaż albo spryskuje się pachnidłami? Gdyby rzeczywiście marnowała w ten sposób czas, który mogli spędzić razem, jakże błędny byłby to wybór! Czy nie wiedziała, jak bardzo ją kochał? Nic, absolutnie nic nie było warte tej nieznośnej udręki oczekiwania. Jeśli przyjdzie, na pewno jej o tym powie. Ale czy przyjdzie? Z każdą chwilą był coraz bardziej przekonany, że Ipek zmieniła zdanie i zrezygnowała ze spotkania.

Zobaczył, że pod hotel podjechała furmanka. Oparty o Kadife pan Turgut wsiadł do środka przy pomocy Zahide i recepcjonisty Cavita. Zaciągnięto brezentową plandekę. Ale wóz nie drgnął. Stał, a płatki śniegu, z których każdy wydawał się coraz większy i większy, szybko zasypywały budę woźnicy. Ka miał wrażenie, że czas się zatrzymał. Pomyślał, że zaraz oszaleje. W tym momencie z budynku wybiegła Zahide i podała coś pasażerom. Kiedy wóz ruszył, poeta poczuł przyspieszone bicie serca.

A Ipek wciąż nie nadchodziła.

Jaka jest różnica między miłością a udręką oczekiwania? Ból wyczekiwania, dokładnie tak jak miłość, zaczynał się u Ka gdzieś w górnej części żołądka albo w mięśniach brzucha i promieniując stamtąd na klatkę piersiową i czoło oraz na uda, paraliżował całe ciało. Ka, wsłuchany w skrzypienie budynku, próbował odgadnąć, co Ipek mogła teraz robić. Na widok idącej ulicą obcej, zupełnie niepodobnej do Ipek kobiety zadrżał, myśląc, że to ona. Jak pięknie padał śnieg! Jak wspaniale było zapomnieć na moment o tym koszmarnym oczekiwaniu! Kiedy jako dziecko schodził na szczepienie do szkolnej stołówki, w której zapach spalonych potraw mieszał się z zapachem jodyny, i z podciągniętym rękawem czekał w kolejce na swoją kolej, w żołądku czuł ten sam ucisk. Zdawało mu się, że wolałby umrzeć. Chciał być w domu, w swoim pokoju. Teraz też nagle zapragnął znaleźć się w swoim nędznym frankfurckim mieszkaniu. Zrobił wielki błąd, przyjeżdżając tutaj! Żaden wiersz nie przychodził mu już do głowy. Ból nie pozwalał nawet patrzeć na śnieg zasypujący ulicę. Ale przyjemnie było tak stać w ciepłym oknie, kiedy na zewnątrz właśnie zaczynała się zadymka. Wszystko to lepsze niż śmierć; gdyby Ipek nie przyszła, mógłby wkrótce umrzeć.

Wyłączono prąd.

Pomyślał, że to sygnał wysłany specjalnie do niego. Ipek mogła nie przyjść, bo wiedziała, że zgasną światła. Na zasypanej śniegiem ciemnej ulicy szukał jakiegoś ruchu, punktu, na którym mógłby zawiesić wzrok. Czegoś, co wyjaśniłoby mu nieobecność ukochanej. Zobaczył ciężarówkę, może wojskową. Nie, to była tylko iluzja, tak samo jak głosy na schodach. Nikt nie nadchodził. Położył się na łóżku na wznak. Ból żołądka zmienił się w głębokie cierpienie, czuł teraz żal i rezygnację. Pomyślał, że zmarnował swoje życie i umrze tu teraz ze smutku i osamotnienia. Nie miał już sił, żeby znów ukryć się w swojej frankfurckiej norze. Najbardziej jednak zasmucała go świadomość, że gdyby zachowywał się tylko odrobinę rozważniej, całe jego życie mogłoby być o wiele, wiele szczęśliwsze. Co gorsza, nikt nie dostrzegał jego smutku i samotności. Gdyby Ipek była bardziej uważna, bez ociągania przybiegłaby na górę! Ale tak naprawdę tylko matka by się zmartwiła i próbowała go pocieszyć, delikatnie głaszcząc po głowie, gdyby widziała, w jakim jest teraz stanie. Przez zamarznięte szyby widać było blade światła Karsu i bijący z okien domów pomarańczowy blask. Ka chciał, żeby śnieg padał tak całymi dniami, miesiącami nawet; żeby zasypał miasto, aby już nikt nie mógł go odnaleźć; chciał zasnąć w łóżku i obudzić się u boku matki o słonecznym poranku dzieciństwa.

Rozległo się pukanie. Ka pomyślał, że to ktoś z kuchni. Zerwał się jednak na równe nogi, otworzył drzwi i w ciemnościach wyczuł obecność Ipek.

— Gdzie byłaś?

— Spóźniłam się?

Ka jakby nie słyszał. Natychmiast z całej siły przyciągnął ją do siebie, wtulił głowę w jej włosy i zamarł w bezruchu. Był tak szczęśliwy, że cała udręka oczekiwania wydała mu się teraz bzdurą. Zmęczony cierpieniem, nie czuł już takiego podniecenia, jakie czuć należało. I dlatego, świadomie popełniając kolejny błąd, wypytał Ipek o powód spóźnienia, narzekał i marudził. Ipek twierdziła, że przyszła zaraz po wyjściu ojca. Ach, tak, zajrzała jeszcze do kuchni i wydała Zahide kilka dyspozycji w sprawie kolacji, ale to przecież nie trwało dłużej niż minutę; nie miała pojęcia, że tyle czekał. W ten sposób Ka zrozumiał, że już na początku ich relacji znalazł się na słabszej pozycji w tym miłosnym układzie sił, gdyż okazał większy zapał i słabość. Ukrywanie udręki oczekiwania ze strachu przed okazaniem słabości postawiłoby go jednak w pozycji kłamcy. A czy nie chciał kochać jej tak, by w końcu móc dzielić się z nią wszystkim? W pewnym momencie, pospiesznie, z podnieceniem, jakie towarzyszy wyznaniom, opowiedział Ipek o całym tym kołowrocie myśli.

— Zapomnij teraz o tym wszystkim — rozkazała. — Przyszłam tu, żeby się z tobą kochać.

Całując się, opadli na łóżko z delikatnością, która bardzo spodobała się poecie. Dla Ka, który nie współżył z kobietą przez ostatnie cztery lata, była to chwila niebiańskiej szczęśliwości. Może dlatego bardziej niż zmysłowej przyjemności oddał się rozmyślaniom o niepowtarzalnym pięknie tej chwili, jak w pierwszych erotycznych doświadczeniach. Teraz również bardziej niż miłość pochłonęła go myśl o sobie przeżywającym miłosne uniesienie. Przez jakiś czas chroniło go to przed nadmiernym podnieceniem. W jego głowie z zaskakującą liryczną logiką pojawiały się i znikały fragmenty filmów pornograficznych, od których uzależnił się w Niemczech. Ale projekcja ta nie miała wzmóc jego pożądania; wprost przeciwnie — teraz właśnie świętował chwilę, w której wszystkie obsceniczne wizje tkwiące w jego głowie w końcu stały się jedną, prawdziwą! Dlatego Ka całe swoje pożądanie zamiast na Ipek skupił na wyimaginowanej kobiecie z pornograficznego obrazu. Celebrował cud, jakim była jej obecność tu, w jego łóżku. Szarpiąc na Ipek ubrania, zdejmując je wszystkie gwałtownie i niezdarnie, ledwie zauważył, że ma przed sobą właśnie ją. Miała duże, jędrne piersi i delikatną skórę na szyi i ramionach. Pachniała dziwnie i obco. Patrzył na jej sylwetkę na tle śniegu za oknem i bał się pojawiającego się co chwila w jej oczach blasku. Blasku pewności i zdecydowania. Bał się myśli, że Ipek mogłaby się okazać zbyt mało krucha i wrażliwa; mniej, niż to sobie wyobrażał. Dlatego boleśnie i mocno pociągnął ją za włosy. Czując narastającą przyjemność, nie przestawał; zmusił, by zrobiła wszystko, co dyktowały mu pornograficzne obrazy. Działał instynktownie, rytmicznie, z pasją. Kiedy zobaczył, że jej także sprawia to przyjemność, poczucie zwycięstwa zmieniło się w braterskie ciepło. Przytulił ją z całej siły, jakby chciał ocalić ich oboje przed destrukcyjną siłą Karsu. Ale po chwili odsunął się, nie widząc spodziewanej reakcji. Przez cały czas jego umysł z zaskakującą nawet dla niego samego maestrią niezmiennie kontrolował przebieg erotycznych zmagań. Dzięki temu, kiedy poczuł, że kobieta w jednej chwili stała się odległa i obca, brutalnie przyciągnął ją do siebie. Pragnął sprawić jej ból. Według notatek, które sporządzał Ka i które — głęboko w to wierzę — należy streścić szanownym czytelnikom, później oboje mocno przytulili się do siebie, a reszta świata została gdzieś daleko na zewnątrz. Jak wynika z zapisków, w ostatniej odsłonie ich seksualnego aktu Ipek krzyknęła chrapliwie, a poeta, zupełnie owładnięty już przez strach i paranoję, pomyślał, że właśnie po to, by oboje mogli mieć satysfakcję z nie zmąconego przez nikogo, wzajemnego zadawania sobie bólu, już na samym początku dano mu ten położony na samym końcu bocznego korytarza pokój. W jego wyobrażeniach ten mały pokój na końcu najdalszego korytarza hotelu Karpalas oderwał się od budynku i poszybował daleko, w najodleglejszy zakątek miasta. A w tym pustym mieście, zatopionym w ciszy, jaka nastaje po dniu Sądu Ostatecznego, długo i bezgłośnie padał śnieg.

Leżeli w łóżku, patrząc w milczeniu na białe płatki za oknem. Ten sam zimny śnieg Ka widział chwilami w orzechowych oczach Ipek.

29.

To, czego mi brak
We Frankfurcie

Do maleńkiego mieszkania, w którym Ka spędził osiem ostatnich lat swojego życia, dotarłem cztery lata po jego wizycie w Karsie i czterdzieści dwa dni po jego śmierci. Był wietrzny lutowy dzień. Na przemian padał śnieg i deszcz. Frankfurt, do którego przybyłem samolotem ze Stambułu, był jeszcze brzydszy, niż się spodziewałem, oglądając pocztówki przysyłane przez Ka przez ostatnich szesnaście lat. Jeśli nie liczyć przejeżdżających szybko ciemnych samochodów, znikających niczym nocne mary tramwajów i przemykających w pośpiechu gospodyń domowych z parasolkami w rękach, ulice świeciły pustką. Było tak pochmurno i ciemno, że mimo popołudniowej pory świeciły się żółto martwe światła ulicznych latarni.

Dlatego ucieszyłem się, gdy w okolicach stacji w centrum, na chodnikach przed budkami z kebabem, biurami podróży, lodziarniami i sex shopami napotkałem ślady niespożytej energii, która trzymała wielkie miasta przy życiu. Kiedy zostawiłem swoje rzeczy w hotelowym pokoju i odbyłem rozmowę z pewnym młodym niemiecko-tureckim miłośnikiem literatury, który na moją własną prośbę zaoferował mi wygłoszenie prelekcji w jednym z domów kultury, poszedłem do dworcowej włoskiej kawiarenki na spotkanie z Tarkutem Ölçünem. Numer jego telefonu zdobyłem jeszcze w Stambule od młodszej siostry Ka. Ten pełen dobroci zmęczony mężczyzna koło sześćdziesiątki najlepiej znał Ka z jego frankfurckich lat. Po zabójstwie skontaktował się z policją, zadzwonił do rodziny poety w Stambule, pomógł w wysłaniu ciała do Turcji. W tamtych dniach wydawało mi się, że szkic tomiku poezji, który Ka wreszcie ukończył po czterech latach od powrotu z Karsu, powinien się znajdować wśród pozostawionych we Frankfurcie drobiazgów. Dlatego zapytałem jego ojca i siostrę, co się stało z jego rzeczami. Nie mieli dość sił, by pojechać do Niemiec, pozbierać pamiątki i opróżnić mieszkanie, poprosili więc, bym zrobił to za nich.

Tarkut Ölçün był jednym z pierwszych imigrantów, którzy dotarli do Niemiec w latach sześćdziesiątych. Pracował jako doradca i nauczyciel w tureckich stowarzyszeniach i domach kultury. Miał dwoje urodzonych w Niemczech dzieci — chłopca i dziewczynkę — których zdjęcia natychmiast mi pokazał, z dumą wyjaśniając, że oboje studiują. Cieszył się szacunkiem wśród rodaków, ale w jego oczach dostrzegłem to, co widziało się u przedstawicieli pierwszego pokolenia osiedlonych w Niemczech Turków i innych politycznych uchodźców: jedyną w swoim rodzaju samotność i świadomość porażki.

Tarkut Ölçün pokazał mi najpierw niewielką torbę podróżną, którą znaleziono przy Ka w chwili śmierci. Policja oddała ją za pokwitowaniem. Natychmiast ją otworzyłem i niespokojnie przejrzałem. Znalazłem piżamę, którą Ka kupił na Nişantaşı osiemnaście lat wcześniej, zielony sweter, zestaw do golenia i szczoteczkę do zębów, parę skarpet i czystą bieliznę oraz magazyny literackie osobiście wysłane przeze mnie ze Stambułu. Zielonego zeszytu nie było.

Potem piliśmy kawę, spoglądając na dwóch starych Turków, którzy wśród tłumu, roześmiani i rozgadani, wycierali dworcowe podłogi.

— Panie Orhan, pański kolega Ka był człowiekiem samotnym. We Frankfurcie nikt, nie wyłączając mnie, nie wiedział o nim zbyt wiele — powiedział Tarkut Ölçün i obiecał opowiedzieć wszystko, co uda mu się wygrzebać z pamięci.

Na początek, idąc między wiekowymi fabrycznymi zabudowaniami i starymi koszarami, dotarliśmy do usytuowanego w pobliżu Gutleutstrasse budynku, w którym Ka spędził ostatnie osiem lat życia. Nie mogliśmy znaleźć właścicielki lokalu z oknami wychodzącymi na niewielkie puste podwórko i plac zabaw dla dzieci, która otworzyłaby nam odrapane drzwi klatki schodowej i te od mieszkania poety. Czekając w rozmokłym śniegu na gospodynię, patrzyłem na zaniedbany skwer, który Ka często przywoływał w swoich listach i naszych rzadkich rozmowach telefonicznych (Ka w sposób graniczący niemal z paranoją obawiał się, że jest podsłuchiwany, i dlatego nie lubił tych rozmów). Patrzyłem na sklep spożywczy obok i ciemną wystawę sklepiku z gazetami i alkoholem. Miałem wrażenie, że wszystko to jest fragmentem moich wspomnień. Na ławkach obok huśtawek, gdzie gorącymi letnimi wieczorami Ka pił piwo w towarzystwie włoskich i jugosłowiańskich robotników, leżała gruba warstwa śniegu.

Nie zbaczając z drogi, którą każdego ranka Ka pokonywał, aby dotrzeć do biblioteki miejskiej, poszliśmy w stronę placu przy dworcu. Tak jak Ka, któremu przyjemność sprawiał spacer pośród ludzi spieszących do pracy, przez dworcowe drzwi dotarliśmy do podziemnego bazaru, minęliśmy sex shopy przy Keiserstrasse, sklepy z pamiątkami dla turystów, cukiernie i apteki, aż dotarliśmy do placu Hauptwache. Tarkut Ölçün, pozdrawiając Turków i Kurdów, co jakiś czas spotykanych w okolicznych sklepikach i barach szybkiej obsługi, opowiadał, że każdy z nich wołał co rano do przechodzącego tędy Ka: „Dzień dobry, profesorze!". Następnie mój towarzysz wskazał palcem duży dom handlowy, o który pytałem wcześniej: Kaufhof. Wyjaśniłem, że to tutaj Ka kupił palto, w którym przyjechał do Karsu, ale nie chciałem wejść do środka.

Biblioteka miejska we Frankfurcie, którą Ka odwiedzał każdego ranka, mieściła się w nowoczesnym budynku, całkowicie pozbawionym charakteru. Wewnątrz zobaczyłem ludzi zawsze zaglądających w podobne miejsca: gospodynie domowe, zabijających czas staruszków, bezrobotnych, dwóch, trzech Turków albo Arabów, kilku chichoczących nad zeszytami uczniów i innych stałych bywalców takich przybytków. Byli tu ludzie monstrualnie grubi, kalecy, opóźnieni w rozwoju i wariaci. Jakiś obśliniony młodzieniec, podniósłszy głowę znad książki z obrazkami, pokazał mi język. Mojego znudzonego widokiem książek przewodnika posadziłem w kawiarni na dole, a sam wróciłem do półek z angielską poezją. Na schowanych pod okładkami kartach czytelniczych wypatrywałem imienia mego przyjaciela. Auden, Browning, Coleridge... Za każdym razem, gdy znajdowałem podpis Ka, oczy zachodziły mi łzami.

Szybko zakończyłem poszukiwania, które wprawiły mnie w nieznośną melancholię. Razem z moim przewodnikiem wróciłem tą samą ulicą. Przed znajdującym się mniej więcej w połowie Kaiserstrasse sklepem o idiotycznej nazwie World Sex Center skręciliśmy w lewo i doszliśmy do następnej przecznicy, Münchenerstrasse. Oglądałem tureckie sklepy z warzywami, stoiska z kebabem i pusty zakład fryzjerski. Od jakiegoś czasu domyślałem się też, co zobaczę za chwilę. Serce biło mi jak oszalałe, a wzrok błądził po pomarańczach i porach na sklepowej wystawie, jednonogim żebraku, samochodowych reflektorach, odbitych w zaparowanej szybie hotelu Eden i literze „K" w neonie połyskującym różowo w zapadającym zmierzchu.

— Tutaj — powiedział Tarkut Ölçün. — Dokładnie w tym miejscu go znaleziono.

Bezmyślnie spojrzałem na mokry chodnik. Jeden z chłopaków wybiegających ze sklepu z warzywami minął nas, depcząc po mokrych chodnikowych płytach, na które niedawno upadł postrzelony Ka. Światła zaparkowanej nieopodal ciężarówki barwiły asfalt na czerwono. Ka wił się z bólu na chodniku przez kilka chwil, i umarł, zanim przyjechało pogotowie. Uniosłem głowę i spojrzałem na fragment nieba, który widział przed śmiercią: wąski skrawek widoczny między elektrycznymi drutami, latarniami i dachami starych, ciemnych budynków z kebabem, biurami podróży, fryzjerem i piwiarnią na dole. Zastrzelono go tuż przed północą. Tarkut Ölçün wyjaśnił, że o tej porze spacerowały tu jeszcze nieliczne prostytutki. Wprawdzie nierząd uprawiano głównie przy znajdującej się nieco dalej Kaiserstrasse, ale w ruchliwe wieczory, weekendy lub podczas targów prostytutki docierały aż tutaj.

— Niczego nie znaleźli — powiedział Tarkut Ölçün, widząc, jak rozglądam się na boki, jakby w poszukiwaniu śladów zbrodni. — Niemiecka policja nie przypomina naszej. Pracuje solidnie.

Ale kiedy zobaczył, jak po kolei wchodzę do okolicznych sklepów, wiedziony współczuciem, zdecydował się mi pomóc.

Pracownice zakładu fryzjerskiego pamiętały mego przyjaciela. Zapytały, co u niego słychać. Oczywiście tamtej nocy nie było ich już w firmie. Nie miały pojęcia o zbrodni.

— Tureckie rodziny wysyłają swoje córki tylko do szkół fryzjerskich — wyjaśnił Tarkut Ölçün, kiedy wyszli na zewnątrz. — We Frankfurcie są setki tureckich fryzjerek. Natomiast Kurdowie ze sklepu owocowo-warzywnego wiedzieli prawie wszystko o zabójstwie i policyjnym dochodzeniu. I może dlatego nie bardzo przypadliśmy im do gustu. Zatrudniony w Bayram Kebap Haus dobrotliwy kelner, który przed północą słyszał odgłos strzału, rozmawiając z nami, trzymał pewnie w dłoni tę samą brudną ścierkę, którą tamtej nocy wycierał fornirowane stoliki. Wtedy odczekał jeszcze chwilę, zanim wybiegł na zewnątrz. Był ostatnim człowiekiem, którego widział Ka.

Kiedy opuściliśmy Bayram Kebap Haus, szybko wszedłem do najbliższej bramy i dotarłem na podwórko ciemnej kamienicy. Zgodnie ze wskazówkami idącego za mną pana Tarkuta zszedłem dwie kondygnacje w dół i minąwszy jakieś drzwi, znalazłem się w ponurym, ogromnym pomieszczeniu. Kiedyś musiał tu być jakiś magazyn, teraz zaś miałem przed sobą podziemny świat, rozciągający się pod całym budynkiem, aż do chodnika po przeciwległej stronie ulicy. Rozłożone na środku dywany i pięćdziesiąt, może sześćdziesiąt rozmodlonych osób oznaczało, że ktoś zorganizował tu meczet. Dookoła natomiast — jak w stambulskich przejściach podziemnych — mieściły się brudne i ciemne sklepiki: zakład jubilerski z nie oświetloną wystawą, mikroskopijny stragan z warzywami, sąsiadujący z nim punkt bardzo zapracowanego rzeźnika i kolejny — sklep spożywczy — z rozwieszoną wszędzie kiełbasą kangal i sprzedawcą wpatrzonym w telewizor pobliskiej kawiarni. Nieopodal zobaczyłem stoisko ze stertą skrzynek z tureckimi sokami owocowymi, tureckimi makaronami, tureckimi konserwami i książkami religijnymi oraz nawet bardziej zatłoczoną niż meczet kawiarenkę. Powietrze kleiło się od tytoniowego dymu. Kawiarniany tłum złożony był wyłącznie z mężczyzn, skupionych na oglądaniu tureckiego filmu. Pojedyncze osoby opuszczające niemrawo kawiarnię z zamiarem przeprowadzenia rytualnej ablucji kierowały się do kraników zasilanych wodą z ustawionego na boku olbrzymiego plastikowego zbiornika.

— W piątki i dni świąteczne przychodzi tu nawet dwa tysiące osób — poinformował pan Tarkut. — Kiedy nie starcza miejsca na schodach, muszą się tłoczyć w podwórku.

Żeby nie stać bezczynnie, na straganie z książkami i prasą kupiłem magazyn „Tebliğ". Kilka minut później siedzieliśmy tuż nad podziemnym meczetem, w piwiarni w starym monachijskim stylu.

— To był meczet uczniów Sulejmana* — powiedział Tarkut Ölçün, pokazując palcem podłogę. — Są religijni, ale terrorem się nie zhańbili. W przeciwieństwie do ludzi z Wizji Narodowej** i tych od Cemaleddina Kaplana*** nie mają zamiaru buntować się przeciw Republice Turcji. — Musiał jednak poczuć niepokój, kiedy ze sceptyczną miną przeglądałem dopiero co kupiony magazyn, bo nie proszony zaczął opowiadać wszystko, co wiedział o zabójstwie Ka. Wszystko, co usłyszał od policji i przeczytał w prasie.

---

* Wspólnota Sulejmana (tur. Süleymancı) — działająca w Europie organizacja religijna założona przez Sulejmana Hilmiego Tunahana (1888--1959).

** Ruch Wizji Narodowej (tur. Milli Görüş) był zapleczem partii proislamskich Necmettina Erbakana (Partii Ładu Narodowego i Partii Ocalenia Narodowego), a po ich zamknięciu, podzielony na dwie frakcje, kontynuował działalność polityczno-religijną głównie w Europie Zachodniej.

*** Cemaleddin Kaplan — twórca powstałej w 1985 r. w Kolonii organizacji Islami Cemiyet ve Cemaatler Birliği. Schedę po zmarłym w 1995 r. ojcu przejął syn — Metin Kaplan.

Przed czterdziestoma dwoma dniami o 23.30 Ka wrócił z Hamburga, gdzie wziął udział w wieczorku poetyckim. Po sześciogodzinnej podróży pociągiem wyszedł przez południową bramę dworca i zamiast iść na skróty do domu w pobliżu Gutleutstrasse, skręcił w przeciwnym kierunku i trafił na Kaiserstrasse. Dwadzieścia pięć minut spacerował w świetle wciąż otwartych sex shopów, wśród samotnych mężczyzn, turystów, pijaczków oraz prostytutek czekających na klientów. Około północy przed sklepem World Sex Center skręcił w prawo i przeszedł na drugą stronę Münchenerstrasse. Potem padły strzały. Najprawdopodobniej przed powrotem do domu chciał jeszcze kupić mandarynki w pobliskim sklepiku Güzel Antalya. To był jedyny w okolicy sklep z owocami otwarty do północy — sprzedawca pamiętał, że Ka wpadał tu nocą po mandarynki.

Policja nie znalazła ani jednego świadka zabójstwa mego przyjaciela. Kelner z Bayram Kebap Haus, owszem, słyszał strzały, ale przez hałas włączonego telewizora i gwar panujący na sali nie wiedział nawet, ile ich padło. Przez zaparowane szyby piwiarni nad podziemnym meczetem ledwo było cokolwiek widać. Sprzedawca ze sklepu warzywnego, gdzie prawdopodobnie Ka po raz ostatni robił zakupy, zeznał, że nie miał pojęcia o zabójstwie. To wzbudziło podejrzenia policji. Mężczyznę zatrzymano na noc w komisariacie, ale sprawy nie wyjaśniono. Jakaś prostytutka, która paląc papierosa, czekała tamtej nocy na klienta przecznicę dalej, zauważyła podobno biegnącego w kierunku Kaiserstrasse niewysokiego szatyna w czarnym płaszczu o karnacji ciemnej jak u Turka, ale nie potrafiła podać żadnych szczegółów. Po tym, jak Ka upadł na chodnik, jakiś Niemiec, który przypadkiem wyszedł na balkon, wezwał pogotowie. On także nikogo nie widział. Pierwsza kula przeszła od tyłu przez czaszkę mego przyjaciela i wyszła przez lewe oko. Dwie pozostałe rozpłatały żyły wokół serca i płuc, podziurawiły i zakrwawiły popielate palto.

— Skoro zabójca strzelał od tyłu, musiał go śledzić. To był ktoś zdecydowany — powiedział stary, gadatliwy inspektor frankfurckiej policji.

Zabójca mógł nawet jechać za swoją ofiarą z Hamburga. Policja rozważała różne wersje: zazdrość o kobietę albo polityczne porachunki. Ka nie miał żadnych powiązań z podziemnym światem z okolic dworca. Sprzedawcy z sex shopu, zerkając na jego fotografię, przyznali, że widywali go dość często. Bywało, że odwiedzał kabiny, w których wyświetlano filmy pornograficzne. Po jakimś czasie jednak policja zawiesiła śledztwo, nie nadszedł bowiem żaden — fałszywy nawet — donos i nikt, ani prasa, ani żadne wpływowe środowiska, nie wywierały nacisków, by schwytano sprawcę.

Leciwy, pokasłujący inspektor sprawiał wrażenie, jakby bardziej zależało mu na tym, by zapomniano o sprawie, niż przypomniano sobie wszystkie fakty: umawiał się z osobami, które znały Ka, a podczas przesłuchań mówił więcej od nich. To właśnie od tego miłego i najwyraźniej lubiącego Turków policjanta Tarkut Ölçün dowiedział się o dwóch kobietach, z którymi związany był mój przyjaciel w ciągu ośmiu lat poprzedzających jego wyjazd do Karsu. Jedna z nich była Niemką, druga — Turczynką. Uważnie zapisałem w notesie telefony obu. Przez cztery lata po powrocie z Turcji nie związał się już z nikim.

W milczeniu, wśród padającego śniegu, wróciliśmy do domu Ka i odnaleźliśmy otyłą, sympatyczną, choć zrzędliwą gospodynię. Otwierając drzwi na strychu chłodnego, pachnącego dymem domu, pomstowała, że ma zamiar ponownie wynająć mieszkanie i jeśli nie wyniesiemy całego tego bałaganu, ona sama to zrobi. Kiedy wszedłem do ciemnego, niskiego mieszkania, poczułem znany mi od dzieciństwa charakterystyczny zapach i pomyślałem, że zaraz się rozpłaczę. Ten aromat unosił się w powietrzu, uwolniony ze swetrów dzierganych przez jego matkę i z jego tornistra. Był w jego pokoju, który przed laty często odwiedzałem po lekcjach. Przyszło mi kiedyś do głowy, że to zapach jakiegoś nie znanego mi tureckiego mydła, o którego markę nie zdążyłem zapytać.

W pierwszych latach po przyjeździe do Niemiec Ka pracował jako tragarz, malarz, pomocnik przy przeprowadzkach i nauczyciel angielskiego dla tureckich imigrantów. Udało mu się przekonać władze, że naprawdę jest uciekinierem politycznym, i kiedy zaczął pobierać zasiłek dla uchodźców, rozstał się ze środowiskiem komunistów skupionych wokół tureckiego domu kultury, w którym znajdował dotychczasowe zajęcia. Zresztą i tak od samego początku traktowano go tam jak zamkniętego w sobie burżuja. Przez dwanaście ostatnich lat dodatkowym źródłem dochodów mego przyjaciela były wieczorki poetyckie organizowane przez biblioteki miejskie, domy kultury i rozmaite tureckie stowarzyszenia. Dzięki odczytom, na które przychodzili wyłącznie Turcy (rzadko zbierało się więcej niż dwadzieścia osób), zarabiał dodatkowe pięćset marek, jeśli akurat udały mu się trzy spotkania w miesiącu. Niestety nieczęsto tak się działo. Czterysta marek zasiłku pomagało mu jakoś dotrwać do końca miesiąca. Krzesła i popielniczki w jego mieszkaniu były połamane i poobijane, a elektryczny piec straszył rdzą. Przelękniony groźbą właścicielki mieszkania, postanowiłem upchnąć w torbach i starej walizce wszystkie przedmioty należące do przyjaciela: poduszkę przesiąkniętą zapachem jego włosów, pasek i krawat, które pamiętałem jeszcze z liceum, buty marki Bally, które mimo przetartych nosków nosił w domu jako kapcie (napisał o tym w jednym z listów), szczoteczkę do zębów i brudną szklankę, w jakiej stała, około trzystu pięćdziesięciu książek, wiekowy telewizor i wideo, o którego istnieniu nigdy mi nie pisał, starą marynarkę i koszule, a także przywiezione z Turcji przed osiemnastoma laty piżamy. Kiedy jednak na biurku nie udało mi się znaleźć tego, co interesowało mnie najbardziej, poczułem, że tracę zimną krew. Zaraz po przekroczeniu progu tego maleńkiego mieszkania zdałem sobie sprawę, że to właśnie nadzieja na odszukanie tej rzeczy przywiodła mnie tu ze Stambułu.

W ostatnich listach Ka radośnie informował mnie, że po czterech latach ukończył wreszcie swój tomik poezji. Zatytułował go *Śnieg*. Większość wierszy powstała ze szkiców, zapisywanych w zielonym zeszycie podczas nagłych przypływów natchnienia. Po powrocie z Karsu Ka pojął, że książka ta ma w sobie głęboki i tajemniczy porządek, którego nie był wcześniej świadom. Cztery kolejne lata poświęcił na uzupełnianie „braków" swego dzieła. Cztery lata pełnej wyrzeczeń pracy w niemal absolutnej izolacji. Wersy, które w Karsie słyszał tak, jakby ktoś szeptał mu je do ucha, we Frankfurcie stały się niesłyszalne.

Dlatego Ka poświęcił się przede wszystkim pracy nad rozwikłaniem zagadki logiki, jaka rządziła napisanymi w Karsie wierszami. Podążając zgodnie z jej kierunkiem próbował uzupełniać brakujące wersy i słowa. W ostatnim liście do mnie pisał, że cała ta praca została wreszcie ukończona i teraz spróbuje przedstawić wybrane wiersze tutejszym odbiorcom. Kiedy uzna, że wszystko brzmi bez zarzutu, przepisze na maszynie wszystko, co zanotował w zeszycie, i jedną kopię wyśle do mnie, drugą zaś do wydawcy w Stambule. Pytał, czy nie przygotowałbym kilku słów komentarza, które można by umieścić na tylnej okładce, i czy nie przesłałbym ich do Fahira, naszego wspólnego przyjaciela i wydawcy.

Zadziwiająco uporządkowane jak na poetę biurko stało na wprost okna. Przez szybę widać było ginące w śniegu i nocnych ciemnościach dachy frankfurckich domów. Po prawej stronie przykrytego zielonym suknem blatu leżały zeszyty, w których Ka prowadził rozważania na temat dni spędzonych w Karsie i wierszy tam napisanych, po lewej zaś — sterta książek i magazynów, które czytał na krótko przed śmiercią. Na nie istniejącej osi, przecinającej biurko w pionie, w tej samej odległości od brzegu stał telefon i lampa o nóżce z brązu. Niecierpliwie przeszukałem szuflady, zajrzałem między książki, zeszyty, wycinki z gazet, pieczołowicie kolekcjonowane, jak niemal w każdym domu tureckich imigrantów, zlustrowałem dokładnie szafę z ubraniami, łóżko, niewielkie szafki w kuchni i łazience, lodówkę i torbę na brudną bieliznę — każde miejsce, w którym mógł się zmieścić zielony zeszyt. Nie chciałem uwierzyć, że mógł się zgubić wśród szpargałów, i na nowo zacząłem przeglądać wszystko, a Tarkut Ölçün w milczeniu palił papierosy, patrząc na ośnieżony Frankfurt.

Skoro nie było go w torbie, którą Ka zabrał z sobą do Hamburga, musiał zostać tu, w domu. Mój przyjaciel przenigdy nie kopiował wierszy przed ukończeniem całego tomu. Twierdził, że to przynosi pecha. Ale pisał przecież, że ostatnia książka została już ukończona.

Dwie godziny później, zamiast pogodzić się z faktem zaginięcia zielonego zeszytu z wierszami, które Ka napisał w Karsie, przekonywałem siebie, że pewnie miałem go pod ręką (jeśli nie cały zeszyt, to chociaż niektóre utwory) i że w pośpiechu po prostu go przeoczyłem. Kiedy właścicielka mieszkania zastukała do drzwi, wszystkie zapisane ręką mego przyjaciela zeszyty i papiery, jakie znalazłem na biurku i w szufladach, wepchnąłem do plastikowych toreb. Filmy pornograficzne, rzucone niedbale obok magnetowidu (kolejny dowód na to, że Ka nie miewał gości), schowałem do siatki z napisem „Kaufhof". I jak podróżny wyruszający w daleką drogę rozejrzałem się za jakąś najzwyklejszą rzeczą, którą mógłbym zabrać na pamiątkę. Niestety, z powodu właściwego dla mnie niezdecydowania, oprócz popielniczki znalezionej na biurku, pudełka papierosów, noża do otwierania kopert, budzika, przesiąkniętej zapachem Ka wyświechtanej kamizelki, jaką od ćwierćwiecza wkładał na piżamę w chłodne zimowe noce, oraz zrobionej na przystani Dolmabahçe fotografii, na której Ka pozował wraz z siostrą, z zapałem muzealnika zabrałem jeszcze wiele dziwacznych przedmiotów, począwszy od brudnych skarpet, nie używanej chusteczki do nosa, a na paczce papierosów wyciągniętej z kosza na śmieci skończywszy. Podczas jednego z naszych ostatnich spotkań Ka zapytał mnie o moją kolejną powieść. Opowiedziałem mu wtedy o trzymanym przed wszystkimi w sekrecie *Muzeum niewinności*.

Kiedy tylko rozstałem się z moim przewodnikiem i wróciłem do hotelu, jeszcze raz przejrzałem wszystkie zgromadzone przedmioty. A przecież postanowiłem tego jednego wieczoru zapomnieć o moim przyjacielu, by uwolnić się od porażającego smutku, który mnie wtedy ogarnął! Najpierw wziąłem do ręki filmy pornograficzne. W pokoju hotelowym nie było magnetowidu, ale z zapisków, jakie znalazłem na kasetach, wynikało, że przyjaciel szczególnym zainteresowaniem darzył Melindę, amerykańską gwiazdę porno.

Później zacząłem przeglądać zeszyty, w których Ka zapisywał swoje przemyślenia związane z wierszami powstałymi w Karsie. Dlaczego nigdy nie wspominał o przerażeniu i miłości, których tam doświadczył? Odpowiedź znalazłem w blisko czterdziestu listach, ukrytych w teczce, którą na szczęście wrzuciłem do torby. Wszystkie zaadresowane były do Ipek, wszystkie nie wysłane, wszystkie zaczynające się od identycznych słów: „Kochanie, bardzo długo zastanawiałem się, czy pisać Ci o tym". We wszystkich kryły się wzruszające, bolesne szczegóły ich intymnych przeżyć, wspomnienia Karsu, kilka spostrzeżeń na temat Frankfurtu. (Do mnie też pisał o kulawym psie w parku von Bethmanna i przygnębiającym widoku krytych cyną stolików w muzeum żydowskim). Żaden z listów nie był nawet złożony na pół, widać mój przyjaciel nie zdecydował się nawet na włożenie ich do koperty.

W jednym z listów napisał: „Powiedz tylko słowo, a zaraz tam będę...". W innym zaś: „Nigdy nie wrócę do Karsu, bo nie pozwolę na to, byś dłużej opacznie pojmowała moje czyny". W kolejnym wspominał o jakimś wierszu, następny zaś wydawał się odpowiedzią na list wysłany przez Ipek: „Jaka szkoda, że mój list również zrozumiałaś nie tak, jak należało". Tamtego wieczoru, rozłożywszy na podłodze i łóżku wszystko, co wydobyłem z plastikowych toreb, przejrzałem każdy skrawek papieru i byłem pewien, że żaden list od Ipek nigdy do Ka nie dotarł. Wiele tygodni później, po przyjeździe do Karsu, kiedy zapytałem ją o to, dowiedziałem się, że rzeczywiście nigdy do niego nie napisała. Dlaczego więc Ka pisał tak, jakby odpowiadał na jej słowa, choć żadnego listu i tak nie zamierzał wysłać?

Może tu tkwi właśnie sedno tej historii? Do jakiego stopnia można pojąć ból i miłość drugiego człowieka? Jak dobrze potrafimy zrozumieć ludzi przeżywających cierpienie, poniżenie i niedostatek? Jeśli „zrozumieć" znaczy „umieć postawić się na miejscu innej osoby", to czy wszyscy bogaci i rządzący zrozumieli kiedykolwiek miliardy biedaków żyjących obok nich? Na ile ja, pisarz Orhan, potrafiłem dostrzec ciemność ogarniającą trudne i smutne życie swojego przyjaciela poety?

„Przez całe swoje życie miałem poczucie jakiejś straty, jakiegoś niedostatku. Żyłem w bólu jak ranne zwierzę. Może gdybym nie uchwycił się Ciebie z taką mocą, nie rozgniewałbym Cię na koniec tak bardzo. Może wtedy nie musiałbym wracać tutaj, do miejsca, w którym zaczynałem przed laty. Może nie musiałbym znów szukać tego spokoju, który udało mi się niegdyś uzyskać i który teraz utraciłem", pisał Ka. „A teraz ponownie doświadczam tego paraliżującego poczucia straty i odrzucenia. I krwawię w bólu. Myślę czasem, że nie tylko Ciebie mi brak. Myślę, że opuścił mnie cały świat". Czytałem te słowa, ale czy je rozumiałem?

Było już późno, kiedy na dobre rozszumiało mi się w głowie od whisky znalezionej w hotelowym pokoju. Postanowiłem udać się na Kaiserstrasse, aby dowiedzieć się czegoś więcej o Melindzie.

Miała duże, ogromne, oliwkowe i lekko zezujące oczy. Cerę jasną, nogi długie, a usta pełne i małe niczym wiśnia, jak powiedziałby zapewne niejeden dywanowy poeta*. Była dość popularna: podczas dwudziestominutowej wizyty w otwartym całą dobę dziale z kasetami wideo w sklepie World Sex Center natknąłem się na sześć filmów z jej imieniem. Kiedy je później oglądałem w Stambule, udało mi się ustalić te cechy Melindy, które mogły zrobić na Ka najwięk-

---

* Poezja dywanowa — poezja dworska w Imperium Osmańskim, pozostająca pod silnym wpływem kultury perskiej. Szczytowy okres jej rozwoju przypada na XV–XVII w.

sze wrażenie. Bez względu na to jak wstrętny był typ padający do jej stóp i jak głośno jęczał później z rozkoszy, na bladej twarzy Melindy rysował się zawsze ten sam wyraz prawdziwie matczynej troski. W przebraniu (bezwzględnej bizneswoman, narzekającej na impotencję męża kury domowej albo kochliwej stewardesy) zawsze była prowokująca, nago — słaba i krucha. Podczas odwiedzin w Karsie zrozumiałem, że duże oczy, jędrne ciało, a nawet pewien rys charakteru Melindy bardzo upodobniały ją do Ipek.

Jeśli powiem, że przez ostatnie cztery lata swojego życia mój przyjaciel dużo czasu spędzał na oglądaniu pornografii, to zrobię to z pełną świadomością, choć wiem, jak bardzo rozgniewam biednych marzycieli, którzy chcą widzieć w nim świętego poetę bez skazy. Kiedy w poszukiwaniu kaset z Melindą wałęsałem się po sklepie World Sex Center wśród typów przypominających nocne widziadła, pomyślałem, że jedynym elementem łączącym samotnych mężczyzn są oglądane z poczuciem winy filmy pornograficzne. Wszystkich tych zagubionych ludzi — których widziałem w kinach na 42. ulicy w Nowym Jorku, we Frankfurcie na Kaiserstrasse i na tyłach Beyoğlu, jak patrzyli na ekran ze wstydem i rezygnacją, a potem robili wszystko, by w obskurnym holu nie napotkać spojrzeń innych podobnych biedaków — łączyło podobieństwo tak oczywiste, że mogło wręcz rzucić nowe światło na wszelkie uprzedzenia rasowe, nacjonalizmy oraz teorie antropologiczne. Wyszedłem ze sklepu z reklamówką pełną filmów o Melindzie i idąc w śniegu zupełnie pustą ulicą, wróciłem do hotelu.

W prowizorycznym hotelowym barze wypiłem jeszcze dwie whisky i wpatrzony w padający za oknem śnieg, czekałem, aż usłyszę w głowie znany kojący szum. Sądziłem, że jeśli wypiję trochę przed wejściem na górę, żadne zeszyty ani żadna Melinda nie zmącą już mojego spokoju. Ale kiedy tylko przekroczyłem próg pokoju, chwyciłem pierwszy z brzegu zeszyt i zatopiony w lekturze, padłem na łóżko, nie zdejmując nawet płaszcza. Cztery strony dalej natknąłem się na taki oto płatek śniegu:

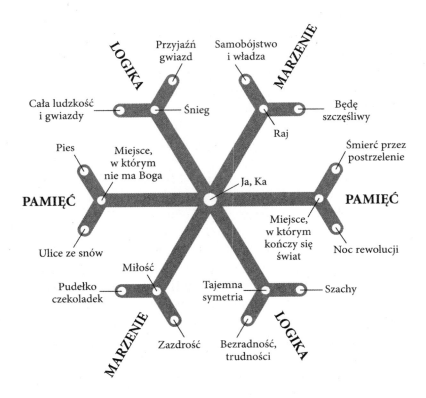

30.

Kiedy znów
się spotkamy?

Krótka chwila szczęścia

Ipek i Ka przez jakiś czas w milczeniu i absolutnym bezruchu leżeli przytuleni do siebie. Cały świat ogarnęła cisza i poeta był tak szczęśliwy, że miał wrażenie, jakby ta chwila trwała niesłychanie długo. I tylko dlatego zerwał się nagle na równe nogi i podbiegł do okna. Później miał dojść do wniosku, że to była najszczęśliwsza chwila w jego życiu, i zapytywać samego siebie, dlaczego przerwał ją w ten sposób. Odpowiedź wydawała się oczywista: ogarnęła go panika. Tak jakby za oknem, pośrodku ośnieżonej ulicy coś miało się wydarzyć, a on musiał zdążyć, aby to zobaczyć.

Ale na zewnątrz nie dostrzegł niczego poza śniegiem. Prądu wciąż nie było, jedynie płomień świecy zapalonej w kuchni na dole muskał pomarańczowym blaskiem ciężko opadające płatki. Ka pomyślał później, że przerwał tę pełną uniesienia chwilę dlatego, że nie mógł już dłużej znieść nadmiaru szczęścia. A przecież na początku, kiedy leżał w objęciach Ipek, nie zdawał sobie sprawy, że było mu aż tak dobrze. Czuł spokój, który wydawał mu się tak naturalny, że zapomniał, dlaczego wcześniej żył spętany strachem i przygnębieniem. Taki spokój czuł w chwilach, gdy nadchodziło natchnienie, z jedną tylko różnicą — sens całego świata nie ujawnił się teraz w sposób tak oczywisty jak wtedy. Ka nie przeżywał aż tak wielkiej ekscytacji. Ta chwila szczęścia nie była chwilą olśnienia, była chwilą prostszą, dziecinną. Ka wydawało się, że zaraz opowie o sensie świata jak dziecko, które właśnie nauczyło się mówić.

Przypomniał sobie teraz o płatkach śniegu i wszystkim, co przeczytał o nich po południu w bibliotece. Poszedł tam, żeby przygotować się na wypadek, gdyby kiedyś chciał napisać kolejny wiersz o śniegu. Ale teraz natchnienie nie nadchodziło. Prostą sześcioramienną budowę płatka porównał do symetrii wierszy, które tutaj, w Karsie, padały na niego jeden po drugim jak śnieżynki. Pomyślał wtedy, że te wiersze muszą być jakimś znakiem, symbolem czegoś niezwykle ważnego.

— Co ty tam robisz? — zapytała Ipek.

— Patrzę na śnieg, kochanie.

Miał absurdalne wrażenie, że Ipek domyśliła się wszystkiego: jakby wiedziała, że geometryczny kształt śnieżnych płatków był dla niego czymś więcej niż tylko ucieleśnieniem zwykłego piękna. Ipek była niezadowolona, że uwagę Ka pochłaniało coś poza nią. A poeta, który wciąż wyrzucał sobie, że okazując większe niż ona pożądanie, zdradził tym samym własną bezbronność, poczuł ulotne zadowolenie. Tak, seks pozwolił mu choć na moment zyskać przewagę.

— O czym myślisz? — zapytała.

— O matce — odparł, nie mając pojęcia, dlaczego skłamał. Matka, choć zmarła niedawno, nie zaprzątała jego myśli. Kiedy jednak później analizował swą podróż do Karsu, przyznał, że jej cień towarzyszył mu przez cały czas.

— Ale o czym dokładnie?

— Kiedyś wyglądałem przez okno na padający śnieg, a ona głaskała moje włosy.

— Byłeś szczęśliwy w dzieciństwie?

— Kiedy człowiek jest szczęśliwy, nie zdaje sobie z tego sprawy. Wiele lat później uznałem, że jako dziecko byłem szczęśliwy. Ale to nieprawda — nie byłem tylko aż tak nie-szczęśliwy jak później. W dzieciństwie nie zajmowały mnie takie rzeczy.

— A kiedy zaczęły?

Nigdy — chciałby powiedzieć Ka. Ale, po pierwsze, skłamałby, a po drugie, jego słowa zabrzmiałyby zbyt prowokacyjnie. Przez moment przeszło mu nawet przez myśl, że powie to, by wywrzeć na Ipek wrażenie, ale teraz zależało mu na czymś więcej.

— Kiedy byłem na skraju rozpaczy, zacząłem rozmyślać o szczęściu — wyznał.

Czy mówiąc to, zrobił dobrze? Znów zaczął się martwić. Jeśli opowie o swojej samotności i biedzie we Frankfurcie, jak zdoła ją przekonać do wspólnego wyjazdu? Na zewnątrz wiał ostry wiatr, rozdmuchując płatki śniegu, a Ka ogarnęła taka sama panika jak ta, która przed chwilą wypędziła go z ciepłego łóżka. W żołądku poczuł mocny ucisk bólu miłości i tęsknoty. Przed chwilą było mu tak dobrze, że na samą myśl o utracie tego szczęścia zaczął odchodzić od zmysłów. I to kazało mu zwątpić we własne szczęście. „Czy pojedziesz ze mną do Frankfurtu?" — cisnęło mu się na usta. Ale bał się odpowiedzi, jaką mógłby usłyszeć.

Wrócił do łóżka i z całej siły objął odwróconą do niego plecami Ipek.

— Jest taki sklep na rynku — powiedział. — Puszczali tam bardzo starą piosenkę — *Robertę* Peppina di Capri. Skąd ją wytrzasnęli?

— W Karsie wciąż żyją stare rodziny, które nie potrafią porzucić tego miasta — odparła Ipek. — Aż w końcu rodzice umierają, a dzieci pozbywają się wszystkiego i uciekają stąd jak najdalej. Potem widać i słychać tu i ówdzie różne dziwactwa, za nic nie pasujące do tutejszej biedy. Kiedyś jesienią przyjeżdżał tu ze Stambułu handlarz, który skupował za bezcen wszystkie te starocie. Ale teraz nawet on tu nie zagląda.

Ka przez moment sądził, że na nowo odnalazł niewiarygodne szczęście sprzed kilku chwil. Ale nie, to nie było to samo uczucie. Strach, że nigdy już nie odnajdzie tamtej radosnej chwili, rósł w nim z minuty na minutę i wkrótce przemienił się w przerażenie miażdżące wszystko inne. Zrozumiał, że nigdy nie przekona Ipek do wyjazdu z Turcji.

— Dobrze więc, kochany. Ja już pójdę — powiedziała.

Ani ten „kochany", ani nawet jej ciepły pocałunek nie były w stanie uspokoić Ka.

— Kiedy znów się spotkamy?

— Martwię się, co z ojcem. Policja mogła ich śledzić.

— Ja też się o nich martwię... — przyznał Ka. — Kiedy znów się spotkamy?

— Nie mogę tu przyjść, kiedy ojciec będzie w hotelu.

— Ale teraz nic już nie jest takie jak dawniej! — odparł Ka. Ze strachem pomyślał, że dla szybko ubierającej się w ciemnościach milczącej Ipek wszystko mogło wciąż pozostać takie samo. — Przeprowadzę się do innego hotelu. Tam przyjdziesz — zaproponował.

Zapadła nieznośna cisza. Rozszalały wir lęku, zazdrości i rozpaczy porwał poetę. Ka pomyślał, że w życiu Ipek jest jeszcze inny mężczyzna. I choć wiedział, że to zwykła zazdrość niedoświadczonego kochanka, miał ochotę przytulić ukochaną z całych sił. Był gotów pokonać każdą przeszkodę, jaka mogła ich dzielić. Ale wszystko, co zrobiłby teraz, chcąc zbliżyć się do ukochanej, wyglądałoby przesadnie i zbyt gwałtownie i mogłoby tylko skomplikować jego sytuację. Ka milczał więc, niezdecydowany.

31.

Nie jesteśmy głupi! Jesteśmy tylko biedni!

Sekretne spotkanie w hotelu Asya

Przedmiotem, który Zahide w ostatniej chwili podała ukrytemu w wozie panu Turgutowi jadącemu do hotelu Asya na sekretne spotkanie, i którego w żaden sposób nie potrafił dojrzeć wyglądający przez okno Ka, była para starych wełnianych rękawic. Tuż przed wyjazdem, niezdecydowany, co należałoby przywdziać na tak ważne spotkanie, pan Turgut rozłożył na łóżku: dwie marynarki — czarną i szarą — pamiętające jeszcze belferskie czasy, pilśniowy kapelusz, wkładany podczas obchodów święta Republiki i rozmaitych wizytacji, oraz kraciasty krawat, który od lat służył wyłącznie do zabaw synowi Zahide. Przeciągle spojrzał na zawartość szaf i powyjmowane ubrania. Kadife, widząc, że ojciec niczym szykująca się na bal rozmarzona kobieta przeżywa dylemat dotyczący stroju, wybrała to, co uznała za stosowne, i sama zapięła guziki ojcowskiej koszuli, pomogła włożyć marynarkę i płaszcz, a na chude ręce w ostatniej chwili z trudem wcisnęła białe rękawiczki z psiej skóry. Właśnie wtedy pan Turgut przypomniał sobie stare wełniane rękawice i uparł się, że musi je znaleźć. Ipek i Kadife w pośpiechu przejrzały wszystkie szafy i skrzynie. Odnalezioną w ostatniej chwili zgubę, porządnie nadgryzioną przez mole, niefrasobliwie rzuciły na bok. Pan Turgut jednak już w fur-

mance stwierdził, że nigdzie się bez tych rękawic nie ruszy,
i opowiedział wszystkim, jak przed laty świętej pamięci małżonka wydziergała je i przyniosła mu do celi, gdzie odsiady-
wał wyrok za lewicowe poglądy. Kadife, która znała ojca lepiej niż on sam siebie, dostrzegła w tym życzeniu raczej
strach przed wyprawą niż przywiązanie do pamiątki. Kiedy
dostarczono rękawice, a fura powoli ruszyła w padającym
śniegu, dziewczyna z udawanym zdziwieniem słuchała więziennych wspomnień ojca (łzy wylewane nad listami od żony, samodzielna nauka francuskiego, zimowe noce prze-
sypiane z tymi oto rękawicami na dłoniach), jakby robiła to
po raz pierwszy, i powiedziała: „Tato jest bardzo odważnym
człowiekiem!". A pan Turgut — jak zawsze gdy słyszał podobne słowa z ust swoich córek (ostatnio coraz rzadziej) —
wzruszył się do łez i objąwszy Kadife, pospiesznie ją ucałował. Na ulicach, które mijali, nie wyłączono prądu.

— Hejże, jakie to sklepy tutaj pootwierano! — zakrzyknął pan Turgut, kiedy wysiedli z wozu. — Popatrzmy no trochę na wystawy — zaproponował.

Kadife czuła, że ojciec teraz najchętniej wróciłby do domu, więc nie sprzeciwiała się zbytnio. Tymczasem pan Turgut oświadczył, że ma ochotę napić się gdzieś herbaty z lipy,
i dodał, że jeśli szwenda się za nimi jakiś agent, to ich nagła
zmiana planów utrudni mu tylko pracę. Weszli do najbliższej çayhane i zapatrzeni w nadawaną w telewizji scenę jakiegoś pościgu, bez słowa usiedli przy stoliku. Kiedy już
mieli wyjść, pan Turgut natknął się w drzwiach na swojego
dawnego fryzjera. Wrócili więc do środka i znów zajęli miejsca przy stole.

— Może się już spóźniliśmy? Może to niegrzecznie przychodzić tak późno? Może lepiej zrezygnujmy? — wyszeptał
pan Turgut córce do ucha, udając, że słucha wywodu grube-
go fryzjera.

Wyszli na ulicę. Kadife wzięła ojca pod rękę, a on, zamiast skręcić na tylny dziedziniec, odwiedził sklep papierniczy, gdzie długo wybierał granatowe pióro. W końcu, tak jak wcześniej ustalono, tylnymi drzwiami sklepu Ersin Elektrik i Artykuły Instalacyjne wyszli na podwórze. Kiedy zbliżali się do ciemnych tylnych drzwi hotelu Asya, Kadife zobaczyła, że ojciec pobladł.

Hotelowe wejście było ciche i puste; ojciec i córka, wtuleni w siebie, stanęli w pełnym niepewności oczekiwaniu. Nikt za nimi nie szedł. Kilka kroków dalej panowały egipskie ciemności. Kadife macając na oślep ręką, cudem odnalazła poręcz schodów.

— Nie puszczaj mnie — poprosił pan Turgut.

Hol, którego wysokie okna szczelnie zasłonięto grubymi kotarami, spowijał półmrok. Martwe światło brudnej lampy ledwo ogarniało nie ogolonego obszarpanego recepcjonistę. W tej ciemności z trudem dostrzegli kilka osób przechadzających się w holu lub schodzących po schodach. Większość tutejszych cieni należała do policjantów w cywilu albo ludzi prowadzących ciemne interesy — szmugiel drewna, bydła i robotników. Hotel, w którym osiemdziesiąt lat temu zatrzymywali się rosyjscy kupcy, a potem handlujący z Rosją Turcy i podwójni brytyjscy agenci o arystokratycznych korzeniach, przemycający przez Armenię szpiegów do Związku Radzieckiego, teraz gościł zajęte mrówczym handlem i prostytucją Gruzinki i Ukrainki. Kiedy mężczyźni, dzięki którym kobiety te trafiały tutaj i z którymi żyły w dziwacznych niby-małżeństwach, wieczorami wracali ostatnimi autobusami do swoich wsi, one schodziły do ciemnego baru i piły herbatę z koniakiem. Jedną z takich kobiet napotkał pan Turgut, wspinając się u boku córki po drewnianych schodach, pokrytych czerwonym kiedyś dywanem.

— Grand Hotel w Lozannie, gdzie zatrzymał się Ismet Pasza*, też miał taki kosmopolityczny klimat — mruknął pan Turgut i wyjął z kieszeni nowe pióro. — A ja, jak on, tym oto nowiusieńkim piórem złożę swój podpis pod oświadczeniem — obwieścił uroczyście.

Kadife nie wiedziała, czy ojciec zatrzymuje się na każdym półpiętrze ze zmęczenia, czy po to, by zyskać na czasie. Tuż pod drzwiami pokoju numer trzysta siedem pan Turgut powiedział:

— Natychmiast podpisujemy i wychodzimy.

Wewnątrz panował taki ścisk, że Kadife pomyślała najpierw, że pomylili pomieszczenia. Kiedy jednak zobaczyła Granatowego, który — naburmuszony — siedział pod oknem w towarzystwie dwóch młodych islamistów, pociągnęła ojca w tamtym kierunku. Mimo dyndającej u sufitu gołej żarówki i lampki w kształcie ryby, ustawionej na niewielkim stoliku, w pokoju nie było zbyt jasno. Policyjny podsłuch tkwił w oku balansującej na czubku ogona bakelitowej ryby, która z wdziękiem trzymała w otwartym pysku rozjarzoną żarówkę.

W pokoju nie zabrakło Fazıla. Na widok Kadife wyprostował się jak struna, ale w przeciwieństwie do reszty, która podniosła się przez szacunek dla pana Turguta i natychmiast usiadła, stał tak przez pewien czas jak zaczarowany. Kilka osób sądziło, że chce coś powiedzieć, ale Kadife nawet nie zwróciła na niego uwagi. Zajmowało ją w tej chwili wyraźne napięcie, jakie zapanowało między Granatowym i jej ojcem.

Granatowy dał się w końcu przekonać, że oświadczenie zrobi większe wrażenie na ludziach Zachodu, jeśli to ateista

---

* Ismet Inönü (1884–1973) — generał i polityk. Najbliższy współpracownik i następca Atatürka na stanowisku prezydenta. Tu: nawiązanie do zawartego w 1923 r. w Lozannie traktatu pokojowego.

podpisze je w imieniu kurdyjskich nacjonalistów. Ale chudy i blady chłopak, którego z trudem nakłoniono do przyjęcia roli reprezentanta, przyczepił się do jakiegoś fragmentu oświadczenia i popadł w konflikt z kolegami z kurdyjskiego stowarzyszenia. I teraz wszyscy trzej w napięciu czekali, aż ktoś udzieli im głosu. Naprawdę niełatwo było znaleźć tych młodzieńców teraz, po wojskowym przewrocie. Organizacje — których centrale mieściły się zazwyczaj w mieszkaniach ich członków — skupiające bezrobotną, bezradną i gniewną kurdyjską młodzież, zapatrzoną z uwielbieniem w górską partyzantkę, co chwila rozwiązywano, a ich liderów aresztowano i torturowano. Jakby tego było mało, partyzanci mieli do tej młodzieży pretensje o wygodne życie w ciepłych pieleszach i oskarżali ją o zbytnią ugodowość w dialogu z państwem tureckim. Zarzuty, że kurdyjskie stowarzyszenie dostarcza niewielu kandydatów do partyzantki, napsuły krwi kilku jego starszym członkom, którym wciąż jakoś udawało się nie trafić za kratki.

W spotkaniu postanowili wziąć udział także dwaj przedstawiciele starszego pokolenia — socjaliści po trzydziestce. O oświadczeniu przygotowywanym dla niemieckiej prasy dowiedzieli się od młodych Kurdów, którzy, częściowo z próżności, przyszli do nich po radę. Ponieważ jednak zbrojni socjaliści nie byli już w Karsie tak silni jak kiedyś, a spektakularne blokowanie dróg, mordowanie policjantów czy podrzucanie paczek z bombami mogli przeprowadzać wyłącznie za zgodą i przy pomocy kurdyjskich partyzantów, dwaj przedwcześnie postarzali bojówkarze wyglądali teraz na nieco przygnębionych. Przekonani, że w Europie wciąż żyje wielu marksistów, przyszli na spotkanie, choć nikt ich nie zapraszał. Schludny i pewny siebie socjalista, który stał pod ścianą wraz z manifestującym wielkie znudzenie kolegą, czuł dodatkową ekscytację na myśl, że o wszystkich szczegółach zebrania doniesie państwowym urzędnikom. Konfidentem nie został przez podłość, lecz wyłącznie w nadziei, że dzięki temu zapobiegnie nadmiernemu i zupełnie zbędnemu mieszaniu się policji do spraw działających w mieście organizacji. Z lekkim znudzeniem opowiadał władzy o tajnikach różnych akcji, których przeprowadzanie sam czasami uznawał później za bezcelowe, ale bywał dumny z innych, poważniejszych wyczynów. I chociaż serce podpowiadało mu, że źle robił, wciąż chwalił się udziałem w zabójstwach, strzelaninach, porwaniach i zamachach bombowych.

Wszyscy byli święcie przekonani, że policja umieściła w pokoju podsłuchy, a przynajmniej przysłała kilku szpiegów. Dlatego na początku każdy siedział cicho. Niektórzy, wyglądając przez okno, informowali tylko, że śnieg wciąż prószy, albo pouczali resztę, by nie gasiła papierosów na podłodze. Cisza trwała do chwili, kiedy niczym nie wyróżniająca się z tłumu ciotka jednego z kurdyjskich chłopaków wstała i zaczęła opowiadać o zaginięciu syna („Przyszli wieczorem, zadzwonili do drzwi, zabrali go i poszli"). Pan Turgut, który historii zaginionego chłopaka słuchał niezbyt uważnie, poczuł wielką irytację. Porywanie o północy i mordowanie młodych Kurdów uważał za czyn obrzydliwy, ale na określanie ich mianem „niewinnych" także nie chciał się zgodzić. Kadife, trzymając ojca za rękę, próbowała rozszyfrować ironiczną, znudzoną minę Granatowego, który czuł, że wpadł w pułapkę, ale siedział wbrew sobie, zaniepokojony myślą, że jeśli wyjdzie, to zebrani gremialnie go oczernią.

Potem zaś: 1. Siedzący obok Fazıla młody islamista usiłował dowieść, że zbrodnię na dyrektorze ośrodka kształcenia popełnił rządowy agent (kilka miesięcy później udowodniono udział w niej tego właśnie islamisty); 2. Doświadczeni rewolucjoniści wygłosili przydługą tyradę na temat strajku głodowego, prowadzonego przez ich aresztowanych kolegów; 3. Trzej kurdyjscy młodzieńcy postraszyli zebranych, że jeśli oświadczenie nie zostanie opublikowane na łamach „Frankfurter Rundschau", oni wycofują swój podpis, a następnie, okropnie się czerwieniąc, z uwagą odczytali długi tekst dotyczący roli kurdyjskiej kultury i literatury w historii świata.

Kiedy matka zaginionego chłopaka zapytała, gdzie podziewa się „ten dziennikarz", który przyjechał z Niemiec, Kadife podniosła się i uspokajającym tonem wyjaśniła, że Ka, owszem, jest w Karsie, ale chcąc uniknąć oskarżeń o stronniczość, postanowił nie brać udziału w zebraniu. Stłoczeni w pokoju ludzie nie przywykli do widoku kobiet przemawiających publicznie z taką pewnością siebie, spojrzeli więc na nią z szacunkiem. Matka zaginionego przytuliła ją i dramatycznie zaszlochała. Kadife obiecała, że zrobi wszystko, aby oświadczenie trafiło do niemieckich gazet, a kobiecina wetknęła jej do ręki kartkę z imieniem syna.

Tymczasem lewicowiec donosiciel przybrał dziwaczną pozę i zaczął czytać szkic oświadczenia, zapisany odręcznie na kartce z zeszytu. Nagłówek brzmiał: „OŚWIADCZENIE DLA EUROPEJSKIEJ OPINII PUBLICZNEJ W SPRAWIE WYDARZEŃ W KARSIE". Wszystkim się spodobało. Później Fazıl opowiadać będzie Ka, że w tamtej chwili po raz pierwszy poczuł, że jego małe miasto pewnego dnia stanie się częścią historii świata. Ka zaś zacytuje te słowa w wierszu, który zatytułuje *Cała ludzkość i gwiazdy*.

Granatowy natychmiast odruchowo wyraził sprzeciw.

— Nie zwracamy się do Europy, ale do całej ludzkości — wyjaśnił. — Niech was nie zmyli fakt, że to nasze oświadczenie opublikujemy we Frankfurcie, a nie w Karsie czy Stambule. Europejska opinia publiczna to nie nasz przyjaciel, lecz wróg. Nie dlatego, że my też jesteśmy jej wrogiem, ale dlatego że żywi do nas wrodzoną pogardę.

Lewicowy autor szkicu rzekł na to, że przecież to nie cała ludzkość, tylko europejscy burżuje nami gardzą. Dodał, że biedota i robotnicy byli kiedyś naszymi braćmi, ale nikt, nawet jego doświadczony kolega, w to nie uwierzył.

— Nikt w Europie nie jest tak biedny jak my — powiedział jeden z kurdyjskiej trójki.

— Synku, a byłeś ty kiedy w Europie? — zapytał pan Turgut.

— Jeszcze nie miałem okazji, ale mój wujek jest robotnikiem w Niemczech.

Rozległy się stłumione śmiechy. Pan Turgut wyprostował się na krześle.

— Choć Europa wiele dla mnie znaczy, ja też tam nigdy nie byłem — przyznał. — I nie ma w tym nic śmiesznego. Proszę bardzo, niech podniosą rękę ci, którzy ją odwiedzili.

Nikt się nie zgłosił, nawet Granatowy, który wiele lat spędził przecież w Niemczech.

— Ale wszyscy wiemy, co Europa znaczy — ciągnął pan Turgut. — Europa to nasza przyszłość, przyszłość ludzkości. Dlatego też szanowny pan — wskazał palcem Granatowego — ma rację, gdy zamiast o Europie mówi o całej ludzkości. Możemy więc zmienić tytuł oświadczenia.

— Europa nie jest moją przyszłością — powiedział Granatowy z uśmiechem. — I nie mam zamiaru nigdy naśladować jej mieszkańców ani czuć się gorszym dlatego, że nie jestem do nich podobny.

— W tym kraju nie tylko islamiści mają swoją dumę narodową, republikanie też... — odparł pan Turgut. — Gdyby zamiast „Europa" napisać „ludzkość", jak by to brzmiało?

— „OŚWIADCZENIE DLA LUDZKOŚCI W SPRAWIE WYDARZEŃ W KARSIE" — odczytał sekretarz. — Trochę zbyt pretensjonalnie...

Rozważano zastąpienie „ludzkości" słowem „Zachód", zaproponowanym przez pana Turguta, ale tu znów sprzeciwił się pryszczaty młodzian siedzący obok Granatowego. W końcu wszyscy zgodzili się z pomysłem kurdyjskiego chłopaka o skrzekliwym głosie i postanowili nie adresować oświadczenia do żadnej konkretnej grupy.

W przeciwieństwie do innych tego typu tekstów, tworzonych w podobnych sytuacjach, ten był zaskakująco krótki. Nikt nie powiedział słowa przeciwko sformułowaniu, że wojskowy przewrót „odegrano" w przededniu lokalnych wyborów, kiedy tylko zyskano pewność co do wygranej kurdyjskich i proislamskich kandydatów. Jedynie pan Turgut stwierdził, że w Karsie nie praktykuje się niczego, co chociaż nazwą przypominałoby popularne w Europie sondaże przedwyborcze, a przeciętny obywatel nawet na dzień przed głosowaniem, ba, w drodze do urny może zmienić zdanie i wybrać rywala swego dotychczasowego faworyta, bo takie ma widzimisię. Że to wszystko jest w Karsie na porządku dziennym i że w związku z tym nikt nie ma prawa twierdzić, że wybory na pewno wygra ten czy tamten kandydat.

— Wszyscy wiedzą, że przewrotu dokonano przed wyborami, by zapobiec spodziewanemu wynikowi — wyjaśnił zaangażowany do roli sekretarza bojówkarz konfident.

— Przecież ta cała rewolucja to tylko brewerie jakiejś teatralnej trupy — odparł pan Turgut. — Udało im się tylko dlatego, że padał śnieg i pozamykano drogi. Za kilka dni wszystko wróci do normy.

— Jeśli nie potępia pan przewrotu, to po co pan tu przyszedł?

Nie wiadomo, czy pan Turgut usłyszał opryskliwą uwagę czerwonego jak burak młodzieńca, który siedział obok Granatowego. W tym samym momencie bowiem Kadife znów podniosła się z miejsca (tylko ona wstawała, zabierając głos, ale nikt, nawet ona sama, nie uznał tego za dziwactwo) i patrząc gniewnie wokół, wyjaśniła, że ojciec wiele lat spędził w więzieniu za swoje poglądy polityczne i przez całe życie sprzeciwiał się okrucieństwom czynionym w świetle prawa.

Pan Turgut usadził ją natychmiast z powrotem, ciągnąc za róg płaszcza.

— Moja odpowiedź brzmi tak — zaczął oficjalnie.

— Otóż przyszedłem tutaj, by udowodnić Europejczykom, że w Turcji również żyją ludzie prawi i stojący po stronie demokracji.

— Gdyby duża niemiecka gazeta dała mi dwie linijki, bym wygłosił swoje zdanie, za nic nie marnowałbym ich na udowadnianie światu tego, o czym pan mówi — powiedział prześmiewczym tonem chłopak o czerwonej twarzy i chyba chciał jeszcze coś dodać, ale złapany za ramię przez Granatowego szybko umilkł.

To wystarczyło, by pan Turgut zaczął żałować udziału w sekretnym zebraniu. Wmówił sobie, że wpadł tu tylko na chwilę. Z miną człowieka, który myślami jest zupełnie gdzie indziej, wstał, zrobił dwa kroki w kierunku drzwi, ale zauważył śnieg zasypujący ulicę Karadağ. Stanął więc i podszedł do okna. A Kadife, jakby ojciec nie mógł się nigdzie ruszyć bez niej, usłużnie chwyciła go pod ramię. I oboje, jak smutne dzieci, które chcą zapomnieć o spotykających je przykrościach, stali wpatrzeni w jadącą ulicą furmankę.

Kurd o skrzekliwym głosie nie wytrzymał i też podszedł do szyby. Razem z tamtymi zaczął wyglądać na zewnątrz. Reszta ludzi ściśniętych w pokoju obserwowała ich z szacunkiem i troską. W powietrzu czuć było zdenerwowanie i lęk przed policyjnym nalotem. Zdjęte strachem strony szybko doszły do porozumienia w sprawie dalszej części tekstu.

I tak w oświadczeniu znalazło się stwierdzenie, że przewrót przeprowadziła grupa awanturników. Granatowy wniósł sprzeciw. Zaproponowane przez niego określenia nie spodobały się reszcie, która obawiała się, że Zachód pomyśli, iż rewolucja dotyczyła całej Turcji. Zgoda zapanowała dopiero przy sformułowaniu: „poparty przez Ankarę lokalny przewrót". Kilka zdań poświęcono Kurdom, uprowadzanym z domów i mordowanym jeden po drugim, oraz torturom i bestialskim czynom, jakich dopuszczano się podczas przesłuchiwania uczniów ze szkoły koranicznej. „Totalny atak wymierzony w lud" zastąpiono „atakiem na lud, jego ducha i religię". W ostatnim zdaniu do oprotestowania działań Republiki Turcji wzywano już nie tylko opinię publiczną Zachodu, ale cały świat. Kiedy odczytywano ten fragment, pan Turgut napotkał zadowolone spojrzenie Granatowego. I ostatecznie pożałował, że tutaj przyszedł.

— Jeśli nikt nie wnosi sprzeciwu, proszę szybko podpisać — rozkazywał tymczasem Granatowy. — W każdej chwili może tu wtargnąć policja.

Wszyscy zerwali się, by zdążyć jeszcze jak najszybciej podpisać oświadczenie i czmychnąć. Pokreślone i upstrzone strzałkami, odnośnikami i zaznaczeniami — wyglądało jak obraz nędzy i rozpaczy. Pośrodku pokoju zapanowały ścisk i bałagan. Kilka osób, dopełniwszy powinności, wychodziło właśnie, kiedy rozległ się głos Kadife:

— Proszę zaczekać! Mój ojciec chce coś powiedzieć.

To wzmogło jeszcze nerwowość zgromadzonych. Granatowy kazał chłopakowi o czerwonej twarzy zablokować drzwi.

— Niech nikt nie wychodzi — rozkazał. — A teraz posłuchajmy sprzeciwu pana Turguta.

— Nie ma sprzeciwu — odparł pan Turgut. — Ale zanim złożę swój podpis, mam prośbę do tego młodzieńca — wskazał palcem kłótliwego chłopaka o czerwonej twarzy, który teraz stał pod drzwiami. Zamyślił się przez chwilę. — A właściwie nie tylko do niego. Do wszystkich tu zgromadzonych. Jeśli najpierw on, a potem cała reszta nie odpowie na moje pytanie, niczego nie podpiszę! — I odwrócił się w kierunku Granatowego, manifestując absolutne zdecydowanie.

— Proszę pytać — powiedział tamten. — Jeśli będziemy zdolni odpowiedzieć, zrobimy to z przyjemnością.

— Przed chwilą śmialiście się ze mnie, a teraz odpowiedzcie: Gdyby duża niemiecka gazeta poświęciła wam dwie linijki, co chcielibyście przekazać ludziom Zachodu? Najpierw niech on mówi!

Chłopak o czerwonej twarzy, silny i wygadany, nie spodziewał się takiego pytania. Uwieszony na klamce, błagalnie patrzył na Granatowego.

— Powiedz no coś od siebie, raz dwa. I już sobie idziemy — powiedział Granatowy z wymuszonym uśmiechem. — Jak nie, to nas tu nakryją...

Wzrok chłopaka odpływał i powracał, jak u ucznia, który usiłuje przypomnieć sobie dobrze znaną odpowiedź na zadane przed chwilą pytanie.

— W takim razie ja mówię pierwszy — zdecydował Granatowy. — Mam gdzieś europejskich pyszałków! Powiedziałbym, żeby nie stawali nam na drodze. Bo i tak już żyjemy w ich cieniu.

— Proszę mu nie podpowiadać, niech sam powie, co myśli — denerwował się pan Turgut. — A pan odpowie ostatni. — Uśmiechnął się do udręczonego chłopaka z czerwoną twarzą. — Trudno jest podjąć decyzję. Bo to jest spory dylemat. Nie do rozwiązania, ot tak, w progu drzwi.

— To pretekst! Pretekst! — zakrzyknął ktoś z tyłu. — Nie chce podpisać oświadczenia!

Zapadła cisza. Każdy bił się z myślami. Kilka osób podeszło do okna i gapiło się na zaprzęg jadący ulicą Karadağ.

Kiedy Fazıl w rozmowie z Ka wspominał później tę „magiczną ciszę", powiedział, że wszyscy w tamtej chwili stali się sobie bliżsi. Ciszę przerwał warkot samolotu przelatującego gdzieś wysoko w ciemnościach nad ich głowami. Zgromadzeni z uwagą słuchali nowego dźwięku, a Granatowy wyszeptał:

— To już drugi dzisiaj.

— Ja wychodzę! — wrzasnął ktoś z przerażeniem.

Był to nie zauważony do tej pory przez nikogo mężczyzna po trzydziestce, w wyblakłej marynarce i o pobladłej twarzy, jeden z uczestniczących w zebraniu trzech szczęśliwych posiadaczy pracy — szpitalny kucharz. Co chwila patrzył na zegarek. Przyszedł tu z rodziną zaginionego chłopaka. Z tego, co opowiadano później, wynikało, że jego zaangażowany w politykę brat został pewnej nocy zabrany na posterunek w celu złożenia zeznań i nigdy już nie wrócił. Plotka głosiła, że kucharz chciał się ożenić z urodziwą żoną zaginionego, ale musiał do tego uzyskać od państwa zaświadczenie o zgonie brata. Rok po uprowadzeniu brata udał się na policję i do tajnych służb, odwiedził prokuraturę i garnizon. Wszędzie wyrzucano go za drzwi. A teraz przyłączył się do rodziny zaginionego nawet nie z chęci zemsty, ale dlatego, że tylko w ich oczach widział zrozumienie.

— Powiecie pewnie, że jestem tchórzem. Ale to wy jesteście tchórze. I wasze Europejczyki. Napiszcie, że tak powiedziałem! — krzyknął i wyszedł z pokoju, trzaskając drzwiami.

Ktoś wtedy zapytał, kim właściwie jest ten pan Hans Hansen. Wbrew obawom Kadife Granatowy wyjątkowo uprzejmie wyjaśnił, że to przychylny niemiecki dziennikarz, głęboko zaangażowany w „problemy" Turcji.

— Przychylny Niemiec jest najgorszy — stwierdził ktoś z tyłu.

Stojący przy oknie mężczyzna w czarnej marynarce zapytał, czy oprócz oświadczenia zostaną opublikowane jeszcze jakieś specjalne wypowiedzi. Kadife odparła, że to niewykluczone.

— Koledzy, proponuję nie zachowywać się jak pierwszoklasiści i nie czekać na innych z odpowiedzią — zaproponował ktoś.

— Uczę się w liceum — zaczął niespodziewanie młody Kurd ze stowarzyszenia. — Już wcześniej myślałem o tym, co za chwilę powiem.

— Myślał pan o tym, że będzie dawał kiedyś oświadczenie dla niemieckiej prasy?

— Tak jest — odpowiedział chłopak spokojnie, ale na jego twarzy widać było wielkie podekscytowanie. — Jak wy wszyscy marzyłem sobie po cichu, że kiedyś będę miał okazję powiedzieć światu to, co myślę.

— Ja tam nie marzę o takich rzeczach...

— Powiem krótko — kontynuował podniecony chłopak. — I niech to napisze gazeta z Frankfurtu. My nie jesteśmy głupi! Jesteśmy tylko biedni! I mamy prawo żądać rozdzielenia tych dwóch spraw.

— A my to, przepraszam bardzo, kto? — zapytano z tyłu. — Turcy, Kurdowie, Terekeme czy Azerowie? A może Czerkiesi, Turkmeni? A może tutejsi, ludzie z Karsu, co? Kto?

— Bo to jest właśnie największa pomyłka ludzkości — ciągnął nie zrażony chłopak. — Największe kłamstwo tysiącleci: bycie biednym i głupim zawsze się wszystkim myliło.

— A czym jest głupota? Niech jeszcze to wyjaśni.

— W pełnej chluby historii ludzkości trafiali się duchowni albo inni światli mężowie, którzy dostrzegali tę godną potępienia pomyłkę i tłumaczyli, że biedni też mają wiedzę i prawo do człowieczeństwa. Biedni też mają rozum i serce. Kiedy pan Hans Hansen widzi biedaka, to mu współczuje.

I może nie myśli tak od razu, że ten biedak jest głupcem, który przegapił wszystkie okazje w życiu, albo pijaczkiem bez charakteru.

— Nie wiem jak pan Hansen, ale teraz każdy tak myśli.

— Proszę posłuchać — ciągnął chłopak. — Powiem krótko. Pojedynczym biedakom może się i współczuje, ale jeśli ubogi jest cały naród, to wtedy ludziom przychodzi do głowy myśl, że to naród idiotów, nieudaczników, obiboków i brudasów. Wtedy każdy się śmieje, a nie współczuje. Ich kultura, zwyczaje i obrzędy są przedmiotem żartów. I tylko czasami ci „światli i bogaci" przestają się śmiać i zawstydzeni udają, że ciekawi ich kultura tego narodu. I że wcale nie uważają, że jest ona mniej ważna czy cenna. A robią tak tylko dlatego, że boją się buntu imigrantów, którzy wycierają im podłogi i wykonują za nich najpodlejsze prace.

— Niech powie wreszcie, o jakim narodzie mówi!

— A ja jeszcze dodam — wtrącił się niespodziewanie drugi kurdyjski młodzieniec — że ludzkość niestety nie jest już w stanie śmiać się z tych, którzy się nawzajem zabijają, wyrzynają i gnębią. Zrozumiałem to z opowieści mojego wuja, który w zeszłe lato przyjechał z Niemiec do Karsu. Świat nie może już patrzeć spokojnie na narody, w których wciąż przelewana jest krew.

— Znaczy, grozisz nam w imieniu Zachodu?

— I dlatego — kontynuował nie zrażony chłopak — kiedy człowiek Zachodu spotyka przedstawiciela biednego narodu, odruchowo patrzy na niego z góry. I natychmiast sobie myśli: „Ten człowiek jest biedny, bo należy do narodu głupców". I dodaje jeszcze: „Pewnie ten biedak ma w głowie te same bzdury, które doprowadziły jego kraj do nędzy".

— No i ma trochę racji ten człowiek Zachodu...

— A ty też uważasz nas za głupców, jak tamten zapatrzony w czubek własnego nosa pisarz? Mów prawdę! Bezbożny ateista, o którym mówię, miał chociaż odwagę, żeby przed śmiercią i ostatnią podróżą do piekła powiedzieć narodowi tureckiemu, patrząc mu prosto w oczy, że jest bandą idiotów*.

— Proszę wybaczyć, ale osoba występująca na żywo w telewizji nie może widzieć oczu oglądającej ją widowni.

— Tamten pan nie powiedział „widział", tylko użył słowa „patrząc" — sprostowała Kadife.

— Bardzo proszę drogich kolegów o niewdawanie się w słowne utarczki jak podczas jakiegoś panelu — upomniał zebranych notujący sekretarz lewicowiec. — I proszę ciszej.

— Nie umilknę, dopóki tamten odważnie nie powie, o jakim narodzie mówił! Bądźmy świadomi, że przekazanie niemieckiej gazecie oświadczenia, w którym poniżamy samych siebie, jest zdradą narodową!

— Nie jestem zdrajcą. Myślę to samo co pan — odparł z ogniem chłopak, zrywając się na nogi. — I dlatego chcę, by zanotowano, że nawet gdybym kiedyś dostał wizę, nigdy nie pojadę do Niemiec.

— Takiemu jak ty, bezrobotnemu chłystkowi, nikt nie da wizy do Europy!

— A najpierw nasi mu paszportu nie dadzą!

— To prawda, nie dadzą — przyznał samokrytycznie podekscytowany młodzieniec. — A nawet gdyby dali, a ja bym pojechał, i gdyby pierwszy spotkany na ulicy Europejczyk okazał się porządnym człowiekiem, i nawet gdyby mnie nie poniżał, to ja i tak czułbym się źle, sądząc, że musi patrzeć na mnie z góry, bo jest przecież Europejczykiem. Podobno bardzo łatwo można poznać Turka, który przyjechał do Niemiec... Dlatego jedyne, co można zrobić, żeby się nie

---

* Aluzja do kontrowersyjnej wypowiedzi zmarłego w 1995 r. pisarza i satyryka Aziza Nesina, wielokrotnie więzionego za lewicowe poglądy.

dać poniżyć, to udowodnić im, że myślimy tak samo jak oni. A to jest niemożliwe i jeszcze bardziej poniżające.

— No, synku. Słabo zacząłeś, ale puenta dobra — pochwalił emerytowany azerski dziennikarz. — Nie piszmy jednak tego w niemieckiej gazecie, bo będą sobie z nas robić żarty... — umilkł i po chwili zapytał sprytnie: — A o jakim to narodzie mówiłeś?

A kiedy chłopak usiadł, nie odpowiedziawszy, syn emerytowanego żurnalisty zakrzyknął wzburzony:

— Boi się! Tchórz!

„Ma rację, że się boi", „W przeciwieństwie do was on nie pracuje dla państwa" — rozległy się głosy obrońców, ale ani stary dziennikarz, ani jego syn nie wzięli ich do siebie. Wesoła atmosfera i wzajemne przekrzykiwania zbliżyły wszystkich. Ka, który wysłuchał relacji ze spotkania z ust Fazıla, zapisał potem w zeszycie, że tego typu zebrania polityczne mogą trwać godzinami, pod warunkiem że palący papierosa za papierosem wąsaci mężczyźni z nasrożonymi brwiami czują, że naprawdę świetnie się bawią.

— My nigdy nie będziemy Europejczykami! — stwierdził butnie inny młody islamista. — Ci, którzy chcą na siłę zrobić z nas Europejczyków, może i dopną swego, gnębiąc nas za pomocą czołgów i karabinów, ale nigdy nie zmienią naszej duszy!

— Możesz posiąść moje ciało, ale duszy nigdy! — zażartował kurdyjski młodzieniec, cytując popularną formułkę z tureckich filmów.

Wszyscy się zaśmiali. Nawet chłopak, który wywołał kłótnię, wyrozumiale zawtórował pozostałym.

— Ja też chcę coś powiedzieć — wyrwał się młodzian siedzący obok Granatowego. — Chociaż zebrani koledzy nie mówią jak ci, którzy bezkrytycznie małpują zachodni świat, to jednak w ich głosach wyczuwam przepraszającą nutę i żal, że nie jesteśmy Europejczykami. — Odwrócił się do notującego mężczyzny w skórzanej kurtce. — Bardzo serdecznie proszę nie pisać tego, co mówiono wcześniej! — powiedział tonem grzecznego opryszka. — A teraz pisz: Jestem dumny z mojej nieeuropejskiej duszy. Jestem dumny ze wszystkiego, co Europejczyk uznaje we mnie za dziecinne, okrutne i prymitywne. Jeśli on jest piękny, mądry i nowoczesny, ja chcę pozostać brzydki, głupi i prymitywny.

Nikt nie przyklasnął tej opinii. Ale skoro na każde słowo reagowano dowcipem, teraz też kilka osób lekko się uśmiechnęło. Ktoś dodał jeszcze: „I tak już głupi jesteś", ale ponieważ w tej samej chwili stary zmęczony życiem lewicowiec i jego kolega donosiciel w czarnej kurtce zanieśli się potwornym kaszlem, nie było wiadomo dokładnie kto. Wtedy sterczący przy drzwiach czerwony jak burak młodzieniec zaczął czytać wiersz, który zaczynał się od słów: „Europo, ach, Europo / Ty na swym miejscu stój / A my nawet we śnie / Twoim diabelskim szeptom nie poddamy się". Niestety, przez ciągłe pokasływania, głośne komentarze i śmiechy Fazıl nie usłyszał całości. Dlatego zamiast treści utworu opowiedział Ka o sprzeciwie, jaki on wywołał. Zasłyszane informacje spisał na tej samej kartce, na której znalazło się dwuwersowe oświadczenie uczestników zebrania skierowane do ludzi Europy. Część tych informacji znalazła się potem w wierszu Ka *Cała ludzkość i gwiazdy*:

1. „Nie bójmy się ich, tam nie ma się czego bać!" — zakrzyknął starzejący się lewicowiec.

2. Leciwy dziennikarz o azerskich korzeniach, który co chwila domagał się odpowiedzi na pytanie: „O jakim narodzie mowa?", teraz zaapelował, by nie rezygnować z tureckości i religii, po czym wygłosił przydługą mowę na temat wypraw krzyżowych, pogromu Żydów, masakry Indian w Ameryce i muzułmanów mordowanych w Algierii przez

Francuzów. Jakiś złośliwiec zapytał przebiegle: „Co się stało z milionami Ormian żyjących w Karsie i całej Anatolii?" — ale notujący konfident litościwie puścił jego słowa mimo uszu.

3. Ktoś stwierdził: „Tak długiego i bzdurnego wiersza nikt nie będzie w stanie porządnie przetłumaczyć i pan Hans Hansen na pewno go nie wydrukuje". To znów stało się powodem do narzekań zebranych w pokoju literatów (było ich trzech), uskarżających się na przeklętą samotność tureckiego poety w wielkim świecie.

Kiedy chłopak o czerwonej twarzy, spocony do nieprzytomności, skończył wreszcie czytać utwór, który wszyscy uznali za prymitywny i głupi, kilka osób złośliwie zaklaskało. Zgodnie uznano, że jeśli wiersz zostanie opublikowany w niemieckiej gazecie, żarty „na nasz temat" okażą się uzasadnione. Kurd, którego wuj mieszkał w Niemczech, postanowił złożyć skargę.

— Kiedy ci tam, w Europie, piszą wiersze albo śpiewają piosenki, to mówią w imieniu całej ludzkości. Oni są ludźmi, a my tylko muzułmanami. Jeśli my napiszemy, to będzie to poezja etniczna.

— Moje przesłanie brzmi tak, piszcie! — rozkazał mężczyzna w czarnej kurtce. — Jeśli Europejczycy mają rację i rzeczywiście nie ma dla nas żadnej innej przyszłości niż bycie takimi jak oni, to zajmowanie się bzdurami, które jeszcze bardziej utwierdzają nas w tym, kim jesteśmy w tej chwili, jest idiotyczną stratą czasu.

— No, po czymś takim na pewno uznają nas za idiotów.

— Proszę odważnie powiedzieć, który to naród będzie wyglądał jak głupi?

— Panowie, zachowujemy się tak, jakbyśmy byli mądrzejsi i lepsi niż ci z Zachodu. Ale gdyby teraz Niemcy otworzyli w Karsie konsulat i za darmo dawali każdemu wizę, po tygodniu w mieście nie byłoby żywej duszy.

— Brednie. Przed chwilą tamten kolega powiedział, że nawet gdyby mu dali wizę, nigdzie by nie pojechał. Ja też nie jadę. Z godnością zostaję tutaj.

— Jestem pewny, że inni też zostają. Panowie, do was mówię. Proszę, by podnieśli ręce ci, którzy nie pojadą. Żeby była jasność.

Kilka osób poważnie podniosło dłonie. Młodzież zawahała się na ich widok.

— Najpierw proszę wyjaśnić, dlaczego wyjeżdżający są niby pozbawieni godności — zażądał mężczyzna w czarnej kurtce.

— Trudno wyjaśnić to osobie, która nie rozumie — odparł ktoś tajemniczo.

W tym czasie serce Fazıla zaczęło bić szybciej na widok Kadife ze smutkiem spoglądającej w ciemne okno. Boże, uchowaj mnie przed grzechem! Obroń przed zamętem — pomyślał. Czuł, że Kadife spodobałyby się te słowa. Chciał je nawet podyktować notującemu wszystko sekretarzowi, ale w pokoju panował taki chaos, że dziewczyna pewnie nawet nie zwróciłaby na nie uwagi.

Jedyną osobą, która mogła przekrzyczeć potworny hałas, był kurdyjski chłopak o skrzekliwym głosie. Jako przesłanie dla niemieckiej gazety kazał zanotować swój sen. Opowieść drżącego z przejęcia narratora zaczynała się filmowym seansem w Teatrze Narodowym. Chłopak siedział sam na widowni, oglądając zachodni film, w którym wszyscy mówili w obcym języku, ale wcale mu to nie przeszkadzało, ponieważ czuł, że rozumie, o czym mówią. Po jakimś czasie zauważył, że znajduje się wewnątrz filmu, a fotel teatralny był w istocie fotelem z salonu filmowej chrześcijańskiej rodziny. Chłopak miał przed sobą zastawiony wielki stół i bardzo chciał coś zjeść, ale jednocześnie bał się, że popełni jakąś okropną gafę. Potem serce zaczęło mu mocniej bić, napotkał bowiem urodziwą blondynkę. Przypomniał sobie, że od lat darzył ją wielką miłością. A kobieta okazała mu nieoczekiwaną bliskość i ciepło. Chwaliła jego strój i maniery, całowała w policzki i głaskała po głowie. Chłopak tryskał szczęściem. W pewnym momencie kobieta wzięła go na ręce i pokazała jedzenie rozłożone na stole. Wtedy ze łzami w oczach pojął, że był jeszcze dzieckiem i dlatego budził jej sympatię.

Opis snu przyjęto ze śmiechem i złośliwymi docinkami, w których czuć było jednak smutek i żal graniczący ze strachem.

— Nie mogło mu się przyśnić coś takiego — stwierdził stary dziennikarz. — Ten młody Kurd wymyślił to, żeby ostatecznie nas ośmieszyć w oczach niemieckich obywateli. Nie piszcie tego.

Chłopak ze stowarzyszenia, gorąco pragnąc dowieść swojej prawdomówności, dodał pewien szczegół, który pominął na początku: przyznał, że każdego ranka po przebudzeniu pamięta twarz blondynki z tego snu. Pierwszy raz widział ją przed pięciu laty, jak z grupą turystów wychodziła z autobusu, by obejrzeć w Karsie ormiańskie kościoły. Miała na sobie błękitną sukienkę na ramiączkach, jak później w tym filmie i śnie.

Znów rozległy się śmiechy.

— Nie na takie Europejki się patrzyło i nie dla takich się grzeszyło, prawda, panowie? — rozmarzył się ktoś.

W pewnym momencie rozgorzała pełna ognia i tęsknoty nieprzyzwoita dyskusja o kobietach Zachodu. Nie zauważony do tej pory przez nikogo wysoki, szczupły i całkiem przystojny młody człowiek zaczął opowiadać:

— Pewnego dnia na dworcu spotkał się człowiek Zachodu i muzułmanin. Pociąg nie nadjeżdżał. W oddali na peronie czekała piękna Francuzka...

Jak zapewne domyślają się absolwenci męskich liceów albo osoby mające już za sobą służbę wojskową, była to opowieść z rodzaju tych, w których seksualna potencja bohaterów związana jest z ich kulturą i narodowością. Wulgaryzmów nie było, a obsceniczna treść została zgrabnie osłonięta aluzją. Mimo wszystko w pokoju zapanowała atmosfera, którą Fazıl ujął krótko: „Czułem, jak oblewa mnie wstyd".

Pan Turgut wstał.

— Dobrze, synku. Wystarczy. Przynieś to oświadczenie. Podpiszę.

I wyjąwszy z kieszeni nowe pióro, złożył podpis pod tekstem. Był zmęczony hałasem i papierosowym dymem, chciał wstać, ale Kadife złapała go za ramię, a potem sama wstała.

— Proszę mnie teraz posłuchać — zaczęła. — Widzę, że nie czujecie skrępowania, ale ja wstydzę się, słuchając tego wszystkiego. Wiążę sobie na głowie tę chustę, żebyście nie widzieli moich włosów. Może to zbytnie poświęcenie dla was, ale...

— Nie robisz tego dla nas — wyszeptał ktoś nieśmiało — ale dla Boga i samej siebie.

— Ja też mam coś do zakomunikowania tej niemieckiej gazecie. Proszę pisać. — Instynkt aktorski podpowiadał jej, że widzowie patrzą na nią ze zdziwieniem i złością. — Młoda dziewczyna z Karsu... Nie, napiszcie „muzułmanka z Karsu"... która uznała swą chustę za religijny sztandar, z powodu nagłego obrzydzenia, jakie ją ogarnęło, odsłoniła głowę na oczach zebranych ludzi. To będzie dobra wiadomość, która spodoba się Europie. I wtedy Hans Hansen opublikuje wszystko, coście do tej pory powiedzieli. A odsłaniając głowę, powiedziała tak: „Boże, wybacz mi, bo od tej pory będę już sama. Ten świat jest taki paskudny, a mną targa taki gniew i bezradność, że twój..."

— Kadife! — Fazıl zerwał się na równe nogi. — Błagam,
nie odsłaniaj włosów. Jesteśmy tu wszyscy! Wszyscy! Ja
i Necip też. Przecież to nas wszystkich zabije!

Pozostali siedzieli w absolutnym zaskoczeniu. Kilka osób
mruknęło: „Nie wygłupiaj się!" albo „Pewnie, niech nie od-
słania włosów!", ale większość — w nagłej nadziei na ujrze-
nie skandalu — próbowała dojść, czyja to prowokacja i kto
jaką grę tu prowadzi.

— A moje dwa zdania, które chciałbym wydrukować
w niemieckiej gazecie... — zaczął Fazıl. Szum w pokoju na-
rastał. — Mówię w imieniu swoim i mojego świętej pamięci
przyjaciela Necipa, który został bestialsko zamordowany
podczas nocy rewolucji: „Kadife! Bardzo cię kochamy! Jeśli
odsłonisz włosy, zabiję się. Nie rób tego!".

Według niektórych Fazıl nie powiedział „kochamy", lecz
„kocham". Ale równie dobrze mogli to wymyślić w celu
usprawiedliwienia dalszych poczynań Granatowego.

— Niech nikt w tym mieście nie wspomina nawet słowem o samobójstwie! — ryknął Granatowy i nie patrząc nawet w stronę Kadife, wyszedł z pokoju.

To zaś oznaczało koniec zebrania, którego uczestnicy rozeszli się pospiesznie, choć nie bez hałasu.

32.

Nie mogę być sobą, kiedy tkwią we mnie dwie dusze

O miłości, byciu nikim i zaginięciu Granatowego

Była za kwadrans szósta, kiedy Ka wyszedł z hotelu Karpalas. Pan Turgut i Kadife jeszcze nie wrócili z zebrania w hotelu Asya. Miał piętnaście minut do spotkania z Fazılem, ale chciał pospacerować trochę po ulicach, upajając się swoim szczęściem. Skręcił w lewo z alei Atatürka i patrząc na włączone tu i ówdzie telewizory, wystawy sklepów spożywczych i zakładów fotograficznych oraz tłum wypełniający *çayhane*, szedł powoli w stronę rzeki Kars. Stanął na Żelaznym Moście i nie zważając na mróz, wypalił dwa marlboro. Marzył o radości, którą może wkrótce dzielić miał z Ipek we Frankfurcie. W parku po drugiej stronie rzeki, gdzie kiedyś bogaci mieszkańcy miasta oglądali popisy śmiałków jeżdżących na łyżwach, panowały teraz odpychające ciemności.

Patrząc na wyłaniającego się z mroku spóźnionego Fazıla, Ka znów miał wrażenie, że widzi Necipa. Poszli razem do *çayhane* Talihli Kardeşler, gdzie chłopak z najdrobniejszymi szczegółami opowiedział o spotkaniu w hotelu Asya. Kiedy doszedł do momentu, w którym poczuł, że jego małe miasto staje się częścią historii całego świata, Ka uciszył go — jak ucisza się radio — i napisał wiersz *Cała ludzkość i gwiazdy*.

Później w swoich notatkach Ka dowodził, że wiersz ten mówił o smutku, jaki panował w mieście zapomnianym przez świat i zepchniętym na margines historii. Było w nim coś z pierwszych ujęć w hollywoodzkich filmach, oglądanych przez poetę zawsze z taką samą przyjemnością: kończą się napisy, kamera z oddali filmuje obracającą się powoli kulę ziemską, po chwili niespiesznie się do niej przybliża i przed oczami widzów rozciąga się jakiś kraj. W filmie, o którego nakręceniu Ka marzył od dziecka, krajem tym była oczywiście Turcja. Błękit Morza Marmara, linia Morza Czarnego, Bosfor. Kamera przybliża się jeszcze i widać już Stambuł, Nişantaşı, gdzie upłynęło dzieciństwo Ka, policjanta przy alei Teşvikiye, ulicę Poetki Nigâr*, dachy i drzewa (jak pięknie wyglądają z wysoka!), a potem jakieś rozwieszone pranie, reklamę konserw Tamek, zardzewiałe rynny, pomalowane smołą szczytowe ściany budynków i — przybliżające się powoli, ospale — okno jego pokoju. Kamera przenika do środka i filmuje teraz pobieżnie pomieszczenia pełne kurzu, książek, dywanów i bibelotów, po czym wraca, by pokazać Ka piszącego coś przy biurku stojącym pod drugim oknem. Możemy przeczytać słowa wypływające spod wiecznego pióra: ADRES, POD KTÓRYM STAŁEM SIĘ CZĘŚCIĄ HISTORII ŚWIATA POEZJI: POETA KA, UL. POETKI NIGÂR 16/8, NIŞANTAŞI, STAMBUŁ, TURCJA. Uważni czytelnicy zapewne domyślają się, że adres ten, który, jak mniemam, znalazł się w wierszu mego przyjaciela, w płatku śniegu umieszczony jest na osi Logiki, gdzieś w górze, w miejscu nie obojętnym na wpływ marzeń.

Na koniec Fazıl wyjawił swoją zgryzotę: czuł ogromny niepokój na myśl, że niedawno szantażował Kadife samobójstwem.

---

* Nigâr Hanım (1856–1918) — turecka poetka i dramatopisarka.

— Nie tylko dlatego, że samobójstwo oznacza utratę wiary w Boga, ale dlatego że wcale nie mam takiego zamiaru. Dlaczego więc powiedziałem coś, w co sam nie wierzę? — pytał niespokojnie.

Zaraz po tym, jak zagroził Kadife, że jeśli ona zdejmie chustę, on popełni samobójstwo, wyraził skruchę przed Bogiem. Cóż z tego, skoro stojąc w drzwiach, napotkał wzrok Kadife i poczuł, że trzęsie się jak osika.

— Czy Kadife mogła pomyśleć, że jestem w niej zakochany? — zapytał poetę.

— A jesteś?

— Kochałem świętej pamięci Teslime. A w Kadife był zakochany mój świętej pamięci przyjaciel. To wstyd pokochać ukochaną przyjaciela następnego dnia po jego śmierci. Wiem, że jest tylko jedno wyjaśnienie. I to mnie przeraża. Skąd ma pan pewność, że Necip nie żyje?

— Chwyciłem go za ramiona i pocałowałem. Miał czoło przedziurawione kulą.

— Prawdopodobnie wstąpiła we mnie dusza Necipa — stwierdził Fazıl. — Proszę mnie wysłuchać. Wczoraj wieczorem nie poszedłem do teatru ani nie oglądałem telewizji. Wcześnie się położyłem. We śnie zrozumiałem, że z Necipem stało się coś złego. A kiedy żołnierze wtargnęli do internatu, nie miałem już wątpliwości. Gdy zobaczyłem pana w bibliotece, wiedziałem już, że Necip nie żyje, jego dusza weszła we mnie. To stało się nad ranem. Żołnierze robiący czystkę w bursie nie zwrócili na mnie uwagi, a następną noc spędziłem w Pazar Yolu, u kolegi mego ojca jeszcze z czasów wojska, który pochodził z Varto. Wczesnym rankiem, sześć godzin po zabójstwie Necipa, poczułem w sobie duszę mego przyjaciela. Kiedy leżałem w obcym łóżku, miałem zawroty głowy, a potem słodką pełnię, dziwną głębię w środku. Mój przyjaciel był obok. Był we mnie. Stare księgi mówią, że dusza opuszcza człowieka sześć godzin po śmierci. Według Suyutiego* jest wtedy jak żywe srebro, swawolna, nieokiełznana. Powinna czekać w Barzah** do dnia Sądu Ostatecznego. Ale dusza Necipa zagnieździła się we mnie. Jestem pewien. I okropnie się boję, bo o niczym takim Koran nie mówi. Ale inaczej nie mógłbym zakochać się w Kadife tak szybko. Dlatego nawet myśl o samobójstwie nie jest moja! Czy to możliwe, żeby zamieszkała we mnie dusza Necipa?

— Jeśli w to wierzysz... — powiedział ostrożnie Ka.

— Mówię o tym tylko panu. Necip odkryłby przed panem wszystkie swoje tajemnice. Błagam, niech mi pan powie prawdę! On nigdy nie wyjawił mi, że zrodziło się w nim zwątpienie ateisty. Ale panu mógł coś powiedzieć. Czy przyznał się kiedyś, że wątpi w istnienie Boga?

— Powiedział mi coś innego. Wyznał, że czasami, chcąc nie chcąc, myśli, że nie ma Boga, chociaż go przecież tak bardzo kocha. Tak jak się myśli niekiedy o śmierci rodziców po to, by wzruszać się i delektować tym wzruszeniem.

— No i właśnie coś takiego teraz dzieje się ze mną — rzekł podekscytowany Fazıl. — Jestem przekonany, że to on zasiał we mnie tę wątpliwość.

— Chwila zwątpienia nie oznacza, że przestałeś wierzyć.

— Ale teraz zacząłem przyznawać rację samobójczyniom — wyznał przygnębiony Fazıl. — I niedawno stwierdziłem, że sam mógłbym się zabić. Nie chcę przez to powiedzieć, że Necip był niewierzący. Czuję jednak w sobie głos kogoś, kto nie wierzy i bardzo się go boję. Nie wiem, czy pan wie, o czym mówię, ale mieszkał pan w Europie i pewnie poznał

---

* Al-Suyuti (849–911) — imam, jurysta i historyk.
** Barzah — miejsce między rajem a piekłem, również stan przejściowy między życiem doczesnym a wiecznym.

wszystkich tych intelektualistów, ludzi używających alkoholu i narkotyków. Proszę powiedzieć mi dokładnie jeszcze raz, co czuje osoba niewierząca.

— Na pewno nie myśli bez przerwy o samobójstwie.

— Może nie bez przerwy, ale czasem chcę się zabić.

— Dlaczego?

— Bo ciągle myślę o Kadife. I o niczym innym! Wciąż mam ją przed oczami. Kiedy odrabiam lekcje, oglądam telewizję, czekam, aż przyjdzie wieczór — wszystko przypomina mi o niej. I okropnie cierpię. Czułem to jeszcze przed śmiercią Necipa. Właściwie od zawsze kochałem Kadife, nie Teslime. Ale tłumiłem to w sobie ze względu na przyjaciela. To Necip, który wciąż opowiadał o Kadife, obudził we mnie tę miłość. Kiedy zobaczyłem żołnierzy w internacie, domyśliłem się, że Necip może nie żyć, i — owszem — poczułem radość. Ale nie dlatego, że mógłbym wtedy ujawnić swoje uczucie do Kadife, tylko z powodu żalu, który czułem do mojego przyjaciela za to, że przez niego ją pokochałem. Teraz Necipa już nie ma, a ja jestem wolny. Ta wolność jednak nie zmieniła niczego poza moją miłością do Kadife. Myślę o niej od rana i w miarę upływu czasu zaczynam zapominać o wszystkim innym. Mój Boże! Co robić? — Fazıl ukrył twarz w dłoniach i zaniósł się płaczem.

Ka zapalił marlboro, poczuł chłód obojętności. Długo głaskał chłopaka po głowie.

Agent Saffet, który do tej pory obserwował ich jednym okiem, a drugim zerkał w stronę telewizora, podszedł teraz do nich w milczeniu.

— Niech chłopak nie płacze, nie zaniosłem jego legitymacji na policję. Mam ją przy sobie — powiedział po chwili.

Wciąż łkający Fazıl nawet nie spojrzał w jego stronę, Ka wyciągną więc rękę po dokument, który Saffet wyjął z kieszeni.

— Czemu płacze? — zapytał agent częściowo z zawodowej, częściowo ze zwykłej, ludzkiej ciekawości.

— Z miłości — wyjaśnił Ka.

Agent odetchnął z ulgą. Poeta patrzył, jak kieruje się w stronę drzwi i wychodzi z *çayhane*. Potem Fazıl zapytał, jak może zwrócić na siebie uwagę Kadife. Przy okazji wyznał, że cały Kars wie już o miłości poety do Ipek. Nagle uczucie chłopaka wydało się poecie okropnie beznadziejne i skazane na porażkę. Przestraszył się, że jego miłość do Ipek mogłaby być równie jałowa. Patrząc na pochlipującego Fazıla, powtórzył słowa Ipek:

— Bądź sobą.

— Nie mogę, kiedy tkwią we mnie dwie dusze — powiedział chłopak. — A na dodatek niewierząca dusza Necipa powoli bierze górę nad resztą. I jakby nie istniały wszystkie te lata, kiedy myślałem, że moi koledzy robią błąd, wikłając się w politykę, teraz sam mam ochotę razem z resztą islamistów oprotestować wojskowy przewrót. Ale myślę, że zrobiłbym to tylko po to, by zwrócić uwagę Kadife. Przeraża mnie, że nie myślę o niczym poza nią. Nie dlatego że wcale jej nie znam. Ale dlatego, że właśnie tak jak prawdziwy ateista czuję, że nie wierzę już w nic poza miłością i osobistym szczęściem.

Kiedy Fazıl płakał, Ka zastanawiał się, czy nie powiedzieć mu, by powstrzymał się z ujawnieniem swojej miłości do Kadife i strzegł się Granatowego. Pomyślał, że skoro chłopak wie o jego związku z Ipek, musi też wiedzieć, co łączy Kadife z Granatowym. A skoro wie, z uwagi na polityczną hierarchię w żadnym razie nie powinien się w niej zakochiwać.

— Jesteśmy biedni i nie liczymy się wcale, ot co — stwierdził Fazıl poirytowanym głosem. — W historii świata nie ma miejsca dla naszych nędznych istnień. W końcu wszyscy żyjący w tym zdziadziałym mieście wykończą się i zaginie po nas ślad. Nikt nas nie zapamięta, nie zapyta, kim byliśmy. Zawsze będziemy miernotą, która dusiła się w małych, głupich sporach i podrzynała sobie gardła w wojnie o to, co kobieta ma nosić na głowie. Wszyscy o nas zapomną. I kiedy widzę, że każdy z nas zejdzie z tego świata, kończąc bezgłośnie swoje głupie, jałowe istnienie, ze złością zaczynam rozumieć, że nie ma w życiu nic ważniejszego od miłości. Wtedy moje uczucie do Kadife, które mogłoby być dla mnie jedyną pociechą, sprawia mi jeszcze większy ból i nie mogę przestać o niej myśleć.

— Tak, takie myśli przystoją niewierzącemu — stwierdził Ka z okrucieństwem.

Fazıl znów zapłakał. To, o czym rozmawiali później, pozostanie tajemnicą: Ka nie zapisał ani słowa, wszystko zdążył zapomnieć. W telewizji, w żartach filmowanych ukrytą kamerą, przy akompaniamencie fałszywego śmiechu amerykańskie dzieci spadały z krzeseł, rozbijały akwaria, wpadały do wody i nadeptując na własne ubrania, przewracały się na ziemię. Ka i Fazıl, zapominając o wszystkim, razem z kawiarnianym tłumem oglądali ich przygody z uśmiechem na ustach.

Kiedy do lokalu weszła Zahide, obaj patrzyli właśnie, jak w telewizorze tajemnicza ciężarówka jedzie leśnym duktem. Kobieta podała Ka żółtą kopertę, na którą Fazıl nawet nie zwrócił uwagi. Poeta rozerwał papier i przeczytał kilka słów skreślonych ręką Ipek. Razem z Kadife chciały go widzieć za dwadzieścia minut, o siódmej, w cukierni Yeni Hayat. O tym, że poeta jest w *çayhane* Talihli Kardeşler, Zahide dowiedziała się od Saffeta.

— Jej bratanek chodzi do mojej klasy — stwierdził Fazıl, gdy wyszła. — Chłopak uwielbia hazard. Nie opuści żadnej koguciej ani psiej walki.

Ka oddał mu legitymację.

— W hotelu czekają na mnie z kolacją — powiedział, wstając.

— Będzie się pan widział z Kadife? — zapytał Fazıl z rezygnacją. Zawstydził się na widok współczująco znudzonej miny poety. — Chcę się zabić. — Kiedy Ka stał już w progu *çayhane*, krzyknął jeszcze na pożegnanie: — Jak ją pan zobaczy, proszę powiedzieć, że jeśli zdejmie chustę, to się zabiję. Nie dlatego że odsłoni włosy, ale dla samej przyjemności płynącej z samobójstwa.

Ka miał jeszcze trochę czasu do spotkania w cukierni, zboczył więc nieco z głównej drogi. Szedł właśnie uliczką Kanal, kiedy wpadła mu w oko *çayhane*, w której rankiem napisał wiersz *Ulice ze snów*. Zajrzał do środka, ale zamiast wiersza przyszła mu do głowy myśl, żeby wyjść na dwór tylnymi drzwiami. W potwornie zadymionym lokalu nie było prawie nikogo.

Ka minął ośnieżone podwórko, przeskoczył niski murek i obszczekiwany przez tego samego, uwięzionego na łańcuchu psa zszedł do piwnicy.

Świeciła się tu tylko jedna blada lampa. Oprócz odoru ciał i węgla czuć było jeszcze zapach rakı. Obok buczącego pieca zobaczył kilka cieni. Nie zdziwił się na widok siedzącego wśród kartonowych pudeł wywiadowcy o orlim nosie i chorej Gruzinki z mężem. Wszyscy pili rakı i też nie wyglądali na zaskoczonych widokiem poety. Kobieta miała na głowie czerwony elegancki kapelusz. Poczęstowała Ka jajkiem na twardo i podpłomykiem, podczas gdy mąż szykował już dla niego kieliszek alkoholu. Kiedy poeta obierał podarowane mu jajko, wywiadowca objaśnił, że ta kotłownia jest najprzytulniejszym kątem w całym Karsie. Jest rajem w porównaniu z całą resztą.

Wiersz, który bez żadnego kłopotu, nie roniąc ani słowa, Ka zapisał w ciszy, jaka za chwilę nastąpiła, miał krótki tytuł *Raj*. To, że później umieścił go na osi Marzenia, z dala od centralnego punktu śniegowego płatka, nie oznaczało wcale, że marzył o raju. Według poety raj istniał wtedy, gdy udawało się zachować wspomnienia.

Kiedy później przypominał sobie ten wiersz, do głowy przychodziły mu różne przeżycia: wakacje, wagary, wygłupy z siostrą w małżeńskim łożu rodziców, rysunki z dzieciństwa, randka z dziewczyną poznaną na szkolnej zabawie i pocałunek... W trakcie drogi do cukierni Yeni Hayat w jego głowie wspomnienia mieszały się z marzeniami o Ipek.

Obie siostry już na niego czekały. Ipek wyglądała tak pięknie, że Ka — także pod wpływem rakı wypitej na pusty żołądek — ze szczęścia łzy napłynęły do oczu. Myśl o tym, że zaraz siedzieć będzie w towarzystwie dwóch atrakcyjnych kobiet, sprawiała mu przyjemność. Był z siebie dumny. Chciał, żeby go teraz zobaczyli zblazowani tureccy handlarze z Frankfurtu, pozdrawiający go mimochodem każdego dnia. Ale w lokalu, gdzie wczoraj zamordowano dyrektora ośrodka, oprócz starego kelnera nie było żywej duszy. Obraz siebie, siedzącego w cukierni Yeni Hayat u boku dwóch pięknych kobiet — Kadife i Ipek (nawet, jeśli jedna z nich miała na głowie chustę), utkwił w wyobraźni poety na zawsze jak w lusterku wstecznym, wciąż pokazującym samochód jadący z tyłu.

W przeciwieństwie do Ka siostry wcale nie sprawiały wrażenia zadowolonych. Ponieważ poeta wyjaśnił, że Fazıl zrelacjonował mu przebieg zebrania, Ipek nie musiała za wiele tłumaczyć.

— Granatowy wyszedł wściekły. Kadife teraz żałuje swoich słów. Wysłaliśmy Zahide do jego kryjówki, ale go tam nie było. Nie wiemy, gdzie się podział. — Ipek mówiła jak starsza siostra, która stara się znaleźć sposób na rozwiązanie kłopotów młodszej, ale po chwili w jej głosie zaczęła pobrzmiewać zbyt silna troska.

— Po co chcecie go odnaleźć?

— Najpierw chcemy mieć pewność, że żyje i że go nie złapali. — Ipek zerknęła na Kadife, która wyglądała tak, jakby za chwilę miała się rozpłakać. — Dowiedz się czegoś o nim. Powiedz mu, że Kadife zrobi wszystko, co będzie chciał.

— Wy znacie Kars o wiele lepiej niż ja.

— W nocnych ciemnościach jesteśmy tylko dwiema kobietami — stwierdziła Ipek. — Zresztą poznałeś już miasto. Idź do *çayhane* Nurol i Aydede przy alei Halita Paszy, tam spotykają się uczniowie liceum koranicznego i reszta islamistów. Teraz będzie tam mnóstwo tajniaków, ale oni też lubią plotki. Jeśli Granatowemu stało się coś złego, na pewno o tym usłyszysz.

Kadife wyjęła chusteczkę do nosa. Ka pomyślał, że za chwilę naprawdę wybuchnie płaczem.

— Przynieś nam wieści o Granatowym — rozkazała Ipek. — Nie możemy się spóźnić, bo ojciec będzie się martwić. A ciebie zaprasza na kolację.

— Zajrzyj też do *çayhane* w dzielnicy Bayrampaşa! — dodała Kadife na odchodnym.

Smutek i troska sióstr wydały się Ka tak pociągające, a same kobiety tak kruche, że nie mogąc rozstać się z nimi, przeszedł u ich boku niemal połowę drogi do hotelu. Na równi z obawą przed utratą Ipek czuł wspólną, łączącą ich tajemniczą winę — robili przecież razem coś w tajemnicy przed ojcem. Pomyślał, że pewnego dnia pojedzie jednak z Ipek do Frankfurtu, Kadife do nich dołączy i we trójkę będą spacerować po Berliner Allee, zaglądając do kawiarenek i patrząc na sklepowe wystawy.

Nie wierzył ani odrobinę w powodzenie swojej misji. *Çayhane* Aydede, którą odnalazł bez najmniejszego trudu, była tak zwyczajna i nieciekawa, że zapatrzywszy się w telewizor, na moment zapomniał nawet, po co tu przyszedł. Oprócz niego w środku siedziało kilku młodych ludzi, ale kiedy próbował nawiązać do oglądanego meczu, żaden z nich nie wykazał zainteresowania rozmową. A przecież Ka przygotował już paczkę papierosów, gotowy do częstowania tego i owego. Ba, na stoliku położył nawet czekającą na kogoś poszukującego ognia zapalniczkę. Kiedy pojął, że nawet zezowaty kelner nie piśnie ani słowa, poszedł do pobliskiej *çayhane* Nurol. Tu też napotkał kilku chłopców wpatrzonych w ten sam mecz. Gdyby nie rozwieszone na ścianie gazetowe wycinki i tabela rozgrywek Karssporu, nie przypomniałoby mu się, że rozmawiał tu wczoraj z Necipem o sensie życia i istnieniu Boga. Obok znanego mu już wiersza zobaczył nowe dzieło innego twórcy. Skwapliwie je przepisał:

Już widać, że matka z raju nie wyjdzie i nas nie
przytuli,
A ojciec jej nigdy bicia nie daruje,
Ale i tak będzie nam cieplej, a dusza stanie się
szczęśliwsza,
Bo to jest nasz los.
Utopieni w gównie, nawet Kars wspominać będziemy
jak raj na ziemi.

— Piszesz wiersz? — zapytał stojący naprzeciwko niego chłopak zza lady.
— Brawo — odparł Ka. — Widzę, że umiesz czytać do góry nogami.
— Skądże! Nawet normalnie nie potrafię. Uciekłem ze szkoły. No i się zestarzałem, zanim zdążyłem rozpracować to całe czytanie. A teraz już na to za późno.

— Kto napisał ten nowy wiersz na ścianie?
— Połowa młodzieży, która tu przychodzi, to poeci.
— A dlaczego dzisiaj ich nie ma?
— Bo wczoraj wojsko wszystkich zabrało. Jedni w ciupie, inni gdzieś się pochowali. Lepiej zapytaj tych tam, to tajniacy. Powinni wiedzieć. — Chłopak wskazał na dwóch młodych ludzi gorączkowo rozprawiających o futbolu, ale Ka wyszedł z *çayhane*, o nic ich nie pytając.

Wprawdzie ucieszył się, widząc, że znów pada śnieg, ale po chwili poczuł smutek, który na przemian z radością towarzyszył mu od pierwszego dnia pobytu w Karsie. Nie wierzył ani trochę, że natrafi na jakiś ślad Granatowego w lokalach w dzielnicy Bayrampaşa. W oczekiwaniu na natchnienie mijał wolno brzydkie i biedne betonowe budynki, zasypane parkingi, zamarznięte witryny *çayhane* i salonów fryzjerskich, zachowane od czasów rosyjskich podwórka ze szczekającymi psami i niezliczone sklepiki z serem, częściami zamiennymi do furmanek i traktorów. Wiedział, że do końca życia zostanie mu w pamięci wszystko, na co patrzył w tamtej chwili: plakaty przedwyborcze Partii Ojczyźnianej, niewielkie okno szwalni z zasuniętymi zasłonami, przyklejona wiele miesięcy temu do wystawy apteki Bilim kartka z informacją: „W sprzedaży jest już szczepionka przeciw japońskiej grypie" — i wydrukowany na żółtym papierze slogan potępiający samobójstwo. Poczuł, że coraz silniej i wyraźniej odbiera rzeczywistość i że w tej chwili wszystko jest powiązane ze wszystkim, a on sam stanowi nieodłączny element tego cudownego, głębokiego świata. Myśląc, że nadchodzi natchnienie, zajrzał do *çayhane* przy alei Atatürka. Ale żaden wiersz się nie narodził.

33.

Bezbożnik w Karsie
Strach przed postrzeleniem

Kiedy Ka wyszedł z *çayhane*, natychmiast natknął się na maszerującego ośnieżonym chodnikiem Muhtara. Kolega, który w zadumie zmierzał nie wiadomo dokąd, zauważył go pierwszy, ale w gęstych, szczelnie przykrywających wszystko płatkach śniegu sprawiał wrażenie, że go nie rozpoznał. Ka przez chwilę miał ochotę uciec, ale zaraz obaj szybko się uściskali, jak starzy przyjaciele.

— Przekazałeś Ipek, o co się prosiłem? — zapytał Muhtar.

— Tak.

— I co? Wejdźmy do *çayhane*, opowiesz mi wszystko.

Mimo wojskowego przewrotu, niemiłych przeżyć na policji i utraconych nadziei na wygraną w wyborach Muhtar nie wyglądał na przygnębionego.

— Czemu mnie nie aresztowali? Kiedy przestanie padać i otworzą drogi, żołnierze się wycofają, a wybory odbędą się i już! Powiedz to Ipek — rozkazał, siadając.

Ka obiecał, że tak zrobi. Zapytał, czy tamten nie wie czegoś o Granatowym.

— To ja pierwszy zaprosiłem go do Karsu. Zawsze kiedy tu bywał, zatrzymywał się u mnie — powiedział z dumą Muhtar. — Ale od momentu, gdy stambulska prasa zrobiła z niego terrorystę, nie kontaktuje się z nami, żeby nie zaszkodzić partii. Jestem ostatnim, który by wiedział cokolwiek o nim. Co powiedziała Ipek?

Ka wyjaśnił, że była żona nie udzieliła żadnej odpowiedzi na ponowne oświadczyny byłego męża. Muhtar potraktował to milczenie jak szczególnie ważną reakcję. Dwoił się i troił, aby dać poecie do zrozumienia, jak wrażliwą, delikatną i wyrozumiałą kobietą jest Ipek. Bardzo żałował, że źle ją kiedyś traktował i że był okrutny w tamtym niespokojnym okresie swojego życia.

— Kiedy będziesz w Stambule, osobiście doręczysz moje wiersze Fahirowi, prawda? — zapytał.

A gdy usłyszał twierdzącą odpowiedź, przybrał minę zatroskanego wujaszka. Zamiast zawstydzenia, które czuł wcześniej, patrząc na Muhtara, w Ka kołatała się teraz mieszanka współczucia i obrzydzenia. Muhtar wyjął z kieszeni gazetę.

— Na twoim miejscu nie spacerowałbym tak beztrosko po ulicy — powiedział zadowolony.

Ka pospiesznie przejrzał tytuły artykułów w wyrwanym z rąk kolegi jutrzejszym wydaniu pachnącej jeszcze drukarską farbą „Gazety Przygranicznego Miasta". *Sukces teatralnych rewolucjonistów... Spokojne dni w Karsie... Wybory przełożone... Obywatele zadowoleni z rewolucji...* A potem przeczytał informację na pierwszej stronie, którą Muhtar pokazał mu palcem:

BEZBOŻNIK W KARSIE

CIEKAWE, CZEGO W NIESPOKOJNYCH CZASACH SZUKA
W NASZYM MIEŚCIE PSEUDOPOETA KA

**Nasza wczorajsza publikacja o pseudopoecie
wywołała wielkie oburzenie wśród mieszkańców Karsu**

Na temat pseudopoety Ka słyszeliśmy już wiele. Przypomnijmy tylko, że wczorajszej nocy ni stąd, ni zowąd przerwał przyjętą z niewiarygodnym aplauzem, niosącą całemu mia-

stu spokój i pojednanie kemalistowską sztukę wystawianą przez wielkiego artystę Sunaya Zaima i popsuł nastrój obywateli swoim niesmacznym i niezrozumiałym wierszem. I teraz kiedy my, mieszkańcy Karsu, od lat tworzący jedną wielką rodzinę, jesteśmy zmuszani przez obce siły do bratobójczej walki, kiedy społeczność nasza sztucznie dzielona jest na religijnych radykałów, laików, Kurdów, Turków czy Azerów, kiedy na nowo odżywają zarzuty w sprawie pogromu Ormian (o czym dawno już powinniśmy byli zapomnieć), ta właśnie podejrzana postać, która lata całe żyła z dala od Turcji, wyskakuje nagle niczym diabeł z pudełka, niczym najprawdziwszy szpieg! Oczywiste więc, że pojawiają się liczne pytania i wątpliwości. Czy to prawda, że spotkał się przed dwoma dniami na dworcu z — niestety bardzo podatną na złe wpływy — młodzieżą, reprezentującą lokalne liceum koraniczne, i stwierdził, co następuje: „Jestem ateistą, nie wierzę Boga. Ale samobójstwa z tego powodu nie popełnię, bo przecież i tak żaden Bóg nie istnieje" (wybacz, Panie!)? Czy europejska wolność myśli to zaprzeczanie boskiemu istnieniu? Czy opiera się ona na teorii, że „zadaniem intelektualisty jest mieszanie z błotem narodowych świętości"? Fakt, że karmi cię niemiecka ręka, nie daje ci prawa do poniżania naszej wiary! A może wstydzisz się, że jesteś Turkiem, i dlatego ukrywasz swoje imię pod żałosnym i wydumanym na zachodnią modłę pseudonimem? Jak donieśli ze smutkiem czytelnicy telefonujący do redakcji, ten małpujący Zachód bezbożnik trafił do Karsu w trudnych dla nas dniach, by siać zamęt. Odwiedzał biedaków w najuboższych dzielnicach i przekonywał ich do buntu. Jakby tego było mu mało, odważył się szkalować imię Atatürka, któremu zawdzięczamy naszą ojczyznę, naszą Republikę. Całe miasto kipi z ciekawości, co sprowadziło do nas pseudopoetę Ka, który w chwili obecnej mieszka w hotelu Karpalas. Młodzież w Karsie ostrzega, *że nie puści płazem podważania istnienia Boga i Jego Proroka żadnemu z bluźnierców.*

— Kiedy dwadzieścia minut temu mijałem redakcję, obaj synowie Serdara dopiero to drukowali — wyjaśnił Muhtar jak ktoś, kto właśnie rozpoczął miłą pogawędkę, najwyraźniej nie zauważając troski i przerażenia ogarniających poetę.

Ka poczuł się okropnie samotny i jeszcze raz uważnie przeczytał notatkę. Kiedyś, marząc o błyskotliwej karierze literackiej, liczył się z tym, że modernistyczna świeżość, jaką miał zamiar wnieść do tureckiej poezji (teraz ta narodowościowa koncepcja brzmiała żałośnie i śmiesznie), może się spotkać z krytyką i oburzeniem. Ale wrogość i brak zrozumienia przydawałyby mu tylko specyficznej aury, na którą liczył. I chociaż zyskał później pewną sławę, nigdy nie spotkał się z agresywną krytyką. Dlatego określenie „pseudopoeta" tak go teraz zabolało.

Muhtar ostrzegł go, żeby nie chodził jak żywa tarcza po ulicach, po czym opuścił lokal. Ka poczuł strach przed śmiercią, którą mógłby zadać mu ktoś obcy. Wyszedł z *çayhane* i w zadumie powędrował przed siebie. Wielkie, pełne tajemnic płatki śniegu spadały na ziemię w zwolnionym tempie.

W młodości perspektywa śmierci w imię wyższego celu natury politycznej lub intelektualnej albo poświęcenie życia na ołtarzu własnej twórczości oznaczała dla Ka wzniesienie się na najwyższy stopień duchowości. Koło trzydziestki zmienił zdanie, widząc, jak głupio umierali jego przyjaciele i znajomi, broniący idiotycznych, nierzadko szkodliwych idei, mordowani na ulicach przez zaangażowane w politykę szajki, torturowani, zabijani podczas napadów na banki albo rozrywani na strzępy przez własnoręcznie skonstruowane naprędce bomby. Dawne polityczne poglądy zmusiły go do przyjęcia roli uchodźcy. Dlatego we Frankfurcie najpierw oddzielił politykę od poświęcenia, a potem raz na zawsze odrzucił i jedno, i drugie. Kiedy w Niemczech czytał w tureckich gazetach o zabójstwie jakiegoś dziennikarza — dokonanym najprawdopodobniej przez islamistów — był wściekły na świat i żałował ofiary. Ale nigdy już w takiej sytuacji nie czuł podziwu dla zmarłego...

Zaczął wyobrażać sobie, że oto na skrzyżowaniu alei Halita Paszy z aleją Kazıma Karabekira przez otwór w ślepej, zamarzniętej ścianie ktoś celuje do niego z broni palnej. Za chwilę padnie, śmiertelnie postrzelony, na białe od śniegu płyty chodnika. Zastanawiał się, co napisałyby wtedy stambulskie gazety. Prawdopodobnie władze wojewódzkie i Narodowa Organizacja Wywiadowcza w obawie przed kłopotami zrobiłyby wszystko, żeby zakamuflować polityczny aspekt jego śmierci, a prasa, której nic nie obchodziły jego wiersze, opublikowałaby tylko krótką informację o wypadku. Albo i tego nawet by nie zrobiono. Gdyby jego koledzy poeci i dziennikarze z „Cumhuriyetu" usiłowali po jakimś czasie nagłośnić polityczne podłoże tragedii, cały ich wysiłek doprowadziłby do tego, że napisana przez któregoś z nich (którego? Fahira? Orhana?) krótka monografia na temat jego poezji prawie straciłaby literacki wymiar. Jeśli oczywiście wiadomość o jego przedwczesnej śmierci nie zostałaby wcześniej wepchnięta do nie czytanej przez nikogo gazetowej rubryki o sztuce. Gdyby naprawdę istniał niemiecki dziennikarz Hans Hansen i gdyby Ka rzeczywiście go znał, wtedy może „Frankfurter Rundschau" jako jedyne zamieściłoby kilka słów o nim. Dla pocieszenia wyobraził sobie, że może przetłumaczono by na niemiecki i wydrukowano kilka jego wierszy w magazynie „Akzent"... I kiedy tak rozmyślał, zrozumiał, że śmierć z powodu artykułu w „Gazecie

380

Przygranicznego Miasta" byłaby czymś najbanalniejszym w świecie. Poczuł strach. Co będzie, jeśli rzeczywiście przyjdzie mu umrzeć akurat teraz, kiedy nadzieja na wspólne szczęście z Ipek może się ziścić?

Stanęły mu przed oczami twarze osób zastrzelonych w ostatnich latach przez islamistów: były muzułmański duchowny, który ostatecznie stał się niewierzącym, a wcześniej z prawdziwie pozytywistycznym zapałem usiłował wskazać nieścisłości w Koranie (jeden strzał w tył głowy); redaktor w swoich gniewnych felietonach nazywający kobiety w chustach i czarczafach czarnymi wdowami (on i kierowca nafaszerowani amunicją); felietonista z determinacją dowodzący powiązań między tureckimi fundamentalistami i Iranem (przekręciwszy kluczyk w stacyjce, wyleciał w powietrze razem z samochodem). I nawet jeśli poeta czuł sympatię dla ofiar i wzruszał się ich losem, to i tak ich działania uznawał za wyraz sporej naiwności. Był wściekły już nawet nie na stambulską i zachodnią prasę, których w najmniejszym stopniu nie interesowały losy tych wybitnych ludzi pióra i nie mniej utalentowanych dziennikarzy, z podobnych przyczyn zabijanych w swoich miasteczkach. Ka wściekał się na tradycję i przyzwyczajenia, nakazujące ludziom natychmiast i na zawsze zapomnieć o wszystkich, którzy padli ofiarą własnej dociekliwości. Z zaskoczeniem zdał sobie sprawę, jak mądrym rozwiązaniem jest wycofanie się z tego wszystkiego i spokojne życie gdzieś z boku.

Kiedy dotarł do redakcji „Gazety Przygranicznego Miasta" przy alei Faika Beja, zobaczył jutrzejsze wydanie wiszące pośrodku oszronionej wystawy. Znów przeczytał wiadomość o sobie i otworzył drzwi. Potężniejszy z synów pana Serdara obwiązywał właśnie nylonowym sznurkiem część wydrukowanych egzemplarzy. Ka odruchowo zdjął czapkę i otrzepał śnieg z palta.

— Ojca nie ma — powiedział młodszy chłopiec, który właśnie wyszedł z zaplecza. W ręku trzymał białą ścierkę do wycierania maszyny. — Może herbaty?

— Kto napisał o mnie do jutrzejszego numeru?

— A jest tam coś o panu? — zapytał młodszy, unosząc brwi.

— Jest — wtrącił się starszy z przyjacielskim uśmiechem. Był wyraźnie zadowolony. — Dziś wszystkie artykuły pisał ojciec.

— Jeśli rano sprzedacie ten numer — zaczął Ka, ale się zawahał — mogę mieć kłopoty.

— Dlaczego? — zapytał starszy. Miał delikatną skórę i naiwne, absolutnie szczere spojrzenie.

Ka zrozumiał, że wydobędzie od nich informacje, jeśli zachowywać się będzie jak przyjaciel stawiający proste, dziecinne pytania. Tym sposobem dowiedział się, że ostatnie wydanie gazety zdążyli na razie kupić jedynie pan Muhtar, jakiś chłopak przysłany tu z wojewódzkiej centrali Partii Ojczyźnianej oraz emerytowana nauczycielka literatury, pani Nuriye, która jak co wieczór zajrzała do redakcji. Gdyby drogi były przejezdne, świeże gazety, powiązane w paczki, czekałyby teraz obok wczorajszych na autobus do Stambułu i Ankary. Resztę obaj bracia roznieśliby jutro po mieście, a gdyby ojciec miał takie życzenie — do rana dodrukowaliby jeszcze kilkanaście egzemplarzy. Ojciec przed chwilą opuścił redakcję, informując, że nie wróci na kolację do domu. Słuchający tej relacji Ka stwierdził, że nie będzie czekać na herbatę; kupił gazetę i wyszedł z budynku prosto w lodowatą, zabójczą noc.

Pogodne i niewinne zachowanie chłopców odrobinę go uspokoiło. Patrzył na leniwie opadające płatki śniegu i zastanawiał się, czy nie przesadził z obawami. I znów poczuł się winny... Nadal jednak w głowie kołatała mu myśl, że kilku pechowych pisarzy musiało pożegnać się z życiem właśnie dlatego, że dali się ponieść złudnemu poczuciu dumy i odwagi. Ginęli od kul trafiających w głowę lub pierś albo od bomb ukrytych w paczkach, które otwierali z ciekawością, pewni, że wewnątrz znajduje się rachatłukum przysłane przez wiernego czytelnika. I tak na przykład ofiarą własnej śmiałości padł trzymający się z dala od polityki poeta Nurettin, znany z proeuropejskich sympatii. Kiedy jedna z polityczno-religijnych gazet przeinaczyła sens jego starej paranaukowej (i skądinąd bzdurnej) publikacji na temat wiary i sztuki, a następnie oskarżyła go o obrazę uczuć religijnych, dzielny poeta z zapałem powtórzył swoje wygrzebane z lamusa teorie. Zrobił to tylko w obawie przed oskarżeniem o tchórzostwo. Wspierana przez wojsko laicka prasa wyolbrzymiła jego godną naśladownictwa gorliwość kemalisty, robiąc zeń chwilowego bohatera. Nieszczęśnik zginął od bomby umieszczonej w reklamówce, którą przymocowano do przedniego koła jego auta. Ponieważ na miejscu wypadku naprawdę nie było czego zbierać, długi i efektowny kondukt pogrzebowy zmuszony był kroczyć za całkiem pustą trumną. Dzięki tureckiej prasie przeglądanej czasem we frankfurckiej bibliotece, Ka dowiadywał się o zabójstwach starych lewicowych dziennikarzy, lekarzy krwiopijców czy zagorzałych krytyków religii, którzy dawali się ponieść własnemu hartowi ducha, nie chcieli okazać strachu albo marzyli, by niczym Salman Rushdie zwrócić na siebie uwagę świata. Krótkie, bezduszne notki z tylnych stron tych gazet informowały, że ludzie ci nie umierali, jak bohaterowie z wielkich miast, od przemyślnie wykonanych ładunków wybuchowych czy nawet w wyniku strzału ze zwykłej broni, ale padali ofiarą młodych, rozgniewanych fanatyków, którzy w ciemnym zaułku dźgali ich nożem albo dusili gołymi rękami. Zastanawiał się właśnie, jak należałoby skomentować tekst z „Gazety Przygranicznego

Miasta", aby ocalić i skórę, i honor („Jestem niewierzący, ale proroka nie szkalowałem"? A może: „Nie wierzę w Boga, ale religię szanuję"?), gdy usłyszał za sobą czyjeś kroki. Odwrócił się ze strachem i zobaczył właściciela firmy autobusowej, którego widział poprzedniego dnia o tej samej porze w domu szejcha Saadettina. Przyszło mu nawet do głowy, że ten człowiek mógłby zaświadczyć, iż nie jest niewierzący, ale szybko zawstydził się tego pomysłu.

Zapatrzony w ogromne śniegowe płatki, które padały jak w nieskończenie cudnym, tajemniczym *déjà vu*, Ka powędrował w dół aleją Atatürka. Później pytał samego siebie, dlaczego wciąż — jak smutne pocztówki, których nie można się pozbyć — nosił w myślach obrazy pięknego ośnieżonego Karsu, zapamiętane podczas wędrówek jego ulicami (trójka dzieci pchających sanki pod górę, zieleń jedynych w mieście drogowych świateł odbita w ciemnej wystawie Aydın Foto Sarayı).

Przed starą szwalnią, przemienioną przez Sunaya w centrum dowodzenia, poeta zobaczył wojskową ciężarówkę i dwóch wartowników. Chociaż kilka razy powtórzył, że musi się zobaczyć z Sunayem, stojący tuż przed wejściem i chroniący się przed śniegiem żołnierze odepchnęli go tak, jak odpycha się wiejskiego biedaczynę, który przyjechał z podaniem do dowódcy sztabu. Chciał poprosić aktora o wstrzymanie dystrybucji gazety.

Strach i gniew, które przyszły chwilę potem, należy usprawiedliwić ogromnym rozczarowaniem, jakie przeżył poeta. Chciał biegiem wracać do hotelu, ale jeszcze zanim dotarł do pierwszej przecznicy, wszedł do znajdującej się po lewej stronie lokalu Birlik Kıraathanesi*. Usiadł przy stoli-

---

* Kıraathane — miejsce, w którym mężczyźni spędzają wolny czas na piciu herbaty, grach, czytaniu gazet i oglądaniu telewizji.

ku między piecem i ścianą z wielkim lustrem. Zaczął notować wiersz *Śmierć przez postrzelenie*. Jak wyjaśniał później w swych zapiskach, utwór był kwintesencją strachu, dlatego na sześcioramiennym płatku śniegu postanowił umieścić go pomiędzy osiami Pamięci i Marzenia, pokornie przyjmując zawartą w nim przepowiednię.

Gdy, opuściwszy kawiarnię, Ka dotarł do hotelu Karpalas, było dwadzieścia po ósmej. Położył się na łóżku i długo wpatrywał w spadające ciężko śnieżne płatki w białym świetle ulicznej latarni i różowym blasku litery K w hotelowym neonie. Próbował się uspokoić, marząc o szczęśliwej przyszłości we Frankfurcie z Ipek u boku. Dziesięć minut później, gnany nagłą potrzebą zobaczenia ukochanej, pojawił się w salonie na dole, gdzie siedziała już cała rodzina i jeden gość, a Zahide ustawiała właśnie na stole garnek z zupą. Z radością popatrzył na błyszczące brązowe włosy Ipek. Usiadł na wskazanym miejscu, tuż obok niej, i z zadowoleniem pomyślał, że wszyscy w tym pokoju wiedzą już o ich miłości. Naprzeciwko zobaczył właściciela „Gazety Przygranicznego Miasta", pana Serdara.

Dziennikarz uśmiechnął się i uścisnął jego dłoń w sposób tak przyjacielski, że Ka na moment zwątpił w siebie. Czy rzeczywiście czytał coś w gazecie, którą miał w kieszeni? Podał Zahide talerz, podziękował za zupę, pod stołem położył dłoń na dłoniach Ipek, przysunął się, by poczuć jej zapach, i wyszeptał, że niestety nie zdobył żadnych wieści o Granatowym. Zaraz potem napotkał spojrzenie siedzącej obok pana Serdara Kadife i zrozumiał, że Ipek w tak krótkim czasie zdążyła o wszystkim powiadomić ją wzrokiem. Mimo zaskoczenia i złości udało mu się jakoś wysłuchać o niemiłych wrażeniach pana Turguta ze spotkania w hotelu Asya. Gospodarz uznał, że zebranie było jedną wielką prowokacją, której policja z pewnością uważnie się przysłuchiwała.

— Nie żałuję jednak, że wziąłem udział w tym historycznym wydarzeniu — dodał starszy pan. — Cieszę się, bo na własne oczy zobaczyłem, jak mizerny jest poziom zarówno młodzieży, jak i dorosłych zaangażowanych w politykę w tym mieście. Z tymi durnymi i pożałowania godnymi kreaturami nie da się robić żadnej, powtarzam, ż a d n e j polityki! Zaczynam myśleć, że wojsko dobrze postępuje, nie chcąc oddać przyszłości miasta w ręce tych typów spod ciemnej gwiazdy! I wszystkich, z Kadife na czele, wzywam, aby jeszcze raz porządnie się zastanowili, zanim zaangażują się w politykę. Poza tym — zerknął na młodszą córkę — radzę przypomnieć sobie tę farbowaną, podstarzałą piosenkarkę, która kręciła tarczą w *Kole Fortuny*. Trzydzieści pięć lat temu była metresą skazanego na śmierć ministra spraw zagranicznych Fatina Rüştü Zorlu. Każdy w Ankarze o tym wiedział!

Minęło dwadzieścia minut, zanim poeta odważył się wyjąć z kieszeni „Gazetę Przygranicznego Miasta" i poinformować zebranych o artykule na swój temat. Przy stole zapanowała głucha cisza.

— Miałem o tym powiedzieć, ale bałem się, że źle mnie pan zrozumie — odparł na to pan Serdar.

— Oj, Serdar, Serdar, od kogo tym razem dostałeś dyspozycje? — zapytał pan Turgut. — Nie szkoda ci naszego gościa? Dajcie no, niech czyta, co nabroił.

— Chcę, żeby pan wiedział, że nie wierzę w ani jedno napisane tu słowo — obwieścił Serdar, biorąc od Ka gazetę. — Jeśli uzna pan, że napisałem to, bo tak właśnie myślę, poczuję się głęboko urażony. Bardzo proszę, panie Turgut, niech mu pan powie, że to nie jest nic osobistego i że w Karsie dziennikarz musi czasem napisać coś takiego na zamówienie.

— Serdar zawsze wylewa na kogoś pomyje na zamówienie urzędu wojewódzkiego — wyjaśnił gospodarz. — Czytaj no!

— Nie wierzę w ani jedno napisane tu słowo — powtórzył dumnie Serdar. — Nawet czytelnicy nie wierzą. Dlatego nie ma się czego bać. — Następnie przesadnie dramatycznym głosem przeczytał własny artykuł, śmiejąc się od czasu do czasu. — Jak widać, naprawdę nie ma powodów do obaw.

— Czy pan jest ateistą? — zapytał pan Turgut Ka.

— Tato, przecież nie o to chodzi — przerwała Ipek ze złością. — Jeśli gazeta trafi do ludzi, jutro ktoś go zastrzeli na ulicy.

— Nic takiego, droga pani — odparł pan Serdar. — Wszystkich rozpolitykowanych islamistów i całą reakcję zgarnęło wojsko. — Odwrócił się do Ka. — Po oczach widzę, że nie żywi pan urazy, że zna szacunek, jakim darzę pańską sztukę i humanistyczną postawę. Proszę nie być niesprawiedliwym i nie osądzać mnie według europejskich zasad, nijak nie przystających do naszego życia tutaj! Durnie, którzy myślą, że żyjąc w Karsie, są już prawie w Europie, w kilka dni padają zimnym trupem na jakimś rogu z kulką między oczami. Pan Turgut wie o tym doskonale. Ciężki jest los prasy we wschodniej Anatolii. Obywatele Karsu nie kupują nas, nie czytają. To urzędy państwowe zamawiają prenumeraty, jasne więc, że zamieszczamy wiadomości, które tam chętnie się czyta. Wszędzie na świecie, nawet w Ameryce, gazety przede wszystkim piszą o tym, czego pragną czytelnicy. Jeśli chcą kłamstw — nikt na świecie nie zaryzykuje spadku sprzedaży, broniąc prawdy! Jeśli prawda zwiększyłaby sprzedaż mojej gazety, chętnie ją napiszę! Ale policja i tak nie pozwoliłaby mi na to. W Ankarze i Stambule mamy stu pięćdziesięciu czytelników pochodzących z tych okolic. Czasem trzeba wspomnieć o nich, opowiedzieć, jacy są bogaci i wspaniali, przesadzić trochę, dosłodzić, a wszystko po to, żeby przedłużyli prenumeraty. Owszem, zdarza im się uwierzyć w nasze kłamstwa, ale to już całkiem inna sprawa — zaśmiał się wesoło.

— Powiedz lepiej, kto kazał ci to napisać — zażądał pan Turgut.

— Moi drodzy, powszechnie wiadomo, że w zachodnim dziennikarstwie najważniejszą zasadą jest nieujawnianie źródła informacji!

— Moje córki lubią naszego gościa — odparł gospodarz.

— Jeśli jutro roześlesz gazetę, nigdy ci tego nie wybaczą. Co będzie, jeśli naszego przyjaciela zabiją jacyś szaleńcy, religijni fanatycy? Nie poczujesz żadnej odpowiedzialności?

— Aż tak bardzo się pan boi? — Pan Serdar uśmiechnął się, zerkając na Ka. — Skoro tak, radzę nie wychodzić jutro na ulicę.

— Lepiej będzie, jeśli to twoja gazeta nie trafi między ludzi — stwierdził pan Turgut. — Wstrzymaj sprzedaż.

— Prenumeratorzy będą oburzeni.

— W porządku — powiedział pan Turgut w nagłym przypływie inwencji. — Sprzedaj ją tym, którzy ją zamówili. A dla reszty wydrukuj nowy numer, bez tej kłamliwej, oburzającej informacji na temat naszego gościa.

Ipek i Kadife poparły ten pomysł.

— Jestem dumny, że waszym zdaniem moja gazeta odgrywa tak wielką rolę — zauważył pan Serdar. — Powiedzcie mi w takim razie, kto pokryje koszt dodatkowego druku.

— Ojciec zaprosi pana i pańskich synów na kolację do restauracji Yeşilyurt — zaproponowała Ipek.

— Dobrze, jeśli pani też tam będzie — zgodził się dziennikarz. — Ale wybierzemy się tam dopiero wtedy, kiedy otworzą drogi i cała ta teatralna trupa pójdzie sobie precz! I pani Kadife też musi przyjść. Pani Kadife, czy zamiast usuniętej wiadomości na temat naszego poety mógłbym wydrukować pani oświadczenie popierające teatralny przewrót? Naszym czytelnikom z pewnością by się spodobało.

— Nie mógłbyś — przerwał pan Turgut. — Nie znasz jeszcze mojej córki?

— Czy mogłaby pani stwierdzić publicznie, droga Kadife, że wierzy pani w to, że po teatralnej rewolucji w Karsie spadnie liczba samobójstw? To też by się spodobało naszym czytelnikom. Pani przecież była przeciwna samobójstwom muzułmanek.

— Ale już nie jestem! — wypaliła Kadife.

— Ależ, droga Kadife, czy to nie czyni z pani osoby niewierzącej? — pan Serdar próbował wzniecić nowy spór, ale szybko się zorientował, że towarzystwo zgromadzone przy stole nie patrzy na niego przyjaźnie. — Dobrze, obiecuję wstrzymać kolportaż.

— Wydrukuje pan nową gazetę?

— Kiedy tylko stąd wyjdę. Jeszcze nim wrócę do domu.

— Dziękujemy — powiedziała Ipek.

Zapadła długa cisza. Ka był zadowolony: po raz pierwszy od lat czuł się jak członek dużej rodziny. Pojął, że rodzina — mimo częstych niepowodzeń i kłopotów — powstała na fundamencie wspólnego uporu; żałował, że wcześniej go to ominęło. Czy mógł być szczęśliwy z Ipek do końca życia? Po trzeciej rakı pomyślał, że szczęście nie jest tym, czego szukał. Kto wie, może nawet wolał zachować wierność swojemu przygnębieniu? Najważniejsze było to nieosiągalne bycie razem, ten wspólny świat, który mieli stworzyć daleko od całej reszty. Wiedział, że może to osiągnąć, tylko kochając się z Ipek. Długo, całymi miesiącami. Był absolutnie szczęśliwy, siedząc obok sióstr, wspominając popołudniową miłość z jedną z nich, czując ich obecność i ciepło delikatnej skóry, mając pewność, że nie będzie sam, kiedy wieczorem wróci do domu, i licząc na erotyczne spełnienie. Wierzyli, że feralna gazeta rzeczywiście nie trafi do ludzi.

Może dzięki tej wielkiej radości opowiadane przy stole historie nie brzmiały jak tragiczne wieści, lecz budzące dreszcz baśnie. Jeden z chłopców pomagających Zahide w kuchni relacjonował, jak policja zaprowadziła podejrzanych na boisko piłki nożnej, jak przez cały dzień trzymała ich tam między zasypanymi do połowy bramkami, żeby zachorowali i najlepiej umarli z zimna. Podobno kilku aresztantów ustawiono w szatniach przed plutonem egzekucyjnym na postrach reszcie. Świadkowie ekscesów Z. Demirkola i jego kompanii donosili — może nieco przesadzając — o mrożących krew w żyłach wydarzeniach. W wyniku brutalnego najazdu na Stowarzyszenie Mezopotamia, w którym swoje prace nad „folklorem i literaturą" prowadziło kilku kurdyjskich nacjonalistów, poważnych obrażeń doznał Bogu ducha winny staruszek, zatrudniony tam w roli roznosiciela herbaty, całkowicie niezainteresowany polityką, nocujący tylko w siedzibie organizacji. Dwóch fryzjerów i jednego bezrobotnego, których pół roku temu podejrzewano o oblanie farbą i fekaliami posągu Atatürka ustawionego przed wejściem do budynku jego imienia (wówczas ich nie aresztowano), spotkała porządna wielogodzinna chłosta. Nad ranem „przesłuchiwani" przyznali się do zarzucanych im czynów oraz do innych akcji, mających na celu naruszenie dobrego imienia Ojca Turków (obtłuczenie młotkiem nosa posągu w ogrodzie przed liceum zawodowym, wypisywanie przekleństw na plakacie z jego wizerunkiem wywieszonym na ścianie w lokalu Onbeşliler Kıraathanesi, planowanie zniszczenia siekierą pomnika przed urzędem wojewódzkim). Jednego z dwóch młodych Kurdów, podejrzanych o wypisywanie tuż po ogłoszeniu teatralnego przewrotu politycznych haseł na murach przy alei Halita Paszy, zastrzelono, drugiego pobito w areszcie do nieprzytomności. Bezrobotny młodzieniec, sprowadzony po to, by powycierał obrzydliwe napisy, został postrzelony w nogę podczas próby ucieczki. Dzięki koczującym w *çayhane* agentom wyłapano wszystkich, którzy przeklinali wojsko i teatralną grupę albo rozpuszczali na ich temat niepochlebne plotki. Jak zwykle w podobnych chwilach terroru i grozy całe miasto aż kipiało od wyolbrzymionych opowieści o młodych Kurdach zabijanych przez własnoręcznie zrobione bomby i dziewczętach w chustach popełniających samobójstwa w proteście przeciw wojskowemu przewrotowi. Wśród ludzi krążyła też plotka o ciężarówce wypełnionej po brzegi dynamitem, którą policja zatrzymała przed samym budynkiem komisariatu imienia Ismeta Inönü.

Ponieważ Ka znał już historię o samobójczych atakach bombowych przy użyciu ciężarówki, przestał słuchać tych makabrycznych opowieści i skupił się wyłącznie na radości płynącej z bycia obok ukochanej. Późno w nocy, kiedy dziennikarz opuścił już gościnne progi mieszkania pana Turguta, a sam gospodarz i córki wstali od stołu, by rozejść się do swoich sypialni, Ka miał ochotę zaprosić Ipek do swojego pokoju. Ale w obawie przed odmową, która rzuciłaby cień na jego upojne szczęście, nie dając niczego po sobie znać, udał się na górę sam.

34.

Kadife i tak się nie zgodzi
Mediator

Ka, wyglądając przez okno swojego pokoju, zapalił papierosa. Śnieg przestał padać. Na pustej białej ulicy rozświetlonej zimnym światłem latarni, panował absolutny, kojący bezruch. Ka wiedział, że zadowolenie, jakie czuł od dłuższego czasu, wynikało bardziej z miłosnej fascynacji niż z tego śnieżnego piękna. Świadomość, że tu, w Turcji, jest wśród swoich, przynosiła ulgę. Był szczęśliwy tak bardzo, że potrafił już przyznać przed sobą, że ulga ta spotęgowana była naturalnym poczuciem wyższości wobec rodaków. Bo to właśnie on był tym, który przyjechał do nich ze Stambułu. A wcześniej — z samych Niemiec.

Ktoś zapukał do drzwi. Ka nie potrafił ukryć zaskoczenia na widok stojącej w progu Ipek.

— Cały czas myślę o tobie. Nie mogę zasnąć — powiedziała, wchodząc do środka.

Zrozumiał, że będą się kochać do rana, nie zważając na obecność pana Turguta piętro niżej. Jakże niezwykłe było móc objąć Ipek, nie zamartwiając się wcześniej! Przez całą nadchodzącą noc, spędzoną na miłości z Ipek, Ka będzie rozmyślał i dojdzie do wniosku, że w życiu jest coś dużo ważniejszego niż szczęście. I że jego dotychczasowe doświadczenia życiowe i miłosne nie wystarczały, by znaleźć to coś, tkwiące daleko poza czasem i namiętnością. Po raz pierwszy w życiu był tak swobodny. Zapomniał o pragnieniach, których nauczyły go pornograficzne filmy i gazety, obrazach, które kiedyś trzymał na podorędziu wyobraźni, kochając się z innymi kobietami. Przy każdym zbliżeniu z Ipek jego ciało odnajdowało nie znaną wcześniej muzykę, poruszało się w jej rytmie. Co jakiś czas drzemał. We śnie, przesiąkniętym rajską atmosferą letnich wakacji, biegł gdzieś co tchu, był nieśmiertelny; jadł nie kończące się jabłko w samolocie, który właśnie spadał na ziemię. I budził się od pachnącej jabłkiem ciepłej skóry ukochanej, patrzył z bliska w jej oczy oświetlone wpadającym przez okno delikatnym miodowym blaskiem latarni i śniegową poświatą. A widząc, że ona także nie śpi i ukradkiem spogląda na niego, czuł, że oboje są jak dwa wieloryby odpoczywające na płyciźnie. Dopiero wtedy zauważał, że trzyma jej dłoń w swoich dłoniach.

— Porozmawiam z ojcem — powiedziała Ipek, kiedy przebudzona na chwilę, napotkała wzrok poety. — A potem pojadę z tobą do Niemiec.

Ka nie mógł zasnąć. Całe życie przelatywało mu przed oczami jak radosny film.

Miastem wstrząsnął wybuch. Zadrżały pokój, łóżko i cały hotel. W oddali rozległa się seria z karabinu maszynowego. Przykrywający miasto śnieg tłumił hałas. Wtuleni w siebie kochankowie zamarli w oczekiwaniu.

Kiedy Ka przebudził się później, odgłosów strzałów już nie było. Dwukrotnie wychodził z łóżka i czując zimno na nagim ciele, zapalał papierosa. Żaden wiersz nie przychodził mu do głowy. Był szczęśliwy jak nigdy.

Nad ranem obudziło go pukanie do drzwi. Ipek gdzieś znikła. Nie mógł sobie przypomnieć, kiedy zasnął po raz ostatni, kiedy z nią rozmawiał, ani też kiedy umilkły odgłosy strzałów. W drzwiach stał recepcjonista Cavit. Powiedział, że do hotelu przyszedł jakiś oficer z zaproszeniem do siedziby Sunaya Zaima i czeka teraz na dole. Ka niespiesznie poszedł się ogolić.

Puste ulice Karsu wydawały mu się teraz jeszcze piękniejsze i jeszcze bardziej tajemnicze niż wczorajszego ranka. Przy alei Atatürka zobaczył dom z rozbitymi drzwiami, powybijanymi szybami i zrujnowaną fasadą. Kilka minut później rezydujący w szwalni Sunay wyjaśnił mu, że przeprowadzono tam samobójczy atak bombowy.

— Biedak przez pomyłkę polazł tam zamiast tu, do nas — powiedział. — Rozerwało go na strzępy. Nadal nie wiedzą, czy to jakiś islamista, czy ktoś z PKK.

Ka zauważył u Sunaya dziecinny zapał, charakterystyczny dla aktorów, którzy zbyt poważnie traktują odgrywane role. Mężczyzna był ogolony, schludny i rześki.

— Złapaliśmy Granatowego — pochwalił się, patrząc poecie głęboko w oczy.

Ka nieudolnie próbował ukryć radość.

— To bardzo zły człowiek — powiedział Sunay. — Z pewnością kazał zamordować dyrektora ośrodka kształcenia. Z jednej strony rozgłasza, że sprzeciwia się samobójstwom, a z drugiej, aby zabijać innych, organizuje bandy biednych dzieciaków gotowych na śmierć. Policja jest przekonana, że przywiózł tu taki zapas trotylu, że spokojnie mógłby wysadzić w powietrze całe miasto. Ale w noc rewolucji przepadł. Nikt nie miał pojęcia, gdzie się podział. Oczywiście wiesz o tym wczorajszym komicznym zebraniu w hotelu Asya?

Ka energicznie pokiwał głową, jakby brał udział w jakimś przedstawieniu.

— Ale mnie nie interesuje wymierzanie kary tym wszystkim wywrotowcom, radykałom i terrorystom — powiedział

Sunay. — Jest pewna sztuka. Od lat marzę, by ją wystawić. I dlatego tu przyjechałem. Może słyszałeś o angielskim dramaturgu Thomasie Kydzie, któremu Szekspir ukradł pomysł na *Hamleta*. Odkryłem jego zapomnianą, nie docenioną sztukę — *Tragedię hiszpańską**. Historia o rodowej zemście. Dramat w dramacie. Od piętnastu lat czekamy z Fundą na okazję, żeby go wystawić!

Ka skłonił się przesadnie na widok wchodzącej do pokoju Fundy Eser z długą fifką w dłoni. Najwyraźniej spodobała się jej ta galanteria. Nie pytając poety o zdanie, małżonkowie szybko streścili fabułę sztuki.

— Tekst uprościłem i zmieniłem tak, by nasi obywatele czerpali z niego przyjemność i naukę — wyjaśnił Sunay. — Jutro ludzie zgromadzeni na widowni i cały Kars przed telewizorami będą oglądać nas na deskach Teatru Narodowego.

— Też chciałbym to zobaczyć — upomniał się Ka.

— Chcemy, żeby razem z nami wystąpiła Kadife... Funda będzie jej okrutną rywalką... Kadife wyjdzie na scenę w chuście, a potem — buntując się przeciwko prymitywnej tradycji, która doprowadziła do rodowych waśni — odsłoni włosy na oczach wszystkich! — Sunay przesadnym gestem pokazał, jak niepokorna bohaterka powinna zdjąć chustę i odrzucić ją na bok.

— Znów będą zamieszki! — przeraził się Ka.

— Już ty się nie martw! Teraz mamy tu władzę wojskową.

— Kadife i tak się nie zgodzi.

— Wiemy, że kocha się w Granatowym — powiedział Sunay. — Jeśli odsłoni włosy, natychmiast każę go wypuścić. A potem uciekną sobie razem gdzieś daleko i będą żyli szczęśliwie.

---

* Thomas Kyd, *Tragedia hiszpańska*, wyd. pol. Kraków 1982, przekład J. Kydryński.

Na twarz Fundy Eser wypełzł troskliwy uśmiech, który upodobnił ją do dobrej ciotki, wspierającej młodych kochanków — bohaterów filmowych wyciskaczy łez rodzimej produkcji. Przez chwilę Ka zapragnął, aby z takim samym rzewnym zaangażowaniem kobieta poparła kiedyś jego miłość do Ipek.

— Mimo wszystko wątpię, czy Kadife będzie w stanie odsłonić włosy podczas transmisji na żywo — powiedział.

— Dlatego w obecnej sytuacji tylko ty możesz ją do tego przekonać — stwierdził Sunay. — Gdyby miała rozmawiać z nami, wyglądałoby to tak, jakby targowała się z samym diabłem. Co do ciebie, nie ma najmniejszych wątpliwości: wie, że przyznajesz rację dziewczynom w chustach. I że podkochujesz się w jej siostrze.

— Trzeba przekonać nie tylko Kadife, ale i Granatowego; najpierw jednak trzeba porozmawiać z nią — powiedział Ka. Cały czas brzęczały mu w uszach te prostackie słowa: „Podkochujesz się w jej siostrze".

— Zrobisz wszystko wedle własnego uznania — oświadczył łaskawie Sunay. — Daję ci wolną rękę i wojskowy wóz. Poprowadzisz negocjacje w moim imieniu tak, jak uznasz za stosowne.

Zapadła cisza. Sunay zauważył rozterkę poety.

— Nie chcę tego robić — powiedział Ka po chwili.

— Dlaczego?

— Może dlatego, że jestem tchórzem? Bardzo mi teraz dobrze i nie chcę narażać się religijnym fanatykom. Potem powiedzą, że to wszystko zorganizował jakiś ateista, że przez niego bogobojni uczniowie musieli oglądać, jak Kadife ściąga chustę. I nawet jeśli ucieknę do Niemiec, dopadną mnie tam pewnego dnia i zastrzelą jak psa na ulicy.

— Najpierw zastrzelą mnie — powiedział Sunay poważnie. — Podoba mi się, żeś się przyznał do tchórzostwa.

Wierz mi, ja też mam zajęcze serce. W tym kraju tylko tchórze jakoś się trzymają. Ale człowiek zawsze marzy sobie, że pewnego dnia zrobi coś bohaterskiego, prawda?

— Teraz jestem bardzo szczęśliwy i wcale nie chcę być bohaterem. Marzenie o bohaterstwie jest pociechą ludzi nieszczęśliwych. Tacy jak my zabijają albo siebie, albo innych, myśląc, że to bohaterstwo.

— Dobrze. A czy coś nie podpowiada ci przypadkiem, że to szczęście nie potrwa długo? — nie poddawał się Sunay.

— Dlaczego straszysz nam gościa? — zapytała Funda Eser.

— Wiem, że żadne szczęście nie trwa długo — odpowiedział Ka ostrożnie. — Ale nie mam zamiaru odgrywać bohatera i dać się zabić tylko dlatego, że może kiedyś znów będę nieszczęśliwy.

— Jeśli tego nie zrobisz, zabiją cię nie w Niemczech, ale tutaj! Czytałeś dzisiejszą gazetę?

— Piszą, że dzisiaj umrę? — zapytał Ka z uśmiechem.

Sunay pokazał mu ostatnie wydanie „Gazety Przygranicznego Miasta", które poeta widział poprzedniego wieczoru.

— „Bezbożnik w Karsie!" — przeczytała Funda przesadnie dramatycznym tonem.

— To pierwsze wydanie — powiedział poeta pewnym siebie tonem. — Pan Serdar obiecał mi, że wprowadzi zmiany i wydrukuje nowy numer.

— W takim razie pierwsze wydanie trafiło do sprzedaży dziś rano wbrew tej obietnicy — wyjaśnił Sunay. — Nigdy nie ufaj dziennikarzom. Ale my cię ochronimy. Pierwszą rzeczą, jaką chcieliby zrobić religijni fanatycy zgnębieni przez wojsko, jest zabójstwo ateisty działającego na usługach Zachodu.

— Czy to ty zleciłeś panu Serdarowi napisanie tego tekstu?

Sunay wydął usta, uniósł brwi i spojrzał na Ka wzrokiem urażonego niewiniątka. Ale poeta nie mógł nie zauważyć ogromnego zadowolenia, z jakim aktor przyjął swoją nową rolę sprytnego polityka, który w razie potrzeby gotowy jest na każdego rodzaju podłość.

— Podejmę się mediacji, jeśli przysięgniesz, że będziesz mnie chronić do samego końca — zdecydował Ka.

Sunay złożył uroczyste przyrzeczenie i objąwszy poetę, pogratulował mu wstąpienia w szeregi jakobinów. Obiecał, że od tej pory dwóch ludzi nie odstąpi go nawet na krok.

— Jeśli zajdzie potrzeba, będą cię chronić nawet przed tobą samym! — dodał podekscytowany.

Aby przedyskutować szczegóły negocjacji i argumenty, których należy użyć w rozmowie z Kadife, usiedli nad aromatyczną poranną herbatą. Funda Eser wyglądała na bardzo zadowoloną, jakby do jej trupy dołączyć miał wkrótce znany, wybitny artysta. Opowiadała coś o sile *Tragedii hiszpańskiej*, ale Ka nie myślał teraz o sztuce, zapatrzony w białe światło wpadające do środka przez wysokie okna szwalni.

Gdy w końcu poeta stamtąd wyszedł, z rozczarowaniem zauważył, że do ochrony przydzielono mu dwóch uzbrojonych szeregowców. Wolałby, żeby choć jeden był oficerem albo przynajmniej porządnie wyglądającym wojskowym w cywilnym ubraniu. Widział kiedyś znanego opozycyjnego pisarza, któremu władze dożywotnio przydzieliły dwóch szykownych ochroniarzy-dżentelmenów po tym, jak w telewizji oświadczył, że naród turecki jest ciemny, a on sam ani odrobinę nie wierzy w Boga. Panowie ci nie tylko nosili mu torbę, ale także z rewerencją (według Ka całkiem uzasadnioną) otwierali przed nim drzwi, podtrzymywali go, kiedy wchodził po schodach, i odpędzali wrogów oraz natrętnych wielbicieli. Tymczasem szeregowcy, którzy siedzieli obok Ka w wojskowym wozie, zachowywali się tak, jakby przykazano im go nadzorować, nie chronić.

Kiedy tylko wszedł do hotelu, znowu poczuł się szczęśliwy. Miał ochotę jak najprędzej zobaczyć się z Ipek, ale świadomość, że powinien zachować przed nią tajemnicę, która była dla niego jak niewielka, ale jednak — zdrada, nakazywała mu najpierw znaleźć sposób na dyskretną rozmowę z Kadife. Lecz widząc ukochaną w hotelowym holu, natychmiast zapomniał o wszystkich postanowieniach.

— Jesteś jeszcze piękniejsza, niż cię zapamiętałem! — powiedział, patrząc na nią zafascynowany. — Sunay mnie wezwał. Chce, żebym został mediatorem.

— W jakiej sprawie?

— Wczoraj wieczorem złapali Granatowego — oznajmił.

— Nie martw się, nam nic nie grozi. Ale owszem, Kadife będzie przykro. Wierz mi jednak, ja jestem spokojny. — Szybko opowiedział o spotkaniu z Sunayem i wyjaśnił przyczyny nocnego wybuchu. — Rano wyszłaś tak cicho... Nie bój się, wszystko załatwię i nikomu włos z głowy nie spadnie. Pojedziemy do Frankfurtu i wszystko dobrze się skończy. Rozmawiałaś z ojcem?

Nie odpowiedziała, ale i tak kontynuował wątek. Powiedział, że na pewno dojdzie do jakichś targów i Sunay wyśle go do Granatowego. Ale najpierw musiał porozmawiać z Kadife. Ogromna troska w oczach ukochanej mogła oznaczać tylko jedno: kobieta bała się o niego. Ka poczuł zadowolenie.

— Zaraz przyślę do ciebie Kadife — obiecała na odchodnym.

Kiedy wrócił do swojego pokoju, łóżko było już zasłane. Rzeczy, wśród których przeżywał wczoraj najszczęśliwszą noc swego życia, lampka i wyblakłe zasłony, teraz zatopione były w ciszy i w śnieżnej poświacie, mimo to Ka nadal czuł tu zapach miłości. Położył się na łóżku i patrząc w sufit, zaczął rozmyślać, co będzie, jeśli nie uda mu się przekonać Kadife i Granatowego.

— Mów, co wiesz o zatrzymaniu Granatowego — rozkazała Kadife, wchodząc szybkim krokiem do pokoju. — Pobili go?

— Gdyby go pobili, nie zaprowadziliby mnie tam. A zaraz mam go odwiedzić. Aresztowali go po zebraniu w hotelu. Nic więcej nie wiem.

Kadife wyjrzała przez okno na ośnieżoną ulicę.

— Teraz to ty jesteś szczęśliwy, a ja cierpię — zauważyła. — Zobacz, jak wiele się zmieniło od naszego spotkania tam, w składziku.

Ka przypomniał sobie ich wczorajszą rozmowę w pokoju dwieście siedemnaście, broń w rękach Kadife i to, jak kazała mu się rozebrać. Myśl ta była jak wiążące ich oboje miłe, odległe wspomnienie.

— To nie wszystko, Kadife — powiedział. — Ludzie z otoczenia Sunaya przekonali go, że Granatowy maczał palce w zabójstwie dyrektora ośrodka kształcenia. Poza tym do Karsu przysłano jakieś dokumenty, z których wynika, że zamordował prezentera telewizji w Izmirze.

— Co to za ludzie?!

— Z wywiadu... I kilku żołnierzy powiązanych z nimi... Ale Sunay działa nie tylko pod ich wpływem. Ma własne artystyczne cele. To jego słowa. Dziś wieczorem zamierza wystawić sztukę w Teatrze Narodowym i tobie chce powierzyć jedną z ról. Nie krzyw się i słuchaj. Telewizja szykuje bezpośrednią transmisję, którą znów będzie oglądać cały Kars. Jeśli zgodzisz się wystąpić, Sunay wypuści Granatowego. Granatowy ma przekonać chłopców ze szkoły koranicznej, żeby przyszli i obejrzeli to grzecznie, w skupieniu, klaszcząc, kiedy będzie trzeba. Wtedy wszystko pójdzie w niepamięć, nikomu nic się nie stanie. A mnie Sunay wyznaczył rolę mediatora.

— Co to za sztuka?

Ka opowiedział *Tragedię hiszpańską* Kyda, zaznaczając, że Sunay przerobił ją i uprościł.

— Tak samo jak łączył dzieła Corneille'a, Szekspira i Brechta z tańcem brzucha i sprośnymi piosenkami.

— A ja pewnie będę kobietą, którą gwałcą na żywo przed całą widownią, żeby potem mogła się zacząć ta rodowa wojna, tak?

— Nie. Będziesz mieć zasłoniętą głowę, jak zacna Hiszpanka, a potem, buntując się przeciw rodowym waśniom, odsłonisz włosy.

— Ciekawe. Bo, jak widać, w naszym kraju przejawem buntu jest zasłanianie włosów, a nie ich odkrywanie.

— To gra, Kadife. I dlatego możesz zdjąć chustę.

— Rozumiem, o co ci chodzi. Ale nawet jeśli to gra, nawet jeśli to gra w grze, i tak jej nie zdejmę.

— Posłuchaj, Kadife. Za dwa dni śnieg przestanie padać, otworzą drogi, a ci, którzy są w areszcie, wpadną w łapska prawdziwych bandziorów. Do końca życia nie zobaczysz Granatowego. Dobrze to przemyślałaś?

— Boję się, że jeśli zacznę myśleć, przystanę na twoje warunki.

— Poza tym możesz pod chustę włożyć perukę. Nikt nie zobaczy twoich włosów.

— Gdybym miała nosić perukę, zrobiłabym to już wtedy, przed uczelnią.

— Teraz nie chodzi o ratowanie honoru pod szkolnymi drzwiami, ale uratowanie Granatowego.

— Tylko czy Granatowy chciałby takiego ratunku?

— Owszem — odparł Ka. — Bo fakt, że odsłonisz włosy, nie splami jego honoru. Nikt przecież nie wie, że jesteście razem.

Widząc złość w jej oczach, zrozumiał, że trafił w czuły punkt. Ale Kadife zaraz się uśmiechnęła, a Ka poczuł zazdrość i strach. Bał się, że dziewczyna powie mu teraz coś okropnego na temat Ipek.

— Nie mamy wiele czasu, Kadife — brnął dalej z lękiem. — Wiem, że jesteś wystarczająco rozsądna i wrażliwa, żeby wyjść z tego z twarzą. I mówię ci jak człowiek, który lata całe spędził na emigracji. Posłuchaj mnie: nie żyje się dla idei, ale po to, by być szczęśliwym.

— Tylko że nikt nie może być szczęśliwy bez idei i wiary — odparła Kadife.

— To prawda. W okrutnym kraju jednak, gdzie jak tutaj nikt nie ceni ludzkiego życia, niszczenie samego siebie w imię zasad jest wyłącznie głupotą. Wielkie idee i wielka wiara są dla obywateli zamożnych państw.

— Przeciwnie. W biednym kraju ludzie nie mają niczego prócz własnej wiary.

Ka powstrzymał się, by nie powiedzieć tego, co akurat przyszło mu do głowy: że w takim razie wierzą oni nie w to, w co należało...

— Ale ty nie jesteś biedna, Kadife — odparł zamiast tego. — Ty przyjechałaś ze Stambułu.

— I dlatego robię to, w co wierzę. Niczego nie udaję. Jeśli odsłonię włosy, to naprawdę.

— Wobec tego, co powiesz na taką propozycję? Niech widownia teatru zostanie pusta. Niech wszyscy mieszkańcy Karsu oglądają sztukę przed telewizorami. Kamera sfilmuje cię, jak w ataku złości chwytasz za chustę, potem zrobi się przejście i pokaże od tyłu rozpuszczone włosy podobnej do ciebie kobiety.

— To by była tylko sprytniejsza wersja włożenia peruki — stwierdziła Kadife. — Koniec końców każdy pomyśli, że po wojskowym przewrocie zrezygnowałam z noszenia chusty.

— A co jest ważne: to, co nakazuje religia, czy to, co pomyślą inni? Dzięki temu ani na chwilę nie odsłonisz włosów! A jeśli bardziej martwi cię opinia innych, wyjaśnisz im, jak było naprawdę, kiedy tylko skończy się ten cały obłęd. Gdy wyjdzie na jaw, że zgodziłaś się na to wszystko, żeby ratować Granatowego, młodzi ludzie ze szkoły koranicznej będą cię jeszcze bardziej szanowali.

— Czy przyszło ci kiedyś do głowy — zapytała Kadife zmienionym głosem — że chcąc przekonać kogoś z całych sił, opowiadasz rzeczy, w które sam nie wierzysz?

— Owszem, ale nie tym razem.

— A kiedy uda ci się przekonać tę osobę, czujesz się winny, bo ją oszukałeś. Prawda? Bo zostawiłeś ją absolutnie bezbronną.

— Nie, Kadife, nie jesteś bezbronna. Jesteś inteligentna i wiesz, że nie ma innego wyjścia. Ludzie Sunaya powieszą Granatowego bez mrugnięcia okiem, a ty nie możesz im na to pozwolić.

— Powiedzmy, że odkryłam się przed wszystkimi, że pogodziłam się z porażką. Skąd wiesz, że wypuszczą Granatowego? Dlaczego mam wierzyć ludziom, którzy działają w imieniu państwa?!

— Masz rację. Porozmawiam o tym z nimi.

— Z kim porozmawiasz? I kiedy?

— Po spotkaniu z Granatowym znów pójdę do Sunaya.

Oboje milczeli przez chwilę. Wyglądało na to, że Kadife przystała na zaproponowane warunki, ale Ka, chcąc zyskać pewność, ostentacyjnie popatrzył na zegarek.

— Kto go przetrzymuje? Narodowa Organizacja Wywiadowcza czy wojsko?

— Nie wiem. Ale chyba nie ma to większego znaczenia...

— Wojsko być może nie będzie go torturować — wyjaśniła. Umilkła. — Chcę, żebyś mu to dał. — Wręczyła mu starą zapalniczkę pokrytą macicą perłową i jakimiś kamie-

niami oraz paczkę czerwonych marlboro. — Zapalniczka
należy do ojca. Granatowy lubi jej używać.

Ka wziął papierosy i oddając zapalniczkę, wyjaśnił:

— Jeśli mu to dam, zrozumie, że najpierw rozmawiałem
z tobą.

— Niech zrozumie.

— Wtedy zapyta o twoją decyzję. Nie powiem mu przecież, że najpierw spotkałem się z tobą, a ty zgodziłaś się na
odsłonięcie włosów.

— Boisz się, że tego nie poprze?

— Nie o to chodzi. Wiesz dobrze, że Granatowy jest wystarczająco mądry, by zgodzić się na ten cyrk, aby uratować
własną skórę. Nie będzie mógł zaakceptować tylko, że najpierw rozmawiałem z tobą, nie z nim.

— Ale to przecież nie jest wyłącznie sprawa polityczna.
To również mój osobisty problem. I Granatowy to zrozumie.

— Nawet jeśli zrozumie, będzie chciał zdecydować
pierwszy. Jest Turkiem! A w dodatku islamistą! Nie mogę
mu powiedzieć: „Kadife postanowiła zdjąć chustę, żebyś
wyszedł na wolność". Musi myśleć, że to on podjął decyzję.
Jemu też zaproponuję pomysł z peruką i telewizyjnym montażem. I natychmiast przekona sam siebie, że to najlepsze
rozwiązanie, które pozwoli ci zachować godność. Nie będzie miał najmniejszej ochoty na zgłębianie mrocznych róż-
nic między twoim, prostolinijnym, i swoim, praktycznym,
sposobem pojmowania godności. I na pewno nie będzie
chciał słyszeć, że jeśli odsłonisz włosy, to tylko uczciwie
i bez kamuflażu.

— Zazdrościsz Granatowemu. Nienawidzisz go! — powiedziała Kadife. — Nawet nie chcesz w nim widzieć człowieka. Jesteś jak ci, którzy wszystkich ludzi żyjących poza
zachodnimi normami uważają za prymitywnych i niemo-
ralnych. Za niższą warstwę, którą można ucywilizować wy-

łącznie za pomocą policyjnej pałki! Spodobało ci się, że muszę schylić głowę przed armią, by uratować Granatowego. I nawet nie potrafisz ukryć tej swojej satysfakcji. — W jej oczach błysnęła nienawiść. — Skoro to Granatowy powinien pierwszy podjąć decyzję w tej sprawie, dlaczego nie poszedłeś do niego od razu po spotkaniu z Sunayem? Poczekaj, ja ci wyjaśnię! Bo chciałeś najpierw zobaczyć, jak poddaję się z własnej woli. To miało ci dać poczucie wyższości nad Granatowym, którego tak bardzo się boisz.

— To prawda, boję się go. Ale reszta twoich oskarżeń to jedna wielka niesprawiedliwość, Kadife. Gdybym najpierw poszedł do niego, a potem przekazał ci jego decyzję jak rozkaz, nigdy byś nie zdjęła chusty.

— Nie jesteś żadnym mediatorem, tylko zwykłym kolaborantem.

— W nic już nie wierzę i jedyne, czego pragnę, to uciec z tego miasta. Ty też lepiej przestań wierzyć w cokolwiek, Kadife. Zdążyłaś udowodnić przed całym Karsem, że jesteś mądra, dumna i odważna. Ja i twoja siostra wyjedziemy do Frankfurtu od razu, gdy tylko będzie to możliwe. Żeby tam znaleźć szczęście. I tobie radzę tak samo — rób wszystko, abyś była szczęśliwa. Jeśli uciekniecie stąd razem z Granatowym, możecie wieść całkiem udane życie jako polityczni uchodźcy w którymś z europejskich miast. I jestem pewien, że ojciec pojedzie tam za wami. Ale najpierw musisz mi zaufać.

Kiedy Ka wspomniał o szczęściu, po policzku Kadife spłynęła jedna, samotna łza. Ale dziewczyna szybko starła ją wnętrzem dłoni, uśmiechając się przy tym i dziwnie, i strasznie.

— A jesteś pewien, że moja siostra wyjedzie z Karsu?

— Jestem pewien — powiedział poeta, choć wcale tak nie było.

— Nie nalegam, byś wręczył Granatowemu zapalniczkę czy wspominał o spotkaniu ze mną — zakończyła tonem wyrozumiałej księżniczki. — Ale chcę mieć pewność, że kiedy odsłonię włosy, Granatowy wyjdzie na wolność. I nie wystarczy tu poręczenie Sunaya czy kogoś innego. Wszyscy wiemy, czego można się spodziewać po państwie tureckim.

— Jesteś bardzo rozsądna, Kadife. Ze wszystkich mieszkańców tego miasta najbardziej zasłużyłaś na szczęście! — powiedział Ka i przez moment chciał dodać jeszcze: „Tak jak Necip". Ale szybko o tym zapomniał. — Daj zapalniczkę. Może trafi się właściwy moment, żeby wręczyć ją Granatowemu. Proszę cię, zaufaj mi.

Kiedy Kadife wyciągnęła dłoń z zapalniczką, oboje zupełnie niespodziewanie mocno się objęli. Ka z radością tulił ciało drobniejszej i lżejszej od siostry Kadife, z trudem powstrzymując się od pocałunku. Gdy nagle ktoś zapukał do drzwi, pomyślał przelotnie: „Dobrze, że tego nie zrobiłem".

W drzwiach stała Ipek. Oznajmiła, że wojskowy wóz przyjechał po Ka. Próbowała zorientować się w sytuacji i dlatego długo patrzyła zamyślonym, łagodnym wzrokiem w oczy ich obojga. Ka wyszedł, nie całując jej na pożegnanie. Kiedy był już na końcu korytarza, odwrócił się z poczuciem zwycięstwa i winy zarazem. Zobaczył, jak siostry stały przytulone do siebie.

35.

Nie jestem niczyim agentem

Ka i Granatowy w celi

Widok obejmujących się Kadife i Ipek nie opuszczał go przez dłuższy czas. Wojskowy wóz zatrzymał się na jedynych w mieście światłach, na rogu alei Atatürka i Halita Paszy. Ka, niczym rasowy podglądacz, z wysoko umiejscowionego fotela, przez na wpół otwarte okno z powiewającymi na lekkim wietrze zasłonami obserwował tajne polityczne zebranie, które odbywało się właśnie na drugim piętrze starego ormiańskiego domu. Kiedy biała kobieca dłoń nerwowo zaciągnęła story i ze złością zatrzasnęła okno, poeta domyślił się przebiegu spotkania. Dwóch doświadczonych bojówkarzy, zasilających szeregi tutejszych kurdyjskich nacjonalistów, usiłowało właśnie przekonać chłopaka terminującego w jednej z *çayhane*, że wejście bocznymi drzwiami do komisariatu przy alei Faika Beja i zdetonowanie przyniesionej bomby nie powinno nastręczać większych trudności. Chłopak, obwiązany bandażami marki Gazo i spocony do nieprzytomności od żaru bijącego ze stojącego nieopodal pieca, stracił brata poprzedniego dnia, podczas jednego z policyjnych nalotów.

Wbrew oczekiwaniom poety wojskowy wóz nie zatrzymał się przed wspomnianym komisariatem ani przed robiącą spore wrażenie główną siedzibą policji, wzniesioną w pierwszych latach Republiki. Pojechał dalej aleją Atatürka i minąwszy skrzyżowanie z aleją Faika Beja, zbliżał się do wojskowego sztabu znajdującego się w samym centrum miasta. Parcelę, na której w latach sześćdziesiątych miał powstać wielki park, po wojskowym przewrocie w 1970 roku otoczono wysokim murem i przemieniono w sztab z koszarami. Urządzono tu poligon, wzniesiono nowe budynki komendantury. Między mizernymi topolami znudzone dzieci żołnierzy jeździły na rowerkach. Jak donosiła bliska armii gazeta „Hüryurt", dzięki temu posunięciu ocalał dom, w którym mieszkał Puszkin podczas pobytu w Karsie, i stajnie, które czterdzieści lat później kazał zbudować car dla kazachskich kawalerzystów.

Cela Granatowego sąsiadowała z tymi właśnie historycznymi stajniami. Wojskowa ciężarówka zostawiła poetę przed kamiennym i dość ładnym budyneczkiem, ukrytym pod chylącymi się ku ziemi, przytłoczonymi śniegiem gałęziami starego oliwnika. W czasach carskich budynek ów służył kawalerzystom jako siedziba sztabu. W środku siedziało dwóch dystyngowanych mężczyzn, jak słusznie się domyślił, pracowników Narodowej Organizacji Wywiadowczej. Za pomocą bandaża marki Gazo przywiązali mu do piersi dość prymitywne jak na lata dziewięćdziesiąte dwudziestego wieku urządzenie nagrywające i pokazali, jak działa. Przy okazji poważnym tonem instruowali, jak powinien postępować podczas rozmowy z przetrzymywanym na dole aresztantem — udawać współczucie, chęć pomocy i nakłonić do wyjawienia prawdy o zbrodniach, które popełnił lub zlecił. Ka nie przyszło do głowy, że tych dwóch mogło nie mieć pojęcia o prawdziwych powodach jego wizyty.

Sporej wielkości cela bez okna przeznaczona była kiedyś dla niezdyscyplinowanych wojaków, a w pierwszych latach Republiki zamieniono ją w niewielki magazyn, który w latach pięćdziesiątych prezentowano wszystkim jako modelowy schron na wypadek ataku nuklearnego. Pomieszczenie było schludniejsze i wygodniejsze, niż Ka się spodziewał.

Chociaż wnętrze doskonale ogrzewał elektryczny grzejnik firmy Arçelik, podarowany swego czasu przez Muhtara, wyciągnięty na łóżku i zatopiony w lekturze Granatowy przykrył się jeszcze czystym wojskowym pledem. Na widok poety wstał i włożywszy pozbawione sznurówek buty, uścisnął mu dłoń oficjalnie, choć z lekkim uśmiechem. Ze zdecydowaniem przedsiębiorcy gotowego do rozmów o interesach wskazał stojący w rogu fornirowany stolik i dwa krzesła. Na widok wypełnionej po brzegi niedopałkami cynkowej popielniczki Ka wyjął z kieszeni paczkę marlboro i podał ją Granatowemu, mówiąc, że wygląda na zadowolonego. Granatowy przyznał, że nikt go nie torturował, i najpierw przypalił zapałką papierosa Ka, potem swojego.

— Tym razem dla kogo pan szpieguje, drogi panie? — zapytał żartobliwie.

— Porzuciłem szpiegostwo — odparł Ka. — Teraz jestem mediatorem.

— To jeszcze gorzej. Szpiedzy przekazują za pieniądze zazwyczaj mało ważne informacje. Za to mediatorzy wtykają nos we wszystko, udając bezstronność. Jakie masz z tego korzyści?

— Będę mógł cało wyjechać z Karsu.

— W tej chwili tylko Sunay może to zagwarantować ateiście, który przyjechał tu z Zachodu na przeszpiegi.

W ten sposób Ka dowiedział się, że Granatowy zdążył już przeczytać ostatnie wydanie „Gazety Przygranicznego Miasta", i poczuł do niego odrazę. Jakim prawem ten religijny bojówkarz, który trafił wreszcie w ręce tak bardzo znienawidzonych przecież władz, wciąż zachowywał spokój i dobry humor?! I to w dodatku siedząc w celi, podejrzewany o dokonanie dwóch zabójstw! Ka domyślał się teraz, dlaczego Kadife tak bardzo była w nim zakochana. Co gorsza, Granatowy wyglądał lepiej niż kiedykolwiek.

— Czego dotyczą negocjacje?

— Twojej wolności — odparł Ka i spokojnie przedstawił propozycję Sunaya.

Pomysłów z peruką i telewizyjnym montażem na razie nie ujawniał, zostawiając je na później. Mówiąc o powadze sytuacji i o tym, że naciskający na aktora jego bezwzględni współpracownicy zrobią wszystko, by powiesić Granatowego przy pierwszej nadarzającej się okazji, poczuł wewnętrzną satysfakcję i znów się zawstydził. Dlatego szybko dodał, że Sunay jest wariatem i wszystko wróci do normy, jak tylko stopnieją śniegi. Później pytał samego siebie, czy nie powiedział tego przypadkiem po to, aby przypodobać się pracownikom wywiadu, którzy założyli mu podsłuch.

— Wygląda na to, że moim jedynym ratunkiem jest spełnienie życzenia wariata — stwierdził Granatowy.

— Tak.

— Powiedz mu wobec tego, że odrzucam jego ofertę. A tobie dzięki za fatygę.

Ka pomyślał, że za chwilę Granatowy wstanie i uścisnąwszy mu dłoń, wyprosi go z celi. Zapadła cisza. Granatowy spokojnie huśtał się na krześle.

— A jeśli po tych nieudanych negocjacjach nie wyjedziesz cały z Karsu, to nie ja będę temu winny, ale ty i twój długi język. Po coś się chwalił swoim ateizmem? W tym kraju człowiek może robić takie rzeczy tylko wtedy, kiedy stoi za nim armia.

— Nie chwaliłem się, że jestem ateistą.

— To dobrze.

W milczeniu palili papierosy. Ka poczuł, że nie pozostało mu nic innego, jak wstać i wyjść.

— Nie boisz się śmierci? — zapytał jednak po chwili.

— Jeśli to groźba: nie, nie boję się. A jeśli koleżeńska ciekawość: owszem, czuję strach. Ale ci dranie powieszą mnie bez względu na to, co bym zrobił. Nie mam wyjścia.

Granatowy uśmiechnął się nienawistnie. Jego spojrzenie mówiło: „Widzisz, jestem w o wiele gorszej sytuacji, ale czuję się swobodniej niż ty". Ka ze wstydem zrozumiał, że jego strach i niepokój, które jak dziwny ból żołądka dawały o sobie znać, od kiedy poczuł miłość do Ipek, były silnie związane z niesprecyzowaną nadzieją na szczęście. Czy Granatowy w ogóle takiej nadziei nie miał? Policzę do dziewięciu i wyjdę, postanowił poeta w duchu. Raz, dwa... Kiedy doszedł do pięciu, uzmysłowił sobie, że jeśli nie uda mu się przekonać Granatowego, nie uda mu się też zabrać Ipek do Frankfurtu.

Starał się zyskać na czasie. Mówił o pechowym mediatorze z jakiegoś czarno-białego filmu obejrzanego w dzieciństwie; o tym, że przygotowane w hotelu Asya oświadczenie ma szansę na publikację w Niemczech pod warunkiem wprowadzenia kilku poprawek; o ludziach, którzy żałują decyzji podjętych pod wpływem uporu i silnych emocji; o tym, jak sam kiedyś, pchany podobnym gniewem, porzucił na zawsze licealną drużynę koszykówki i jak tego dnia poszedł nad Bosfor i długo wpatrywał się w morze; o swojej miłości do Stambułu; o tym, jak pięknie wygląda Bebek* każdego wiosennego wieczoru; i o wielu innych sprawach... Nie przerywając monologu, próbował nie poddać się zimnemu spojrzeniu Granatowego. Całe to spotkanie przypominało mu ostatnie widzenie skazańca w celi śmierci.

— Nawet gdybyśmy spełnili ich najbardziej wydumane życzenia, i tak nigdy nie dotrzymają słowa — stwierdził

---

* Bebek — jedna z najstarszych malowniczych dzielnic Stambułu, położona nad cieśniną Bosfor.

Granatowy. Pokazał leżący na stole długopis i kartki papieru. — Chcą, żebym spisał wszystko. Wszystkie zbrodnie i przewinienia. Wtedy może darują mi życie. Zawsze żal mi było głupców, którzy wierząc w takie kłamstwa, schodzili z wyznaczonego kursu i sprzeniewierzali się temu, czego sami dokonali w ciągu życia. Ale skoro umieram, niech następne pokolenia dowiedzą się czegoś na mój temat. — Z taką samą poważną miną jak wtedy, gdy dyktował oświadczenie dla niemieckiej prasy, wyciągnął jedną z leżących na stole kartek: — „Pragnę wyjaśnić, że dziś, to jest dwudziestego lutego, siedząc tutaj w celi śmierci, nie żałuję żadnego z czynów, jakie popełniłem z pobudek politycznych. Urodziłem się jako drugi syn w rodzinie emerytowanego sekretarza przy urzędzie skarbnika w Stambule. Moje dzieciństwo i wczesna młodość upłynęły w cichym i skromnym świecie ojca, który nader często wizytował zgromadzenie Cerrahich. W młodości, przeżywając okres buntu, wyparłem się Boga i zostałem niewierzącym lewicowcem; na studiach dołączyłem do bojówek młodzieżowych i rzucałem kamieniami w marynarzy schodzących z amerykańskiego lotniskowca. Ożeniłem się i rozwiodłem. Wpadłem w depresję. Całe lata żyłem na bocznym torze. Jestem inżynierem elektronikiem. Przez złość na Zachód poczułem szacunek dla rewolucji w Iranie i znów stałem się muzułmaninem. Uwierzyłem w słowa ajatollaha Chomeiniego, który mówił, że dzisiaj obrona islamu jest ważniejsza niż modlitwa czy post. Zainspirowały mnie pisma Frantza Fanona* na temat przemocy, teorie Alego Shariatiego** i myśli Seyyida Kutuba na

---

* Frantz Fanon (1925–1961) — algierski psychiatra, pisarz i ideolog dekolonizacji.

** Ali Shariati (1943–1977) — socjolog, jeden z głównych ideologów rewolucji w Iranie.

temat hidżry*, która jest odpowiedzią na tyranię. Przed wojskowym przewrotem uciekłem do Niemiec. Wróciłem. Po tym, jak zostałem ranny walcząc z Czeczenami w Grozmym przeciwko Rosjanom, moja prawa noga nigdy już nie była tak sprawna jak kiedyś. Gdy Serbowie zaczęli oblegać Sarajewo, wyjechałem do Bośni. Tam ożeniłem się z Merzuką — Bośniaczką, którą potem zabrałem do Stambułu. Przez polityczne zaangażowanie i ideę hidżry nigdzie nie mogłem się zatrzymać na dłużej niż dwa tygodnie. Z drugą żoną też musiałem się rozstać. Kiedy zerwałem kontakty z organizacjami islamskimi, dzięki którym trafiłem do Czeczenii i Bośni, zjeździłem całą Turcję wzdłuż i wszerz. I choć wierzę, że jeśli trzeba, należy zabijać wrogów islamu, do dzisiaj nikogo nie zabiłem ani nie kazałem zabić. A byłego burmistrza Karsu zastrzelił jakiś zwariowany kurdyjski woźnica, który wściekł się na wieść o pomyśle likwidacji furmanek. Przyjechałem tu z powodu samobójczyń. Samobójstwo to największy grzech. Kiedy umrę, jedyną pamiątką po mnie niech będą moje wiersze. Chcę, by je opublikowano. Ma je Merzuka. To wszystko".

Znów zapadła cisza.

— Nie musisz umierać — powiedział Ka. — Dlatego tutaj jestem.

— Wobec tego opowiem ci inną historię — odparł Granatowy. Upewniwszy się, że Ka uważnie słucha, zapalił kolejnego papierosa. Czy domyślał się, że przywiązany do piersi poety magnetofon pracuje wciąż na pełnych obrotach?

— Było w Monachium kino, w którym każdej soboty po północy wyświetlano za pół ceny dwa filmy z rzędu. Często

---

* Hidżra (arab. wędrowanie, emigracja) — wyjście Mahometa i jego zwolenników z Mekki do Medyny w 622 r. Jego przyczyną była wrogość Kurajszytów okazywana religijnej działalności proroka.

tam chodziłem — wspominał Granatowy. — Pewnego razu wyświetlali *Queimadę*, ostatni film włoskiego reżysera, który nakręcił pokazującą okrucieństwo Francuzów *Bitwę o Algier**. Opowiadał on o intrygach brytyjskich kolonizatorów i zorganizowanym przez nich powstaniu mieszkańców pewnej wyspy na Atlantyku, zajmujących się uprawą trzciny cukrowej. Anglicy znajdują ich ciemnoskórego przywódcę i inicjują bunt przeciw Francuzom, którzy do tej pory zajmowali wyspę. Na końcu sami się tam osiedlają i przejmują kontrolę nad plantacjami. Wtedy czarnoskórzy buntują się po raz drugi, tym razem przeciwko Anglikom. I szybko milkną, bo tamci podpalają ich wyspę. Przywódca obu powstań zostaje schwytany i nad ranem ma zostać powieszony. Wtedy właśnie do namiotu, gdzie jest przetrzymywany, wchodzi Marlon Brando — człowiek, który go znalazł, prowokował do buntu, przez lata całe prowadził podwójną grę i w końcu stłumił drugie powstanie z korzyścią dla Anglików. Rozcina mu więzy i puszcza wolno.

— Dlaczego?

Granatowy zdenerwował się trochę.

— Jak to dlaczego? Żeby go nie powiesili! Bo wie, że jeśli go powieszą, Murzyn stanie się legendą, a tubylcy zrobią z niego symbol buntu uciemiężonego ludu. Ale ciemnoskóry przywódca domyśla się wszystkiego i odrzuca szansę ucieczki. Zostaje.

— Powiesili go?

— Tak, ale nie pokazano tej sceny — wyjaśnił Granatowy. — Zamiast tego widzimy, jak dwulicowy agent Marlon Brando, który oferował mu wolność tak jak ty mi teraz, ginie zasztyletowany przez któregoś z tubylców w chwili, kiedy ma opuścić wyspę.

---

* Mowa o włoskim reżyserze Gillo Pontecorvo (ur. 1919).

— Nie jestem żadnym agentem! — krzyknął Ka, nie mogąc opanować oburzenia.

— Nie czepiaj się słowa „agent". Ja na przykład jestem agentem islamu.

— Nie jestem niczyim agentem — powtórzył Ka tym razem spokojniej.

— To znaczy, że nie dodali niczego do tych papierosów? Niczego, co by mnie przytruło albo osłabiło moją wolę? Najlepszą rzeczą, jaką dała światu Ameryka, są czerwone marlboro. Mógłbym je palić do końca życia.

— Jeśli zachowasz się rozsądnie, będziesz mógł palić swoje marlboro co najmniej przez następne czterdzieści lat!

— Właśnie to miałem na myśli, mówiąc, że jesteś agentem — powiedział Granatowy. — Zadanie agenta polega między innymi na mąceniu ludziom w głowach.

— Chciałem ci tylko powiedzieć, że głupotą byłoby dać się zabić tym oszalałym faszystom, którzy mają krew na rękach. A twoje imię dla nikogo nie będzie żadnym symbolem. Ten potulny naród jest, owszem, przywiązany do swojej religii, ale ostatecznie zawsze robi to, co nakazuje mu państwo. I dojdzie do tego, że nie będzie ani jednego grobu, który mógłby należeć do któregoś z tych zbuntowanych szejchów, zrywających się na nogi w przerażeniu, że ktoś kładzie łapę na ich religii. Ani jeden z wyszkolonych w Iranie bojowników islamu nie będzie miał swojego nagrobka, jeśli uda mu się za życia zyskać sławę taką, jaką cieszył się Said Nursi*. Bo w tym kraju ciało każdego, kto mógłby pośmiertnie zostać uznany za religijny symbol, jest wyrzucane

---

* Said Nursi (1877–1960) — znany także jako Saidi Kurdi, przeciwnik laicyzmu, założyciel ruchu Nurculuk, który dążył do powstania jednego ponadnarodowego państwa islamskiego. Po przewrocie wojskowym zorganizowanym w 1960 r. jego grób został przeniesiony w „nieznane miejsce".

z samolotu do morza w nie znanym nikomu miejscu. Sam dobrze wiesz. Groby, przez które Batman stał się miejscem pielgrzymek członków Hezbollahu, zniknęły w ciągu jednej nocy. Powiedz mi, gdzie są teraz?

— W sercu narodu.

— Bzdura. Tylko dwadzieścia procent obywateli tego kraju gotowe jest oddać głos na partię islamską. I to na tę najbardziej umiarkowaną.

— Skoro taka umiarkowana, to czemu ze strachu przed nią urządza się wojskowy przewrót? Odpowiedz! Tak właśnie wygląda twoja bezstronna mediacja!

— Jestem bezstronnym mediatorem! — Ka nieświadomie podniósł głos.

— Nie jesteś. Jesteś agentem Zachodu, sługą Europy i jak każdy niewolnik nie masz o tym najmniejszego pojęcia. Mieszkając na swojej Nişantaşı, nauczyłeś się głęboko gardzić religią i tradycjami ludu, uważasz się za kogoś lepszego. Myślisz, że w tym kraju drogą do bycia prawym człowiekiem nie jest religia i zwykłe życie, ale ślepe naśladowanie Zachodu. Może i protestujesz trochę przeciwko okrutnemu traktowaniu Kurdów czy ludzi wiary, ale w gruncie rzeczy popierasz ten przewrót.

— Możemy umówić się tak: Kadife włoży pod chustę perukę i kiedy odsłoni głowę, nikt nie zobaczy jej włosów.

— Nie zmusicie mnie do picia wina wbrew mojej religii! — podniósł głos Granatowy. — Nie będę ani Europejczykiem, ani jego kopią! Będę żył swoim życiem i stworzę własną historię. Wierzę, że człowiek może być szczęśliwy, nie naśladując Europy i nie będąc jej niewolnikiem. Pamiętasz, jest takie zdanie, którego często używają tutaj zapatrzeni w Zachód ludzie, by poniżyć nasz naród. Mówią: „Aby stać się człowiekiem Zachodu, trzeba najpierw być indywidualnością. A w Turcji nie ma indywidualności!" I taki jest sens mojej śmierci. Jako indywidualność sprzeciwiam się ludziom Zachodu i jako indywidualność nie mam zamiaru ich naśladować.

— Sunay tak bardzo wierzy w tę sztukę, że mogę namówić go do kolejnych ustępstw. Teatr Narodowy może być pusty. Kamera transmitująca spektakl najpierw sfilmuje Kadife chwytającą się za głowę, a potem, dzięki sprytnemu montażowi, pokażemy rozpuszczone włosy innej kobiety.

— Bardzo podejrzane to twoje zaangażowanie w ratowanie mi tyłka.

— Jestem szczęśliwy — wyjaśnił Ka z poczuciem winy, jak ktoś, kto dopuszcza się kłamstwa. — Nigdy wcześniej nie było mi tak dobrze. I chcę ochronić to szczęście.

— A co cię tak uszczęśliwia?

Wbrew temu, co mu się potem wydawało, nie powiedział ani: „Pisanie wierszy", ani: „Wiara w Boga". Jednym tchem wyrzucił z siebie:

— Jestem zakochany! — Po czym dodał: — I ona pojedzie ze mną do Frankfurtu. — Poczuł ulgę, dzieląc się swoją radością z kimś bezstronnym.

— Kim ona jest?

— Ipek, siostra Kadife.

Na twarzy Granatowego pojawiło się zaskoczenie. Ka pożałował, że tak łatwo dał się porwać emocjom. Obaj milczeli. Granatowy znów zapalił papierosa.

— Szczęście tak wielkie, że człowiek chce się nim dzielić nawet ze skazańcem w celi śmierci, jest prawdziwym darem od Boga. Załóżmy, że zgodzę się na twoją ofertę tylko po to, żebyś mógł uciec z tego miasta, ciągle będąc szczęśliwym. Załóżmy, że Kadife w nie hańbiący sposób weźmie udział w przedstawieniu w imię szczęścia siostry. Jaką mogę mieć pewność, że dotrzymają słowa i wypuszczą mnie na wolność?

— Wiedziałem, że o to zapytasz! — powiedział rozgorączkowany Ka. Umilkł na chwilę. Przyłożywszy palec do ust, rozpiął marynarkę i demonstracyjnie zatrzymał magnetofon ukryty pod swetrem. — Ja będę poręczycielem. Najpierw wypuszczą ciebie — powiedział. — Kadife wyjdzie na scenę, kiedy z twojej kryjówki dotrze wiadomość, że jesteś bezpieczny. Ale żeby ją przekonać, potrzebuję od ciebie listu, w którym potwierdzisz zgodę na ten układ — improwizował Ka. — Sprawię, że uwolnią cię tak, jak chcesz, i w miejscu, które wybierzesz — wyszeptał. — A kiedy otworzą drogi, ukryjesz się tam, gdzie nikt już cię nie znajdzie. Zaufaj mi.

Granatowy podał mu jedną z kartek rozrzuconych na stole.

— Napisz, że jako mediator i poręczyciel gwarantujesz mi wolność w zamian za to, że Kadife wyjdzie na scenę i odsłoni głowę, nie plamiąc swojego honoru. I że będę mógł opuścić Kars cały i zdrowy — rozkazał. — A jaka kara powinna cię spotkać, jeśli nie dotrzymasz słowa i ja też zostanę wciągnięty do tej gry?

— Co spotka ciebie, niech spotka i mnie — powiedział Ka.

— To także napisz.

Ka również podał mu czystą kartkę.

— A teraz ty napisz, że zgadzasz się na te warunki, upoważniasz mnie do przekazania tej informacji Kadife i pozostawiasz jej ostateczną decyzję. Jeśli się zgodzi, spisze oświadczenie na osobnej kartce i złoży własnoręczny podpis. Potem zostaniesz zwolniony tak, jak należy, zanim Kadife odsłoni włosy. Pisz. Miejsce i sposób uwolnienia musisz ustalić z kimś, komu ufasz bardziej niż mnie. Proponuję do tego Fazıla, połączonego braterstwem krwi z Necipem.

— Tego zakochanego w Kadife chłopaka, który wysyłał jej miłosne listy?

— To był świętej pamięci Necip, wyjątkowy człowiek zesłany przez Boga — powiedział Ka. — Fazıl też jest dobrym chłopcem.

— Jeśli ty tak mówisz, jestem gotów mu zaufać — stwierdził Granatowy i zaczął pisać.

I to on pierwszy skończył swoje oświadczenie. Kiedy Ka postawił ostatnią kropkę pod poręczeniem, zobaczył ironiczny uśmiech na twarzy Granatowego, ale postanowił nie zwracać na niego uwagi. Czuł bezgraniczną radość, że wszystko poszło zgodnie z planem i niebawem będzie mógł opuścić to przeklęte miasto razem z Ipek. W ciszy wymienili się kartkami. Poeta, widząc, że Granatowy składa jego kartkę i chowa do kieszeni, nie patrząc na jej zawartość, zrobił to samo. Ostentacyjnie uruchomił przywiązane do piersi urządzenie. Milczeli. Ka przypomniał sobie słowa, które wypowiedział tuż przed wyłączeniem nagrywania. „Wiedziałem, że o to zapytasz".

— Jeśli obie strony sobie nie zaufają, nie dojdzie do porozumienia — dodał. — Musisz uwierzyć, że państwo dotrzyma swojego przyrzeczenia.

Obaj uśmiechnęli się, patrząc sobie w oczy. Później całymi latami Ka rozmyślał nad tamtą chwilą i żałował, że szczęście tak go wtedy zaślepiło. Sprawiło, że nie dostrzegł wściekłości na twarzy Granatowego. Sądził, że gdyby wyczuł ten gniew, nie zadałby pewnie pytań, które wówczas padły.

— Czy Kadife zgodzi się na to?

— Zgodzi się — powiedział Granatowy, a w jego oczach błysnęła złość.

Znów zapadło milczenie.

— Skoro jesteś tak bardzo szczęśliwy, że chcesz zawrzeć umowę, która ma uratować mi skórę, opowiedz coś o swoim uczuciu — zaproponował Granatowy.

— Nikogo wcześniej tak bardzo nie kochałem — powiedział Ka. Pomyślał, że jego słowa są naiwne i głupie, ale nie zważał na to. — Nie ma już dla mnie innego szczęścia poza Ipek.

— Czym jest szczęście?

— To umieć znaleźć miejsce, gdzie można zapomnieć o całej tej nędzy i poniżeniu wkoło. To móc trzymać kogoś tak, jakby był całym światem... — chciał mówić jeszcze, ale Granatowy nagle zerwał się na równe nogi.

W tej właśnie chwili poeta poczuł, że nadchodzi natchnienie. Wiersz, który napisał w celi, zatytułował później *Szachy*. Zerknął na Granatowego, wyjął z kieszeni zeszyt i zaczął pospiesznie notować. Kiedy pisał o szczęściu i władzy, mądrości i zachłanności, Granatowy, próbując zrozumieć, co się dzieje, zerkał mu przez ramię. Ka poczuł to spojrzenie głęboko we własnym wnętrzu, a później stwierdził, że wszystko, co się za nim kryło, umieścił w szybko kreślonych wersach. Na swoją spisującą te wersy dłoń patrzył tak, jakby należała do kogoś innego. Granatowy nie mógł o tym wiedzieć. Poeta tak bardzo pragnął, żeby tamten dostrzegł choćby to, że jego rękę wprawia w ruch jakaś wyższa siła! Ale Granatowy usiadł na brzegu łóżka i ze smętną miną, jak prawdziwy skazaniec w celi śmierci, palił papierosa. Poeta poczuł, że znów porywa go dziwna chęć dzielenia się z nim swoimi doznaniami (później długo się zastanawiał nad źródłem tej potrzeby).

— Przez lata nie mogłem pisać — powiedział. — A teraz tutaj, w Karsie, otworzyły się przede mną wszystkie drogi wiodące ku poezji. I myślę, że jest to związane z miłością do Boga, którą tu w sobie odkryłem.

— Nie chcę cię martwić, ale ta twoja miłość jest jak z zachodnich powieści — stwierdził Granatowy. — Jeśli będziesz tu wierzył w Boga tak jak Europejczyk, staniesz się pośmiewiskiem. I nikt nie potraktuje poważnie twojego wyznania. Nie należysz do tego kraju. Nie jesteś już Turkiem. Najpierw spróbuj być taki jak inni, potem uwierzysz w ich Boga.

Ka poczuł się odrzucony. Zabrał ze stołu kilka kartek i złożywszy je, schował do kieszeni. Oświadczył, że natychmiast musi się spotkać z Kadife i Sunayem, po czym zastukał w drzwi celi. Na odchodnym odwrócił się jeszcze do Granatowego, pytając, czy ma przekazać coś Kadife. Granatowy uśmiechnął się tylko.

— Uważaj — powiedział — żeby ktoś cię nie zabił.

36.

Chyba nie umrze pan naprawdę, szanowny panie?

Targi między życiem i grą,
sztuką i polityką

Kiedy urzędujący piętro wyżej pracownicy wywiadu powoli rozwiązywali bandaże i wyrywając włosy na jego piersi, odklejali plastry przytrzymujące aparat do nagrywania, Ka przyjął ich sposób bycia i ironicznym, zarozumiałym tonem jął się naigrywać z Granatowego. W ten sposób nawet przez sekundę nie zastanowił się nad jawną wrogością, jaką okazywał mu aresztowany.

Następnie podszedł do wojskowej ciężarówki, kazał kierowcy podjechać pod hotel i tam cierpliwie poczekać. Sam zaś w asyście dwóch szeregowców przemierzył na piechotę cały teren garnizonu. Pod topolami, na szerokim ośnieżonym placu, rozciągającym się przed wojskowymi kwaterami, chłopcy, pokrzykując, obrzucali się śniegiem. Obok nich drobniutka dziewczynka w palcie przypominającym czerwono-czarny wełniany płaszcz, jaki Ka dostał w trzeciej klasie podstawówki, lepiła bałwana. Jej dwie koleżanki turlały ogromną śnieżną kulę. Powietrze było przejrzyste, a słońce po raz pierwszy od męczącej zawieruchy zaczynało delikatnie przygrzewać.

W hotelu Ka szybko odnalazł Ipek. Była w kuchni ubrana w mundurek, podobny do tych, jakie nosiły wszystkie licealistki w Turcji. Na wierzch włożyła zwykły kuchenny fartuszek. Ka patrzył na nią z radością, chciał mocno przytulić do siebie, ale nie byli sami. Zrelacjonował krótko wszystko, co zdarzyło się od rana, dodając, że sprawy przybrały pomyślny obrót i dla nich, i dla Kadife. Gazety wprawdzie ze sprzedaży nie wycofano, ale zapewnił, że nie boi się już żadnego zamachu! Rozmawialiby pewnie dłużej, gdyby nie Zahide, która weszła do kuchni i przypomniała sobie o sterczących pod drzwiami dwóch ochroniarzach. Ipek kazała zaprosić ich do środka i poczęstować herbatą, niepostrzeżenie umawiając się z Ka na spotkanie na górze.

Kiedy tylko poeta przekroczył próg swojego pokoju, natychmiast zdjął palto i wpatrzony w sufit zastygł w oczekiwaniu. Wiedział dobrze, że Ipek przyjdzie bez wahania, choćby po to, by omówić tyle frapujących spraw. Mimo to dość szybko znów ogarnęło go zwątpienie. Najpierw wyobraził sobie, że ukochana nie zjawi się, ponieważ spotkała ojca; później ze strachem zaczął myśleć, że nie przyjdzie, ponieważ zwyczajnie nie ma na to ochoty. Znowu poczuł ból atakujący wnętrzności jak trucizna. Jeśli to były owe miłosne męki, o których opowiadali inni, Ka nie znajdował w nich niczego przyjemnego. Ale przecież nie dla wszystkich zakochanie było udręką. Było też źródłem radości, a czasami nawet dumy. Jego sytuacja była jednak inna. Wraz z uczuciem do Ipek rosły w nim niepewność i zwątpienie, a ataki strachu dopadały go szybciej niż kiedyś. Ka pomyślał, że miłość to nic innego jak strach przed zdradą i rozczarowaniem. W miarę upływu czasu paranoiczne myśli męczyły go coraz bardziej: Ipek nie nadchodzi, w ogóle nie ma ochoty przyjść; Ipek przyjdzie, bo ma jakiś ukryty cel, bo chce wykorzystać to spotkanie do czegoś; wszyscy — Kadife, pan Turgut i Ipek — coś ukrywają, a jego, Ka, traktują jak wroga, od którego należy się trzymać z daleka. Jednocześnie zastanawiał się, dlaczego właściwie jego myśli są tak chore i paranoiczne i dlaczego tak im ulega. Na przykład teraz, opanowując ból żołądka, zastanawiał się, czy Ipek nie miała przypadkiem innego kochanka. Umęczony próbował wyobrazić go sobie i wiedział, że znów nie myśli normalnie, że znów dał się owładnąć paranoi. Chwilami, pragnąc już tylko pozbyć się bólu żołądka i uciec od okropnych wyobrażeń (że Ipek właśnie zrezygnowała ze spotkania z nim i ani myśli wyjechać do Frankfurtu), z całych sił zmuszał do działania jedyną trzeźwą część swojego umysłu. (Oczywiście, że mnie kocha. Gdyby nie kochała, czemu byłaby taka podniecona?). Wtedy na krótko uwalniał się od tej niepewności i najczarniejszych scenariuszy, aby po chwili znów zatruwać się kolejną troską.

Usłyszawszy kroki na korytarzu, pomyślał, że to nie Ipek, ale ktoś z wiadomością od niej. Ktoś, kto na pewno powie, że ukochana nie może przyjść. Gdy jednak w drzwiach stanęła Ipek, przywitał ją radośnie ale i... wrogo. Czekał dokładnie dwanaście minut i był już naprawdę u kresu. Z satysfakcją dostrzegł delikatny makijaż na twarzy ukochanej, ślad szminki na jej ustach.

— Rozmawiałam z ojcem, powiedziałam mu, że jadę z tobą do Niemiec — oświadczyła.

Ka tak bardzo dał się już porwać ciemnej fali pesymizmu, że jego pierwszą reakcją na te słowa była obojętność. Ów chłód obudził w Ipek wątpliwości, czy aby na pewno poeta ucieszył się z tej nowiny. Co więcej — rozczarowanie to było początkiem końca, chwilą, w której kobieta zaczęła się wycofywać, chociaż wiedziała aż za dobrze, że Ka zakochany jest w niej bez pamięci i że przywiązał się do niej jak pięcioletni berbeć do matki, której nie potrafi odstąpić ani na krok. Wiedziała też, że chce zabrać ją do Frankfurtu nie tylko po to, by stworzyć z nią szczęśliwy dom. Miał nadzieję, że tam, z dala od ludzkich oczu, posiądzie ją absolutnie i bez reszty.

— Co ci jest, kochany?

Kiedy później przeżywał miłosną udrękę, tysiące razy przypominał sobie ciepło i troskę w jej głosie. Opowiedział jej po kolei o wszystkich swoich lękach, obawie przed odrzuceniem, o najgorszych rzeczach, jakie podsuwała mu wyobraźnia.

— Jeśli tak strasznie boisz się na zapas, to znaczy że jakaś kobieta okrutnie musiała cię zranić.

— Owszem, cierpiałem. Ale ból, jaki ty m o ż e s z mi sprawić, przeraża mnie już teraz.

— Nie zranię cię — powiedziała Ipek. — Kocham cię i pojadę z tobą do Niemiec. Wszystko będzie dobrze.

Przytuliła go jak najmocniej. Kochali się, a Ka był zaskoczony swobodą, z jaką to robili. Czuł rozkosz, gdy sprawiał jej ból, obejmując z całych sił i patrząc na jej białą, delikatną skórę. Ale oboje wiedzieli, że dzisiaj kochają się inaczej, już nie tak głęboko i namiętnie jak minionej nocy.

Ka wciąż rozmyślał o swoim nowym zadaniu. Pierwszy raz w życiu uwierzył, że może być szczęśliwy, że jeśli nie popełni błędu i razem z ukochaną wyjedzie z Karsu, to szczęście może pozostać przy nim na zawsze. Rozmyślając o mediacyjnych trikach i wyglądając przez okno, palił papierosa, i wówczas znów nadeszło natchnienie. Gdy szybko zapisywał nowy wiersz, czuł na sobie pełne miłości i zaskoczenia spojrzenie Ipek. Wiersz *Miłość* czytał potem sześć razy podczas swoich spotkań autorskich w Niemczech. Słuchacze mówili mi później, że tytułowe uczucie było raczej afektem zrodzonym z napięć, jakie zdarzają się pomiędzy spokojem i samotnością, zaufaniem i strachem, ze szczególnej fascynacji kobietą (tylko jedna osoba zapytała mnie, kim ona była) i tajemniczych dla samego poety ciemności, w jakich utonęło jego życie, niż rzeczywistą miłością. A przecież w notatkach, jakie Ka sporządził później w związku z tym wierszem, wiele uwagi poświęcił wspomnieniom, tęsknocie za Ipek, a nawet jej strojom i sekretnej mowie jej gestów. I może dlatego, że setki razy czytałem te notatki, tak wielkie wrażenie wywarła na mnie Ipek podczas pierwszego naszego spotkania.

Ipek ubrała się szybko, obiecała, że przyśle siostrę, i wyszła z jego pokoju. Prawie natychmiast w drzwiach stanęła Kadife. Ka uspokoił przestraszoną dziewczynę, wyjaśniając, że nie ma powodów do obaw i że Granatowy traktowany jest dobrze. Opowiadał, jak bardzo musiał się napracować, by przekonać go do zaakceptowania warunków umowy, przyznał, że Granatowy to bardzo odważny człowiek, po czym, puszczając wodze fantazji, zaczął kłamać zgodnie z wcześniej opracowanym planem: najpierw powiedział, że najtrudniej było mu przekonać Granatowego, iż Kadife zaakceptuje warunki umowy. Zaznaczył, że Granatowy uznał je za zbyt poniżające dla niej i najpierw chciał poznać jej zdanie. A kiedy oczy zaskoczonej Kadife otwierały się coraz szerzej i szerzej, chcąc uwiarygodnić jakoś swoje kłamstwa, dodał, że według niego Granatowy nie był w tym wszystkim do końca szczery. Nie mógł się jednak powstrzymać przed stwierdzeniem, że — nawet jeśli nieszczera — troska o honor Kadife oraz początkowa niechęć do wchodzenia w jakiekolwiek układy działały na korzyść Granatowego i świadczyły o szacunku, jaki żywił dla decyzji podjętych przez kobietę. Z jednej strony poeta był z siebie zadowolony, że tak zręcznie manipuluje dwojgiem uwikłanych w bzdurne polityczne spory nieszczęśliwych ludzi, ponieważ dopiero tu, w Karsie, zrozumiał, że najważniejsze w życiu jest szczęście. Z drugiej jednak, martwił się losem odważniejszej od niego, gotowej do prawdziwych poświęceń Kadife, która w to wszystko uwierzyła. Czuł, że nie tędy droga do szczęścia. Dlatego postanowił zakończyć swoją opowieść ostatnim już niewinnym kłamstwem. Dodał, że Granatowy szeptem przekazał pozdrowienia dla niej. Następnie przedstawił szczegóły umowy i zapytał ją o zdanie.

— Sama zadecyduję o tym, jak odsłonię włosy — powiedziała Kadife.

Ka pomyślał, że również na ten temat powinien coś powiedzieć. Dodał więc pospiesznie, że Granatowy nie będzie miał nic przeciwko wykorzystaniu peruki lub innych trików, ale zobaczywszy gniew na twarzy dziewczyny, umilkł. Zgodnie z umową Granatowy miał najpierw odzyskać wolność, ukryć się w bezpiecznym miejscu, a dopiero potem Kadife miała odkryć włosy w sposób, który uzna za właściwy. Ka zapytał, czy mogłaby napisać stosowne oświadczenie. Dla przykładu podał jej kartkę, którą dostał od Granatowego. Kiedy zobaczył, jak Kadife wzruszyła się na widok pisma ukochanego, ogarnęła go czułość. Czytając list, starała się niepostrzeżenie powąchać kartkę, którą niedawno trzymał jej mężczyzna. Ka, widząc wahanie na twarzy Kadife, wyjaśnił, że będzie chciał wykorzystać list podczas rozmów z Sunayem i jego żołnierzami na temat zwolnienia aresztowanego. Wojsko i władze były prawdopodobnie wściekłe na Kadife za tę sprawę z chustą, ale jak całe miasteczko wierzyły w jej słowo i hart ducha. Kiedy kobieta zaczęła pisać oświadczenie na czystej kartce, obserwował ją uważnie. Postarzała się od czasu, kiedy to wędrując dzielnicą rzeźników, rozprawiali o gwiazdach i horoskopach.

Schował do kieszeni dokument i stwierdził, że jeśli uda mu się przekonać Sunaya, kolejnym problemem będzie znalezienie odpowiedniej kryjówki dla Granatowego. Zapytał, czy Kadife gotowa była im pomóc. Poważnie skinęła głową.

— Nie bój się — powiedział Ka. — W końcu wszyscy będziemy szczęśliwi.

— Właściwe czyny nie zawsze przynoszą szczęście! — zauważyła Kadife.

— Właściwe jest to, co nas uszczęśliwi — odparł poeta. Wyobraził sobie, jak w niedalekiej przyszłości Kadife przyjeżdża do Frankfurtu i widzi radość na twarzy siostry. Ipek kupuje dla niej w Kaufhofie elegancki płaszcz, wszyscy razem idą do kina, a potem jedzą kiełbaski popijane piwem w jednej z restauracji przy Keiserstrasse.

Kiedy Kadife wyszła, Ka włożył palto, zszedł po schodach i wsiadł do wojskowego wozu. Ochroniarze siedzieli tuż za nim. Czy myśl, że idąc samotnie, naraziłbym się na śmierć, byłaby przejawem tchórzostwa? — zapytywał Ka sam siebie. Ulice Karsu oglądane z szoferki ciężarówki wcale nie budziły strachu. Zobaczył kobiety idące na rynek z nylonowymi siatkami w rękach, rzucające śnieżkami dzieci oraz starców, którzy dreptali po śliskich chodnikach, wspierając się nawzajem, by nie upaść. Wyobrażał sobie, że siedzą z Ipek w jednym z frankfurckich kin, trzymając się za ręce.

Sunay siedział w szwalni w towarzystwie swego kolegi, pułkownika Osmana Nuriego Çolaka. Poeta rozmawiał z nimi pełen optymizmu, jaki zawsze dają marzenia o szczęściu. Obwieścił, że wszystko zorganizował. Kadife zgodziła się wziąć udział w przedstawieniu i odsłonić włosy, a Granatowy bardzo chciał odzyskać wolność. Wyczuł silne porozumienie, wiążące Sunaya z pułkownikiem, charakterystyczne dla inteligentnych ludzi, którzy w młodości przeczytali setki tych samych książek. Ostrożnie, ale pewnym tonem zaznaczył, że negocjacje dotyczyły bardzo delikatnej materii.

— Najpierw musiałem schlebiać Kadife, a potem Granatowemu — wyjaśnił i wręczył Sunayowi obie kartki.

Kiedy tamten czytał ich treść, poeta poczuł, że przywódca teatralnej rewolucji zdążył już coś wypić, choć nie było jeszcze południa. Gdy w pewnym momencie przybliżył twarz do twarzy Sunaya, rozpoznał zapach rakı.

— Facet chce, żebyśmy go wypuścili, zanim Kadife odsłoni głowę na scenie — powiedział aktor. — Spryciarz.

— To także wola Kadife — dodał Ka. — Bardzo się starałem, ale to wszystko, co udało mi się osiągnąć.

— Dlaczego my, reprezentujący tu państwo, mielibyśmy
uwierzyć w ich słowa? — zapytał pułkownik Osman Nuri
Çolak.

— Oni stracili zaufanie do państwa — wyjaśnił Ka. —
Jeśli wszyscy będą nieufni, niczego nie osiągniemy.

— A nie przyszło Granatowemu do głowy, że może
zostać powieszony na pokaz? Że potem całą winę i tak zrzu-
ci się na jakiegoś pijanego aktora i rozżalonego pułkownika, którzy zorganizowali sobie własną rewolucję? — zapytał
pułkownik.

— Granatowy zachowuje się tak, jakby nie bał się śmierci. Dlatego nie wiem, co myśli naprawdę. Sugerował, że jeśli
go powiesicie, ma szansę zostać świętym i symbolem.

— Załóżmy, że najpierw uwolnimy Granatowego — powiedział Sunay. — Skąd mamy mieć pewność, że Kadife
dotrzyma słowa i zagra w przedstawieniu?

— Jest córką pana Turguta, który zmarnował całe życie
przez honor i walkę o ideały. Możemy zaufać jej bardziej niż
Granatowemu. Ale gdy teraz powiecie jej, że Granatowy wyszedł na wolność, sama nie będzie wiedziała, czy wieczorem pojawi się na scenie. Łatwo ulega złości i podejmuje
decyzje pod wpływem impulsu.

— Co proponujesz?

— Wiem, że zorganizowaliście ten przewrót nie tylko
z politycznych powodów, ale także dla jego piękna i artyz-
mu — powiedział Ka. — Całe życie pana Sunaya dowodzi,
że w politykę angażuje się on wyłącznie ze względu na sztukę. Jeśli teraz chcecie się zajmować zwykłą polityką, nie po-
winniście ryzykować, wypuszczając Granatowego na wol-

ność. Dobrze jednak wiecie, że odkrycie głowy przez Kadife na oczach całego Karsu miałoby głębokie znaczenie i dla sztuki, i dla polityki.

— Jeśli odsłoni głowę, wypuścimy Granatowego — oświadczył Osman Nuri Çolak. — A na wieczorną sztukę zaprosimy całe miasto.

Sunay objął i ucałował starego druha.

— Chcę, żebyś powiedział o tym wszystkim mojej żonie — zwrócił się do Ka, kiedy pułkownik wyszedł.

Sunay chwycił poetę za rękę i pociągnął do drugiego pomieszczenia.

W pokoju bez mebli, bezskutecznie ogrzewanym przez piecyk elektryczny, Funda Eser w dramatycznej pozie czytała trzymany w dłoni tekst. Zauważyła ich, obserwujących ją z progu, ale zignorowała ich obecność. Poeta, rozkojarzony widokiem jej mocno umalowanych oczu, grubo uszminkowanych ust i masywnych piersi, wyglądających spod rozpiętego stroju, nie słyszał ani słowa z jej recytacji.

— Dramatyczny monolog zgwałconej bohaterki, mścicielki z *Tragedii hiszpańskiej* Kyda! — oświadczył z dumą Sunay. — Adaptacja fragmentów *Dobrego człowieka z Seczuanu* Brechta, wzbogacona o moje pomysły. Kiedy wieczorem Funda będzie recytować ten fragment, pani Kadife ocierać będzie łzy rogiem chusty, której jeszcze nie odważy się zdjąć.

— Jeśli pani Kadife jest gotowa, możemy natychmiast rozpocząć próby — powiedziała Funda Eser.

Jej pełen ognia głos nie tylko emanował wielką miłością do teatru, ale sprawił, że Ka przypomniał sobie czasy, kiedy żonę aktora powszechnie posądzano o lesbijskie skłonności, aby pozbawić Sunaya szansy na odegranie roli Atatürka. Tymczasem Sunay dumnym tonem reżysera teatralnego, a nie żołnierza stojącego na czele rewolucji oświadczył, że nie rozstrzygnięto jeszcze kwestii przyjęcia roli przez Kadife. Stojący w drzwiach ordynans obwieścił, że przyprowadzono właśnie właściciela „Gazety Przygranicznego Miasta", pana Serdara. Ka na widok dziennikarza poczuł chęć, jaką ostatni raz żywił wiele lat temu, gdy mieszkał jeszcze w Turcji: miał ogromne pragnienie przyłożyć tamtemu prosto w twarz. Nie zrobił tego, bowiem zaproszono ich do przygotowanego wcześniej z wielką starannością stołu, na którym stała już rakı i biały ser. Z pewnością, swobodą i okrucieństwem właściwymi ludziom władzy, przywykłym do dysponowania losem innych, jedząc i pijąc, jęli dyskutować o sprawach świata.

Na prośbę Sunaya Ka powtórzył Fundzie Eser wszystko, co niedawno powiedział na temat polityki i sztuki. Refleksje poety zachwyciły aktorkę. Kiedy pan Serdar oświadczył, że chciałby zanotować tę relację, a potem wydrukować ją w swojej gazecie, Sunay ostro zaprotestował. Rozkazał dziennikarzowi zdementować najpierw kłamstwa, jakie napisał o Ka. Pan Serdar solennie obiecał umieścić na pierwszej stronie wyjątkowo pochlebny artykuł, dzięki któremu czytelnicy zapomną szybko o złym wrażeniu.

— Ale w nagłówku na pierwszej stronie musi być informacja o naszej sztuce — powiedziała Funda Eser.

Pan Serdar obiecał, że wszystko będzie wyglądać tak, jak sobie zażyczą. Niestety, jego wiedza na temat klasycznego i nowoczesnego teatru była wyjątkowo mizerna. Uznał więc, że wszyscy będą spokojni o poprawność informacji z pierwszej strony, jeśli pan Sunay osobiście opowie o przedstawieniu, to znaczy podyktuje mu treść artykułu do jutrzejszego wydania. Grzecznie przypomniał, że to właśnie on dzięki wieloletniemu dziennikarskiemu doświadczeniu w pisaniu informacji na temat zdarzeń, które dopiero miały nastąpić, będzie mógł nadać tej szczególnej wiadomości najlepszy kształt. Z powodu wojskowego przewrotu godzina oddania numeru do druku została przesunięta na szesnastą, mieli więc jeszcze cztery godziny czasu.

— Zaraz się dowiesz, co czeka nas dzisiejszego wieczoru — powiedział Sunay.

Od chwili, gdy usiedli przy stole, aktor zdążył już wypić kieliszek rakı. A kiedy szybko opróżniał drugi, w jego oczach błysnęło cierpienie pomieszane z pasją.

— Pisz, dziennikarzu! — krzyknął po chwili, patrząc na pana Serdara tak, jakby chciał mu pogrozić. — Tytuł: „ŚMIERĆ NA SCENIE". — Pomyślał przez chwilę. — Podtytuł. — Pomyślał znowu. — „SŁYNNY AKTOR SUNAY ZAIM ZASTRZELONY PODCZAS WCZORAJSZEGO SPEKTAKLU".

Mówił w natchnieniu, budząc podziw poety, który słuchał z powagą i szacunkiem, pomagając dziennikarzowi, kiedy tamten nie rozumiał jakiegoś słowa czy zwrotu. Podyktowanie całej informacji wraz z tytułem i podtytułem, wliczając przerwy na rakı i chwile zastanowienia, zajęło Sunayowi około godziny. Kiedy wiele lat później odwiedziłem Kars, dzięki właścicielowi „Gazety Przygranicznego Miasta" mogłem przeczytać efekt ich wspólnej pracy.

ŚMIERĆ NA SCENIE

SŁYNNY AKTOR SUNAY ZAIM
ZASTRZELONY PODCZAS WCZORAJSZEGO SPEKTAKLU

W trakcie historycznego spektaklu, wystawionego wczorajszej nocy na deskach Teatru Narodowego, owładnięta oświeceniowym ogniem Kadife, dziewczyna w chuście, najpierw odsłoniła głowę, a potem oddała strzał w kierunku Sunaya Zaima odtwarzającego postać Łajdaka. Mieszkańcy Karsu, którzy dzięki transmisji na żywo oglądali przedstawienie przed telewizorami, zamarli z przerażenia.

Sunay Zaim, który wraz ze swoją trupą przyjechał do Karsu przed trzema dniami, dzięki rewolucyjnemu i twórczemu spektaklowi, przenikającemu ze sceny do codziennego życia, ofiarował naszemu miastu porządek i oświeceniowy dydaktyzm. Podczas przygotowanego dla naszej widowni drugiego przedstawienia ponownie zaskoczył mieszkańców. A wszystko dzięki niedocenionemu angielskiemu dramaturgowi Thomasowi Kydowi, którego twórczość inspirowała samego Williama Szekspira! Sunay Zaim przez dwadzieścia lat starał się ożywić oświeceniową myśl, występując w zapomnianych anatolijskich miasteczkach, w çayhane i na scenach przed pustą widownią. I właśnie dzięki Kydowi jego miłość do teatru osiągnęła wreszcie punkt kulminacyjny! Ten współczesny wstrząsający dramat, nawiązujący do angielskich sztuk z czasów Jakuba I i francuskich jakobinów, sprawił, że Kadife — uparta przywódczyni dziewcząt zakrywających włosy — w nagłym przypływie emocji zdjęła chustę! Następnie na oczach zaskoczonych obywateli opróżniła cały magazynek, strzelając prosto w Sunaya Zaima — wielkiego człowieka teatru, który, jak Kyd, nigdy nie został doceniony. Mieszkańcy miasta wciąż pamiętali, że użyta dwa dni wcześniej podczas przedstawienia broń naładowana była prawdziwą amunicją. Z przerażeniem pomyśleli, że teraz mogło być podobnie. I tak właśnie śmierć wielkiego tureckiego artysty Sunaya Zaima, która rozegrała się na teatralnych deskach, przemówiła do nas wszystkich wyraźniej niż całe jego życie. Widzowie doskonale pojęli zawarte w sztuce przesłanie o wyzwoleniu się człowieka z krępujących go więzów religii i tradycji. Nie mogli tylko uwierzyć, że Sunay Zaim, który nie stracił wiary w swoją sztukę nawet wtedy, gdy dosięgły go kule, umarł naprawdę. Ale wiedzieli, że nigdy nie zapomną ostatnich słów aktora ani tego, że skonał na ołtarzu sztuki.

Pan Serdar jeszcze raz przeczytał wszystkim biesiadnikom ostateczną wersję wiadomości, z uwzględnieniem naniesionych przez Sunaya poprawek.

— Oczywiście na pański rozkaz zamieszczę to w jutrzejszym wydaniu — powiedział. — Chociaż napisałem i opublikowałem dziesiątki artykułów o wydarzeniach, które dopiero miały nastąpić, po raz pierwszy będę się modlił, aby informacja okazała się nieprawdziwa! Chyba nie umrze pan naprawdę, szanowny panie?

— Staram się zdobyć szczyt, który powinna osiągnąć prawdziwa sztuka. Próbuję zostać legendą — wyjaśnił Sunay. — Poza tym, kiedy stopnieją śniegi, a drogi zostaną odblokowane, moja śmierć nie będzie już miała dla mieszkańców Karsu żadnego znaczenia.

Przez chwilę jego spojrzenie skrzyżowało się ze wzrokiem Fundy Eser. Małżonkowie patrzyli sobie w oczy z tak wielkim zrozumieniem, że Ka znów poczuł ukłucie zazdrości. Czy on też będzie mógł dzielić z Ipek tak samo wielkie porozumienie i żyć szczęśliwie?

— No, panie dziennikarzu, niech pan już idzie i zacznie przygotowywać swoją gazetę do druku — zakomenderował Sunay. — A mój ordynans niech panu da negatyw mojej fotografii do tego historycznego numeru. — Kiedy tylko dziennikarz wyszedł, aktor, porzuciwszy ironiczny ton, który zawdzięczał wypitej w nadmiarze rakı, zwrócił się do Ka: — Akceptuję warunki Granatowego i Kadife. — I patrząc na zaskoczoną Fundę Eser, wyjaśnił, że uwzględniając słowo dane przez Kadife, najpierw będzie musiał uwolnić Granatowego.

— Pani Kadife jest dzielną kobietą. Czuję, że podczas prób szybko znajdziemy wspólny język — stwierdziła Funda.

— Pójdziecie do niej razem — zadecydował Sunay. — Ale najpierw trzeba wypuścić Granatowego i poinformować ją, że zdążył się ukryć i zatrzeć za sobą wszystkie ślady. A to trochę potrwa.

W ten sposób Sunay, ignorując zapał Fundy Eser do jak najszybszego rozpoczęcia prób z udziałem Kadife, zaczął dyskutować z Ka nad sposobami uwolnienia Granatowego. Na podstawie lektury notatek mego przyjaciela wnioskuję, że w pewnym stopniu wierzył on w uczciwość Sunaya. Ufał, że aktor nie miał zamiaru śledzić Granatowego, ustalać miejsca jego kryjówki ani schwytać ponownie po występie Kadife. Myśl taka zrodziła się i dojrzewała w głowach pracowników wywiadu, którzy wszędzie umieścili podsłuchy, a dzięki działającym po obu stronach konfidentom mogli przewidzieć poczynania rewolucjonistów. Robili wszystko, by przeciągnąć na swoją stronę pułkownika Osmana Nuriego Çolaka. Nie mieli jednak wojskowego wsparcia, by przejąć ster, który po przewrocie trzymali Sunay, urażony pułkownik i ich kilku kolegów oficerów. Mimo to rozmieszczeni niemal wszędzie agenci starali się powstrzymać „artystyczne" szaleństwo Sunaya. A kiedy pan Serdar przez krótkofalówkę przeczytał swym przyjaciołom z Narodowej Organizacji Wywiadowczej wiadomość, jaką zanotował przy zastawionym rakı stole, ci zaczęli obawiać się o stan umysłu aktora. Do ostatniej chwili nikt nie był pewien, jak wiele wiedział wywiad na temat uwolnienia Granatowego.

Sądzę jednak, że informacje te nie są aż tak istotne dla naszej opowieści, dlatego nie będę się zagłębiać w szczegóły owego planu. Sunay i Ka zdecydowali, że tę sprawę rozwiążą pochodzący z Sivasu ordynans oraz znany z uczciwości Fazıl. Wojskowa ciężarówka przywiozła chłopaka dokładnie dziesięć minut po tym, jak zdobyto jego adres od pracowników wywiadu. Fazıl wyglądał na przestraszonego i tym razem w niczym nie przypominał Necipa. Aby uwolnić się od niepożądanego towarzystwa śledzących ich agentów, Fazıl i ordynans wyszli tylnymi drzwiami szwalni i udali się prosto do garnizonu w centrum miasta. Narodowa Organizacja Wywiadowcza podejrzewała Sunaya o skłonność do niemądrych czynów, nie była jednak przygotowana do tego, by umieścić swoich ludzi w każdym zakątku Karsu. Później Ka miał się dowiedzieć, że Granatowy został zabrany z celi i wsadzony do ciężarówki z ostrzeżeniem, by nie „robił żadnych numerów". Ordynans z Sivasu, zgodnie z wcześniejszym poleceniem Fazıla, kazał zatrzymać samochód na Żelaznym Moście nad rzeką Kars. Granatowy wysiadł i, tak jak mu przykazano, wszedł do sklepu spożywczego, na którego wystawie leżały plastikowe piłki, pudełka po proszku do prania i reklamy kiełbasy. Zaraz potem położył się pod plandeką przykrywającą butle z gazem marki Aygaz, załadowane na furmankę czekającą koło sklepu, i znikł wszystkim z oczu. Nikt poza Fazılem nie miał pojęcia, dokąd pojechał.

Zorganizowanie i przeprowadzenie całej akcji trwało półtorej godziny. Około piętnastej trzydzieści, kiedy coraz mniej wyraźne cienie oliwników i kasztanowców pląsały po pustych ulicach Karsu jak widziadła ośmielone nadejściem nocy, Fazıl przyniósł Kadife wiadomość, że Granatowy trafił do bezpiecznej kryjówki. Stojąc w kuchennych drzwiach hotelu, chłopak patrzył na nią tak, jakby była przybyszem z kosmosu. Ale Kadife niczego nie zauważyła, podobnie jak nie dostrzegała wcześniej fascynacji Necipa. Rozradowana pobiegła do swojego pokoju. W tym czasie Ipek wychodziła właśnie z pokoju Ka, w którym spędziła ostatnią godzinę. Godzinę, którą mój drogi przyjaciel wspominać miał później jako pełną obietnic szczęścia i o której chciałbym opowiedzieć dokładnie na pierwszych stronach kolejnego rozdziału.

37.

Tego wieczoru przemawiać będą wyłącznie włosy Kadife

Przygotowania do ostatniego spektaklu

Wspomniałem już, że Ka należał do ludzi uciekających od szczęścia ze strachu przed cierpieniem, jakie według niego musiało później nastąpić. Dlatego wiemy, że paradoksalnie nie był szczęśliwy wówczas, kiedy to szczęście akurat przeżywał, ale gdy dochodził do wniosku, że niedługo je utraci. Kiedy więc wstał od zastawionego rakı stołu w siedzibie Sunaya i w towarzystwie dwóch ochraniających go szeregowców pomaszerował z powrotem do hotelu Karpalas, był zadowolony, że znów spotka się z Ipek. Wierzył, że wszystko potoczy się tak, jak powinno, ale i tak lęk przed utratą szczęścia nie opuszczał go ani na chwilę. Z tego powodu, wspominając o wierszu, który mój przyjaciel napisał w hotelowym pokoju tamtego czwartku około godziny piętnastej, muszę wziąć pod uwagę panujące wtedy w jego jaźni rozdwojenie. Utwór pod tytułem *Pies* nawiązywał do czarnego jak węgiel zwierzęcia, które Ka ponownie spotkał w drodze ze szwalni. Cztery minuty po tym, jak je zobaczył, wszedł do hotelowego pokoju. Udręczony miłosną męką, wielką nadzieją na szczęście i lękiem przed jego utratą, zaczął pisać wiersz. Wyznawał w nim, że jako dziecko bardzo bał się psów, opowiadał o burym czworonogu, który gonił go po parku Maçka, kiedy miał sześć lat, i o wstrętnym koledze z osiedla szczującym wszystkich swoim groźnym psem. Później Ka pomyślał jeszcze, że strach przed psami mógł być dla niego karą za szczęśliwe chwile dzieciństwa. Zastanawiał go jednak pewien paradoks: drobne przyjemności dziecięcych lat — gra w piłkę na ulicy, zrywanie owoców morwy czy handlowanie obrazkami piłkarzy wyjętymi z opakowań gumy do żucia — dzięki psom, które zamieniały to wszystko w piekło, stawały się jeszcze bardziej pociągające.

Siedem lub osiem minut po otrzymaniu informacji o powrocie poety Ipek poszła do niego na górę. Niewiele czasu upłynęło wtedy od chwili, kiedy Ka zaczął się zastanawiać, czy Ipek już wie o jego powrocie, czy też ma posłać jej wiadomość. I po raz pierwszy nie miał okazji, by zamartwiać się jej spóźnieniem i rozmyślać, że może tym razem naprawdę postanowiła go rzucić. Dlatego, zobaczywszy ją w drzwiach, poczuł się w pełni szczęśliwy. Na twarzy Ipek malował się wyraz radości, której nie można łatwo zniszczyć. Ka zapewnił ją, że nie ma powodów do zmartwień. Ipek potaknęła. Ka, wypytywany przez ukochaną, wyjaśnił, że Granatowy niebawem zostanie wypuszczony na wolność. To ucieszyło ją tak samo jak wszystkie dobre wiadomości. Podobni do szczęśliwych par, samolubnie drżących ze strachu na myśl, że smutek i rozpacz innych zniszczą ich radość, w pewnej chwili zaczęli przekonywać samych siebie, że wszystko będzie tak, jak być powinno. Bezwstydnie poczuli, że gotowi są natychmiast zapomnieć o cierpieniu innych i przelanej w mieście krwi, byle tylko ochronić własne szczęście. Wiele razy obejmowali się i całowali niecierpliwie, ale nie osunęli się na łóżko i nie zaczęli kochać. Ka obiecywał, że w Stambule w ciągu jednego dnia uda mu się zdobyć niemiecką wizę dla Ipek. Miał znajomego w konsulacie i wcale nie musieli w pośpiechu brać ślubu, aby razem wyjechać. Będą mogli się pobrać we Frankfurcie, gdy sami będą tego chcieli.

A Kadife i pan Turgut przyjadą do nich, jak tylko uporząd-
kują swoje sprawy. Zastanawiali się nawet, w którym hotelu ich goście będą mogli się zatrzymać! Omawiając sprawy,
o których wcześniej wstydzili się nawet pomyśleć, czuli prze-
ogromny, przyprawiający o zawrót głowy głód szczęścia. Ipek
wspomniała coś o obawach ojca, ostrzegała, że ktoś powo-
dowany chęcią zemsty może przeprowadzić atak bombowy
i że Ka nie powinien już wcale wychodzić na ulicę. Obiecali
sobie, że opuszczą miasto pierwszym odjeżdżającym autobusem. Będą się trzymać za ręce i patrzeć przez okno na
ośnieżone górskie drogi.

Ipek powiedziała, że zaczęła już nawet pakować walizki. Ka początkowo starał się ją namówić, by nie brała z sobą
niczego, ale szybko okazało się, że to niemożliwe. Kobieta
miała zbyt wiele przedmiotów, które od dzieciństwa jej towarzyszyły i bez których nigdzie nie czułaby się dobrze.

Kiedy tak stali przy oknie, patrząc na zaśnieżoną ulicę
(pies — źródło poetyckiego natchnienia — pojawiał się i zni-
kał co jakiś czas), Ipek, ulegając namowom Ka, wymieniła
niektóre spośród ulubionych rzeczy, bez których nie mogła
się obyć: dziecięcy zegarek, jeden z dwóch, jakie matka kupi-
ła jej i Kadife jeszcze w Stambule, cenniejszy tym bardziej,
że Kadife swój wkrótce zgubiła; przywieziony przez mieszkającego w Niemczech świętej pamięci wuja jasnobłękitny
sweter z angory — bardzo elastyczny i wąski, dlatego nigdy
nie mogła włożyć go tutaj, w Karsie; przetykany srebrną nicią
obrus, który matka kazała uszyć jako część jej ślubnej wyprawy — poplamiony dżemem przez Muhtara przy pierwszej okazji tak, że nigdy później już go nie użyła; uzbierana
bez żadnego celu kolekcja siedemnastu buteleczek po alkoholach i perfumach — po jakimś czasie stała się rodzajem
amuletu, z którego w żaden sposób Ipek nie potrafiła zrezygnować; zdjęcia z dzieciństwa, na których pozowała w ramio-

nach rodziców (Ka bardzo chciał je wtedy zobaczyć); kupiona razem z Muhtarem w Stambule czarna aksamitna suknia wieczorowa, którą mąż pozwalał jej nosić wyłącznie w domu ze względu na zbyt duże wycięcie na plecach; ręcznie obrębiony szal z jedwabnej satyny, kupiony z nadzieją, że zakryje przesadny dekolt i pomoże przekonać Muhtara do zgody na publiczne pokazywanie się w sukni; zamszowe pantofle, których nigdy nie włożyła ze względu na wszechobecne w Karsie błoto, i naszyjnik z imponującym nefrytem, który miała akurat przy sobie. Wyjęła go i pokazała poecie.

Jeśli powiem, że ten sam ogromny nefryt zawieszony na czarnej satynowej tasiemce zobaczyłem cztery lata później na szyi Ipek, siedzącej dokładnie na wprost mnie podczas kolacji wydanej przez burmistrza Karsu, proszę nie sądzić, że zbaczam z tematu. Przeciwnie, właśnie teraz docieramy do sedna sprawy. Ipek była stokroć piękniejsza, niżbym ja, a nawet szanowni czytelnicy, za moim skromnym pośrednictwem śledzący losy Ka, mogli sobie wyobrazić. Po raz pierwszy zobaczyłem ją właśnie podczas tamtej kolacji. Poczułem zazdrość, zaskoczenie i zamęt w głowie. Chaotyczna opowieść o zaginionym tomiku poezji mego ukochanego przyjaciela stała się nagle zupełnie inną, pełną namiętności historią! I chyba właśnie w tamtym wstrząsającym dla mnie momencie zdecydowałem się napisać książkę, którą teraz trzymacie państwo w ręku. Ale wówczas, nieświadomy decyzji, jaką podjęła moja dusza, dałem się porwać niezwykłej urodzie Ipek. Całe moje ciało sparaliżowało nagłe wrażenie bezsilności, czułem, że topię się i znikam, że wznoszę się ponad rzeczywistość. Czułem to, co czuje każdy mężczyzna stojący naprzeciw bosko pięknej kobiety. Dobrze wiem, że wszyscy ludzie, którzy przyszli wtedy, by zamienić kilka słów z pisarzem odwiedzającym ich miasto albo poplotkować trochę między sobą, udawali. Wiem, że cały ten tłum przy stole prowadził pustą rozmowę w jednym wyłącznie celu — aby nie mówić o urodzie Ipek. A moje wnętrze trawiła zazdrość tak silna, że bałem się, iż nagle przemieni się w miłość. Bo w rzeczywistości pragnąłem przeżyć choćby krótkotrwałą miłość do tak pięknej kobiety! Sekretne przekonanie, że Ka zmarnował ostatnie lata swojego życia, zmieniło się w niespodziewaną refleksję, że tylko ktoś taki jak Ka — poeta o wrażliwej duszy — był zdolny zdobyć serce takiej kobiety. Czy ja mógłbym ją namówić, aby wyjechała ze mną do Stambułu? Obiecałbym jej ślub. Zostałaby moją sekretną kochanką. A potem wszystko na dobre by się popsuło. Ale ja wciąż chciałbym umrzeć przy jej boku! Miała szerokie, majestatyczne czoło, duże wilgotne oczy, delikatne usta, na które nie mogłem spokojnie patrzeć. Dokładnie takie jak Melinda... Co mogła myśleć na mój temat? Czy rozmawiali o mnie z Ka? Nie zdążyłem dokończyć pierwszego kieliszka rakı, a moje serce biło już tylko dla tej kobiety. W pewnej chwili jednak dostrzegłem gniewne spojrzenie siedzącej nieopodal Kadife. Muszę wracać do swojej opowieści...

Stojąc przed oknem, Ka zawiesił ozdobę na szyi Ipek i delikatnie ją pocałował. Bezmyślnie powtórzył, jak bardzo będą szczęśliwi w Niemczech. Ipek, dostrzegłszy Fazıla, który szybkim krokiem wszedł przez bramę na dziedziniec, odczekała chwilę i zeszła do kuchni. W drzwiach natknęła się na siostrę — tam właśnie Kadife musiała przekazać jej wiadomość o uwolnieniu Granatowego. Obie poszły do swojego pokoju. Nie mam pojęcia, o czym rozmawiały ani co wtedy robiły. A Ka w swoim pokoju na górze był tak rozradowany, pewny własnej przyszłości i uszczęśliwiony własną poezją, że po raz pierwszy przestał myśleć o tym, co tak naprawdę działo się w hotelu Karpalas.

Jak dowiedziałem się później z archiwów Instytutu Meteorologii, pogoda tamtego dnia znacznie się poprawiła.

Świecące przez cały dzień słońce roztopiło zwisające z gałęzi i dachów sople. Na długo przed zmierzchem ludzie zaczęli plotkować, że tej nocy drogi zostaną odblokowane, a stan wyjątkowy odwołany. Świadkowie, którzy zapamiętali każdy szczegół wydarzeń, po latach przypomnieli mi, że w tamtych właśnie minutach telewizja Przygraniczny Kars zaczęła zapraszać widzów na wieczorny spektakl grupy Sunaya Zaima w Teatrze Narodowym. Młody prezenter Hakan Özge, ulubieniec publiczności, poinformował, że tym razem nikt nie dopuści do brutalnego traktowania widzów, którzy pamiętali zapewne krwawe wydarzenia sprzed dwóch dni i prawdopodobnie woleliby w ogóle nie wychodzić z domów. Dodał, że umiejscowione w pobliżu sceny siły porządkowe podejmą wszelkie środki ostrożności i że zrezygnowano z opłat za bilety, aby na tę pouczającą sztukę mogły udać się całe rodziny. Niestety, zaproszenie wywołało jeszcze silniejszy strach i ulice wyludniły się wcześniej niż zwykle. Każdy czuł, że na deskach teatralnych znów wydarzy się jakieś szaleństwo. Poza grupą nawiedzonych obywateli, za wszelką cenę pragnących na własne oczy zobaczyć to, co miało nastąpić (nie można przy tym nie docenić jej wielkości; jej szeregi zdominowała bezrobotna młodzież, znudzeni lewicowcy ze skłonnością do przemocy, rozgorączkowani staruszkowie ze sztucznymi szczękami, gotowi obejrzeć mordowanie człowieka bez względu na okoliczności, i kemaliści pełni uwielbienia dla znanego z telewizyjnych ekranów Sunaya), mieszkańcy Karsu zasadniczo zamierzali poprzestać na oglądaniu telewizyjnej transmisji. Sunay i pułkownik Osman Nuri Çolak spotkali się ponownie. Przeczuwając, że widownia Teatru Narodowego może świecić pustką, rozkazali zebrać uczniów szkoły koranicznej i przywieźć ich na miejsce wojskową ciężarówką. Niektórzy licealiści, urzędnicy państwowi oraz pracownicy domu nauczyciela otrzymali nakaz stawienia się w budynku teatru w krawatach i marynarkach.

Ci, którzy znajdowali się u boku Sunaya Zaima, zobaczyli, jak aktor zległ w jednym z zakurzonych pomieszczeń szwalni na stercie kartek, pustych kartonów i ścinków materiału. Nie, nie padł zemdlony od nadmiaru alkoholu. Wierzył, że miękkie łóżko rozleniwia ciało, dlatego przed każdym ważnym przedstawieniem zwykł zasypiać na twardym i niewygodnym posłaniu. Przed snem zdążył jeszcze gromkim głosem omówić z żoną nie do końca opracowany tekst sztuki. Następnie rozkazał zawieźć Fundę do hotelu Karpalas, aby razem z Kadife rozpoczęła próby.

Funda Eser przekroczyła hotelowy próg z pewnością damy, przed którą cały świat stoi otworem, i bez zastanowienia udała się prosto do pokoju sióstr. Myślę, że dzięki zdolnościom aktorskim, perfekcyjnie wykorzystywanym także poza sceną, bardzo szybko zaprzyjaźniła się z dwiema młodymi kobietami. Jej oczy i serce w sposób oczywisty były po stronie nieskazitelnej urody starszej, ale myśli niezmiennie pozostawały przy wieczornym występie młodszej. Sądzę, że powaga, z jaką potraktowała swoją rolę, wynikała z przywiązania do Sunaya i szacunku dla niego. Funda Eser, przez dwadzieścia lat występująca na anatolijskich scenach w rolach gwałconych i tyranizowanych kobiet, miała tylko jeden artystyczny cel: przemówić do mężczyzn z pozycji ofiary! Małżeństwo, rozwód, odsłonięcie włosów albo przywdzianie chusty były dla niej powszechnymi metodami stosowanymi w celu stłamszenia i uprzedmiotowienia kobiety, trudno więc powiedzieć, czy do końca rozumiała przesłanie granych przez siebie oświeceniowych i kemalistowskich ról. Wątpliwe jednak, aby męscy autorzy, którzy je stworzyli, mieli większe niż ona pojęcie i prezentowali bardziej wysublimowane poglądy na temat erotyzmu i społecznej roli bohaterek swoich dramatów. Wrażliwość, jaką autorzy dość rzadko przypisywali tym bohaterkom, Funda Eser z wrodzonym talentem wcielała w życie poza sceną. I tak właśnie kilka minut później zaproponowała Kadife zdjęcie chusty i rozpoczęcie próby przed wieczornym występem. Kiedy dziewczyna bez ociągania odsłoniła głowę, aktorka wydała okrzyk zachwytu, wyjaśniając, że nie może oderwać wzroku od jej przepięknych lśniących włosów. Następnie usadziła Kadife przed lustrem i cesząc ją grzebieniem z miki udającej kość słoniową, wyjaśniła, że w teatrze najważniejsze są obrazy, nie słowa.

— Pozwól, aby twoje włosy mówiły za siebie. Niech mężczyźni oszaleją! — powiedziała i uspokajająco ucałowała mocno już skołowaną głowę Kadife.

Funda Eser była zbyt mądra, aby nie wiedzieć, że ten pocałunek poruszy w dziewczynie ukrytą lawinę zła. Była też wystarczająco doświadczona, by z łatwością wciągnąć Ipek w swoją grę. Wyjęła z torebki piersiówkę i zaczęła nalewać koniak do przyniesionych przez Zahide filiżanek. Kadife zaprotestowała.

— Przecież dziś wieczorem odsłonisz swoje włosy! — odparła prowokacyjnie Funda.

A kiedy dziewczyna zaczęła płakać, aktorka zasypała ją gradem pocałunków. Z uniesieniem całowała jej policzki, szyję i dłonie. Później, chcąc zabawić siostry, wyrecytowała *Tyradę niewinnej hostessy*, którą nazwała nieznanym arcydziełem Sunaya. Niestety, zamiast dziewczęta rozbawić, jeszcze bardziej je zasmuciła.

— Chcę popracować nad tekstem — powiedziała sucho Kadife.

Funda wyjaśniła, że tego wieczoru do widowni nie przemówi wyuczony tekst, lecz blask jej długich, pięknych włosów, od których żaden mężczyzna w Karsie nie będzie mógł

oderwać wzroku. Co ważniejsze, wszystkie kobiety z zazdrością i miłością będą chciały ich dotknąć. Nie przerywając wywodu, nieznacznie dolewała koniaku do filiżanek.
Zaznaczyła, że w oczach starszej siostry widzi szczęście,
spojrzenie młodszej zaś pełne jest odwagi i gniewu. Ale obie
były jednakowo piękne.

Słowotok rozgorączkowanej Fundy przerwało wejście
purpurowego na twarzy pana Turguta.

— Przed chwilą telewizja podała, że Kadife, przywódczyni dziewcząt w chustach, odsłoni głowę podczas wieczornego przedstawienia — powiedział. — To prawda?

— Chodźmy zobaczyć! — zaproponowała Ipek.

— Szanowny pan pozwoli, że się przedstawię — wtrąciła Funda. — Jestem Funda Eser, towarzyszka życia słynnego artysty teatralnego i od niedawna męża stanu Sunaya
Zaima. Na wstępie chciałabym pogratulować panu, że tak
wspaniale wychował te dwie wyjątkowe osoby. Pragnę pana
uspokoić: w związku z odważną decyzją pańskiej córki Kadife nie ma najmniejszych powodów do obaw.

— Religijni fanatycy w tym mieście przenigdy jej nie
wybaczą! — powiedział pan Turgut.

Przeszli do jadalni, aby obejrzeć telewizyjne wiadomości. Funda, trzymając pana Turguta za rękę, w imieniu wła-
dającego całym miastem męża obiecała, że wszystko dobrze
się skończy. W tym właśnie momencie z pokoju wyszedł Ka,
zaintrygowany głosami dobiegającymi z jadalni. Szczęśliwa
Kadife powiedziała mu o uwolnieniu Granatowego, i nie
pytana obiecała, że dotrzyma słowa danego poecie. Właśnie
rozpoczęły przygotowania z panią Fundą. Tymczasem Funda kokietującym tonem przekonywała pana Turguta, aby nie
sprzeciwiał się decyzji córki, a reszta towarzystwa przekrzy-
kiwała włączony telewizor. Następnych osiem, może dziesięć minut Ka miał wielokrotnie wspominać jako najwspa-

nialszy czas w swoim życiu. Uwierzył, że wreszcie będzie szczęśliwy, i wyobraził sobie, że staje się częścią licznej, wesołej rodziny. Nie było jeszcze czwartej, a wydawało się, że w wysokiej jadalni, której ściany wyłożono starą ciemną tapetą, zapadał już mrok, przynoszący spokój i wspomnienia z dzieciństwa. Ka uśmiechnął się i spojrzał głęboko w oczy Ipek.

Kiedy w kuchennych drzwiach zobaczył Fazıla, próbował niepostrzeżenie, nie psując pozostałym nastroju, odciągnąć chłopaka na bok. Ale ten nie pozwolił się wypchnąć do kuchni i udając, że ogląda telewizję, sterczał nadal na swoim miejscu. Na wpół oburzony, na wpół zaskoczony, przyglądał się wesołemu towarzystwu. Kiedy poecie w końcu udało się wyprowadzić go z pokoju, nie umknęło to uwagi Ipek, która wyszła za nimi do kuchni.

— Granatowy chce jeszcze raz z panem porozmawiać — powiedział chłopak wyraźnie zadowolony, że właśnie popsuł poecie zabawę. — Zmienił zdanie w pewnej sprawie.

— W jakiej?

— To już sam panu powie. Za dziesięć minut na dziedziniec wjedzie furmanka, która zawiezie pana do jego kryjówki — dodał szybko i wyszedł z kuchni na dwór.

Ka poczuł mocniejsze bicie serca. Nie tylko dlatego, że nie miał zamiaru już nigdzie wychodzić z hotelu, ale ze strachu przed własnym tchórzostwem.

— Za nic w świecie tam nie jedź! — powiedziała Ipek, wyrażając myśl ich obojga. — I tak już namierzyli ten wóz. To się źle skończy!

— Nie. Pojadę — stwierdził Ka.

Dlaczego zdecydował, że pojedzie, choć w rzeczywistości wcale tego nie chciał? Wiele razy w życiu zdarzyło mu się podnieść rękę, choć nie znał odpowiedzi na zadane przez nauczyciela pytanie; nieraz zamiast upatrzonego swetra świadomie kupił brzydszy i gorszy za te same pieniądze. Może z ciekawości? A może ze strachu przed szczęściem?

Kiedy w tajemnicy przed Kadife wchodzili na piętro, Ka w głębi serca marzył, aby Ipek powiedziała coś, co bez poczucia winy pozwoli mu zostać w hotelu. Ale ona powtarzała tylko:

— Nie idź. Nie wychodź dziś z hotelu. Nie narażaj naszego szczęścia...

I tak dalej, i tak dalej...

Ka patrzył przez okno, zatopiony w myślach. Czuł się jak człowiek, który ma być złożony w ofierze. Kiedy furmanka wjechała na dziedziniec, zaskoczony pomyślał, jak szybko szczęście odwróciło się od niego i złamało mu serce. Przed odejściem nie pocałował Ipek, ale uścisnął ją na pożegnanie. Wyszedł przez kuchnię, nie zauważony przez dwóch „ochraniających" go szeregowców, i podniósłszy plandekę znienawidzonej furmanki, położył się na jej zimnym dnie.

Proszę nie sądzić, że usiłuję teraz przygotować szanownych czytelników na coś ważnego. Nie mam zamiaru sugerować, że podróż wozem na zawsze odmieniła losy mego przyjaciela albo że stała się punktem zwrotnym w jego życiu. Wcale tak nie uważam. Ka miał później jeszcze wiele okazji, aby przekuć w zwycięstwo swe doświadczenia w Karsie, i odnaleźć wszystko, co sam nazywał szczęściem. Ale kiedy już wydarzenia potoczyły się własnym torem, Ka, rozważając setki razy to, co go spotkało, z żalem dochodził do wniosku, że gdyby Ipek, stojąc wtedy przed oknem w jego pokoju, powiedziała to jedno właściwe słowo, zrezygnowałby ze spotkania z Granatowym. Ale nie miał pojęcia, jakie to słowo powinno być.

Jeśli zajrzelibyśmy pod plandekę, zauważylibyśmy, że Ka leżał pod nią całkowicie pogodzony z losem. Żałował, że się tam znalazł. Był zły na siebie i cały świat. Poza tym zmarzł, bał się, że się przeziębi, i czuł, że po Granatowym nie może się już spodziewać niczego dobrego. Jak podczas pierwszej podróży furmanką skupił się na głosach przechodniów i dźwiękach dobiegających z ulicy. Kierunek jazdy nie obchodził go wcale.

Kiedy wóz stanął, Ka szturchnięty przez woźnicę wyszedł spod plandeki. Nie miał pojęcia, gdzie się znajduje. Wszedł do obskurnego, zniszczonego budynku, jakich setki widywał w Karsie każdego dnia. Po wąskich nierównych schodach wdrapał się na drugie piętro (w różnych radosnych momentach wspominać miał później bystre spojrzenie dziecka obserwującego go zza drzwi, przed którymi stał rząd butów). Ktoś mu otworzył; poeta wszedł do środka i zobaczył przed sobą Hande.

— Postanowiłam nie rozstawać się z moim prawdziwym ja — powiedziała z uśmiechem.

— Najważniejsze, żebyś była szczęśliwa.

— Tutaj jestem szczęśliwa, bo robię to, co uważam za słuszne — odparła. — I już nie boję się, że we śnie stałam się kimś innym.

— Czy nie narażasz się trochę, siedząc teraz tutaj?

— Owszem, ale człowiek potrafi się skupić na życiu tylko wtedy, kiedy podejmuje ryzyko — wyjaśniła Hande. — Zrozumiałam, że nigdy nie będę mogła skoncentrować się na tym, w co nie wierzę, czyli na zdjęciu chusty. A teraz jestem bardzo zadowolona, że mogę walczyć razem z panem Granatowym o te same ideały. Czy wciąż udaje się tu panu pisać wiersze?

Ich spotkanie sprzed dwóch dni i kolacja w domu pana Turguta wydały się poecie tak odległe, że w pierwszej chwili spojrzał na Hande, jakby nie miał pojęcia, o czym mówi. Jak bardzo zależało tej dziewczynie na podkreśleniu swojej zażyłości z Granatowym?

Tymczasem ona otworzyła drzwi sąsiedniego pokoju. Ka wszedł do środka i zobaczył oglądającego telewizję Granatowego.

— Byłem pewien, że przyjdziesz — powiedział z zadowoleniem.

— Nie mam pojęcia, dlaczego to zrobiłem — odparł Ka.

— To przez niepokój, który masz w sobie — stwierdził przemądrzale Granatowy.

Spojrzeli na siebie z nienawiścią. Granatowy nie potrafił ukryć zadowolenia, Ka zaś wyraźnie żałował swojej decyzji. Hande wyszła z pokoju, zamykając za sobą drzwi.

— Powiedz Kadife, żeby nie brała udziału w skandalu, który ma się odbyć dziś wieczorem — rozkazał Granatowy.

— Tę wiadomość mogłeś posłać jej przez Fazıla — odparł Ka. Zrozumiał, że Granatowy nie ma pojęcia, o kim mowa. — To chłopak ze szkoły koranicznej, który kazał mi tutaj przyjść.

— Ach, tak — mruknął Granatowy. — Kadife nie potraktowałaby go poważnie. Zresztą nie potraktowałaby poważnie nikogo poza tobą. Tylko jeśli z twoich ust usłyszy, jak bardzo jestem przekonany, że mam rację, zrozumie, o co mi chodzi. Może już nawet sama stwierdziła, że nie powinna odsłaniać włosów. Zwłaszcza po tym, jak w obrzydliwy sposób ogłosili jej decyzję w telewizji!

— Kiedy wyjeżdżałem z hotelu, Kadife już zaczęła próby przed występem — stwierdził Ka z satysfakcją.

— Powiesz jej, że jestem temu przeciwny! Kadife podjęła tę decyzję wbrew własnej woli. Zrobiła to, żeby ratować moją skórę. Negocjowała z państwem, które przetrzymywało politycznego zakładnika. Ale teraz nie musi dotrzymywać danego słowa.

— Przekażę wiadomość — obiecał Ka. — Ale nie wiem, jaka będzie jej decyzja.

— Chcesz powiedzieć, że nie będziesz odpowiedzialny za to, co Kadife uzna za słuszne, tak?

Ka milczał.

— Jeśli wieczorem Kadife wyjdzie na scenę i zdejmie chustę, ty także będziesz temu winny. Bo to ty prowadziłeś negocjacje!

Po raz pierwszy od przyjazdu do Karsu Ka poczuł ulgę: wszystko wyglądało tak, jak powinno. Zły człowiek mówił złe rzeczy i wreszcie jego słowa nie były żadnym zaskoczeniem.

— To prawda, zrobili z ciebie zakładnika! — powiedział, próbując uspokoić Granatowego. Jednocześnie zastanawiał się, jak powinien się zachować, żeby wyjść stąd, nie rozgniewawszy go jeszcze bardziej.

— I daj jej ten list — rozkazał Granatowy, podając mu kopertę. — Inaczej Kadife może nie uwierzyć, że to wiadomość ode mnie. Jeśli pewnego dnia uda ci się wrócić do Frankfurtu, koniecznie musisz przekonać Hansa Hansena, żeby wydrukował nasze oświadczenie. Tyle osób ryzykowało w tej sprawie.

— Oczywiście.

Ka zobaczył w oczach Granatowego niedosyt, jakiś błysk niespełnienia... Rankiem w celi śmierci wyglądał na spokojniejszego. Teraz zaś uratował życie, ale uprzytomnił sobie, że od tej pory nie będzie czuł niczego prócz gniewu. Ka zbyt późno zorientował się, że Granatowy przejrzał jego myśli.

— Nieważne, czy będziesz żył tutaj, czy tam, w swojej Europie. I tak pozostaniesz intruzem — powiedział Granatowy.

— Wystarczy, że będę szczęśliwy.

— Idź już, idź! — krzyknął Granatowy. — Człowiek, który żyje dla samego szczęścia, nie może być szczęśliwy! Zapamiętaj to sobie!

38.

Nie mamy zamiaru sprawić panu przykrości

Przymusowa gościna

Ka był zadowolony, że znalazł się daleko od Granatowego, ale już po chwili poczuł, że łączy go z tym człowiekiem jakaś przeklęta więź. Była o wiele silniejsza niż zwykła ciekawość czy nienawiść. Kiedy tylko poeta wyszedł z pokoju, zrozumiał ze złością, że będzie za nim tęsknił. Hande, która potraktowała go ciepło i z dużą rozwagą, uznał teraz za naiwną gąskę. Ale jego poczucie wyższości szybko się ulotniło. Hande przesłała pozdrowienia dla Kadife i kazała jej przekazać, że zawsze będzie po jej stronie — bez względu na to, czy przyjaciółka dziś wieczorem postanowi zdjąć chustę w telewizji (tak, powiedziała w „telewizji", nie w „teatrze"). Poradziła Ka, jaką drogę powinien wybrać, aby nie zwracać na siebie uwagi policji w cywilu.

Ka opuścił mieszkanie w pośpiechu i wielkim podnieceniu. Piętro niżej poczuł, że nadchodzi natchnienie. Usiadł więc na pierwszym stopniu, przed drzwiami z rzędem butów. Wyjął z kieszeni zeszyt i zaczął pisać.

Był to osiemnasty wiersz napisany przez Ka w Karsie. Gdyby nie osobiste notatki poety, nikt nie zrozumiałby, że był pełen aluzji do ludzi, z którymi łączyła Ka mieszanina miłości i nienawiści. A przecież poeta wciąż doskonale pamiętał kolegę z liceum Terakki na Şişli, mistrza zawodów hippicznych, syna zamożnych przedsiębiorców — chłopaka rozpieszczonego, ale i niezależnego na tyle, by wzbudził jego fascynację; pamiętał bladego syna Białorusinki, z którą jego matka przyjaźniła się od liceum — zażywającego narkotyki, wychowanego bez ojca jedynaka, któremu nie zależało na niczym i który sprawiał wrażenie, jakby posiadł już całą niezbędną wiedzę o świecie; w pamięci miał też trzeciego — milczącego, przystojnego samotnika z sąsiedniego pułku, z czasów gdy odbywał szkolenie wojskowe w Tuzli. Chłopak dokuczał poecie, robiąc mu rozmaite psikusy (na przykład chowając jego wojskową czapkę).

Z tymi wszystkimi ludźmi połączyły Ka tajemnicze więzy miłości i nieskrywanej nienawiści. W wierszu *Zazdrość* próbował powiązać jakoś te dwa uczucia, pragnąc jednocześnie, aby zawarte w tytule słowo ułatwiło zamęt jego myśli. Ale odkrył też, że problem był o wiele poważniejszy: po jakimś czasie dusze i głosy tych ludzi przeniknęły do jego wnętrza.

Skończył pisać i wyszedł na zewnątrz. Nie miał pojęcia, gdzie się znajduje. Wędrował przez chwilę w dół jakiegoś wzniesienia i wkrótce zobaczył przed sobą aleję Halita Paszy. Odruchowo zawrócił, by po raz ostatni zerknąć na kryjówkę Granatowego.

Czuł się niepewnie, gdyż w drodze do hotelu nie towarzyszyło mu dwóch „ochroniarzy". Nagle, gdy był już niedaleko ratusza, zatrzymał się koło niego cywilny wóz. Przystanął, widząc, że drzwi auta się otwierają.

— Panie Ka, proszę się nie bać. Jesteśmy z policji. Proszę wsiadać, podwieziemy pana do hotelu.

Poeta właśnie zastanawiał się, co będzie gorsze: powrót do hotelu pod nadzorem funkcjonariuszy, czy to, że ktoś zauważy, jak wsiada do policyjnego wozu — kiedy drzwi otworzyły się szerzej. Potężny mężczyzna o znajomej twarzy (przypominał wuja Mahmuta, dalekiego krewnego Ka mieszkającego w Stambule) ostrym i zdecydowanym ruchem, nijak nie przystającym do sympatycznego tonu, wciągnął poetę do środka. Wóz ruszył natychmiast, a Ka dostał dwa ciosy w głowę. A może uderzył się tylko o dach samochodu? Był sparaliżowany strachem. W aucie panowała dziwna ciemność. Jakiś mężczyzna, nie, nie ten podobny do wujka Mahmuta, klął potwornie na przednim siedzeniu. Kiedy Ka był mały, przy ulicy Poetki Nigâr mieszkał człowiek, który przeklinał tak samo, gdy do jego ogrodu wpadała piłka rozbawionej dzieciarni.

Poeta zaczął sobie wyobrażać, że jest dzieckiem. Samochód (teraz już wiedział: to nie było renault używane przez wszystkich tajniaków w Karsie, ale szeroki, rzucający się w oczy chevrolet model 1956) wjechał w ciemne ulice, minął kilka zaułków i pokręcił się trochę po mieście. W końcu zatrzymał się na ukrytym między budynkami podwórku.

— Patrz przed siebie — rozkazano, ciągnąc Ka za ramię po schodach.

Kiedy dotarli na górę, poeta był już pewien, że trzech nie znanych mu osobników oraz kierowca nie mieli nic wspólnego z islamistami (bo skąd tamci wytrzasnęliby taki samochód?). Nie pracowali też dla Narodowej Organizacji Wywiadowczej, która — przynajmniej w części — działała w porozumieniu z Sunayem.

Otwarto jakieś drzwi, inne z trzaskiem zamknięto i w końcu Ka znalazł się przed wychodzącym na aleję Atatürka oknem, charakterystycznym dla starych ormiańskich domów. W wysokim pokoju stał włączony telewizor i stół założony brudnymi talerzami, skórkami pomarańczy i gazetami. Później Ka zobaczył jeszcze iskrownik służący jako narzędzie tortur, o czym się niedługo przekonał, jedną lub dwie krótkofalówki, broń, wazony, lustra... Zrozumiał, że wpadł w ręce ekipy do zadań specjalnych, i przeraził się nie na żarty. Ale widząc na drugim końcu pokoju Z. Demirkola, odetchnął z ulgą. Zbrodniarz nie zbrodniarz, zawsze to jakaś znajoma twarz — pocieszył się w duchu.

Z. Demirkol odgrywał rolę dobrego policjanta. Było mu bardzo przykro, że Ka został tu sprowadzony w tak brutalny sposób. Poeta domyślił się, że rola złego policjanta przypadła wujowi Mahmutowi, dlatego czym prędzej skupił się na pytaniach Z. Demirkola.

— Co zamierza Sunay?

Ka opowiedział wszystko z najdrobniejszymi szczegółami, nie wyłączając *Tragedii hiszpańskiej* Kyda.

— Czemu wypuścił tego wariata Granatowego?

Ka wyjaśnił, że aktor zrobił to, aby Kadife zdjęła chustę na scenie podczas telewizyjnej transmisji. Poniesiony nagłym natchnieniem, poeta użył szachowego terminu, jakim było nazbyt odważnie wypowiedziane słowo „poświęcenie", zakończone dodatkowo wykrzyknikiem. Ale gest Kadife oprócz poświęcenia miał być też ciosem, który okrutnie pokiereszuje morale islamistów!

— Skąd wiadomo, że dziewczyna dotrzyma słowa?

Ka odparł, że Kadife obiecała wyjść na scenę, ale do końca nikt nie może być pewien, czy to zrobi.

— Gdzie jest nowa kryjówka Granatowego? — chciał wiedzieć Z. Demirkol.

Ka powiedział, że nie ma pojęcia. Porywacze zapytali jeszcze, skąd wracał i dlaczego nie miał przy sobie ochrony.

— Byłem na wieczornym spacerze — odparł poeta. A kiedy wbrew wszystkiemu upierał się przy tej wersji, zgodnie z jego przewidywaniami Z. Demirkol wyszedł bez słowa z pokoju. Na jego miejscu usiadł wuj Mahmut, obrzucając Ka złowrogim spojrzeniem. On także, jak mężczyzna z przedniego siedzenia, miał w zanadrzu całkiem spory wachlarz oryginalnych przekleństw. Doprawiał nimi nieobce Ka poglądy polityczne, oskarżenia pod adresem państwa i rozmaite groźby. Ubarwiał niemal każde zdanie jak dzieciaki bezmyślnie polewające wszystko, co słodkie i słone, rzeką keczupu.

— Co ty sobie wyobrażasz, ukrywając przed nami schronienie splamionego ludzką krwią islamskiego terrorysty na usługach Iranu? — zapytał wuj Mahmut. — Wiesz, co jego ludzie zrobią z takimi liberałami jak ty, kiedy już dojdą do władzy?

Ka powiedział, że wie, mimo to wuj Mahmut dokładnie i ze szczerym zapałem wyjaśnił mu, jak okrutnie irańscy mułłowie obeszli się z demokratami i komunistami, z którymi współpracowali, zanim zdobyli władzę w swoim kraju: wtykali im do tyłków dynamit i wysadzali w powietrze; rozstrzeliwali prostytutki i homoseksualistów; zakazali czytania innych książek niż dzieła religijne; golili do łysa intelektualistów takich jak Ka, a potem brali ich bzdurne książki i... tu znów dodał kilka niecenzuralnych słów. Ze znudzoną miną ponowił pytanie o kryjówkę Granatowego i o to, skąd Ka wracał. A kiedy Ka ponownie udzielił tej samej wymijającej odpowiedzi, wuj Mahmut z tym samym znudzeniem na twarzy założył mu kajdanki.

— To popatrz, co ci teraz zrobię — powiedział i bez śladu emocji czy gniewu przyłożył poecie kilka razy w twarz.

W notatkach Ka znalazłem później pięć ważnych powodów, dla których mój przyjaciel nie zmartwił się specjalnie tym biciem. Mam nadzieję, że nie rozgniewam zbytnio drogich czytelników, jeśli w tym miejscu otwarcie o nich napiszę.

1. Zgodnie z wyznawaną przez Ka teorią szczęścia liczba dobrych i złych doświadczeń, przypadających na jednego człowieka, zawsze była jednakowa. Dlatego razy, które

przed chwilą spadły na jego głowę, zwiększały jednocześnie jego szanse na wspólny wyjazd z Ipek do Frankfurtu.

2. Intuicja przedstawiciela silnej, bądź co bądź, elity podpowiadała mu, że nie zostanie poddany dalszym torturom, które pozostawiłyby na jego ciele trwałe ślady. Ekipa do zadań specjalnych z pewnością odróżniała go od zamieszkującej Kars hordy winnych, godnych pożałowania awanturników.

3. Słusznie domyślał się, że ślady bicia wzbudzą troskę Ipek.

4. Dwa dni wcześniej, we wtorek wieczorem, w budynku komendy głównej, patrząc na zakrwawioną twarz Muhtara, myślał głupio, że razy otrzymane policyjną pałką mogą oczyścić człowieka z poczucia winy za ruinę własnego kraju.

5. Czuł dumę, że znalazłszy się w roli politycznego więźnia, mimo bólu nie zdecydował się wyjawić ważnej informacji.

Ostatni powód dwadzieścia lat wcześniej byłby dla niego zapewne źródłem jeszcze większej satysfakcji. Teraz czuł, że ta nieco anachroniczna cnota mogłaby być uznana za przejaw głupoty. Spływająca z nosa krew i słonawy smak w kącikach ust znów przypomniały mu dzieciństwo. Kiedy ostatni raz krwawił mu nos? Nagle Ka przypomniał sobie wszystkie okna zatrzaskujące się na jego obolałym nosie, uderzające weń piłki i pięść spadającą podczas bijatyki w wojsku. Tymczasem wuj Mahmut i reszta porzucili go w mrocznym kącie pokoju i zasiedli przed telewizorem. Zapadał zmrok. Z. Demirkol i jego kompania tłoczyli się wokół odbiornika, oglądając *Mariannę*. Zakrwawiony, pobity i poniżony poeta był rad, że zapomnieli o nim, jakby rzeczywiście był dzieckiem. W pewnym momencie przeląkł się tylko, że postanowią go przeszukać i odnajdą napisany przez

Granatowego list. Potem, z poczuciem winy, oglądał przygody Marianny. Myślał o panu Turgucie i jego córkach, które na pewno też siedziały teraz przed telewizorem.

W przerwie na reklamy Z. Demirkol wstał z krzesła, wziął ze stołu iskrownik i pokazał go poecie. Zapytał, czy wie, do czego służy. Nie usłyszawszy odpowiedzi, wytłumaczył dokładnie, po czym umilkł na chwilę jak ojciec, który chce nastraszyć dziecko.

— Wiesz, dlaczego podoba mi się Marianna? — zapytał, kiedy znów rozpoczął się serial. — Bo ona wie, czego chce. A tacy jak ty, intelektualiści, nie mają pojęcia, czego chcą, i doprowadzają mnie tym do szału! Mówicie „demokracja", a potem dogadujecie się z ludźmi szarijatu. Mówicie „prawa człowieka" i zawieracie układy z zabójcami terrorystami. Mówicie „Europa" i podlizujecie się islamistom, wrogom Zachodu. Mówicie „feminizm" i popieracie mężczyzn, którzy zasłaniają kobietom głowy. A ty? Ty nie robisz tego, co każe ci twoje sumienie, ale to, co według ciebie zrobiłby jakiś Europejczyk! A nawet nie możesz nim zostać! A wiesz, co on by zrobił na twoim miejscu? Wiesz, co by było, gdyby Hans Hansen naprawdę opublikował to wasze głupie oświadczenie? Europejczycy początkowo potraktowaliby je poważnie i pewnie wysłali do Karsu jakąś delegację. A ta delegacja od razu podziękowałaby armii za to, że nie oddała państwa w ręce islamistów. Ale potem, po powrocie do Europy, te dranie zaczęłyby się skarżyć, że w Karsie nie ma demokracji. Ty i tobie podobni narzekacie na armię, ale wierzycie, że tylko ona może obronić was przed ostrymi nożami islamistów. Ale ponieważ jesteś tego świadom, nie będę cię torturować.

Ka pomyślał, że teraz przyszedł czas na monolog dobrego policjanta, który wkrótce wypuści go na wolność. Może nawet zdąży jeszcze obejrzeć ostatnie sceny *Marianny* w towarzystwie pana Turguta i jego córek?

— Zanim odeślę cię do ukochanej, pozwól, że rozwieję twoje złudzenia na temat tego mordercy, którego tak chronisz i w imieniu którego tak dzielnie negocjowałeś — powiedział Z. Demirkol. — I zapamiętaj sobie: twoja stopa nigdy nie stanęła w tym miejscu. Za godzinę i tak już nas tu nie będzie. Przenosimy się na ostatnie piętro bursy liceum koranicznego. Czuj się zaproszony. Może sobie przypomnisz kryjówkę Granatowego i to, dokąd niedawno „spacerowałeś". Może będziesz chciał się podzielić z nami tą wiedzą. Sunay, jeszcze zanim postradał zmysły, powiedział ci pewnie, że ten twój granatowooki bohater z zimną krwią zabił prezentera idiotę, który obraził Proroka. I że zorganizował zabójstwo dyrektora ośrodka kształcenia, którego zresztą byłeś świadkiem. Ale jest jeszcze jedna sprawa, dokładnie udokumentowana przez pracowitych ludzi z wywiadu. Pewnie nikt ci o tym nie powiedział, żeby nie złamać ci serca. Pomyślałem jednak, że lepiej będzie, jeśli poznasz prawdę.

Szanowni czytelnicy! Dotarliśmy właśnie do tego punktu naszej opowieści, w którym wszystko jeszcze mogło się zdarzyć. Przez następne cztery lata Ka wracał do tego momentu wspomnienie po wspomnieniu, jak cofający taśmę operator kamery, i zastanawiał się, co powinien był wówczas zrobić, aby wydarzenia potoczyły się innym torem...

— Otóż pani Ipek, z którą zamierzasz uciec do Frankfurtu i rozpocząć szczęśliwe życie, była kiedyś metresą Granatowego — wyjaśnił Z. Demirkol słodkim głosem. — Według dokumentów, które mam przed sobą, ich związek rozpoczął się przed czterema laty. Wtedy pani Ipek była jeszcze żoną pana Muhtara, który przedwczoraj sam zrezygnował z udziału w wyborach. Ten półgłupek, dawny lewicowiec i — proszę wybaczyć — poeta, nie miał najmniejszego pojęcia o tym, co się wyprawiało pod jego dachem, kiedy sprzedawał w sklepie swoje elektryczne piecyki. Był zapatrzony w Granatowego. Zapraszał go do domu, wierząc, że tamten skrzyknie w końcu młodych islamistów z okolicy.

On wszystko to sobie wymyślił. To nie może być prawda — powtarzał w duchu Ka.

— Pierwszą osobą, nie licząc oczywiście pracowników wywiadu, która odkryła ten sekretny romans, była pani Kadife. A pani Ipek, której małżeństwo nie wyglądało już najlepiej, wykorzystała przyjazd młodszej siostry i wyprowadziła się z domu. Pani Kadife miała rozpocząć tu naukę. Zamieszkały razem. Granatowy wciąż przyjeżdżał do miasta, aby „organizować grupy młodych islamistów". Zatrzymywał się u Muhtara, a kiedy Kadife szła do szkoły, spotykał się z ukochaną w jej nowym domu. Wszystko to trwało do przyjazdu pana Turguta. Wtedy cała rodzina przeniosła się do hotelu Karpalas. Potem miejsce starszej siostry u boku Granatowego zajęła młodsza. Według informacji, które posiadam, przez pewien czas nasz granatowooki casanova romansował z obiema naraz.

Ka z trudem powstrzymywał łzy. Z całych sił starał się omijać wzrok Z. Demirkola, skupiając spojrzenie na spowitej śniegiem alei Atatürka, doskonale widocznej z miejsca, w którym siedział. Patrzył na smutne, drżące światła latarni.

— Mówię to wszystko, bo chcę cię przekonać, że błędem jest ukrywanie miejsca pobytu tego podłego mordercy. Wiem, że robisz to, bo masz miękkie serce — stwierdził Z. Demirkol, który jak wszyscy spece od brudnej roboty robił się gadatliwy, kiedy zadawał komuś ból. — Nie mam zamiaru sprawiać ci przykrości. Może dojdziesz do wniosku, że to, co mówię, nie jest wynikiem ciężkiej pracy tajnych służb, które w ciągu ostatnich czterdziestu lat uparcie zakładały podsłuchy w całym mieście. Może pomyślisz, że to brednie wyssane z palca. Może pani Ipek w obawie o wasze szczęście każe ci uwierzyć, że wszystko to jest kłamstwem.

Masz miękkie serce, możesz nie wytrzymać... Ale pozwól, że przeczytam ci spisane na maszynie fragmenty miłosnych pogaduszek, które sumiennie i przy sporym nakładzie kosztów nagrywały nasze państwowe służby. Abyś nie miał wątpliwości, że mówię prawdę.

Na przykład: „Kochany, kochany, życie bez ciebie nie jest życiem", powiedziała pani Ipek cztery lata temu, pewnego gorącego dnia, dokładnie szesnastego sierpnia. Może podczas pierwszego rozstania? Dwa miesiące później Granatowy, który przyjechał do miasta, aby wygłosić wykład pod tytułem *Islam i intymność*, telefonował do niej ze sklepów, *çayhane* i innych miejsc dokładnie osiem razy. Oboje zapewniali się o tym, jak bardzo się kochają. Dwa miesiące później pani Ipek nie mogła się zdecydować, czy uciec razem z nim z miasta. Mówiła mu wtedy: „Tak naprawdę każdy kocha tylko raz w życiu" i że to on jest jej „jedyną miłością". Kiedy indziej w przypływie zazdrości o jego żonę Merzukę oświadczyła, że nie może się z nim kochać, kiedy ojciec jest w domu. W ciągu ostatnich dwóch dni Granatowy telefonował do niej trzykrotnie. Może nawet dzisiaj znów to zrobił! Nie mam przy sobie zapisu tych rozmów, ale to nieważne. Sam zapytasz panią Ipek, o czym gawędzili. Bardzo mi przykro. Widzę, że już wystarczy. Nie płacz. Koledzy zdejmą ci kajdanki. Umyj twarz. Jak chcesz, moi ludzie odwiozą cię do hotelu.

39.

Wspólne łzy

Ka i Ipek w hotelu

Ka wolał wracać pieszo. Zmył krew kapiącą mu z nosa na usta i brodę, porządnie opłukał twarz wodą. Jak gość, który dobrowolnie przyszedł tu z wizytą, powiedział siedzącym w pokoju rzezimieszkom „zostańcie z Bogiem" i wyszedł. Maszerował w martwym świetle latarni stojących przy alei Atatürka, chwiejąc się na boki jak pijak. Bezmyślnie skręcił w aleję Halita Paszy i znów usłyszał dobiegające z niewielkiej pasmanterii dźwięki *Roberty* Peppina di Capri. Wybuchnął płaczem. I wtedy właśnie zobaczył naprzeciwko siebie szczupłego, przystojnego mężczyznę, który siedział obok niego w autobusie jadącym z Erzurumu do Karsu i na którego ramię się osunął pogrążony we śnie. Kiedy całe miasto nadal śledziło przygody dzielnej Marianny, Ka, idąc aleją Halita Paszy, spotkał adwokata Muzaffera, a nieco dalej, w alei Kazıma Karabekira, wpadł na właściciela firmy transportowej i jego niemłodego kolegę, których poznał podczas pierwszej wizyty u szejcha Saadettina. Z wyrazu twarzy tych ludzi domyślił się, że wciąż ma łzy w oczach. Tak często przemierzał te uliczki, że znał dokładnie każdy ich fragment. Nie musiał i nie chciał już patrzeć na oszronione witryny, wypełnione po brzegi *çayhane*, zakłady fotograficzne, które przypominały o dawnej świetności miasta, drżące światła uliczne, przytłoczone kręgami żółtego sera wystawy sklepów spożywczych ani na policjantów w cywilu stojących na skrzyżowaniu alei Kazıma Karabekira i ulicy Karadağ.

Zanim wszedł do hotelu, musiał uspokoić dwóch czekających na niego żołnierzy, którzy mieli go ochraniać. Próbując nie zwracać na siebie uwagi, poszedł na górę do swojego pokoju. Położył się na łóżku i znów zaniósł się szlochem. Po jakimś czasie, zmęczony, uspokoił się jednak. Przez minutę, może dwie leżał wsłuchany w głosy miasta, a czas znów dłużył mu się jak wtedy, kiedy był dzieckiem. Ktoś zapukał do drzwi. To była Ipek. Od recepcjonisty dowiedziała się o dziwnym zachowaniu poety, dlatego natychmiast przybiegła na górę — tłumaczyła się, zapalając lampę. Umilkła, przerażona widokiem jego twarzy. Oboje długą chwilę milczeli.

— Dowiedziałem się o was. O tobie i Granatowym — wyszeptał Ka.

— On ci powiedział?

Ka zgasił lampę.

— Porwał mnie Z. Demirkol i jego kumple — wyjaśnił szeptem. — Od czterech lat wszystkie wasze rozmowy telefoniczne były podsłuchiwane. — Położył się znów na łóżku. — Chcę umrzeć — powiedział i zaczął płakać.

Dotyk delikatnej dłoni Ipek głaszczącej jego włosy wzmógł jeszcze ten szloch. Ka miał poczucie, że stracił coś ważnego. Ale czuł też ulgę, jak człowiek, który ostatecznie przekonał się, że nigdy nie będzie szczęśliwy. Ipek położyła się obok i objęła go mocno. Przez chwilę wspólnie płakali i te łzy jeszcze bardziej ich do siebie zbliżyły.

Ipek, odpowiadając w ciemnościach na pytania Ka, przedstawiła swoją historię. O wszystko obwiniała Muhtara: jakby nie wystarczyło, że zaprosił Granatowego do Karsu i gościł go w ich domu, to jeszcze robił wszystko, aby ten znany w całym kraju, uwielbiany przez niego islamista przekonał się, jak cudowna jest jego żona. Na domiar złego w owym czasie Muhtar zaczął ją bardzo źle traktować, obwiniać o brak dziecka. A Granatowy? Ka przecież dobrze wiedział, że Granatowy nie musiał się zbytnio starać, aby zawrócić nieszczęśliwej kobiecie w głowie. Kiedy zaczął się ich romans, Ipek wychodziła ze skóry, aby uniknąć kompromitacji. Najpierw robiła wszystko, żeby Muhtar o niczym się nie dowiedział; kochała go i za nic nie chciała sprawić mu przykrości. Potem — żeby uwolnić się od tej coraz gorętszej miłości do Granatowego. Na początku pociągała ją władza, jaką miał nad Muhtarem. Kiedy jej mąż zaczynał wygadywać brednie podczas politycznych dyskusji o sprawach, na których wcale się nie znał, Ipek czuła wstyd i zażenowanie. A on nadal wychwalał Granatowego, nawet pod jego nieobecność. Namawiał do częstszych wizyt w Karsie i złościł się na Ipek za to, że zbyt chłodno traktowała gościa. Nawet gdy zamieszkała razem z Kadife, Muhtar w niczym się nie zorientował. I jeśli ludzie w rodzaju Z. Demirkola nie donieśli mu o tym romansie, pewnie nadal niczego się nie domyśla. W przeciwieństwie do niego spostrzegawcza Kadife już pierwszego dnia pojęła, co się działo z jej siostrą. Tylko po to, by zbliżyć się do Granatowego, dołączyła do dziewcząt w chustach. Ipek, która od dzieciństwa bardzo dobrze znała zazdrość Kadife, od razu wyczuła jej zainteresowanie Granatowym. A widząc, że mężczyzna jest z tej adoracji wyraźnie zadowolony, nagle ostygła w uczuciach. Pomyślała, że będzie mogła się uwolnić od niego, jeśli on zainteresuje się Kadife. Kiedy zaś do Karsu przyjechał pan Turgut, na dobre odsunęła się od byłego kochanka.

Może i Ka uwierzyłby w tę historię, w której romans Ipek i Granatowego był już tylko odległą przeszłością, ale przeszkodziła mu w tym sama Ipek...

— Tak naprawdę Granatowy kocha mnie, nie Kadife! — powiedziała w pewnej chwili rozgorączkowana.

To była ostatnia rzecz, jaką Ka chciał w tamtej chwili usłyszeć. Zapytał Ipek, co teraz sądzi o tym „ohydnym człowieku". Stwierdziła szybko, że nie chce o nim rozmawiać, że wszystko jest już przeszłością. Marzyła już tylko o wyjeździe do Niemiec. Kiedy Ka przypomniał, że rozmawiała z Granatowym nawet teraz, zaprzeczyła. Granatowy miał przecież wystarczająco duże doświadczenie polityczne, by wiedzieć, że po jednym takim telefonie miejsce jego pobytu zostanie namierzone!

— Nigdy nie będziemy szczęśliwi! — powiedział wtedy Ka.

— Nieprawda. Pojedziemy do Frankfurtu i tam znajdziemy szczęście! — odparła Ipek, obejmując go.

Później twierdziła, że Ka z początku uwierzył w jej słowa, ale po chwili znowu zaczął płakać. Ipek objęła go jeszcze mocniej i znów płakali oboje. Mój przyjaciel napisał potem, że ten płacz był jak wspólna przechadzka po krajobrazie niepewności, gdzieś w zawieszeniu między poczuciem porażki i potrzebą rozpoczęcia nowego życia. Była to wędrówka przynosząca tyle samo cierpienia, co przyjemności i Ipek chyba także to wtedy odkryła. Czuł, że kocha ją jeszcze bardziej za to, że mogą płakać przytuleni do siebie. Kiedy łkał, jakaś część jego umysłu zastanawiała się, co powinien teraz zrobić. Podświadomie wsłuchiwał się w odgłosy dobiegające z głębi hotelu i z ulicy. Dochodziła szósta: zakończono druk jutrzejszego wydania „Gazety Przygranicznego Miasta", śnieżne pługi wyjechały na drogę do Sarıkamış, a Kadife, z gracją zaprowadzona przez Fundę Eser do wojskowej ciężarówki, rozpoczęła razem z Sunayem próby w Teatrze Narodowym.

Dopiero pół godziny później Ka był w stanie powiedzieć Ipek o wiadomości od Granatowego, którą miał przekazać jej siostrze. Do tego momentu leżeli przytuleni, szlochając cicho. Ka podjął nawet nieudaną próbę zbliżenia, stłamszoną gdzieś między strachem, niepewnością i nawracającymi falami zazdrości. Wtedy właśnie zapytał Ipek, kiedy po raz ostatni widziała Granatowego. Jak szaleniec wciąż powtarzał, że na pewno widuje go w tajemnicy, rozmawia z nim i kocha każdego dnia. Ipek początkowo ze złością broniła się przed jego zarzutami, poirytowana tym, że jej nie wierzy, ale gdy zrozumiała, że jego słowa podyktowane są emocjami, złagodniała. Ka wspominał później, że ta łagodność sprawiła mu przyjemność, chociaż czuł też zadowolenie, widząc, jaki ból zadawał Ipek swymi pytaniami i oskarżeniami. Poeta, który ostatnie cztery lata swego życia wiele czasu poświęcił na rozdrapywanie ran i obwinianie samego siebie, musiał przyznać, że od urodzenia zwykł sprawdzać miłość i oddanie ludzi, raniąc ich słowami. Teraz więc, uparcie powtarzając, że Ipek wciąż kocha Granatowego i że tak naprawdę to z nim chce spędzić resztę życia, bardziej niż odpowiedziami kobiety zainteresowany był tym, jak długo ona to wytrzyma.

— Swoimi pytaniami chcesz ukarać mnie za to, że kiedyś byłam z nim blisko! — broniła się Ipek.

— A ty chcesz być ze mną, żeby o nim zapomnieć! — odparł Ka i patrząc w jej oczy, z przerażeniem zrozumiał, że ma rację. Tym razem powstrzymał łzy. — Granatowy przesłał wiadomość dla Kadife — powiedział. — Stanowczo chce, żeby zmieniła zdanie, nie wychodziła na scenę i nie odsłaniała głowy.

— Nie mówmy o tym Kadife — odparła Ipek.

— Dlaczego?

— Po pierwsze, żeby Sunay chciał nas chronić do samego końca. Po drugie, tak będzie lepiej dla Kadife. Chcę odsunąć ją od Granatowego.

— Nie — powiedział Ka. — Ty chcesz, żeby się rozstali!

— Mówiąc to, Ka zdawał sobie sprawę, że jego zazdrość jeszcze bardziej go poniża w oczach Ipek, ale nie potrafił milczeć.

— Ja już dawno skończyłam z Granatowym.

Pomyślał, że te zbyt łatwo wypowiedziane słowa nie mogły być szczere. Postanowił jednak nie mówić jej tego. Niestety, już po chwili stał przy oknie i powtarzał wszystko, słowo po słowie. Gniew i zazdrość wymknęły się spod kontroli, co tylko pogarszało sytuację. Ze łzami w oczach czekał na odpowiedź Ipek.

— To prawda. Kiedyś byłam w nim bardzo zakochana — powiedziała. — Ale to już prawie przeszłość. Już jest mi dobrze. I chcę wyjechać z tobą do Frankfurtu.

— Jak bardzo go kochałaś?

— Bardzo — powiedziała Ipek i umilkła.

— Opowiedz, jak bardzo.

Ka stracił zimną krew. Czuł wyraźnie, że Ipek zastanawia się, czy pocieszyć go, czy powiedzieć prawdę... Czy dzielić z nim miłosną udrękę, czy zranić go tak, jak sobie na to zasłużył.

— Kochałam go jak nikogo innego — wyznała po chwili, unikając jego spojrzenia.

— Może dlatego, że nie znałaś żadnego innego mężczyzny poza Muhtarem? — zapytał Ka, ale jeszcze nim skończył zdanie, już pożałował swych słów. Nie tylko dlatego, że wiedział, jak bardzo uraziły Ipek. Był pewien, że czeka go równie okrutna odpowiedź.

— Być może dlatego, że jestem Turczynką i nie miałam okazji zbliżyć się do mężczyzn. Ale ty w Europie poznałeś pewnie mnóstwo wyzwolonych kobiet. O żadną z nich cię nie wypytuję. Sądzę, że nauczyły cię, jak radzić sobie z przeszłością ukochanej.

— Ja jestem Turkiem — odparł Ka.

— Najczęściej mężczyźni mówią tak, kiedy chcą znaleźć wymówkę albo przeprosić za wyrządzone zło.

— I dlatego właśnie wrócę do Frankfurtu! — powiedział Ka, nie wierząc we własne słowa.

— A ja pojadę z tobą i będziemy szczęśliwi.

— Chcesz pojechać do Frankfurtu, żeby o nim zapomnieć.

— Czuję, że jeśli pojedziemy tam razem, bardzo szybko się w tobie zakocham. Nie jestem taka jak ty. Nie potrafię zakochać się w dwa dni. Ale jeśli będziesz cierpliwy i nie złamiesz mi serca swoją turecką zazdrością, pokocham cię bardzo mocno.

— Ale teraz nic do mnie nie czujesz — stwierdził Ka.

— Cały czas kochasz Granatowego. Co w nim jest takiego niezwykłego?

— Podoba mi się, że naprawdę chcesz to wiedzieć, ale boję się twojej reakcji.

— Nie bój się — odparł Ka bez przekonania. — Bardzo cię kocham.

— To dobrze. Bo mogłabym żyć wyłącznie z mężczyzną, który będzie mnie kochał nawet po tym, co usłyszy. — Ipek umilkła i zapatrzyła się w ośnieżoną ulicę. — Granatowy jest bardzo współczujący, rozważny i wielkoduszny — powiedziała niezwykle ciepłym głosem. — Nikomu nie życzy źle. Kiedyś całą noc płakał nad dwoma osieroconymi przez matkę szczeniakami. Wierz mi, jest wyjątkowy.

— A czy nie jest mordercą? — zauważył Ka już bez nadziei.

— Każdy, kto zna go sto razy mniej niż ja, śmieje się, bo wie, jak głupie są te wszystkie zarzuty. On nikomu nie zrobiłby krzywdy. Jest jak dziecko. Jak dziecko lubi się bawić, marzyć i naśladować innych. Opowiada historie z *Szahna-*

me i *Mesnevi**. Jest zmienny i intrygujący, jakby skrywał w sobie kilku ludzi. Ma silny charakter. Jest mądry, zdecydowany i mocny. I bardzo zabawny... Och, przepraszam, nie płacz, kochany. Wystarczy już, nie płacz.

Ka przestał płakać, lecz nie wierzył już w ich wspólny wyjazd do Frankfurtu. Zapadła długa dziwna cisza. Ka znów położył się na łóżku, odwrócił plecami do okna i zwinął w kłębek jak dziecko. Po chwili Ipek ułożyła się obok i przytuliła do jego pleców.

Najpierw chciał ją odtrącić, ale wyszeptał tylko:

— Obejmij mnie mocniej.

Podobał mu się dotyk wilgotnej od łez poduszki, która muskała jego policzki. I podobał mu się uścisk Ipek. Zasnął.

Kiedy oboje się przebudzili, była siódma. Przez chwilę wierzyli, że jeszcze mogą być szczęśliwi. Nie mogli na siebie spojrzeć, ale oboje szukali pretekstu do zgody.

— Zapomnij o tym, kochany. Zapomnij... — powiedziała Ipek.

W pierwszej chwili Ka nie mógł pojąć, o co jej chodzi. Nie wiedział, czy te słowa były znakiem braku nadziei, czy może zapewnieniem, że przeszłość i tak pójdzie w niepamięć. Wydało mu się, że Ipek ma zamiar wyjść. Wiedział aż za dobrze, że po powrocie do Niemiec nie będzie nawet w stanie wrócić do dawnego życia, które mijało po prostu z dnia na dzień.

— Nie idź, zostań jeszcze chwilę — powiedział ze strachem.

Znów zapadła dziwna, pełna niepokoju cisza. Przytulili się mocno.

---

* *Mesnevi* — spisane w XIII w. (1278 r.) w języku perskim największe sześciotomowe dzieło poety i mistyka Dżalaluddina Rumiego (1207–1273).

— Boże! Mój Boże! Co z nami będzie?

— Wszystko będzie dobrze — odparła Ipek. — Uwierz mi. Zaufaj.

Ka wiedział, że wyrwie się z tego koszmaru tylko wtedy, gdy jak małe dziecko posłucha jej słów.

— Chodź, pokażę ci, co zapakuję do walizki, którą zabiorę do Frankfurtu — powiedziała.

Ka poczuł ulgę, kiedy wyszedł z pokoju. Idąc po schodach, trzymał Ipek za rękę. Puścił ją dopiero przed drzwiami pana Turguta. Z dumą stwierdził, że kiedy przechodzili przez hotelowy hol, siedzący tam ludzie patrzyli na nich jak na parę. Poszli prosto do pokoju Ipek. Dziewczyna wyjęła z szuflady jasnobłękitny obcisły sweter, którego nie mogła nosić w Karsie, rozłożyła go i strząsnęła zeń naftalinę. Podeszła do lustra i przyłożyła sweter do ciała.

— Włóż go — rozkazał Ka.

Zdjęła luźny wełniany sweter, a drugi, błękitny, włożyła na bluzkę, którą miała na sobie. Ka był oczarowany jej urodą.

— Będziesz mnie kochać do końca życia? — zapytał.

— Tak.

— A teraz włóż tę aksamitną suknię, którą Muhtar pozwalał ci nosić wyłącznie w domu.

Ipek otworzyła szafę, zdjęła z wieszaka czarną sukienkę, strzepnęła naftalinę. Delikatnie rozpięła guziki i zaczęła się ubierać.

— Podoba mi się, kiedy tak na mnie patrzysz — powiedziała, napotykając w lustrze jego wzrok.

Z podnieceniem i zazdrością patrzył na smukłe, piękne kobiece plecy, delikatne miejsce, na które opadały jej rozpuszczone włosy, i na przecudne dołeczki na ramionach, pojawiające się, kiedy zbierała włosy do góry. Czuł się wspaniale i potwornie zarazem.

— Oo, a cóż to za suknia? — spytał pan Turgut, wchodząc do pokoju. — Jakiż to bal się nam szykuje?

Na jego twarzy nie było cienia wesołości. Ka wyjaśnił to sobie ojcowską zazdrością i poczuł zadowolenie.

— Po wyjściu Kadife z domu telewizyjne wiadomości przybrały jeszcze bardziej agresywny ton — wyjaśnił pan Turgut. — Moja córka zrobi wielki błąd, jeśli weźmie udział w tej sztuce.

— Niech mi tato wyjaśni, dlaczego tak bardzo nie chce, aby Kadife odsłoniła włosy — powiedziała Ipek.

Wszyscy razem przeszli do salonu, w którym stał telewizor. Wkrótce na ekranie pojawił się spiker i poinformował, że podczas transmisji na żywo zakończy się tragedia, która sparaliżowała społeczne i duchowe życie miasta. Tego wieczoru mieszkańcy Karsu jednym dramatycznym gestem uwolnią się od religijnych zabobonów trzymających ich z dala od nowoczesnego świata i wciąż nie dopuszczających do równości kobiet i mężczyzn. Po raz kolejny też będą świadkami jednego z tych czarownych, wyjątkowych momentów w historii, kiedy sztuka przeplata się z prawdziwym życiem. Obywatele nie mają najmniejszych powodów do obaw: podczas bezpłatnego przedstawienia komenda główna wraz ze sztabem kryzysowym podejmą wszystkie konieczne środki ostrożności.

Następnie, we wcześniej przygotowanym materiale, pojawił się zastępca komendanta policji pan Kasım. Włosy, zmierzwione podczas nocy rewolucji, miał teraz gładko przyczesane, koszulę uprasowaną, a krawat starannie zawiązany. Zapewnił, że obywatele mogą bez obaw przyjść i obejrzeć wielkie teatralne dzieło. Jednym tchem dorzucił jeszcze, że wielu uczniów ze szkoły koranicznej stawiło się przed budynkiem komendy, by obiecać policji, że wykażą się dyscypliną, będą klaskać, kiedy trzeba, tak, jak robi publiczność w Europie i każdym cywilizowanym kraju. Dodał, że tym razem nikt nie pozwoli na żadne wybryki, wrzaski ani wulgarne zachowanie, a mieszkańcy Karsu, mający za sobą ponadtysiącletni dorobek kulturalny, wiedzą z pewnością, jak należy oglądać wielkie dzieła sceniczne. Po czym zniknął.

Po chwili ponownie pojawił się ten sam spiker i zaczął opowiadać o sztuce oraz o wieloletnich przygotowaniach Sunaya. Na ekranie migały czarno-białe zdjęcia pogniecionych afiszy teatralnych (jakże szczupła była kiedyś Funda Eser!) z niezmiennie wcielającym się w jakobińskie role Sunayem — Sunayem Napoleonem, Sunayem Robespierre'em czy Sunayem Leninem — oraz inne pamiątki, które — jak domyślał się Ka — aktorska para woziła w swojej walizce (stare bilety, programy teatralne, wycinki z gazet pamiętające czasy, kiedy Sunay ubiegał się o rolę Atatürka, i widoki anatolijskich *çayhane*, na których widok każdemu kroiło się serce). Informacyjny filmik zionął nudą, przypominając nieco dokumentalne filmy o sztuce, wyświetlane w telewizji państwowej. Ale prezentowana co pewien czas fotografia Sunaya, pozującego z wyniosłą miną, sprawiała, że film ów nabierał cech skleconego naprędce peanu na cześć dyktatora jednego z krajów zza żelaznej kurtyny albo jednego z afrykańskich czy środkowoazjatyckich reżimów. Mieszkańcy Karsu zdążyli już uwierzyć, że Sunay, którego twarz od rana do wieczora widzieli w telewizji, przyniósł ich miastu upragniony spokój. W tajemniczy sposób zaczęli nawet mu ufać i czuć, że są j e g o obywatelami. Co jakiś czas na ekranie trzepotała flaga państwa powstałego osiemdziesiąt lat temu, kiedy z miasta wyniosły się osmańskie i rosyjskie armie, a lud turecki i ormiański zaczął się wzajemnie wyrzynać. (Swoją drogą nikt nie miał pojęcia, skąd tę flagę wzięto). I właśnie widok tego pogryzionego przez mole, poplamionego sztandaru najbardziej zdenerwował pana Turguta.

— Ten człowiek oszalał! Przez niego wszyscy będziemy mieli kłopoty. Niech Kadife za nic w świecie nie wychodzi na scenę!

— Racja. Niech nie wychodzi — zgodziła się Ipek. — Ale jeśli jej powiemy, że to pomysł ojca, uprze się jeszcze bardziej. Sam tato dobrze wie.

— Co więc robić?

— Niech Ka natychmiast idzie do teatru i przekona Kadife, żeby nie wychodziła na scenę! — Ipek spojrzała na Ka, podnosząc znacząco brwi.

Przez dłuższą chwilę Ka zamiast w telewizor patrzył w jej oczy, nerwowo starając się zrozumieć przyczynę tej nagłej zmiany zdania.

— Jeśli chce zdjąć chustę, niech to zrobi w domu, kiedy wszystko się uspokoi — powiedział pan Turgut do Ka. — Sunay na pewno szykuje kolejną prowokację. Strasznie żałuję, że dałem się zmanipulować Fundzie i pchnąłem moją córkę w ręce tych wariatów.

— Ka pójdzie do teatru i przekona Kadife, tatusiu.

— Teraz już tylko pan może do niej dotrzeć. Sunay panu ufa. A co się panu stało w nos, kochanieńki?

— Poślizgnąłem się na lodzie — skłamał Ka z poczuciem winy.

— I czoło też pan stłukł. Ma pan siniaka.

— Spacerował przez cały dzień — wyjaśniła Ipek.

— Niech pan odciągnie Kadife na bok tak, żeby Sunay nie zauważył — polecił pan Turgut. — I proszę nie mówić, że to my poddaliśmy panu ten pomysł. I niech ona też się z tym nie zdradzi przed resztą. Niech się nie kłóci z Sunayem. Lepiej, żeby znalazła jakąś wymówkę. Może powiedzieć, że jest chora i że zdejmie chustę w domu. Może nawet obiecać. Proszę jej powiedzieć, że bardzo ją wszyscy kochamy. Moja malutka. — Pan Turgut miał łzy w oczach.

— Tatusiu, czy mogę porozmawiać z Ka na osobności? — zapytała Ipek i odciągnęła Ka na bok. Usiedli przy stole, na którym Zahide rozłożyła na razie tylko obrus. — Powiedz Kadife, że to Granatowy chce od niej tego, bo znalazł się w trudnej sytuacji.

— Najpierw wyjaśnij mi, dlaczego zmieniłaś zdanie — rozkazał Ka.

— Ach, mój kochany. Nie ma powodów do podejrzeń. Uwierz mi, po prostu przyznałam ojcu rację. To wszystko. Teraz zgadzam się z nim, że najważniejsze jest uchronienie Kadife przed katastrofą dzisiejszego wieczoru.

— Nie — odparł Ka. — Coś się wydarzyło i dlatego zmieniłaś zdanie.

— Nie ma powodów do obaw. Jeśli Kadife ma zdjąć z głowy chustę, może to zrobić w domu.

— Jeśli nie zrobi tego dziś wieczorem — powiedział powoli Ka — z pewnością nie zrobi tego w domu przy ojcu. I ty dobrze o tym wiesz.

— Ale najpierw niech cała i zdrowa wróci z teatru! To jest najważniejsze!

— Boję się tylko jednego — powiedział Ka. — Że coś przede mną ukrywasz.

— Kochany, nie masz powodów do obaw. Bardzo cię kocham. Jeśli chcesz, natychmiast pojadę z tobą do Frankfurtu. A tam po jakimś czasie, widząc, jak bardzo jestem do ciebie przywiązana i jak bardzo cię kocham, zapomnisz o tym, co jest teraz. Będziesz mnie kochał i zaufasz mi.

Położyła dłoń na wilgotnej, ciepłej dłoni poety. A on patrzył na jej odbite w lustrze etażerki usta, na niezwykłe piękno jej pleców ukrytych pod aksamitną suknią i na jej oczy — nie mogąc uwierzyć, że były tak blisko.

— Jestem niemal pewien, że wydarzy się coś złego — powiedział po chwili.

— Dlaczego?

— Bo jestem tak bardzo szczęśliwy. Zupełnie niespodziewanie napisałem w Karsie osiemnaście wierszy. Jeśli napiszę jeszcze jeden, będzie już cały tomik. Wierzę, że chcesz pojechać ze mną do Niemiec, i czuję, że czeka na mnie jeszcze większe szczęście. A to już za wiele, teraz musi się stać coś złego.

— Co na przykład?

— Na przykład ty spotkasz się z Granatowym, kiedy tylko ja wyjdę, aby porozmawiać z Kadife.

— Bzdura — stwierdziła Ipek. — Nawet nie wiem, gdzie on jest.

— Dostałem po twarzy, bo nie zdradziłem jego kryjówki.

— I nikomu o niej nie mów — rozkazała Ipek, nasrożywszy brwi. — Przekonasz się, że twój strach też nie ma sensu.

— No i co tam się stało? Nie idzie pan do Kadife? — zapytał pan Turgut podniesionym głosem. — Za godzinę i kwadrans zaczyna się przedstawienie. W telewizji powiedzieli właśnie, że niebawem otworzą drogi.

— Nie chcę iść do teatru. W ogóle nie chcę stąd wychodzić — wyszeptał Ka.

— Uwierz mi, nie możemy uciec stąd, zostawiając Kadife nieszczęśliwą — powiedziała Ipek. — Wtedy my też nie będziemy szczęśliwi. Idź i chociaż spróbuj ją przekonać. Żebyśmy mieli czyste sumienie.

— Kiedy półtorej godziny temu Fazıl przyniósł mi wiadomość od Granatowego, prosiłaś, żebym nie opuszczał hotelu.

— Powiedz, jak mogę cię przekonać, że nie ucieknę stąd, gdy pójdziesz do teatru — poprosiła Ipek.

Ka uśmiechnął się.

— Pójdziesz na górę, do mojego pokoju. A ja zamknę drzwi i na pół godziny zabiorę klucz z sobą.

— Dobrze — uśmiechnęła się. Wstała. — Tatusiu. Na pół godziny pójdę do siebie na górę. A Ka idzie już, żeby porozmawiać z Kadife... Niech ojciec się nie martwi. I niech ojciec nie wstaje, nam się spieszy, musimy coś jeszcze załatwić.

— Och, dzięki Bogu — powiedział pan Turgut, a w jego głosie słychać było zdenerwowanie.

Ipek chwyciła rękę poety i poprowadziła go na górę.

— Cavit nas widział — zauważył Ka. — Co według ciebie pomyślał?

— Nieważne — odparła wesoło Ipek.

Kiedy znaleźli się na górze, otworzyła drzwi zabranym od Ka kluczem i weszła do środka. W pokoju wciąż czuć było delikatny zapach ich ostatniej wspólnej nocy.

— Tutaj będę na ciebie czekać. Uważaj na siebie. I nie daj się wciągnąć w sprzeczkę z Sunayem.

— Lepiej, żebym powiedział Kadife, aby nie wychodziła na scenę, bo ojciec i my uważamy, że to niewłaściwe, czy powiedzieć, że to życzenie Granatowego?

— Powiedz, że tak chce Granatowy.

— Dlaczego?

— Bo Kadife bardzo go kocha. Idziesz tam, żeby ochronić moją siostrę przed niebezpieczeństwem. Zapomnij o Granatowym i swojej zazdrości.

— Gdybym tylko mógł.

— Będziemy szczęśliwi w Niemczech — obiecała Ipek, obejmując go za szyję. — Powiedz, do jakiego kina mnie zaprosisz?

— W Muzeum Filmu jest kino, gdzie każdego sobotniego wieczoru wyświetlają amerykańskie filmy bez dubbingu — powiedział Ka. — Tam pójdziemy. Ale najpierw zjemy kebap i pikle w restauracji przy dworcu. A kiedy wrócimy do domu, będziemy oglądać telewizję i świetnie się bawić. A potem będziemy się kochać. Mój zasiłek politycznego uchodźcy i pieniądze, które zarobię na odczytach poetyckich, kiedy już opublikuję najnowszy tomik poezji, wystarczą nam obojgu. Nie będziemy mieli żadnego innego zajęcia poza kochaniem siebie nawzajem.

Ipek zapytała o tytuł, jaki Ka miał zamiar nadać swojemu tomikowi. Odpowiedział.

— Ładny — stwierdziła. — No, kochany, idź już. W przeciwnym razie mój ojciec sam wyruszy w drogę.

Ka włożył palto i znów objął Ipek.

— Już się nie boję — skłamał. — Ale gdyby coś się wydarzyło, będę na ciebie czekał w pierwszym pociągu wyjeżdżającym z miasta.

— Jak tylko będę mogła wyjść z tego pokoju! — zachichotała Ipek.

— Patrz na mnie aż do tamtego zakrętu, dobrze?

— Dobrze.

— Bardzo się boję, że cię już nigdy nie zobaczę — powiedział Ka, zamykając za sobą drzwi. Przekręcił klucz w zamku i włożył go do kieszeni.

Chciał swobodnie odwrócić się i spojrzeć na stojącą w oknie Ipek, polecił więc ochraniającym go szeregowcom, by poszli przodem. Widział ją, jak patrzyła za nim z okna pokoju numer dwieście trzy hotelu Karpalas. Jej ramiona miodowej barwy, które na pewno drżały już z zimna, połyskiwały lekko pomarańczowym odcieniem w świetle niewielkiej lampy. Przez ostatnie cztery lata życia wspomnienie tego koloru było dla Ka nierozerwalnie związane ze szczęściem.

Już nigdy więcej jej nie zobaczył.

40.

Rola podwójnego agenta musi być trudna

Niedokończony rozdział

Kiedy Ka szedł do Teatru Narodowego, ulice były już całkiem puste i poza światłami padającymi z okien restauracji wszędzie panowała ciemność. Rolety na wystawach dawno już zostały opuszczone. Ostatni goście *çayhane* wstający od stołów po całym dniu spędzonym na paleniu papierosów i popijaniu herbaty wciąż nie mogli oderwać oczu od telewizorów. Przed teatrem Ka zobaczył trzy wozy policyjne błyskające światłami i cień czołgu, który wynurzał się spod gałęzi oliwników u stóp wzniesienia. Wieczorem mróz zelżał, a uczepione dachów sople zaczęły topnieć. Woda kapała na chodniki. Idąc pod kablem transmisyjnym, przeciągniętym w poprzek alei Atatürka, i przekraczając próg drzwi teatru, Ka ściskał ukryty w kieszeni klucz.

Ustawieni pod ścianami policjanci i żołnierze przyglądali się próbie przeprowadzanej przed pustą widownią. Ka usadowił się w jednym z foteli i zaczął się przysłuchiwać głośno i wyraźnie wypowiadanym kwestiom Sunaya, niepewnym i cichym odpowiedziom ubranej w chustę Kadife oraz komentarzom wtrącającej się co chwila Fundy Eser („Mów z większym przekonaniem, kochana Kadife!"), która teoretycznie zajęta była ustawianiem dekoracji (jedno drzewo i jedna toaletka z lustrem). Kiedy przyszła kolej na próby

Fundy i Kadife, Sunay, dostrzegłszy w ciemnościach pomarańczowy ognik papierosa poety, natychmiast się do niego przysiadł.

— To najszczęśliwsze godziny mego życia — powiedział. Z jego ust znów czuć było zapach rakı, ale aktor nie był pijany. — Bez względu na to, jak długo potrwają próby, na scenie zagrają nasze uczucia. Zresztą Kadife ma wielką zdolność improwizacji.

— Mam dla niej wiadomość od ojca i koralik chroniący przed urokiem — powiedział Ka. — Czy mogę z nią porozmawiać na osobności?

— Wiemy, że uciekłeś ochronie i przepadłeś na jakiś czas. Śnieg już topnieje, podobno niedługo odśnieżą tory. Ale zdążymy jeszcze wystawić naszą sztukę — powiedział Sunay. — Dobrze się chociaż schował ten Granatowy? — zapytał z uśmiechem.

— Nie mam pojęcia.

Sunay obiecał, że zawoła Kadife, i dołączył do obu aktorek. W tej samej chwili na scenie rozbłysły światła. Ka poczuł silną więź, jaka wytworzyła się między trójką artystów, i zaniepokoił, widząc, jak szybko Kadife zżyła się z tym scenicznym światem. Czuł, że gdyby nie miała na głowie chustki, a zamiast wstrętnego tradycyjnego muzułmańskiego płaszcza włożyła spódnicę odkrywającą nieco nogi — tak samo długie i piękne jak siostry — stałaby mu się o wiele, wiele bliższa. Kiedy Kadife zeszła ze sceny i usiadła w fotelu obok, zrozumiał nagle, dlaczego Granatowy zakochał się właśnie w niej i porzucił Ipek.

— Widziałem się z Granatowym. Wypuścili go. Zdołał się ukryć. I nie chce, żebyś tej nocy zdjęła na scenie chustę. Posyła ci list.

Aby nie zwrócić uwagi Sunaya, Ka podał jej kartkę jak uczeń przekazujący koledze ściągawkę podczas egzaminu.

Dziewczyna ostentacyjnie rozłożyła list i dokładnie go przeczytała. Po chwili zrobiła to znowu i uśmiechnęła się.
A potem Ka zobaczył w jej gniewnych oczach łzy.

— Twój ojciec też tak myśli, Kadife. Pomysł zdjęcia chusty jest tak samo głupi, jak chęć zrobienia tego przed hordą
rozgniewanych uczniów ze szkoły koranicznej. Sunay znów
szykuje prowokację. Naprawdę nie ma powodów, żebyś była tu dziś wieczorem. Powiedz, że się źle poczułaś.

— Nie ma sensu szukać wymówek. Sunay powiedział,
że mogę wrócić do domu, jeśli tylko zechcę.

W jej oczach zobaczył złość i rozczarowanie. Wyobraził
sobie, że stoi przed nim dziewczynka, której w ostatniej
chwili zabroniono występu w szkolnym przedstawieniu.
Tylko że rozczarowanie Kadife było o wiele większe.

— Masz zamiar tu zostać, Kadife?

— Zostanę tu i zagram.

— A wiesz, jak bardzo zasmuci to twego ojca?

— Daj mi koralik, który przysłał.

— Nie mam żadnego koralika. Wymyśliłem go, żeby
móc porozmawiać z tobą na osobności.

— Rola podwójnego agenta musi być trudna.

Znów zobaczył rozczarowanie na jej twarzy, ale dziewczyna myślami była już zupełnie gdzie indziej. Chciał pociągnąć ją za ramię i objąć z całych sił, ale nie mógł się ruszyć z miejsca.

— Ipek opowiedziała mi o tym, co łączyło ją kiedyś
z Granatowym — wyznał.

Kadife powolnym ruchem zapaliła wyjętego z paczki
papierosa.

— Dałem mu twoje papierosy i zapalniczkę — powiedział poeta niezdarnie. Milczeli oboje. — Robisz to z miłości do Granatowego? Co on ma w sobie takiego, Kadife?
Powiedz, proszę. — Rozumiał, że mówi na próżno i że z każdym słowem pogrąża się coraz bardziej. Umilkł więc.

Funda Eser krzyknęła ze sceny w kierunku Kadife, że właśnie nadeszła jej kolej.

Dziewczyna wstała i wilgotnymi oczami spojrzała na poetę. Objęli się w ostatniej chwili. Obecność i zapach Kadife czuł jeszcze przez jakiś czas, obserwując grę aktorów. Miał mętlik w głowie. Żal, zazdrość i własna niedoskonałość rozbijały w proch jego wiarę w siebie i zdolność logicznego myślenia. Jako tako pojmował przyczyny swojego bólu, nie rozumiał natomiast, dlaczego był on tak bardzo silny i niszczycielski.

Był przekonany, że lata, które spędzi we Frankfurcie razem z Ipek — jeśli oczywiście uda im się razem wyjechać — naznaczone będą jego piętnem. Zapalił papierosa. Nie wiedział, co robić. Poszedł do toalety, w której dwa dni wcześniej rozmawiał z Necipem. Wszedł do tej samej kabiny. Otworzył okienko i paląc papierosa, stał zapatrzony w niebo.

Najpierw nie chciał uwierzyć, że z zewnątrz spłynęło natchnienie. Podekscytowany, szybko zapisał wiersz w zielonym zeszycie. Uchwycił się go jak ostatniej nadziei. Ale potworny ból wciąż mu towarzyszył. Udręczony poeta wyszedł z teatru.

Kiedy wędrował ośnieżonym chodnikiem, liczył na to, że zimne powietrze dobrze mu zrobi. Dwóch ochroniarzy wciąż było przy nim. W głowie nadal miał zamęt.

Aby moja opowieść stała się dla szanownych czytelników nieco bardziej zrozumiała, muszę czym prędzej zakończyć ten rozdział. To nie znaczy, że Ka nie zrobił później niczego, co warte byłoby wspomnienia w tej części książki. Najpierw jednak, jeśli państwo pozwolą, spojrzę do jego notatek na temat ostatniego wiersza zatytułowanego *Miejsce, w którym kończy się świat.* Wiersza, który miał być ostatnim w tomiku *Śnieg.*

41.

Każdy ma swój płatek śniegu

Zaginiony zielony zeszyt

Miejsce, w którym kończy się świat to dziewiętnasty, ostatni wiersz, napisany w Karsie przez Ka. Wiemy, że osiemnaście z nich poeta zanotował w zielonym zeszycie, z którym nigdy się nie rozstawał. Brakowało tylko jednego utworu — tego, który Ka recytował podczas „nocy rewolucji". Później w nie wysłanych listach, napisanych we Frankfurcie do Ipek, wyjaśniał, że w żaden sposób nie potrafił go sobie przypomnieć. Żeby skończyć książkę, musiał odnaleźć utracony wiersz, zatytułowany *Miejsce, w którym nie ma Boga*. Pisał, jak bardzo byłby wdzięczny, gdyby Ipek zechciała poszperać w archiwach telewizji Przygraniczny Kars i go odszukać. Kiedy czytałem te listy w pokoju frankfurckiego hotelu, stwierdziłem, że mój przyjaciel mógł się obawiać, iż Ipek potraktuje jego prośbę jak pretekst do miłosnego wyznania.

Tamtego wieczoru wróciłem do hotelu z kasetami z Melindą. Wypity alkohol szumiał mi w głowie, a ja otworzyłem pierwszy z brzegu zeszyt. Płatek śniegu, który wtedy zobaczyłem, postanowiłem zamieścić na końcu dwudziestego dziewiątego rozdziału tej książki. Wydaje mi się, że w miarę upływu czasu, czytając zapiski Ka, zaczynałem rozumieć, co chciał osiągnąć, umieszczając dziewiętnaście swych wierszy na tym śniegowym płatku.

Po wyjeździe z Karsu Ka przeczytał wiele książek, z których dowiedział się, że od chwili powstania do momentu całkowitego zniknięcia każdego sześcioramiennego kryształu mija od sześciu do dziesięciu minut i że każdy płatek zawdzięcza swój niezwykły kształt wiatrowi, zimnu, położeniu chmur oraz wielu innym tajemniczym i nie wyjaśnionym czynnikom. Na tej podstawie wywnioskował, że ludzie i płatki śniegu mają z sobą wiele wspólnego. Wiersz *Ja, Ka* poeta napisał w bibliotece w Karsie, kiedy myślał o śnieżnym płatku. I ten sam płatek miał być centralnym punktem całego zbioru zatytułowanego *Śnieg*.

Później, wiedziony identyczną myślą, umieścił na naszkicowanym przez siebie płatku, dzięki zamieszczonym w książkach ilustracjom, swoje kolejne wiersze: *Raj, Szachy* i *Pudełko czekoladek*. W ten sposób na jednym płatku udało mu się przedstawić zarówno budowę poetyckiego tomu, jak i wszystko, co sprawiało, że on sam był właśnie Ka, a nie kimś innym. Każdy człowiek musiał mieć taki własny płatek śniegu, taką wewnętrzną mapę życia. Gałęzie Pamięci, Marzenia i Logiki stworzył zainspirowany drzewem wiedzy Bacona. Przyczyny takiego, a nie innego rozmieszczenia na nim wierszy wielokrotnie próbował wyjaśnić w notatkach.

Zapisane we Frankfurcie trzy zeszyty, pełne poetycko-filozoficznych rozważań na temat powstałych w Karsie wierszy, należy więc potraktować po części jako źródło wiedzy na temat symbolicznego płatka, a po części jako dyskusję o sensie życia, którą Ka prowadził z samym sobą. I tak na przykład, zastanawiając się nad wierszem *Śmierć przez postrzelenie*, zaczął od charakterystyki własnego strachu, a następnie skupił się na powodach, dla których uznał, że utwór ten wraz z całym zawartym w nim lękiem powinien się znaleźć w pobliżu gałęzi Marzenia. Rozwodząc się nad taką jego lokalizacją, podkreślił wielki wpływ sąsiadującego z nim, umieszczonego na gałęzi Pamięci wiersza *Miejsce, w którym kończy się świat*. Wierzył, że oba kryją w sobie wielką tajemnicę. Według Ka, każdy człowiek był niepowtarzalną mapą — śnieżnym kryształem. Dzięki analizie płatków śniegu można więc udowodnić, jak w istocie różni, dziwni i niezrozumiali bywają ludzie, którzy pozornie są do siebie do złudzenia podobni.

Nie będę dłużej rozprawiał o tych licznych zapiskach, które Ka poświęcił swej poezji i swojemu płatkowi śniegu. (Jaki miało sens umieszczenie wiersza *Pudełko czekoladek* na gałęzi Marzenia? W jaki sposób utwór *Cała ludzkość i gwiazdy* wpłynął na kształt śnieżnego płatka Ka?) W młodości mój przyjaciel drwił sobie z popadających w samouwielbienie twórców, święcie przekonanych, że pewnego dnia każda napisana przez nich bzdura stanie się przedmiotem poważnej literackiej analizy. Żartował, że to nie artyści, lecz kukły, na które nikt poza nimi samymi nie chce patrzeć.

Otumanieni modernistycznymi ideałami autorzy niezrozumiałej poezji przez lata budzili jego litość. Natomiast przez cztery ostatnie lata swego życia sam musiał interpretować własne wiersze. Musimy jednak dostrzec tu kilka okoliczności łagodzących. Po pierwsze, jak wynika z dokładnej analizy notatek, Ka wierzył, że nie był jedynym autorem wierszy napisanych w Karsie. Był niemal pewien, że „nadeszły" z zewnątrz, a on sam wyłącznie je zapisał, a w jednym przypadku — wyrecytował na scenie. Twierdził, że postanowił prowadzić notatki po to, by zmienić w sobie ową „pasywność", zrozumieć sens własnych utworów i rozwikłać zagadkę ich symetrii. Druga okoliczność łagodząca była oczywista: tylko wtedy, gdyby zrozumiał znaczenie własnych dzieł, mógłby dokończyć tomik, uzupełnić pominięte wersy i odzyskać zapomniany wiersz *Miejsce, w którym nie ma*

Boga. Po powrocie do Frankfurtu nie stworzył już ani jednego wiersza.

Z notatek i listów Ka wynika, że po czterech latach żmudnej pracy udało mu się zrozumieć sens własnych utworów i ukończyć książkę. Dlatego właśnie, popijając alkohol we frankfurckim hotelu, przeglądałem papiery i zeszyty zabrane z jego mieszkania i co jakiś czas, podekscytowany, wyobrażałem sobie, że gdzieś wśród nich muszą być wiersze. I od nowa zaczynałem czytać wszystko, co wpadło mi w ręce. Zasnąłem nad ranem. Wśród starych piżam mego przyjaciela, kaset z Melindą, krawatów, książek i zapalniczek (była tam też zapalniczka, którą Kadife próbowała przesłać Granatowemu i którą Ka zachował dla siebie) śniłem koszmary pełne wspomnień i tęsknoty (w jednym z nich Ka podszedł do mnie i stwierdził, że się zestarzałem. Bałem się go).

Obudziłem się w południe i resztę dnia spędziłem na mokrych, zaśnieżonych ulicach Frankfurtu, zbierając informacje o moim przyjacielu tym razem bez pomocy Tarkuta Ölçüna. Obie kobiety, z którymi Ka był związany przez osiem lat poprzedzających wyjazd do Karsu, natychmiast zgodziły się na spotkanie ze mną. Wyjaśniłem, że piszę jego biografię. Pierwsza przyjaciółka, Nalan, nie miała pojęcia nie tylko o ostatnim zbiorze *Śnieg*, ale w ogóle o tym, że Ka pisał wiersze. Była mężatką i razem z mężem prowadziła dwie budki z kebabem oraz biuro podróży. Kiedy rozmawiałem z nią na osobności, najpierw opowiedziała, jak bardzo Ka był trudny, kłótliwy, nieznośny i nadwrażliwy. Właściwie nie do wytrzymania. Potem przez chwilę płakała — chyba bardziej nad młodością, którą poświęciła dla lewicowych idei, niż na wspomnienie o Ka.

Zgodnie z moimi domysłami także druga kobieta, wciąż samotna Hildegarda, nie wiedziała nic o ostatnich wierszach Ka ani o książce. Może dlatego przedstawiłem mego przyjaciela jako postać dużo bardziej popularną w swoim kraju, niż był nią w rzeczywistości? Rozmawiała ze mną dowcipnie i zalotnie i dzięki temu szybko przestałem się wstydzić własnych kłamstw. Mówiła, że po rozstaniu z Ka definitywnie zrezygnowała z letnich wakacji w Turcji. Mój przyjaciel okazał się bowiem pełnym problemów, mądrym i bardzo samotnym dzieckiem. Z powodu kaprysów nie miał szans na znalezienie upragnionej kochanki-matki, a nawet gdyby przypadkiem to się udało — jego związek nie mógł trwać długo. Bardzo szybko można się było w nim zakochać i równie szybko zmęczyć wspólnym życiem. Ka nie wspomniał jej o mnie ani słowem (nie wiem, dlaczego wtedy ją o to zapytałem i dlaczego teraz o tym piszę). W ostatniej chwili, ściskając moją dłoń na pożegnanie, Hildegarda pokazała mi coś, na co nie zwróciłem uwagi podczas trwającego godzinę i kwadrans spotkania: piękna prawa dłoń, zwieńczona szczupłym nadgarstkiem, była okaleczona — brakowało połowy wskazującego palca. Z uśmiechem powiedziała, że Ka w przypływach gniewu drwił z jej kalectwa.

Kiedy mój przyjaciel skończył wreszcie książkę, ale zanim jeszcze zdecydował się przepisać na maszynie oraz powielić rękopisy wierszy, postanowił wygłosić kilka odczytów, jak to robił przy okazji wcześniejszych publikacji. Wyruszył w podróż do Kassel, Brunszwiku, Hanoweru, Osnabrücku, Bremy i Hamburga. Ja także, dzięki pomocy Tarkuta Ölçüna i domu kultury, który mnie zaprosił, postanowiłem naprędce zorganizować w tych miastach własne spotkania autorskie. Tak jak mój przyjaciel podróżowałem niemieckimi pociągami, których punktualnością, czystością i protestanckim komfortem Ka zachwycał się w jednym ze swoich wierszy. Siadałem przy oknie i ze smutkiem patrzyłem na odbijające się w szybach doliny, śliczne wioski z maleńkimi kościołami drzemiącymi u stóp niebezpiecznych przepaści i ubrane w kolorowe wiatrówki dzieciaki z plecakami czekające na pociąg. Dwóm Turkom, pracownikom domu kultury, którzy paląc papierosy, czekali na mnie na stacji, wyjaśniłem, że zamierzam robić dokładnie to samo co mój przyjaciel, kiedy tu przyjechał siedem tygodni wcześniej. W każdym z miast, jak on, zatrzymywałem się w tanim moteliku. Z kilkoma osobami szedłem do tureckiej restauracji, by jedząc kebab i *börek** ze szpinakiem, porozmawiać o polityce i ponarzekać, że Turcy, niestety, niespecjalnie są zainteresowani kulturą. Potem wędrowałem po zimnych i pustych ulicach, wyobrażając sobie, że jestem nim. Że próbuję zapomnieć o Ipek. Wieczorami szedłem na spotkania „literackie", w których zazwyczaj brało udział piętnaście, dwadzieścia osób zainteresowanych polityką, literaturą albo po prostu wszystkim, co tureckie. Beznamiętnym głosem czytałem najpierw krótki fragment mojej ostatniej powieści, by potem nagle nawiązać do poezji i wyjaśnić, że jestem bardzo bliskim znajomym wielkiego poety Ka, zamordowanego niedawno we Frankfurcie. „Czy ktoś z państwa pamięta może jakiś fragment któregokolwiek z wierszy czytanych tu przez niego?" — pytałem pełen nadziei.

Większość obecnych nie brała udziału w wieczorkach poetyckich Ka. Ci, którzy się tam znaleźli, przyszli albo przez przypadek, albo po to, by zapytać o polityczne poglądy poety; zapamiętali tylko jego popielate palto, którego nigdy nie zdejmował, bladą cerę, zmierzwione włosy i nerwowe ruchy. Po jakimś czasie jego śmierć stała się bardziej interesująca niż życie i poezja. Ludzie snuli na jego temat domysły, obwiniając o tę tragedię islamistów, tureckie tajne służby, Ormian, niemieckich skinów, Kurdów i tureckich nacjonalistów.

---

* Börek — przekąska z ciasta francuskiego zapiekanego z warzywami lub serem.

Czasami jednak wśród uczestników spotkania znalazł się ktoś wrażliwy i mądry, kto rzeczywiście pamiętał Ka. Od takich właśnie uważnych miłośników literatury dowiedziałem się, że mój przyjaciel ukończył pracę nad ostatnim tomikiem poezji, a podczas spotkań czytał wiersze *Ulice ze snów*, *Pies*, *Pudełko czekoladek* i *Miłość*. Wszystkie wydały się im bardzo, bardzo dziwne. Niczego poza tym nie udało mi się ustalić. Niektórzy pamiętali, że wiersze te powstały w Karsie, co zinterpretowano jako próbę zbliżenia się do czytelników żyjących na emigracji w wiecznej tęsknocie za ojczyzną. Po jednym ze spotkań do Ka (a później do mnie) podeszła szatynka około czterdziestki, wdowa z dzieckiem. Pamiętała, że kilka tygodni wcześniej poeta mówił o wierszu *Miejsce, w którym nie ma Boga*. Według niej, w obawie przed reakcją zebranych przeczytał wyłącznie cztery wersy tego długiego utworu. I choć bardzo starałem się ją nakłonić, by przypomniała sobie coś więcej, nie odnalazła w pamięci niczego poza słowami „przerażający widok". Kobieta ta podczas zorganizowanego w Hamburgu spotkania siedziała w pierwszym rzędzie i była pewna, że poeta wszystkie swoje wiersze czytał z zielonego zeszytu.

Wieczorem wróciłem z Hamburga do Frankfurtu tym samym co Ka pociągiem. Wyszedłem ze stacji i tak jak on powędrowałem Kaiserstrasse, zaglądając do kilku sex shopów. (W ostatnim tygodniu pojawiła się nowa kaseta z Melindą). Kiedy dotarłem do miejsca, w którym zastrzelono mego przyjaciela, zatrzymałem się i po raz pierwszy otwarcie powiedziałem sobie coś, czego wcześniej nie chciałem dopuścić do świadomości. Kiedy Ka leżał na chodniku, zabójca musiał wyjąć z jego torby zielony zeszyt. Podczas tygodniowego pobytu w Niemczech każdego wieczoru godzinami czytałem zapiski i wspomnienia Ka z Karsu. Teraz pozostała mi tylko nadzieja, że jeden z wierszy, które miały znaleźć się w książce, czeka na mnie w archiwach telewizji przygranicznego tureckiego miasta.

Po powrocie do Stambułu przez jakiś czas oglądałem wieczorną prognozę pogody dla Karsu, podawaną pod koniec telewizyjnych wiadomości na państwowym kanale. Zastanawiałem się, w jaki sposób zostanę tam przyjęty. Po trwającej półtora dnia podróży stanąłem wieczorem — jak Ka — na dworcu autobusowym w Karsie. Z torbą w ręku nieśmiało zameldowałem się w hotelu Karpalas (nie zobaczyłem ani tajemniczych sióstr, ani ich ojca), a potem długo spacerowałem po ośnieżonych chodnikach (w ciągu czterech lat restauracja Yeşilyurt zmieniła się w podły szynk). Ale niech czytelnicy nie wyobrażają sobie, że robiąc to wszystko, stawałem się z wolna cieniem mego przyjaciela. Różnił nas mój brak uległości wobec poezji i smutku (co zresztą sam Ka podkreślał wielokrotnie) i ta moja odmienność sprawiała, że j e g o smutne miasteczko Kars w moich oczach było zupełnie inne. Teraz jednak nadszedł czas, abym wspomniał o osobie, która nas do siebie upodobniła i jeszcze silniej z sobą związała.

Jak bardzo chciałem uwierzyć, że zawrót głowy, jakiego doznałem na widok Ipek podczas kolacji wydanej na moją cześć przez burmistrza, spowodowany był nadmierną ilością rakı! Jakże chciałem z czystym sumieniem przekonać siebie, że myśl o zakochaniu się w niej była wyłącznie kaprysem, a zazdrość, jakiej doznałem, myśląc o Ka, uczuciem niczym nie uzasadnionym. Wodnisty śnieg, o wiele mniej liryczny niż ten opisywany przez Ka, padał o północy na zabłocony chodnik przed hotelem Karpalas, a ja, stojąc w oknie, pytałem sam siebie, jak mogłem nie dać wiary notatkom mego przyjaciela, że Ipek była rzeczywiście zjawiskowo piękna. Wiedziony instynktem, zapisałem w zeszycie coś, co mogłoby być początkiem czytanej przez państwa książki („dokładnie tak jak Ka" — to wyrażenie często towarzyszyło mi w owym czasie): „Pamiętam, że próbowałem myśleć o zakochanym w Ipek Ka jak o sobie samym. W jakimś odległym zakamarku mojej skołowanej głowy tliła się myśl, podszeptywana przez gorzkie doświadczenie: zaangażowanie w lekturę może sprawić, że człowiek zapomina o porywach serca. Wbrew powszechnemu sądowi można się ustrzec przed miłością, jeśli się tego naprawdę chce". Ale by to osiągnąć, należy się uwolnić od kobiety, która skradła wam serce, i od duszy osoby trzeciej, która was do tej miłości nakłania. Tymczasem ja już dawno umówiłem się na popołudniowe spotkanie z Ipek w cukierni Yeni Hayat, aby porozmawiać o mym zmarłym przyjacielu.

A przynajmniej wydawało mi się, że uprzedziłem ją o swoim zamiarze. W zupełnie pustej cukierni w tym samym czarno-białym telewizorze dwoje kochanków stało objętych na tle mostu nad Bosforem. Ipek wyznała, że nie będzie jej łatwo mówić o Ka. O swoim bolesnym rozczarowaniu mogła opowiedzieć wyłącznie komuś wyjątkowo cierpliwemu. Otuchy dodawała jej świadomość, że człowiekiem tym będzie przyjaciel tak bliski, że w trosce o jego wiersze zdecydował się na przyjazd do odległego Karsu. Jeśli udałoby jej się przekonać mnie, że nie potraktowała go niesprawiedliwie, być może uśmierzyłaby trawiący ją niepokój. Na wszelki wypadek uprzedziła mnie jednak, że ewentualny brak zrozumienia może ją głęboko zranić. Włożyła długą brązową spódnicę i niemodny gruby pasek, które miała na sobie, podając Ka śniadanie tamtego „rewolucyjnego poranka" (rozpoznałem je natychmiast, czytałem o nich w notatkach poety). Jej twarz była gniewna i smutna zarazem. Taka jak u Melindy. Słuchałem jej długo i uważnie.

42.

Zacznę się pakować
Oczami Ipek

Kiedy Ka, idąc w towarzystwie dwóch ochroniarzy do Teatru Narodowego, po raz ostatni przystanął, by spojrzeć za siebie, Ipek wierzyła, że będzie w stanie pokochać go głęboką miłością. Wiara ta była dla niej czymś niezwykłym, była ważniejsza nawet niż prawdziwa miłość. Dlatego kobieta czuła, że stoi u progu nowego życia, które da jej długie i upragnione szczęście.

Przez pierwszych dwadzieścia minut nieobecności poety nie czuła niepokoju. Myśl, że zazdrosny kochanek zamknął ją na klucz, była raczej źródłem wyraźnego zadowolenia niż irytacji. Sądziła, że jeśli rozpocznie pakowanie i zajmie się ukochanymi przedmiotami, z którymi nigdy się nie rozstawała, łatwiej przyjdzie jej rozłąka z ojcem i siostrą. I dzięki temu szybko wyjadą z Karsu razem z Ka.

Pół godziny po jego wyjściu Ipek zapaliła papierosa. Była zła, że tak łatwo przekonała samą siebie o sukcesie ich planu. I teraz świadomość, że siedzi zamknięta w pokoju, zaczęła jeszcze pogłębiać tę irytację. Obwiniała i siebie, i Ka. Kiedy zobaczyła, jak zatrudniony w recepcji Cavit wybiegł nagle z hotelu, chciała otworzyć okno i zawołać go. Ale zanim to zrobiła, chłopak zniknął jej z oczu. Wciąż niezdecydowana, jak postąpić, pocieszała się, że Ka powinien wrócić lada chwila.

Trzy kwadranse po wyjściu Ka z trudem otworzyła zamarznięte okno, donośnym głosem wyjaśniła przechodzącemu właśnie ulicą młodzieńcowi (a był nim gapowaty uczeń ze szkoły koranicznej, którego dziwnym trafem nie zawieziono do Teatru Narodowego), że zatrzasnęła się w pokoju numer dwieście trzy i poprosiła, aby dał znać recepcji. Chłopak spojrzał na nią podejrzliwie, ale spełnił prośbę.

Po chwili w pokoju zadzwonił telefon:

— A ty co tam robisz? — zapytał pan Turgut. — Skoro się zatrzasnęłaś, czemu nie dajesz znać?

Minutę później ojciec otworzył drzwi zapasowym kluczem. Ipek wyjaśniła, że uparła się, by iść razem z Ka do teatru, dlatego poeta, nie chcąc narażać jej na niebezpieczeństwo, postanowił zamknąć ją w pokoju. W mieście nie działały telefony, uznała więc, że wewnętrzna hotelowa linia również została zamknięta.

— Telefony już działają — odparł pan Turgut.

— Ka wyszedł tak dawno. Zaczynam się martwić — powiedziała Ipek. — Chodźmy do teatru. Sprawdźmy, co się dzieje z Kadife i Ka.

Pan Turgut, choć mocno zaniepokojony, zbierał się do wyjścia dobrych kilka minut. Najpierw nie mógł znaleźć rękawic. Potem stwierdził, że jeśli odwiedzi Sunaya bez krawata, może to być źle odebrane. Po drodze to opadał z sił, to nakazywał córce maszerować wolniej i dokładniej słuchać, co ma jej do powiedzenia.

— Za nic w świecie nie spieraj się z Sunayem! — ostrzegła Ipek. — Nie zapominaj, że jest jakobinem, który nagle zdobył ogromną władzę!

Pan Turgut na widok stłoczonych w drzwiach teatru gapiów, przywożonych autobusami uczniów, uszczęśliwionych obecnością tej ciżby handlarzy i sporej grupy policji i wojska odnalazł w sobie dawny młodzieńczy zapał, który czuł podczas podobnych politycznych spotkań. Ścisnąwszy mocniej rękę córki, rozejrzał się wkoło rozradowanym i lekko przestraszonym wzrokiem, jakby w obawie przed czymś, co mogłoby zapowiadać kłopoty. A ponieważ nie czuł się najlepiej w takim tłumie, odepchnął niegrzecznie jednego z chłopców zagradzających wejście do budynku. Natychmiast się tego zawstydził.

Widownia była jeszcze częściowo pusta, ale Ipek wiedziała, że niebawem cały teatr wypełni się po brzegi i że wszyscy jej znajomi będą tam siedzieć, stłoczeni jak w dziwacznym śnie. Czuła się nieswojo, nie widząc ani siostry, ani poety. Jakiś funkcjonariusz w stopniu kapitana odciągnął ich na bok.

— Jestem ojcem Kadife Yıldız, odtwórczyni głównej roli — wyjaśnił pospiesznie pan Turgut pełnym pretensji tonem. — Muszę natychmiast się z nią zobaczyć.

Zachowywał się jak ojciec, który w ostatniej chwili postanowił zabronić córce występów w szkolnym przedstawieniu, kapitan zaś bardzo się zdenerwował, niczym nauczyciel przyznający rację rodzicowi. Przez chwilę czekali w pokoju, na którego ścianach obok portretów Atatürka zawieszono podobizny Sunaya. Na widok wchodzącej Kadife Ipek natychmiast zrozumiała, że bez względu na to, jakich argumentów użyją, siostra tego wieczoru wystąpi na scenie.

Zapytana przez Ipek, Kadife wyjaśniła, że Ka zaraz po rozmowie z nią poszedł do hotelu. Starsza z sióstr stwierdziła, że nie spotkali go po drodze, ale Kadife nie podjęła tego wątku, ponieważ pan Turgut z zapłakanymi oczami zaczął ją błagać, aby zrezygnowała z wieczornego występu.

— Tatusiu, teraz, kiedy sprawy zaszły już tak daleko, rezygnacja byłaby bardziej niebezpieczna niż udział w przedstawieniu — odparła Kadife.

— Wiesz przecież, jak twój gest rozgniewa uczniów ze szkoły koranicznej i jaką nienawiść wzbudzi u pozostałych! Wiesz o tym, prawda, Kadife?

— Mówiąc szczerze, drogi tato, po tych wszystkich latach prośba, abym nie odsłaniała włosów, brzmi w twoich ustach jak żart!

— To nie jest dobry moment na żarty, kochanie — odparł pan Turgut. — Powiedz im, że jesteś chora.

— Ależ ja czuję się świetnie!

Pan Turgut załkał. Ipek pomyślała, że płacze tak jak wtedy, gdy przesadnie wzrusza się z błahego powodu, skupiony na sentymentalnej stronie problemu. Zawsze miała wrażenie, że rozpacz ojca wybucha nagle i jest tak powierzchowna, że przy odrobinie wyobraźni z równym zaangażowaniem mógłby wylewać łzy z dokładnie przeciwnego powodu. Ale w owej chwili spostrzeżenie dotyczące ojca wydawało się mało istotne w porównaniu ze zmartwieniem, którym pragnęła podzielić się z siostrą.

— Kiedy wyszedł Ka? — Ipek zapytała prawie szeptem.

— Już dawno powinien być w hotelu — odparła Kadife również ściszonym głosem.

Spojrzały na siebie ze strachem.

Cztery lata później w cukierni Yeni Hayat Ipek powiedziała mi, że obie w tamtej chwili myślały nie o Ka, lecz o Granatowym. Zrozumiały to, patrząc sobie w oczy, i jeszcze bardziej się przestraszyły. Starały się, aby ojciec niczego nie spostrzegł.

Wyznania, jakie usłyszałem wówczas z ust Ipek, traktowałem jak przejaw bliskości i czułem, że moja opowieść będzie musiała się zakończyć tak, jak ona by sobie tego życzyła.

Tymczasem obie siostry milczały.

— Przekazał ci, że Granatowy też sobie tego nie życzy, prawda? — zapytała wreszcie Ipek.

Kadife spojrzała na nią, jakby chciała powiedzieć: „Ojciec usłyszał!". Obie zerknęły na pana Turguta i nie miały żadnych wątpliwości, że zapłakany mężczyzna uważnie przysłuchiwał się całej ich rozmowie, imię Granatowego na pewno nie umknęło jego uwagi.

— Tatusiu, mogłybyśmy porozmawiać na osobności? Jak siostra z siostrą.

— We dwie jesteście o wiele mądrzejsze ode mnie — powiedział pan Turgut. Wyszedł z pokoju, ale drzwi zostawił otwarte.

— Dobrze się zastanowiłaś, Kadife?

— Bardzo dobrze.

— Jestem tego pewna — stwierdziła Ipek. — Ale możesz już go nigdy więcej nie zobaczyć.

— Nie sądzę — odparła ostrożnie Kadife. — Chociaż mam do niego ogromny żal.

Ipek ze smutkiem przypomniała sobie sekretną i długą historię gniewu, złości, godzenia się i niepewności, jaka łączyła jej siostrę z Granatowym. Ile to już lat? Nie wiedziała dokładnie, nie chciała znowu sobie przypominać, jak długo Granatowy spotykał się z obiema naraz. Dlatego nagle z wielką miłością pomyślała o Ka, który miał sprawić, że w Niemczech zapomni o tamtym. A Kadife dzięki niezwykłej intuicji, jaka łączy jedynie rodzeństwo, domyśliła się, co czuje siostra.

— Ka jest bardzo zazdrosny o Granatowego — powiedziała. — I bardzo cię kocha.

— Nie wierzyłam, że mógł się zakochać we mnie w tak krótkim czasie — stwierdziła Ipek. — Ale teraz wierzę.

— Jedź z nim do Niemiec.

— Zaraz po powrocie do domu zacznę się pakować — powiedziała Ipek. — Czy naprawdę wierzysz, że będziemy mogli być tam szczęśliwi?

— Tak — odrzekła Kadife. — Ale nie mów mu już o przeszłości. Już wie za dużo i domyśla się jeszcze więcej.

Ipek zirytowała się, widząc, jak młodsza siostra przybiera pozę nauczycielki.

— Mówisz tak, jakbyś miała nigdy nie wrócić do domu po tym przedstawieniu.

— Ja oczywiście wrócę — powiedziała Kadife. — Myślałam, że to ty masz zamiar natychmiast stąd wyjechać.

— Domyślasz się, gdzie mógł pójść Ka?

Spojrzały sobie w oczy i Ipek uświadomiła sobie, że obie przestraszyły się własnych myśli.

— Na mnie już czas — oświadczyła Kadife. — Muszę się jeszcze ucharakteryzować.

— Bardziej mnie cieszy, że pozbędziesz się wreszcie tego okropnego bordowego płaszcza, niż że odkryjesz włosy — powiedziała Ipek.

Kadife obróciła się tanecznym ruchem, a sięgające stóp poły jej starego, przypominającego czarczaf prochowca zatrzepotały w powietrzu. Obie siostry, widząc uśmiech na twarzy patrzącego na nie przez szparę w drzwiach pana Turguta, objęły się i pocałowały.

Ojciec już dawno musiał się pogodzić z myślą, że Kadife wyjdzie jednak na scenę. Nie płakał już i nie pouczał jej. Przytulił, pocałował i postanowił jak najprędzej opuścić tłum oblegający teatr.

Ipek rozglądała się uważnie w nadziei, że wśród ciżby tłoczącej się u drzwi budynku albo po drodze do hotelu napotka poetę lub kogoś, kto mógłby jej powiedzieć, co się z nim stało. Ale nikt ani nic nie zwróciło jej uwagi. Potem powiedziała mi tylko: „Skoro Ka z takich czy innych powodów mógł być pesymistą, ja — zapewne z równie idiotycznych przyczyn — przez następnych czterdzieści pięć minut byłam wyjątkowo niepoprawną optymistką”.

Kiedy dotarli do domu, pan Turgut natychmiast usadowił się przed telewizorem i słuchając zapowiedzi transmisji, czekał na początek przedstawienia. Ipek poszła pakować walizkę. Zamiast zastanawiać się nad losem poety, zaczęła wyjmować z szafy ubrania i inne szpargały, próbując wyobrazić sobie, jak będzie wyglądało ich wspólne niemieckie szczęście. Do drugiej dodatkowej walizki upchnęła bieliznę i rajstopy, które postanowiła zabrać, choć przypuszczała, że w Niemczech kupi o wiele lepsze. Ale co będzie, jeśli się do nich nie przyzwyczai? Odruchowo spojrzała w okno i zobaczyła podjeżdżającą wojskową ciężarówkę, która wcześniej kilka razy zabierała poetę z hotelu.

Zeszła na parter. Ojciec stał już przy drzwiach.

— Turgut Yıldız — powiedział dokładnie ogolony orlonosy funkcjonariusz w cywilnym ubraniu, następnie podał panu Turgutowi zaklejoną kopertę.

Starszy pan z białą jak kreda twarzą otworzył kopertę drżącymi dłońmi. Ze środka wypadł klucz. Mężczyzna przeczytał list do końca, choć wiedział, że jego druga połowa adresowana była do Ipek. Kiedy skończył, podał kartkę córce.

Cztery lata później Ipek wręczyła mi ten list, wierząc, że będzie on argumentem, dzięki któremu stanę po jej stronie. Poza tym szczerze zależało jej, abym napisał prawdę.

Czwartek, godzina dwudziesta
Szanowny panie Turgucie,
Dla dobra nas wszystkich bardzo proszę użyć tego klucza i uwolnić Ipek z mojego pokoju, a następnie przekazać jej poniższy list. Proszę o wybaczenie.
Z wyrazami szacunku,
Ka.

Kochana. Nie udało mi się przekonać Kadife. Żołnierze dla mojego bezpieczeństwa przywieźli mnie tutaj, na dworzec. Podobno odśnieżono już tory do Erzurumu. Zostałem zmuszony do wyjazdu pociągiem o dwudziestej pierwszej trzydzieści. Musisz spakować nasze walizki i do mnie dołączyć. Wojskowa ciężarówka przyjedzie po Ciebie kwadrans po dziewiątej. Pod żadnym pozorem nie wychodź sama na ulicę! Przyjeżdżaj. Bardzo Cię kocham. Obiecuję, że będziemy szczęśliwi.

Mężczyzna o orlim nosie powiedział, że przyjedzie znów po dziewiątej, i wyszedł.

— Pojedziesz? — zapytał pan Turgut.

— Wciąż zastanawiam się, co się tam stało — powiedziała Ipek.

— Żołnierze mają nad nim pieczę. Nic mu się nie stanie. Czy pojedziesz i zostawisz nas tutaj?

— Wierzę, że będę z nim szczęśliwa — odparła kobieta.

— Kadife też tak twierdzi.

Znów zaczęła czytać list, jakby potwierdzenie jej słów znajdowało się gdzieś między wersami. Nagle jej ciałem wstrząsnął szloch, choć sama nie wiedziała dlaczego. Po latach powiedziała mi: „Może dlatego, że tak trudno było mi opuścić ojca i siostrę?". Chciałem wtedy wierzyć, że uwaga, z jaką słuchałem każdego jej słowa, wynikała wyłącznie z chęci poznania prawdy. „A może bałam się tego, co przeczuwałam?" — wyznała później.

Kiedy Ipek przestała płakać, razem z ojcem jeszcze raz poszła do swojego pokoju i jeszcze raz przejrzała rzeczy, które powinna włożyć do walizki. Potem weszli do pokoju poety i zapakowali wszystkie jego rzeczy do wiśniowej torby. Tym razem pełni nadziei rozprawiali o przyszłości i obiecywali sobie, że kiedy Kadife skończy wreszcie szkołę, razem przyjadą do Frankfurtu odwiedzić Ipek i Ka.

Skończywszy pakowanie, zeszli do salonu i usiedli przed telewizorem, żeby obejrzeć występ Kadife.

— Miejmy nadzieję, że sztuka nie potrwa długo i wszystko skończy się pomyślnie, jeszcze zanim wsiądziesz do pociągu — westchnął pan Turgut.

Nie mówiąc już ani słowa, siedzieli przed telewizorem wtuleni w siebie tak jak wtedy, gdy oglądali *Mariannę*. Ale Ipek nie mogła się skupić na tym, co działo się na ekranie. Z pierwszych dwudziestu pięciu minut relacji Ipek po latach pamiętała tylko Kadife w chuście i długiej ognistoczerwonej sukni, która — stojąc na scenie — mówiła: „Jak sobie tatuś życzy".

Ponieważ bardzo ciekaw byłem tego, co czuła w tamtej chwili, wyjaśniła krótko: „Myślami byłam gdzie indziej...". A kiedy kilkakrotnie zapytałem, gdzie dokładnie krążyły jej myśli, opowiedziała mi o planowanej podróży pociągiem. A potem o swoim strachu. Ale ponieważ nie znała wtedy jego źródła, po kilku latach również nie była w stanie powiedzieć o nim nic więcej. W tamtej chwili czuła, jak wyostrzają się wszystkie jej zmysły. Wszystko poza telewizyjnym obrazem odbierała z niezwykłą intensywnością. Z zaskoczeniem patrzyła na meble, stolik i delikatne załamania na zasłonach. Była jak powracający po długiej podróży wędrowiec, któremu własny dom, pokoje i umieszczone w nich przedmioty wydają się dziwaczne, małe, zmienione i stare. Powiedziała mi, że po tym, jak patrzyła na własne mieszkanie oczami obcego człowieka, zrozumiała, że tamtego wieczoru los pozwolił jej wyruszyć gdzie indziej. Wtedy w cukierni Yeni Hayat Ipek powiedziała mi, że był to dla niej ostateczny znak, żeby zdecydowała się wyjechać razem z Ka do Frankfurtu.

Kiedy rozległo się pukanie do drzwi, zerwała się z miejsca. Wojskowa ciężarówka, która miała zawieźć ją na dworzec, przyjechała przed czasem. Ipek ze strachem powiedziała stojącym w drzwiach funkcjonariuszom, że za chwilę wróci. Pobiegła do ojca, usiadła obok i uścisnęła go z całych sił. — Ciężarówka już jest, tak? — zapytał pan Turgut. — Jeśli się spakowałaś, to masz jeszcze trochę czasu.

Przez chwilę Ipek patrzyła niewidzącym wzrokiem na występującego Sunaya. Znów zerwała się i pobiegła do swojego pokoju. Do walizki wrzuciła jeszcze kapcie i stojącą na oknie maleńką kosmetyczkę z przyborami do szycia. Usiadła na brzegu łóżka i zaczęła płakać.

Jak powiedziała mi później, kiedy wróciła do salonu, była już absolutnie pewna, że opuści miasto wraz z Ka. Czuła ulgę, ponieważ wyrzuciła z siebie trujące ziarno wątpliwości. Ostatnie minuty w Karsie chciała spędzić, oglądając telewizję u boku ukochanego ojca.

Kiedy recepcjonista Cavit obwieścił, że ktoś czeka przy drzwiach, nie poczuła niepokoju. Pan Turgut również bez cienia emocji polecił córce wyjąć z lodówki butelkę coca-coli i przynieść dwie szklanki. Ipek powiedziała mi potem, że do tej pory pamięta wyraz twarzy stojącego w kuchennych drzwiach Fazıla. W jego oczach zapowiedź dramatu mieszała się z czymś, czego kobieta jeszcze nie rozumiała: chłopak był teraz jak członek rodziny, jak bardzo bliska jej osoba.

— Zabili Granatowego i Hande — wykrztusił. Wypił duszkiem szklankę wody, którą podała mu Zahide. — Tylko Granatowy mógł przekonać Kadife, żeby zmieniła zdanie!

Ipek stała bez ruchu, patrząc na szlochającego Fazıla usiłującego wyjaśnić, co się stało. Wiedziony intuicją poszedł tam, gdzie ukrył się Granatowy i Hande. Wojsko zorganizowało przeszukanie. Ktoś musiał im donieść. Gdyby to nie był donos, nie wysłaliby przecież tylu żołnierzy! Nie, z pewnością nikt go nie śledził, bo kiedy tam dotarł, dawno już było po wszystkim. Razem z dzieciakami z okolicznych domów widział ciało Granatowego w świetle wojskowych reflektorów.

— Mogę tu zostać? — zapytał później. — Nie chcę już nigdzie iść.

Ipek podała mu drugą szklankę. Otwierając i zamykając szuflady i szafki, szukała otwieracza. Przypomniała sobie pierwsze spotkanie z Granatowym i kwiecistą bluzkę, którą miała wtedy na sobie. Ją też zapakowała do walizki. Posadziła Fazıla na krześle przy kuchennych drzwiach, gdzie piątkowego wieczoru pijany Ka usiadł, by napisać wiersz. A potem zamarła, wsłuchana we własny ból, który jak trucizna atakował jej wnętrze. Fazıl w milczeniu oglądał występ Kadife. Ipek podała mu coca-colę, potem podeszła do ojca. Jakaś część jej umysłu obserwowała z zewnątrz te wszystkie czynności.

Poszła do swojego pokoju. Siedziała minutę w ciemnościach. Potem wzięła z góry torbę poety. Wyszła na ulicę. Było zimno. Podeszła do funkcjonariuszy siedzących w wojskowej ciężarówce i oświadczyła, że nie wyjedzie z miasta.

— Mieliśmy zabrać panią i zdążyć na pociąg — powiedział jeden z nich.

— Zrezygnowałam. Nie jadę. Bardzo dziękuję. A tę torbę bardzo proszę przekazać panu Ka.

Kiedy później usiadła znów obok ojca, rozległ się warkot silnika.

— Odesłałam ich — wyjaśniła. — Nie jadę.

Pan Turgut objął ją mocno. Przez jakiś czas oglądali przedstawienie, nie rozumiejąc ani słowa. Pierwszy akt miał się już ku końcowi, kiedy Ipek zdecydowała:

— Chodźmy do Kadife! Muszę jej coś powiedzieć.

43.

Kobiety zabijają się z dumy

Ostatnia odsłona

Dzieło, stworzone i wystawione przez Sunaya zainspirowanego *Tragedią hiszpańską* Kyda oraz innymi nie znanymi bliżej wydarzeniami, w ostatniej chwili otrzymało tytuł *Tragedia w Karsie*. Nazwa ta pojawiła się tak późno, że pominięto ją w nadawanych przez cały dzień zapowiedziach telewizyjnych i ogłoszono dopiero na pół godziny przed rozpoczęciem spektaklu. Tłum widzów przywiezionych autobusami pod eskortą wojska nie miał więc pojęcia, jaki tytuł będzie mieć przedstawienie. W podobnej nieświadomości pozostawała reszta widzów: obywatele wierzący w zapewnienia władz wojskowych, i telewizyjne komunikaty, ci, którzy za wszelką cenę pragnęli zobaczyć widowisko na własne oczy (w mieście rozeszły się pogłoski, że wieczorna transmisja „na żywo" w rzeczywistości będzie odtwarzana z taśmy przywiezionej z Ameryki), oraz urzędnicy państwowi, których większa część stawiła się po otrzymaniu służbowego polecenia (tym razem przyszli bez rodzin). Ale nawet gdyby poznali wcześniej ów tytuł, wątpliwe, aby skojarzyli go w jakikolwiek sposób z absolutnie niezrozumiałą fabułą „sztuki".

Cztery lata po premierze, będącej jednocześnie ostatnią inscenizacją dzieła, obejrzałem przedstawienie na kasecie zdobytej w archiwach stacji Przygraniczny Kars i, istotnie, trudno było mi streścić pierwszą połowę *Tragedii w Karsie*. Główny wątek dotyczył niewątpliwie rodowego konfliktu, który wybuchł w „zacofanym, biednym i głupim" miasteczku. Nikt niestety nie wyjaśniał, dlaczego ludzie nagle zaczęli się zabijać i co legło u źródła ich sporu. Ani mordercy, ani padające jak muchy niewinne ofiary nie zadawali żadnych pytań w tej sprawie. Tylko Sunay pałał gniewem na lud, który dał się wciągnąć w anachroniczne rodowe waśnie. Kłócił się o to z żoną, a zrozumienia szukał u młodszej kobiety (Kadife). Sunay, choć wyglądał jak wykształcony i zamożny przedstawiciel władzy, żył z prostym ludem za pan brat: tańczył, żartował, z pozycji mędrca dyskutował o sensie życia i — prezentując udany manewr umieszczenia sztuki w sztuce — odgrywał sceny z Szekspira, Hugo i Brechta. Od czasu do czasu, w zupełnie nieuzasadniony sposób, przedstawienie ubarwiano krótkimi i pouczającymi wtrętami na temat ruchu kołowego w mieście, zachowania przy stole, nieodłącznych cech charakteru Turków i muzułmanów, rewolucji francuskiej, korzyści płynących ze szczepionek, prezerwatyw oraz rakı. Nie zabrakło tańca brzucha w wykonaniu luksusowej prostytutki i wywodu na temat szamponów i kosmetyków, które są jednym wielkim oszustwem, bo zawierają wyłącznie kolorowaną wodę.

Częste improwizacje i zmyślenia doprowadziły do tego, że przedstawienie z minuty na minutę stawało się coraz bardziej niezrozumiałe. Jedyną rzeczą, która sprawiała, że widownia wciąż siedziała na swoich miejscach, była pełna emocji gra Sunaya. W najtrudniejszych momentach przedstawienia Sunay wybuchał nagle gniewem jak w swoich najlepszych latach i mieszał z błotem wszystkich, którzy pogrążyli w rozpaczy ten kraj wraz z jego ludem. Kulejąc, maszerował z jednego końca sceny na drugi, wspominał własną młodość, cytował pisma Montaigne'a o przyjaźni i opowiadał, jak bardzo samotny był w rzeczywistości Atatürk. Twarz zalewał mu pot. Nauczycielka pani Nuriye — miłośniczka teatru i historii, która także przed dwoma dniami z wielkim uwielbieniem oglądała sceniczne wyczyny aktora — powiedziała mi po latach, że w pierwszych rzędach czuć było odór rakı dobywający się z ust Sunaya. Według niej wielki aktor nie był jednak pijany, tylko ogarnięty sceniczną ekstazą. Pozostali zaś tłumaczyli mi, że od Sunaya bił blask tak wielki, że przez dłuższy czas nikt nie mógł dojrzeć wyrazu jego twarzy. Twierdziły tak głównie zafascynowane urzędniczki w średnim wieku, samotne wdowy, które nie zważając na zagrożenie, musiały obejrzeć jego występ, młodzi kemaliści setki razy oglądający jego twarz w telewizyjnych programach i usadowieni obok nich w pierwszych rzędach mężczyźni, których od zawsze pociągały władza i awantury.

Mesut, jeden z uczniów szkoły koranicznej przywiezionych do teatru wojskową ciężarówką (ten sam, który sprzeciwiał się grzebaniu niewierzących obok prawdziwych muzułmanów), powiedział mi po latach, że on również czuł dziwne przyciąganie Sunaya. Przez cztery lata działał w niewielkiej organizacji islamskiej występującej ze zbrojnymi atakami w Erzurumie. Rozczarowany, wrócił potem do Karsu i zaczął pracować w *çayhane* — może właśnie dlatego potrafił przyznać, że czuł tę niezwykłą energię. Według Mesuta aktor umiał podbić serca uczniów szkoły koranicznej, choć chłopak nie potrafił powiedzieć, jak się to działo. Być może chodziło o władzę, o której zawsze marzyli i którą zdobył właśnie on? A może byli wdzięczni, że wprowadzone przezeń zakazy uratowały ich od ryzykownej powinności, jaką był bunt? „Po każdym przewrocie wojskowym wszyscy tak naprawdę są zadowoleni", wyjaśnił mi Mesut. Według niego największe wrażenie na młodzieży wywarła szczerość, jaką prezentował na scenie, choć przecież cała władza spoczywała w jego rękach.

Kiedy po latach obejrzałem zdobyty w archiwach telewizji Przygraniczny Kars zapis przedstawienia, poczułem to coś, o czym wszyscy mówili: tamtego wieczoru nie liczyło się, kto był ojcem, a kto synem, kto trzymał ster władzy i kto pozostawał winny. W głębokiej ciszy każdy utonął nagle we własnych przerażających wspomnieniach i skrytych marzeniach. Wtedy właśnie doznałem tego magicznego poczucia wspólnoty i solidarności, które rozumieją tylko ludzie żyjący w krajach napiętnowanych uciskiem i skrajnym nacjonalizmem. Dzięki Sunayowi odnosiło się wrażenie, że na widowni nie było nikogo obcego. Wszyscy związani byli tą samą historią smutku i braku nadziei.

Jedyną osobą, która psuła to zaskakujące poczucie więzi, była Kadife. Mieszkańcy Karsu w żaden sposób nie mogli się przyzwyczaić do jej obecności na scenie. Operator kamery musiał to wyczuć, bowiem w najbardziej emocjonujących momentach koncentrował się wyłącznie na Sunayu. Widzowie przed odbiornikami mogli więc tylko zobaczyć, jak Kadife — niczym pokojówka z bulwarowych komedii — usługuje ważniejszym od niej bohaterom. A przecież telewizja już od południa ogłaszała, że Kadife zdejmie chustę, dlatego wszyscy byli bardzo ciekawi przedstawienia. Miasto plotkowało nawet, że zmuszona przez wojsko do odsłonięcia włosów Kadife zbuntuje się i nie wyjdzie na scenę. Ci, którzy słyszeli o prowadzonej przez dziewczęta „wojnie o chusty", ale nie mieli pojęcia, kim była Kadife, w pół dnia poznali dokładnie całą jej historię. Dlatego właśnie brak wyrazistości na scenie i fakt, że wystąpiła wprawdzie w krwistoczerwonej długiej sukni, ale i w chustce na głowie, wywołały spore rozczarowanie.

Oczekiwania związane z Kadife po raz pierwszy wypowiedziano w dwudziestej minucie przedstawienia, podczas jej dialogu z Sunayem. W pewnej chwili zostali na scenie sami, a aktor zapytał ją, czy podjęła decyzję.

— Nie możesz chcieć się zabić z powodu gniewu, jaki czujesz do innych — zauważył.

— Skoro tutaj mężczyźni wyrzynają się jak zwierzęta, twierdząc, że robią to dla dobra miasta, kto ma prawo mieszać się do mojego samobójstwa? — odparła szybko Kadife, a potem zeszła ze sceny, udając, że ucieka przed wchodzącą właśnie Fundą.

Cztery lata później, kiedy rozmawiałem z mieszkańcami Karsu o tamtej nocy, próbowałem z zegarkiem w ręku uporządkować wszystko, co się wówczas działo w mieście. Obliczyłem, że ta scena była ostatnią chwilą, w której Granatowy patrzył na Kadife. Według relacji sąsiadów i policjantów, wciąż pełniących służbę w Karsie, Granatowy i Hande oglądali telewizję, kiedy rozległo się pukanie do drzwi. Oficjalny raport donosił, że mężczyzna na widok policji i wojska pobiegł w głąb mieszkania po broń, a następnie otworzył ogień. Sąsiedzi i młodzi islamiści, dla których w krótkim czasie Granatowy stał się legendą, twierdzili natomiast, że krzycząc: „Nie strzelajcie!" — próbował ratować Hande. Ale grupa do zadań specjalnych pod wodzą Z. Demirkola wtargnęła do mieszkania i w ciągu minuty rozniosła na strzępy nie tylko Granatowego i Hande, ale całą ich kryjówkę. Mimo straszliwego hałasu, nikt oprócz kilku ciekawskich dzieciaków nie wykazał specjalnego zainteresowania. Mieszkańcy miasta byli już przyzwyczajeni do podobnych wydarzeń, a poza tym siedzieli skupieni przed telewizorami i nie byli w stanie przenieść uwagi na nic innego. Chodniki byłe puste, żaluzje opuszczone, *çayhane* — poza kilkoma — pozamykane.

Świadomość, że oczy całego miasta skierowane są na niego, dała Sunayowi ogromną siłę i pewność siebie. Kadife, która wiedziała, że może powiedzieć tylko tyle, ile on jej pozwoli, i zrealizować swój plan, tylko korzystając z okazji, jakie on jej podsuwa, intuicyjnie robiła wszystko, by znaleźć się jak najbliżej aktora. A ponieważ później, w przeciwieństwie do siostry, unikała rozmów na temat tamtych dni, nie potrafię powiedzieć, o czym wtedy myślała. Pewne jest natomiast, że mieszkańcy miasta po następnych czterdziestu minutach przedstawienia rozumieli już, że dziewczyna zdecydowana jest odsłonić włosy i popełnić samobójstwo. Jej desperacja musiała budzić szacunek. Kiedy stało się jasne, że najważniejszą postacią tragedii jest Kadife, cały spektakl zaczął się powoli przeistaczać z tragikomicznej manifestacji Fundy i Sunaya w poważny dramat. Widzowie zrozumieli, że Kadife wcieliła się w rolę zdominowanej przez mężczyzn odważnej kobiety, która była gotowa na wszystko. Zapomniano całkiem o „Kadife, dziewczynie w chuście", ale jej nowe wcielenie również podbiło serca mieszkańców miasta. Potwierdziło to wiele osób, którym smutny los Kadife latami spędzał sen z powiek. Od tej pory, gdy na scenie pojawiała się Kadife, zapadała głęboka cisza, a po każdej jej kwestii zgromadzone przed telewizorami rodziny, szepcząc między sobą, dopytywały się tylko: „Co powiedziała? Co powiedziała?".

W takiej właśnie ciszy usłyszano gwizd pierwszego pociągu, który po czterech dniach odjeżdżał z miasta. Ka siedział w jednym z wagonów, odprowadzony na stację przez wojsko. Gdy Ipek nie wysiadła z powracającego wozu, a żołnierze podali mu jego torbę, mój drogi przyjaciel długo prosił ich o możliwość spotkania z ukochaną. Kiedy nie otrzymał zgody, cudem przekonał ich, aby ponownie pojechali do hotelu. Ale i tym razem ciężarówka wróciła pusta. Wtedy błagał oficerów o opóźnienie odjazdu pociągu. Po pięciu minutach, kiedy Ipek wciąż nie było, a maszynista dał sygnał do odjazdu, Ka zaczął płakać. Ruszyli, a on, patrząc mokrymi oczami na tłum na peronie i wyjście od strony pomnika Kazıma Karabekira, szukał wysokiej kobiety idącej w jego kierunku z walizką w dłoni. Pociąg przyspieszył i ponownie zagwizdał. W tym czasie Ipek i pan Turgut wyruszyli z hotelu Karpalas do Teatru Narodowego.

— Pociąg odjeżdża — powiedział ojciec.

— Tak — odparła córka. — Niedługo otworzą drogi. Wojewoda i dowódca pułku wrócą do miasta — stwierdziła, jakby chciała obwieścić koniec tego irracjonalnego przewrotu i dać znak, że wszystko będzie jak dawniej.

Powiedziała tak nie dlatego, że uważała te słowa za ważne. Nie chciała po prostu, by ojciec sądził, że myśli o Ka. Nie wiedziała, co bardziej zaprzątało jej myśli: poeta czy śmierć Granatowego. Czuła żal za utraconym szczęściem i gniew na Ka. Nie bardzo jednak potrafiła powiedzieć, za co się na niego gniewa. Kiedy cztery lata później rozmawiała o tym ze mną, wyznała niechętnie, że tamtej nocy przepadła ostatnia szansa na ich miłość. Kiedy pociąg z Ka opuszczał Kars, Ipek czuła już tylko wielki żal. I może lekkie zdziwienie. W tamtej chwili liczyło się tylko jedno: musiała opowiedzieć o wszystkim Kadife.

Pan Turgut zaniepokoił się milczeniem córki.

— Wygląda, jakby wszyscy porzucili to miasto — zauważył.

— Miasto-widmo — odparła Ipek po to tylko, by coś powiedzieć.

Złożony z trzech wojskowych wozów konwój wyjechał zza zakrętu i minął ich bezgłośnie. Pan Turgut stwierdził, że skoro samochody dotarły, drogi do Karsu muszą być już przejezdne. Ojciec i córka ot, tak sobie, patrzyli za ginącymi w ciemnościach światłami aut. Później dowiedziałem się, że w środkowej ciężarówce leżały ciała Hande i Granatowego.

W świetle reflektora ostatniej ciężarówki pan Turgut zauważył wywieszony w witrynie redakcji „Gazety Przygranicznego Miasta" najnowszy egzemplarz dziennika. Podszedł do szyby i przeczytał: „ŚMIERĆ NA SCENIE. SŁYNNY AKTOR SUNAY ZAIM ZASTRZELONY PODCZAS WCZORAJSZEGO SPEKTAKLU". Razem z córką jeszcze dwukrotnie przeczytał wiadomość i po chwili oboje ruszyli szybkim krokiem. Przed drzwiami teatru stały wozy policyjne, a kilka metrów za nimi stał nieruchomy cień czołgu.

Przy drzwiach zostali pobieżnie przeszukani. Pan Turgut znów wyjaśnił, że jest ojcem „odtwórczyni głównej roli kobiecej". Drugi akt już się rozpoczął, więc szybko usiedli na wolnych miejscach w ostatnim rzędzie.

Druga odsłona również pełna była innowacyjnych przeróbek, wesołych skeczy i żartów autorstwa Sunaya. Funda Eser zaprezentowała taniec brzucha, parodiując samą siebie. Ale atmosfera spektaklu była o wiele cięższa niż na początku. Na widowni zapanowała grobowa cisza. Na scenie coraz częściej grali tylko Kadife z Sunayem.

— Musi mi pani jednak wyjaśnić, dlaczego zamierza popełnić samobójstwo — mówił Sunay.

— Tego nigdy nie wie się do końca — odparła Kadife.

— Jak to?

— Gdyby człowiek znał do końca przyczynę samobójczej decyzji, gdyby mógł dokładnie określić, co pcha go ku śmierci, nie zabiłby się — wyjaśniła Kadife.

— Nic podobnego! — odparł Sunay. — Niektórzy umierają z miłości, inni nie mogą znieść biedy. Kobiety czasem wybierają śmierć, bo nie mogą znieść przemocy w domu.

— Jakże prosto widzi pan świat — stwierdziła Kadife.

— Zamiast zabijać się z miłości, można poczekać chwilę, aż

osłabnie jej miażdżąca siła. Bieda też nie jest wystarczającym powodem. Człowiek, zanim targnie się na własne życie, próbuje ukraść pieniądze albo porzucić okrutnego męża.

— Dobrze więc... Jaka jest prawdziwa przyczyna?

— To oczywiste: prawdziwą przyczyną jest duma. Przynajmniej kobiety zabijają się z dumy.

— Dlatego miłość każe im o niej zapomnieć?

— Pan niczego nie rozumie! — odparła Kadife. — Kobieta nie zabija się dlatego, że ją zraniono, lecz po to, by pokazać, jak bardzo jest dumna!

— Czy dlatego pani koleżanki popełniają samobójstwa?

— Nie mogę mówić w ich imieniu. Każda miała swoje powody. Ale za każdym razem, kiedy myślę o własnej śmierci, mam wrażenie, że one myślały to samo, co ja teraz. Chwila, w której kobieta popełnia samobójstwo, jest tą, w której najgłębiej zaczyna pojmować swoją samotność i to, że jest właśnie kobietą.

— Takich słów używała pani, nakłaniając swe przyjaciółki do śmierci?

— Popełniły samobójstwo z własnej woli.

— Wszyscy wiedzą, że tutaj, w Karsie, nikt nie dysponuje wolną wolą. Każdy szuka sprzymierzeńców. Ludzie przystępują do różnych grup i zgromadzeń, żeby nie narażać się na kłopoty. Proszę przyznać, Kadife, że współpracując z jedną z owych grup, namawiała pani kobiety do samobójstwa.

— O czym pan mówi? — zdziwiła się Kadife. — Przecież wybierając śmierć, skazały się na jeszcze większą samotność! Niektórzy ojcowie wyparli się córek, inne pochowano nawet bez modlitwy za zmarłych.

— A teraz chce pani pokazać, że to nie były pojedyncze przypadki, że każda z tych kobiet była ogniwem wielkiego łańcucha. I dlatego postanowiła pani do nich dołączyć. Milczy pani, Kadife... Ale jeśli zrobi to pani bez słowa wyjaśnienia, czy nie obawia się pani, że jej przesłanie zostanie niewłaściwie zinterpretowane?

— Moje samobójstwo nie będzie żadnym przesłaniem — odparła Kadife.

— A jednak. Tyle osób patrzy na panią. Chcą wiedzieć. Proszę chociaż powiedzieć, o czym pani myśli w tej chwili?

— Kobiety popełniają samobójstwa z nadzieją na zwycięstwo — odparła Kadife. — A mężczyźni robią to, kiedy uświadomią sobie, że nie ma już takiej nadziei.

— To prawda — powiedział Sunay i wyjął z kieszeni pistolet Kırıkkale.

Cała widownia skupiła uwagę na połyskującej broni.

— Czy jeśli uzna pani, że zostałem pokonany, strzeli do mnie pani z tej broni?

— Nie chcę trafić do więzienia.

— Ale przecież i tak zaraz potem ma pani popełnić samobójstwo... — bardziej stwierdził, niż zapytał Sunay. — Jako samobójczyni trafi pani do piekła. Nie powinna więc się pani obawiać już żadnej kary ani na tym, ani na tamtym świecie.

— I właśnie z tego powodu kobieta może życzyć sobie śmierci — powiedziała Kadife. — Żeby uciec przed wszelką karą.

— W chwili gdy przyznam, że przegrałem, chciałbym umrzeć z rąk takiej kobiety jak pani — obwieścił Sunay, odwracając się w stronę widowni. Umilkł, a po chwili zaczął opowiadać historię o miłosnych przygodach Atatürka, którą urwał w porę, widząc znudzenie na twarzach widzów.

Gdy drugi akt dobiegł końca, Ipek z panem Turgutem udali się za kulisy. Znaleźli się w olbrzymim pomieszczeniu, gdzie kiedyś do występów przygotowywali się akrobaci cyrkowi z Moskwy i Petersburga, ormiańscy artyści grający w sztukach Moliera oraz muzycy i tancerki odbywający tournée po Rosji. Teraz panował tu lodowaty chłód.

— Myślałam, że stąd wyjeżdżasz — powiedziała Kadife na widok siostry.

— Jestem z ciebie dumny, kochanie! Byłaś wspaniała! — wykrzyknął pan Turgut i uściskał córkę. — Gdyby dał ci do ręki broń i kazał strzelać, wstałbym, żeby przerwać przedstawienie. A potem głośno bym krzyknął: „Nie strzelaj, Kadife!".

— Po co?

— Ponieważ broń może być nabita! — obwieścił pan Turgut i streścił informację, która miała się ukazać w jutrzejszej „Gazecie Przygranicznego Miasta". — Większość tych zapowiedzi i tak się nie spełnia. Ale martwię się, bo wiem, że takiej notki Serdar nigdy by nie napisał bez aprobaty Sunaya. Być może nawet sam Sunay kazał mu tak zrobić. Może nawet nie dla rozgłosu, może on rzeczywiście chce, abyś go zabiła na scenie? Kochana córeczko! Za żadne skarby nie strzelaj, jeśli nie będziesz pewna, że broń nie jest nabita! I nie zdejmuj chusty. Twoja siostra nigdzie nie jedzie. Jeszcze długo będziemy mieszkać w tym mieście, więc lepiej nie denerwuj bez potrzeby religijnych fanatyków.

— Dlaczego Ipek zrezygnowała z wyjazdu?

— Bo najbardziej na świecie kocha swojego ojca, ciebie i naszą rodzinę — odparł pan Turgut, trzymając Kadife za ręce.

— Tatusiu, czy możemy raz jeszcze porozmawiać na osobności? — zapytała Ipek.

Zobaczyła przerażenie na twarzy siostry. Pan Turgut podszedł do Sunaya i Fundy, wchodzących właśnie przez drzwi z drugiej strony wysokiej zakurzonej sali. Ipek z całej siły przytuliła siostrę. Wiedziała, że ten gest jeszcze bardziej przestraszył Kadife, i bez słowa pociągnęła ją do części sali oddzielonej zasłoną. W tej samej chwili zza zasłony wyszła Funda z butelką koniaku i szklankami.

— Byłaś świetna, Kadife — powiedziała. — Czujcie się jak u siebie.

Ipek posadziła na krześle bardzo już zaniepokojoną Kadife. Patrzyła na nią tak, jakby chciała uprzedzić o złej wiadomości.

— Był nalot. Zabili Granatowego i Hande — oznajmiła.

Kadife w jednej chwili jakby zatrzasnęła się w sobie.

— Byli w tym samym mieszkaniu? Kto ci powiedział? — zapytała po chwili. Ale widząc pewność na twarzy siostry, umilkła.

— Wiem od Fazıla, chłopaka ze szkoły koranicznej. Od razu mu uwierzyłam. Widział na własne oczy... — Nie czekając, aż pobladła Kadife przetrawi te słowa, dokończyła pospiesznie: — Ka znał kryjówkę Granatowego. Po spotkaniu z tobą nie wrócił do hotelu. Myślę, że to on doniósł grupie specjalnej o tamtym mieszkaniu. Dlatego nie pojechałam z nim do Niemiec.

— Skąd wiesz? — odparła Kadife. — Może to nie on? Może to kto inny doniósł?

— Możliwe. Też o tym myślałam. Ale serce podpowiada mi, że to był Ka. Zrozumiałam, że nigdy nie będę mogła przekonać samej siebie o jego niewinności. Nie pojechałam do Niemiec, bo wiem już, że nie będę mogła go pokochać.

Kadife nie miała siły, by słuchać dalej. Ipek widziała, że siostra dopiero w tym momencie naprawdę zrozumiała, co się stało.

Dziewczyna zasłoniła twarz dłońmi i zaczęła rozpaczliwie szlochać. Ipek przytuliła ją i też zapłakała. Łkając bezgłośnie, pomyślała, że każda z nich płacze z innego powodu. Kiedyś, gdy jeszcze obie nie potrafiły zrezygnować z Granatowego i wciąż porównywały się nawzajem, uwięzione w okrutnej, męczącej rywalizacji, raz czy dwa płakały w ten sam sposób. Wszystko się skończyło: nigdy już nie wyjedzie z Karsu. Nagle poczuła się staro. Czuła, że będzie umiała zestarzeć się jak kobieta, która jest mądra na tyle, by niczego już nie chcieć od życia.

Teraz najbardziej martwiła się o Kadife. Widziała głębokie, wszechogarniające cierpienie siostry. Poczuła ulgę — a może smak zemsty? — że jej to nie dotyczy, i natychmiast się zawstydziła. Kierownictwo Teatru Narodowego włączyło właśnie muzykę, która miała podobno zwiększać sprzedaż lemoniady i prażonego grochu. Zewsząd docierały niewyraźne słowa piosenki *Baby come closer, closer to me...*, której siostry słuchały, mieszkając jeszcze w Stambule. Wtedy obie chciały nauczyć się angielskiego. I obu się nie udało. Teraz melodia ta wzmogła tylko płacz młodszej. Ipek wyjrzała zza uchylonej zasłony i zobaczyła ojca, który na drugim końcu mrocznego pomieszczenia stał zagadany z Sunayem. Funda Eser podeszła do nich z butelką i dolała koniaku.

— Pani Kadife, jestem pułkownik Osman Nuri Çolak — powiedział mocnym głosem żołnierz w średnim wieku, który uchylił zasłonę. Następnie skłonił się z przesadną galanterią. — Droga pani, czy mogę jakoś ulżyć jej cierpieniu? Jeśli nie chce pani wychodzić na scenę, proszę przyjąć do wiadomości, że drogi już otwarto, a wojsko niebawem wkroczy do miasta.

Postawiony później w stan oskarżenia Osman Nuri Çolak starał się przekonać trybunał wojskowy, że te słowa były dowodem, iż próbował ochronić miasto przed oszalałymi rewolucjonistami.

— Pod każdym względem czuję się doskonale, dziękuję panu bardzo — odparła Kadife.

Patrząc na siostrę, Ipek pojęła, że dziewczyna już zaraziła się nienaturalną grą Fundy Eser. Podziwiała ją jednak za nadludzki wysiłek, z jakim starała się opanować własne emocje. Kadife z trudem wstała, wypiła szklankę wody i jak duch zaczęła spacerować po szerokim pomieszczeniu.

Tuż przed trzecim aktem Ipek postanowiła nie dopuścić do rozmowy ojca z siostrą, ale pan Turgut podszedł do nich w ostatnim momencie.

— Niczego się nie bój — powiedział, mając na myśli Sunaya i jego przyjaciół. — To nowocześni ludzie.

Na początku trzeciego aktu Funda Eser odśpiewała balladę zgwałconej kobiety, dzięki której widzowie, znudzeni już nieco nazbyt „intelektualną" atmosferą przedstawienia, ponownie skupili się na fabule. Funda Eser, jak zwykle zalewając się łzami, przemawiała głównie do męskiej części widowni i szczegółowo opowiadała o swojej tragedii. Po dwóch balladach i jednej krótkiej parodii reklamy, która rozśmieszyła bardziej dzieci niż dorosłych (sugerowano, że Aygaz napełnia butle za pomocą pierdnięcia), przygaszono światła. Na scenie pojawili się dwaj szeregowcy, przypominający uzbrojonych żołnierzy z poprzedniego spektaklu. Na środek sceny przywlekli szubienicę. Widownię ogarnęła pełna napięcia cisza. Sunay, wyraźnie kulejąc, podszedł do Kadife i stanął obok niej w cieniu stryczka.

— Nigdy nie sądziłem, że wszystko potoczy się tak szybko — powiedział.

— Czyżby nie udało się panu dokonać tego, co zamierzał? Czy może zestarzał się pan już tak bardzo, że szuka pretekstu, żeby umrzeć z fasonem?

Ipek widziała, że siostra każde słowo wypowiada z ogromnym trudem.

— Jest pani bardzo mądra, Kadife — odparł Sunay.

— Czy tego pan się boi? — zapytała dziewczyna zirytowanym tonem, a w jej głosie słychać było złość.

— Owszem! — odparł uwodzicielsko Sunay.

— Nie boi się pan mojego intelektu, ale tego, że mam charakter — stwierdziła Kadife. — Bo w naszym mieście mężczyźni nie boją się kobiecej mądrości. Umierają ze strachu na myśl, że ich żony i córki mogłyby stać się niezależne.

— Przeciwnie — powiedział Sunay. — Przeprowadziłem tę rewolucję po to, byście wy, kobiety, mogły być wolne. I dlatego chcę, aby teraz zdjęła pani chustę.

— Odsłonię włosy — odparła Kadife. — A potem powieszę się, żeby udowodnić wam, że nie zrobiłam tego ani pod pańskim naciskiem, ani po to, by naśladować Europejki.

— Umrze pani w obronie własnej indywidualności, więc Europa będzie panią podziwiać. Pani dobrze o tym wie, Kadife. Każdy zauważył, jak chętnie wygłosiła pani oświadczenie dla niemieckiej gazety podczas t a k   z w a n e g o tajnego spotkania w hotelu Asya. Podobno to pani zorganizowała samobójczy ruch, tak samo jak podjudziła do buntu dziewczęta w chustach.

— Tylko jedna dziewczyna walcząca o prawo do chusty popełniła samobójstwo. To była Teslime.

— A pani będzie druga...

— Nie. Ja najpierw odsłonię włosy.

— Dobrze to pani przemyślała?

— Tak. Nawet bardzo dobrze.

— W takim razie musiała też pani pomyśleć i o tym, że samobójcy idą do piekła. Czy wobec tego, jako osoba z góry skazana na piekielne męki, zabije mnie pani z czystym sumieniem?

— Nie — powiedziała Kadife. — Nie wierzę, że po samobójczej śmierci trafię do piekła. A pana zabiję po to, by zniszczyć wroga narodu, religii i kobiet!

— Kadife, jest pani odważna i szczera. Ale nasza religia zabrania samobójstwa.

— Owszem, sura Kobiety świętego Koranu mówi: „Nie zabijajcie się!" — przyznała. — Ale to nie znaczy, że wszechwiedzący Bóg nie wybaczy tym dziewczętom i skaże je na ogień piekielny.

— Tak to pani interpretuje.

— Powiem więcej — ciągnęła Kadife. — Prawda jest odwrotna: niektóre dziewczęta popełniły w Karsie samobójstwo dlatego, że nie mogły zasłaniać włosów, chociaż tego chciały. Wielki Bóg jest sprawiedliwy i wie, jak straszne było ich cierpienie. I dla mnie, osoby z sercem przepełnionym miłością do Niego, nie ma miejsca w tym mieście. Dlatego zginę.

— Wie pani, jak bardzo jej słowa rozgniewają nasze religijne autorytety, które nie zważając na śnieg i mróz, dotarły tu, by uchronić młode mieszkanki naszego biednego Karsu przed samobójczą plagą? Przecież Koran...

— Nie mam zamiaru dyskutować o swojej religii ani z ateistami, ani z ludźmi, którzy ze strachu udają, że wierzą w Boga. Skończmy już tę grę.

— Ma pani rację. Zresztą zapytałem nie po to, żeby wtrącać się w pani życie duchowe, ale z obawy, że nie zastrzeli mnie pani z czystym sumieniem właśnie z powodu strachu przed piekłem.

— Niech się pan nie obawia. Zastrzelę.

— Pięknie — stwierdził Sunay obrażonym tonem. — Wobec tego powiem pani, jaki wniosek płynie z mojej dwudziestopięcioletniej kariery scenicznej. Jeśli ten dialog potrwa jeszcze chwilę, widownia tego nie zniesie. Dlatego proponuję nie przedłużać i brać się do roboty.

— W porządku.

Sunay wyjął ten sam co poprzednio pistolet Kırıkkale i pokazał go Kadife oraz wszystkim na widowni.

— Teraz pani zdejmie chustę, a potem zastrzeli mnie z tej broni. Ponieważ po raz pierwszy rozegra się to podczas transmisji na żywo, nasi widzowie...

— Nie przedłużajmy — przerwała Kadife. — Znudziło mi się słuchać mężczyzn, którzy wyjaśniają, dlaczego dziewczyny popełniają samobójstwa!

— Ma pani rację — powiedział Sunay, bawiąc się pistoletem. — Mimo wszystko chciałbym dodać dwie rzeczy. Żeby obywatele, którzy oglądają nas teraz i którzy wierzą w kłamstwa wypisywane w gazetach, niczego się nie obawiali. Proszę spojrzeć, Kadife, oto magazynek. Jak pani widzi, jest pusty — wyjął magazynek, pokazał Kadife i założył go z powrotem. — Pusty. Widzieliście? — zapytał jak prawdziwy iluzjonista.

— Tak.

— Upewnijmy się jednak! — powiedział Sunay. Jeszcze raz wymontował magazynek i niczym magik wyjmujący królika z kapelusza pokazał go widowni. — Po raz ostatni przemawiam we własnym imieniu. Przed chwilą powiedziała pani, że zastrzeli mnie z czystym sumieniem. Pewnie brzydzi się mnie pani. Widzi we mnie potwora, który organizuje przewrót i strzela do ludu, bo chce, by ten lud się zeuropeizował. Ale chcę, by pani wiedziała, że zrobiłem to dla całego narodu!

— Dobrze — powiedziała Kadife. — Wobec tego ja teraz odsłonię włosy. Proszę wszystkich o uwagę.

Na jej twarzy na sekundę pojawił się grymas bólu. Jednym nieskomplikowanym ruchem zdjęła z głowy chustę.

Na widowni zapanowała grobowa cisza. Sunay, osłupiały, patrzył na Kadife, jakby właśnie zrobiła coś kompletnie nieoczekiwanego. Po chwili oboje odwrócili się w stronę widowni. Wyglądali jak amatorzy, którzy zapomnieli swoich kwestii.

Cały Kars patrzył w zachwycie na długie, ciemne włosy Kadife. Operator kamery po raz pierwszy zebrał się na odwagę i zrobił zbliżenie twarzy dziewczyny. Była skrępowana jak kobieta, której w tłoku przypadkiem rozpięła się sukienka. Z każdego jej gestu biło cierpienie.

— Proszę dać mi broń — rozkazała niecierpliwie.

Sunay, trzymając pistolet za lufę, podał go Kadife.

— Tutaj jest cyngiel.

Kadife wzięła broń, a Sunay się uśmiechnął. Wszyscy myśleli, że rozmowa potrwa jeszcze chwilę. I chyba z podobną nadzieją aktor powiedział jeszcze:

— Piękne ma pani włosy, Kadife. Na pani miejscu także zazdrośnie skrywałbym je przed mężczyznami.

Dziewczyna pociągnęła za spust. Rozległ się huk strzału. Bardziej niż samym odgłosem wszyscy byli zaskoczeni tym, że Sunay osunął się na ziemię jak prawdziwy nieboszczyk.

— Jacy oni wszyscy głupi! — powiedział. — Nie mają pojęcia o awangardowej sztuce. Nigdy nie będą nowocześni!

Widzowie oczekiwali długiego przedśmiertnego monologu, ale Kadife zbliżyła pistolet do piersi aktora i strzeliła jeszcze czterokrotnie. Za każdym razem ciało mężczyzny jakby unosiło się i drgając, coraz ciężej opadało na deski sceny. Cztery strzały padły szybko i zdecydowanie.

Widzowie, którzy wciąż się spodziewali, że Sunay wygłosi wielką pożegnalną tyradę, po piątym wystrzale stracili nadzieję: twarz aktora była czerwona od krwi. Pani Nuriye, która w sztuce teatralnej na równi ceniła walory tekstu i wiarygodność efektów specjalnych, wstała, aby wznieść owację, ale przerażona widokiem pokrwawionej twarzy Sunaya, szybko usiadła w milczeniu.

— Chyba go zabiłam! — powiedziała Kadife do widzów.

— I dobrze zrobiłaś! — krzyknął któryś z uczniów szkoły koranicznej, rozsadzonych w ostatnich rzędach krzeseł.

Funkcjonariusze odpowiedzialni za spokój na widowni byli tak zajęci krwawym widowiskiem, że żaden nie zrobił niczego, aby zidentyfikować czy też aresztować śmiałka. Pani Nuriye, która od dwóch dni nie zajmowała się niczym poza pełnym uwielbienia oglądaniem twarzy Sunaya w telewizorze, a na wieść o kolejnym spektaklu postanowiła za wszelką cenę zająć miejsce w pierwszym rzędzie, teraz zaniosła się rozdzierającym płaczem. Na jej widok wszyscy zrozumieli, że wydarzenia, w których uczestniczą, są aż nadto prawdziwe.

Dwaj szeregowcy, którzy wybiegli ku sobie z dwóch krańców sceny, dziwnym i komicznym gestem spuścili kurtynę.

44.

Dziś nikt już nie lubi tu Ka

Cztery lata później w Karsie

Kiedy opuszczono kurtynę, Z. Demirkol i jego kompani aresztowali Kadife. Wyprowadzili ją tylnymi drzwiami wprost na aleję Kazıma Karabekira, zapakowali do wojskowej ciężarówki i „dla jej bezpieczeństwa" zawieźli do starego schronu w garnizonie, gdzie niedawno gościł Granatowy. Kilka godzin później wszystkie drogi dojazdowe do Karsu zostały otwarte, a oddziały armii wysłane w celu stłumienia tego małego „wojskowego przewrotu" wkroczyły do miasta, nie napotkawszy najmniejszego oporu. Zastępca wojewody, komendant brygady oraz inni przedstawiciele miejscowej władzy zostali uznani za winnych poważnego zaniedbania i natychmiast zawieszeni w czynnościach służbowych. Garstka żołnierzy i pracowników Narodowej Organizacji Wywiadowczej, która współpracowała z „rewolucjonistami", została aresztowana mimo argumentów, że działali dla dobra państwa i narodu. Pan Turgut i Ipek dopiero po trzech dniach mogli odwiedzić aresztowaną Kadife. Starszy pan, zrozumiawszy, że Sunay umarł na scenie naprawdę, przeżył szok. Mimo to z nadzieją, że Kadife nic złego nie spotka, jeszcze tego samego wieczoru podjął starania, by zabrać z sobą młodszą córkę i razem z nią wrócić do domu. Niestety, jego wysiłki spełzły na niczym. Długo po północy, po wędrówce pustymi ulicami, wrócił wreszcie do siebie, podtrzymywany pod ramię przez Ipek. Później, kiedy Ipek rozpakowywała walizkę i wieszała ubrania w szafie, jej ojciec długo płakał.

Większość mieszkańców oglądających spektakl dopiero na drugi dzień przeczytała wiadomość z pierwszej strony „Gazety Przygranicznego Miasta" i uświadomiła sobie, że Sunay, po krótkiej walce o życie, zmarł naprawdę. Zebrani w teatrze ludzie rozeszli się do domów pełni podejrzeń, ale bez zbytniego hałasu. Telewizja natomiast ani słowem nie wspomniała już o wydarzeniach, które rozegrały się w ciągu ostatnich trzech dni. Cały Kars, przyzwyczajony do organizowanych przez jednostki specjalne obław na „terrorystów", rewizji i rozmaitych telewizyjnych obwieszczeń, szybko przestał myśleć o tamtych trzech dniach jak o jakimś wyjątkowym czasie. Następnego ranka sztab generalny rozpoczął oficjalne śledztwo, a w jego ślady poszła inspekcja rządowa. W miasteczku zaczęto rozprawiać o „teatralnym przewrocie" jak o wydarzeniu scenicznym i artystycznym, zapominając prawie o jego politycznym wymiarze. Jeśli Sunay Zaim na oczach wszystkich włożył do pistoletu pusty magazynek, jakim cudem Kadife zdołała go zabić?

Jak szanowni czytelnicy zdążyli już pewnie zauważyć, raport inspektora przysłanego z Ankary dla zbadania sprawy „teatralnego przewrotu" był mi pomocny w wielu punktach tej opowieści. Przyznajmy, że „teatralna rewolucja" wyglądała bardziej jak wyczyn prestidigitatora niż dzieło utalentowanych spiskowców... Ponieważ Kadife odmówiła rozmów z siostrą, ojcem, prokuratorem oraz adwokatem (choćby w celu ustalenia linii obrony), przysłany z Ankary inspektor poświęcił jej sprawie szczególną uwagę. I tak jak ja cztery lata później, szukając prawdy, rozmawiał z wieloma osobami (a raczej „zbierał informacje") i dzięki temu mógł rozwiać wiele wątpliwości i sprawdzić dokładnie każdą plotkę.

Udowodnił, że pogłoska o zabójstwie z premedytacją była fałszywa. Nieprawdą okazały się spekulacje, jakoby Kadife świadomie i z zimną krwią zastrzeliła Sunaya wbrew jego woli i za pomocą innej broni niepostrzeżenie wyjętej z kieszeni, albo korzystając z drugiego pełnego magazynka. Choć na twarzy umierającego Sunaya rzeczywiście malował się wyraz absolutnego zaskoczenia, policyjna rewizja, przedmioty znalezione przy morderczyni oraz zapis wideo potwierdziły niezbicie, że na scenie był tylko jeden pistolet i jeden magazynek. Upadła również inna, chętnie powtarzana przez mieszkańców miasta teoria, jakoby aktor został zabity przez kogoś innego. Niestety, przysłany z Ankary raport balistyczny i wyniki autopsji potwierdziły, że zgon nastąpił w wyniku ran zadanych z broni Kırıkkale trzymanej przez Kadife. Inspektor uznał, że ostatnie słowa dziewczyny („Chyba go zabiłam!") — dzięki którym jej postać zaczęła obrastać legendą bohaterki i ofiary zarazem — dowodziły, że nie zaplanowała tej zbrodni. W swoim raporcie inspektor odniósł się do dwóch pojęć filozoficzno-prawnych i szczegółowo omówił kwestię zabójstwa z premedytacją i zagadnienie złej woli, sugerując, jaką drogą powinien pójść prokurator. Dowodził, że wszystko, co Kadife mówiła na scenie, było wyuczone bądź sprowokowane przez nieżyjącego już aktora Sunaya Zaima, który osobiście wyreżyserował sztukę. Aktor oszukał wszystkich, także Kadife, dwukrotnie zapewniając, że magazynek jest pusty. „Magazynek od początku był pełny!" — powiedział mi trzy lata później wysłany na wcześniejszą emeryturę inspektor, kiedy spotkałem się z nim w jego ankarskim domu. (Podczas rozmowy zainteresowałem się kolekcją powieści Agaty Christie, a gospodarz wyjaśnił, że szczególnie podobają mu się tytuły tych książek). Przedstawienie pełnego magazynka jako pustego nie było magiczną sztuczką wyrafinowanego artysty. Terror, jaki pod przykrywką wcielania w życie zachodnich idei i kemalizmu stosował Sunay Zaim i jego ludzie przez trzy dni swoich rządów (razem z aktorem doliczono się dwudziestu dziewięciu ofiar), doprowadził mieszkańców Karsu do takiego stanu, że wszyscy gotowi byli przysiąc, że pusta szklanka jest w istocie po brzegi pełna. Nie tylko Kadife, ale wszyscy mieszkańcy Karsu, którzy pod pretekstem obcowania ze sztuką śledzili sceniczną śmierć Sunaya, zapowiedzianą wcześniej w prasie, stali się częścią jego okrutnej gry. Raport przygotowany przez inspektora przeczył także dwóm innym pogłoskom. Na pierwszy zarzut, jakoby Kadife zamordowała Sunaya, mszcząc się za śmierć Granatowego, inspektor odpowiadał, że nie można oskarżać o złą wolę osoby, która dostała do ręki naładowaną broń z zapewnieniem, iż jest ona pusta. Druga teoria, popularna wśród popierających czyn Kadife islamistów i potępiających ją laickich republikanów, według których sprytna dziewczyna najpierw zastrzeliła aktora, a potem oczywiście zrezygnowała z samobójstwa, została podważona krótkim stwierdzeniem: nie należy mieszać rzeczywistości ze sztuką. Pomysł, że Kadife oszukała Sunaya Zaima i w ostatniej chwili zmieniła zdanie w kwestii samobójstwa, uznano za bzdurny, dowodząc, że ustawioną na scenie szubienicę wykonano z kartonu, o czym wiedzieli wszyscy aktorzy.

Tenże szczegółowy raport, przygotowany starannie przez przysłanego ze sztabu generalnego inspektora, został wyjątkowo wysoko oceniony przez stacjonujących w Karsie wojskowych prokuratorów i sędziów. Dzięki niemu Kadife nie skazano za zabójstwo z pobudek politycznych, lecz za nieumyślne spowodowanie śmierci — na trzy lata i jeden miesiąc więzienia. Na wolność wyszła po dwudziestu miesiącach. Pułkownika Osmana Nuriego Çolaka skazano na podstawie artykułów 313 i 463 tureckiego kodeksu karnego za tworzenie nielegalnych organizacji przestępczych, specjalizujących się w zabójstwach, oraz dokonanie zabójstw przypisanych wcześniej nieznanym sprawcom. Wyrok był bardzo wysoki, ale dzięki amnestii pułkownik opuścił więzienie po sześciu miesiącach. Choć kategorycznie zabroniono mu opowiadania o tamtych wydarzeniach, nieraz chwalił się, że miał odwagę dokonać czynów, o jakich marzy każdy wierny kemalistowskim ideałom żołnierz. Podczas suto zakrapianych spotkań w domach garnizonowych oskarżał kolegów o strach przed religijnymi fanatykami, wygodnictwo i tchórzostwo.

Inni oficerowie, szeregowi żołnierze i pozostali funkcjonariusze zamieszani w sprawę — mimo stwierdzenia, że działali z pobudek patriotycznych bądź postępowali zgodnie z rozkazami — zostali skazani za udział w nielegalnych organizacjach przestępczych, dokonywanie zabójstw oraz bezprawne dysponowanie mieniem państwowym. Wyszli na wolność dzięki amnestii. Jeden z nich, młody podporucznik, który po opuszczeniu celi dołączył do islamistów, opublikował w religijnej gazecie „Ahit" serię wspomnień (*Ja też byłem jakobinem*). Wydanie wstrzymano pod zarzutem próby znieważenia armii. Okazało się, że bramkarz Vural zaraz po stłumieniu puczu został tajnym współpracownikiem Narodowej Organizacji Wywiadowczej. Co do innych członków teatralnej trupy sąd przyznał, że byli wyłącznie zwykłymi artystami. Funda Eser w chwili śmierci męża przeżyła atak nerwowy. A ponieważ była bardzo agresywna i donosiła na wszystkich wkoło, cztery miesiące spędziła pod ścisłą obserwacją lekarzy na oddziale psychiatrycznym szpitala wojskowego w Ankarze. Po latach zdobyła popularność, użyczając swego głosu pewnej wiedźmie z popularnego serialu dla dzieci. Powiedziała mi, że wciąż zasmuca ją, iż jej zmarły podczas wypadku na scenie małżonek przez zawiść i fałszywe zarzuty nigdy nie otrzymał roli Atatürka. Jedyną pociechą było dla niej to, że wiele ostatnio postawionych pomników Atatürka było wzorowanych na posturze i pozach jej męża. Mój przyjaciel Ka, również wspomniany w raporcie inspektora, został słusznie wezwany przez wojskowego sędziego jako świadek. Po dwóch pisemnych wezwaniach podjęto decyzję o aresztowaniu go i przymusowym doprowadzeniu na przesłuchanie.

Każdej soboty pan Turgut ze starszą córką odwiedzali Kadife, odsiadującą wyrok w więzieniu w Karsie. W piękne wiosenne i letnie dni, za zgodą wyrozumiałego dyrektora placówki, pod wielkim drzewem morwy rosnącym na szerokim więziennym dziedzińcu rozkładali biały obrus. Przy dźwiękach preludiów Chopina, płynących z przenośnego magnetofonu Philips, który pan Turgut kazał wreszcie naprawić, delektowali się przygotowaną przez Zahide nadziewaną papryką w oliwie, częstowali pozostałe więźniarki kotlecikami mielonymi i stukali się wzajemnie jajkami na twardo. Pan Turgut robił wszystko, by nie postrzegano wyroku jego córki jako powodu do wstydu, więzienie traktował więc jak rodzaj szkoły z internatem, do której uczęszczać powinien każdy porządny obywatel. Od czasu do czasu zabierał z sobą znajomych, na przykład pana Serdara. Podczas jednej z wizyt towarzyszył im Fazıl, którego Kadife zapragnęła widywać częściej. Dwa miesiące po opuszczeniu więziennych murów wyszła za niego za mąż, pomimo że był od niej młodszy o cztery lata.

Przez pierwszych sześć miesięcy małżonkowie zajmowali jeden z pokojów w hotelu Karpalas, gdzie Fazıl został zatrudniony jako recepcjonista. Kiedy przyjechałem do Karsu, razem z dzieckiem mieszkali już gdzie indziej. Każdego ranka Kadife z sześciomiesięcznym chłopcem o imieniu Ömercan przychodziła do hotelu i pomagała w różnych pracach. Zahide i Ipek w tym czasie opiekowały się dzieckiem, a pan Turgut bawił się z wnukiem. Fazıl zaś, chcąc uniezależnić się od teścia, pracował w zakładzie fotograficznym Aydın Foto Sarayı oraz w telewizji Przygraniczny Kars jako asystent programowy, choć w rzeczywistości był człowiekiem na posyłki, jak przyznawał z uśmiechem.

Następnego dnia po moim przyjeździe do miasta i kolacji wydanej na moją cześć przez burmistrza spotkałem się z Fazılem w ich nowym mieszkaniu przy alei Hulusiego Aytekina. Właśnie minęło południe. Patrzyłem na wielkie płatki śniegu opadające ciężko na mury twierdzy i rzekę Kars. Fazıl zapytał, co mnie sprowadziło do miasta. Przestraszyłem się, sądząc, że chłopak chce mnie namówić na rozmowę o Ipek, której obecność poprzedniego wieczoru na kolacji u burmistrza tak okrutnie zmąciła mój spokój. Z przesadnym zaangażowaniem opowiedziałem mu więc o wierszach Ka powstałych w Karsie i wyznałem, że chcę napisać o nich książkę.

— Skoro wiersze przepadły, jak zamierzasz to zrobić? — zapytał ze szczerym zainteresowaniem.

— Nie mam pojęcia — odparłem. — Jeden z nich powinien być w telewizyjnym archiwum.

— Znajdziemy go wieczorem. Ale ty przez cały ranek spacerowałeś po mieście. Może to o nas, mieszkańcach Karsu, ma być twoja książka?

— Byłem w miejscach, o których Ka wspominał w swoich wierszach — wyjaśniłem nerwowo.

— Z twojej twarzy czytam, że chciałbyś napisać o naszej biedzie. I o tym, jak różnimy się od czytelników twoich powieści. Nie mam ochoty znaleźć się w takiej książce.

— Dlaczego?

— Przecież wcale mnie nie znasz! A nawet gdybyś mnie poznał, ale nie potrafił odpowiednio opisać, twoi zachodni czytelnicy nie rozumieliby, jak żyję i tak bardzo byliby zajęci współczuciem mi. Na przykład to, że piszę islamskie powieści *science fiction*, rozbawiłoby ich do łez. Nie chcę, by mnie polubili i drwili sobie ze mnie na boku.

— W porządku.

— Wiem, że jest ci przykro — stwierdził Fazıl. — Proszę, nie miej mi tego za złe. Jesteś dobrym człowiekiem. Ale twój kolega też był dobry i może nawet chciał nas polubić. A potem wyrządził potworne zło.

Fazıl mógł się ożenić z Kadife tylko dlatego, że Granatowy zginął. Pomyślałem więc, że był nieszczery i nieuczciwy, zarzucając memu przyjacielowi, że doniósł na Granatowego. Ale milczałem.

— Skąd wiesz, że to słuszne oskarżenie? — zapytałem po dłuższej chwili.

— Cały Kars to wie — odparł Fazıl ciepłym, niemal współczującym tonem, w którym nie było cienia wyrzutu pod adresem moim czy mego przyjaciela.

W jego oczach nagle zobaczyłem Necipa. Powiedziałem, że jestem gotów przeczytać powieść *science fiction*, którą chciał mi pokazać. Uprzedził, że nie odda mi rękopisu i będzie stał przy mnie podczas lektury. Usiedliśmy więc za stołem, przy którym wieczorami małżonkowie jadali kolację i oglądali telewizję. Obaj w ciszy przeczytaliśmy pierwszych pięćdziesiąt stron powieści wymyślonej cztery lata temu przez Necipa i spisanej przez Fazıla.

— I jak? Dobra? — zapytał chłopak tylko jeden raz przepraszającym tonem. — Przerwijmy, jeśli się znudziłeś.

— Nie. Podoba mi się — odparłem i chętnie czytałem dalej.

Kiedy później szliśmy w śniegu aleją Kazıma Karabekira, zapewniłem go szczerze, że powieść przypadła mi do gustu.

— Może mówisz tak, żeby nie robić mi przykrości — powiedział Fazıl wesoło — ale sprawiłeś mi przyjemność. I chcę ci się zrewanżować. Możesz wspomnieć o mnie w swojej powieści. Pod warunkiem, że sam będę mógł powiedzieć coś czytelnikom.

— Co takiego?

— Nie wiem. Powiem ci, jeśli to wymyślę, zanim wyjedziesz z Karsu.

Rozstaliśmy się, umówieni wieczorem w siedzibie telewizji Przygraniczny Kars. Patrzyłem za nim, jak biegł do zakładu Aydın Foto Sarayı. Czy rzeczywiście widziałem w nim Necipa? Czy Necip wciąż jeszcze tkwił w jego ciele tak, jak to wyznał w rozmowie z Ka? Jak wyraźnie można usłyszeć w sobie głos innej osoby?

Kiedy rankiem spacerowałem po ulicach miasta, rozmawiałem z ludźmi, których spotykał Ka, i siedziałem w tych samych co on *çayhane*, wielokrotnie miałem wrażenie, że stałem się nim. Wcześnie rano usiadłem w *çayhane* Talihli Kardeşler, gdzie mój przyjaciel napisał wiersz *Cała ludzkość i gwiazdy.* Tak jak on próbowałem wyobrazić sobie swoje miejsce we wszechświecie. Pracujący wciąż w recepcji hotelu Karpalas Cavit powiedział mi, że odbieram klucz szybko, „dokładnie tak jak pan Ka". Kiedy wędrowałem jedną z bocznych uliczek, jakiś mężczyzna ze sklepu zawołał za mną: „To pan jest tym pisarzem ze Stambułu?". Zaprosił mnie do środka i wtedy okazało się, że był ojcem Teslime, która przed czterema laty popełniła samobójstwo. Żądając, abym sprostował wszystkie kłamliwe doniesienia na temat jej śmierci, rozmawiał ze mną tak, jak wcześniej rozmawiał z Ka. Poczęstował mnie nawet coca-colą. Ile w tym było przypadku, a ile działania mojej wyobraźni? Kiedy w pewnym momencie zorientowałem się, że stoję na ulicy Baytarhane, spojrzałem w okna domu szejcha Saadettina. Chciałem zrozumieć, co czuł Ka, odwiedzając to miejsce, wszedłem więc na górę po stromych schodach, które w swoim wierszu dokładnie opisał Muhtar.

Wśród zabranych z Frankfurtu papierów znalazłem wiersze Muhtara, co znaczyło, że Ka nigdy nie wysłał ich Fahirowi. A przecież już po minucie naszego spotkania Muhtar zaczął się rozwodzić nad tym, jak wielkim człowiekiem był Ka, jak bardzo podobały mu się jego wiersze, które wysłał wraz z listem polecającym do jednego z tych nadętych stambulskich wydawców. Muhtar był zadowolony z interesów i miał nadzieję zwyciężyć w najbliższych wyborach. Kandydował na stanowisko burmistrza z ramienia nowej partii islamskiej (jej poprzedniczka, Partia Dobrobytu, została zdelegalizowana). Dzięki uprzejmemu i zaprzyjaźnionemu ze wszystkimi Muhtarowi wpuszczono nas do Komendy Głównej (zabroniono tylko zejścia do piwnic) i szpitala, w którym Ka ucałował ciało Necipa. Oprowadzając mnie po zamienionych w magazyny jedynych pomieszczeniach, jakie pozostały po Teatrze Narodowym, Muhtar ze skruchą przyznał, że sam jest trochę odpowiedzialny za zburzenie budynku. Ale pocieszającym tonem szybko dodał, że to „i tak nie był turecki, lecz ormiański gmach". Potem przypomniał mi wszystkie miejsca, które Ka opisał, myśląc o Karsie i Ipek: zaprowadził na przykryty śniegiem targ warzywny i pokazał ustawione rzędem zakłady kowalskie przy alei Kazıma Karabekira. W budynku Halita Paszy przedstawił mi swego politycznego przeciwnika, adwokata Muzaffera. Sam zaś gdzieś zniknął.

Tak jak mój przyjaciel, wysłuchałem z ust byłego burmistrza historii o Karsie z pierwszych lat Republiki. Kiedy po spotkaniu z nim szedłem długimi, nieprzyjemnymi korytarzami w stronę wyjścia, stojący w drzwiach Towarzystwa Miłośników Zwierząt zamożny właściciel sklepu z nabiałem — powiedziawszy tylko: „Pan Orhan?" — gestem zaprosił mnie do środka. Z zaskakującą dokładnością opowiedział, jak cztery lata wcześniej, zaraz po zabójstwie dyrektora ośrodka kształcenia, Ka wszedł do siedziby towarzystwa i zadumany przycupnął w rogu ringu do walk kogucich.

Nie czułem się dobrze, kiedy mężczyzna mówił o chwili, w której Ka zrozumiał, że jest zakochany w Ipek. Pewnie dlatego, chcąc się pozbyć napięcia i uwolnić od strachu przed miłością, poszedłem do restauracji Yeşilyurt na kieliszek rakı. Ale kiedy potem usiadłem w cukierni naprzeciwko Ipek, zrozumiałem, że przez te zabiegi stałem się jeszcze bardziej bezbronny. Wypita na pusty żołądek rakı, zamiast uwolnić myśli, bezlitośnie je poplątała. Ipek miała ogromne oczy i pociągłą twarz, taką, jakie lubię najbardziej. Próbowałem zrozumieć sekret jej urody — dzisiaj wydała mi się jeszcze piękniejsza niż wczoraj. Po raz kolejny bezskutecznie usiłowałem przekonać siebie, że mój umysł mąciła znana mi dokładnie historia jej miłości do mego przyjaciela. Ale to znów bezlitośnie odkrywało kolejną moją słabość — w przeciwieństwie do Ka, który jak prawdziwy poeta potrafił żyć własnym życiem, byłem tylko prostodusznym powieściopisarzem, siadającym do pracy niczym skryba o ustalonej godzinie każdego wieczoru i ranka. Może dlatego z przyjemnością pomyślałem, że jego życie we Frankfurcie także było ustabilizowane: każdego ranka wstawał o tej samej porze, szedł tymi samymi ulicami i siedział przy tym samym stole w tej samej bibliotece.

— Ja naprawdę zdecydowałam, że pojadę z nim do Frankfurtu — wyznała Ipek i na potwierdzenie tych słów opowiedziała mi o wielu szczegółach, jak choćby o dokładnie spakowanej walizce. — Ale teraz trudno mi sobie przypomnieć, dlaczego Ka naprawdę wydawał mi się tak uroczy. Szanuję jednak waszą przyjaźń i dlatego chcę panu pomóc przy pisaniu tej książki.

— To dzięki pani Ka stworzył w Karsie coś wspaniałego — powiedziałem. — Każdy z tych trzech dni zapamiętał i opisał niemal minuta po minucie. Brakuje tylko ostatnich godzin bezpośrednio poprzedzających wyjazd z miasta.

Z zaskakującą szczerością, nie ukrywając żadnych szczegółów, czasem tylko z trudem przełamując wstyd, opowiedziała, jak według niej wyglądały ostatnie godziny poety w Karsie.

— Ale nie miała pani żadnych solidnych dowodów jego winy, solidnych na tyle, by zrezygnować z wyjazdu do Frankfurtu — zauważyłem, starając się, aby nie brzmiało tak, jakbym ją o coś obwiniał.

— Niektóre rzeczy natychmiast podpowiada nam serce.

— Cóż, to pani pierwsza wspomniała o sercu — zacząłem i przepraszającym tonem poinformowałem ją o listach, których Ka nigdy do niej nie wysłał, a które musiałem przeczytać, zbierając materiał do książki. Powiedziałem, że przez rok od wyjazdu z Karsu Ka wciąż o niej myślał, aż w końcu zapadł na bezsenność; musiał zażywać środki nasenne. Pił do nieprzytomności. Spacerując po frankfurckich ulicach, niemal co kwadrans widział ją w jakiejś kobiecie. Każdego dnia aż do śmierci wspominał ich wspólne radosne chwile, jakby oglądał film w zwolnionym tempie. W tych rzadkich momentach, kiedy udawało mu się o niej zapomnieć, był naprawdę szczęśliwy. Do końca życia nie potrafił związać się z żadną kobietą. Kiedy utracił Ipek, był już tylko „duchem, nie prawdziwym człowiekiem".

Kiedy zobaczyłem jej uniesione w zaskoczeniu brwi, a w oczach zatroskaną prośbę, bym przestał, przestraszyłem się, że opowiedziałem o tym nie dlatego, by przekonać ją o miłości mojego przyjaciela, ale po to, by to mnie obdarzyła sympatią.

— Być może pański przyjaciel bardzo mnie kochał — powiedziała — ale nie na tyle, by jeszcze raz zaryzykować przyjazd do Karsu.

— Wydano decyzję o jego aresztowaniu.

— To nieważne. Mógł iść do sądu i wszystko wyjaśnić. Nie miałby najmniejszego problemu. Proszę mnie źle nie zrozumieć, dobrze zrobił, nie przyjeżdżając tu znowu. Ale Granatowy całymi latami przyjeżdżał do Karsu, żeby mnie zobaczyć, mimo rozkazu, by strzelać do niego bez ostrzeżenia.

Kiedy wypowiedziała imię tamtego, jej orzechowe oczy rozbłysły, a na twarzy zobaczyłem prawdziwy żal. Poczułem uścisk w żołądku.

— Ale pański przyjaciel nie bał się sądu — dodała pocieszająco. — On dobrze rozumiał, że wiedziałam o jego winie i dlatego nie pojechałam wtedy na dworzec.

— Nigdy nie udało się pani udowodnić tej winy.

— Rozumiem pańskie wyrzuty sumienia z powodu przyjaciela — powiedziała mądrze i dając mi do zrozumienia, że nasze spotkanie dobiegło końca, schowała do torby zapalniczkę i papierosy. Mądrze, ponieważ kiedy tylko wypowiedziałem tamte słowa, zrozumiałem ze wstydem, że dla niej także oczywista była moja zazdrość o Granatowego. Nie o Ka. Potem jednak doszedłem do wniosku, że Ipek wcale nie miała tego na myśli, a wszystko to podpowiadała mi moja własna, uwikłana w poczucie winy, wyobraźnia. Ipek wstała. Była wysoka i doskonale piękna. Włożyła palto. Miałem mętlik w głowie.

— Dziś wieczorem znów się spotkamy, prawda? — zapytałem ze strachem. Niepotrzebnie.

— Oczywiście, ojciec czeka na pana — odparła i ruszyła do drzwi charakterystycznym, miłym dla oka krokiem.

Powiedziałem sobie, że najbardziej zasmuca mnie jej przekonanie o winie Ka. Ale oszukiwałem siebie. W rzeczywistości zależało mi, by ciepło wspominać mego „zamordowanego drogiego przyjaciela", powoli wydobywając na światło dzienne jego słabości, obsesje i ową winę — chciałem zmierzyć się u boku tej kobiety z pełnym świętości wspomnieniem o nim. Pragnienie wspólnego wyjazdu z Ipek do Stambułu, jakie pierwszej nocy się we mnie zrodziło, było teraz bardzo odległe. Zamiast tego poczułem silną potrzebę udowodnienia niewinności poety. Czy to mogło oznaczać, że zazdrosny byłem nie o Ka, ale o Granatowego?

Zapadł zmrok. Spacer po ośnieżonych ulicach miasta przygnębił mnie jeszcze bardziej. Telewizja Przygraniczny Kars przeprowadziła się do nowego budynku przy ulicy Karadağ, na wprost stacji benzynowej. W ciągu dwóch lat przesycona brudem, błotem, ciemnością i upływem czasu atmosfera miasta wkradła się także tutaj, na korytarze trzypiętrowego betonowego biurowca, który dla mieszkańców Karsu stanowił symbol postępu i nowoczesności.

Fazıl z radością przywitał mnie w studiu na drugim piętrze i przedstawił członkom ośmioosobowej telewizyjnej ekipy.

— Koledzy proszą o krótki wywiad do wieczornych wiadomości — powiedział.

Pomyślałem, że wywiad może ułatwić mi wiele spraw w miasteczku.

Podczas pięciominutowego nagrania znany prezenter programów młodzieżowych Hakan Özge zapytał, być może po konsultacjach z Fazılem, o moją książkę, której akcja miała się toczyć w Karsie. Zaskoczony powiedziałem o niej kilka ogólnikowych głupstw. Ani słowem nie wspomnieliśmy o Ka.

Telewizyjne archiwum znajdowało się na półkach w pokoju dyrektora. Kasety były opisane, z zaznaczonymi datami — tak jak wymagało prawo. Szybko odnaleźliśmy zapisy dwóch pierwszych transmisji na żywo z Teatru Narodowego. Usiadłem przed starym telewizorem w małym, dusznym pokoju i popijając herbatę, obejrzałem najpierw *Tragedię w Karsie* z Kadife w jednej z głównych ról. Byłem zafascynowany „krytycznymi skeczami" Sunaya Zaima i Fundy Eser oraz ich żartami na temat popularnych przed czterema laty reklam. Scenę, w której Kadife zdjęła z głowy chustę, a później strzeliła do Sunaya, obejrzałem kilkakrotnie. Śmierć aktora rzeczywiście wyglądała jak element przedstawienia. Nikt poza widzami z pierwszych rzędów nie miał szansy dostrzec, czy magazynek był pełny.

Oglądając drugą kasetę, zrozumiałem, że *Ojczyzna albo chusta* była przedstawieniem złożonym w większości z powtarzanych przez teatralną trupę przy każdej okazji scen, skeczy, parodii, przygód bramkarza Vurala i nie najgorszego tańca brzucha w wykonaniu Fundy Eser. Niestety, rozlegające się ze zniszczonej już taśmy okrzyki widowni i inne hałasy ostatecznie zagłuszyły i tak niezbyt wyraźne dialogi aktorów. Mimo to po wielokrotnym przewinięciu filmu i odsłuchaniu właściwego fragmentu udało mi się spisać sporą część wyrecytowanego przez Ka wiersza zatytułowanego potem *Miejsce, w którym nie ma Boga*. Fazıl spytał, dlaczego podczas recytacji Necip zerwał się na nogi i zaczął mówić coś niezrozumiale. Podałem mu kartkę z wersami, które udało mi się zapisać.

Dwa razy patrzyliśmy, jak żołnierze strzelają do widzów.

— Dużo spacerowałeś po Karsie — powiedział Fazıl. — A teraz ja chciałbym pokazać ci pewne miejsce. — Zawstydzonym i tajemniczym tonem dodał, że być może napiszę w swojej książce o Necipie, dlatego postanowił pokazać mi zamknięty już internat szkoły koranicznej, w którym Necip spędził ostatnie lata swojego życia.

Szliśmy w śniegu aleją Gaziego Ahmeta Muhtara Paszy, a za nami wesoło biegł czarny pies z białą plamą na czole.

Kiedy zrozumiałem, że to ten sam pies, o którym opowiada jeden z wierszy Ka, wszedłem do sklepu, by kupić chleb i jajko na twardo. Szybko je obrałem i podałem radośnie merdającemu ogonem czworonogowi.

— To pies z dworca — powiedział Fazıl, widząc, że zwierzak nie ma zamiaru się od nas odczepić. — Nie powiedziałem ci wcześniej, bo bałem się, że nie będziesz chciał przyjść: stary internat jest pusty. Zamknęli go po tamtej nocy, uznając za siedlisko terroru i reakcji. Od tamtego czasu nikt tu nie mieszka, dlatego wziąłem z sobą latarkę. — Poświecił w psie oczy. Zwierzak zamerdał ogonem.

Brama prowadząca do ogrodu internatu, który był wcześniej ormiańską rezydencją, a potem konsulatem (urzędował tu rosyjski konsul wraz ze swoim psem), była zamknięta na kłódkę. Fazıl przytrzymał mnie za rękę i pomógł przeskoczyć niewysoki murek.

— To tędy uciekaliśmy nocą — powiedział, pokazując okna z wybitymi szybami. Po chwili ostrożnie wszedł przez nie do środka i oświetlając wnętrze, pociągnął mnie za sobą. — Proszę się nie bać. Nikt tu nie mieszka prócz ptaków.

Niektóre pokryte brudem i szronem szyby nie przepuszczały światła, inne ktoś zabił deskami. Pomieszczenia ginęły w gęstym mroku. Fazıl, ze swobodą świadczącą o tym, że bywał tu już wcześniej, wchodził po niewidocznych schodach i niczym bileter wskazujący widzom miejsce w kinie oświetlał podłogę pod moimi stopami. Wszędzie czuć było zapach kurzu i stęchliznę. Minęliśmy rozbite przed czterema laty drzwi. Rura wielkiego pieca oblepiona była ptasimi gniazdami. Patrząc na rozorane nabojami ściany i słuchając płochliwego trzepotu gołębich skrzydeł, szliśmy powoli między rzędami piętrowych łóżek.

— To było moje, a to Necipa — wyjaśnił Fazıl, wskazując górne posłania stojących obok siebie łóżek. — Żeby nie słyszeli naszych szeptów, kładliśmy się czasem na jednym i rozmawialiśmy, patrząc w niebo.

Między kawałkami rozbitej szyby w snopie światła ulicznej latarni widać było padające powoli ciężkie płatki śniegu. Patrzyłem wkoło uważnie i z namaszczeniem.

— A to widok z posłania Necipa — powiedział Fazıl, wskazując przez okno wąziutkie przejście.

Popatrzyłem na dziwaczny przesmyk, który z pewnością nie zasługiwał na nazwę ulicy, szerokości najwyżej dwóch metrów, ściśnięty przez pozbawioną okien ścianę Banku Rolnego i ślepą ścianę wysokiego bloku. Na zabłoconym chodniku odbijało się purpurowe światło neonu zawieszonego na drugim piętrze banku. Żeby nikt nie miał wątpliwości, że przejście to nie było ulicą, pośrodku umieszczono znak z zakazem wjazdu. Na drugim końcu przesmyku, który Fazıl za Necipem nazywał końcem świata, stało bezlistne ciemne drzewo. Gdy na nie spojrzeliśmy, na chwilę rozbłysło purpurą.

— Czerwony neon zakładu Aydın Foto Sarayı od siedmiu lat jest zepsuty — wyszeptał Fazıl. — Czerwone światło rozbłyska od czasu do czasu, a wtedy ten oliwnik widoczny z łóżka Necipa wygląda tak, jakby stał w płomieniach. Czasami Necip patrzył na to do samego rana, wyobrażając sobie dziwne rzeczy. A nad ranem, po nie przespanej nocy, szeptał do mnie: „Całą noc patrzyłem na ten świat!". Tak właśnie nazywał to miejsce: ten świat. Najwidoczniej opowiedział o tym twojemu koledze poecie, a on umieścił jego słowa w wierszu. Przyprowadziłem cię tutaj, bo domyśliłem się tego, oglądając kasetę. Ale sądzę, że twój przyjaciel obraził Necipa, nadając wierszowi tytuł *Miejsce, w którym nie ma Boga.*

— Świętej pamięci Necip mówił o tym widoku właśnie jako o miejscu, w którym nie ma Boga — zaoponowałem. — Jestem tego pewien.

— Nie wierzę, że Necip umarł, straciwszy wiarę w Boga — odparł ostrożnie Fazıl. — Miał tylko pewne wątpliwości.

— Nie słyszysz już w sobie głosu Necipa? — zapytałem. — Czy to wszystko nie budzi w tobie obaw, że powoli stajesz się niewierzący, jak człowiek z opowieści przyjaciela?

Fazıl najwyraźniej nie był zadowolony, że wiem o jego wątpliwościach, którymi przed czterema laty podzielił się z Ka.

— Mam żonę i dziecko — odpowiedział. — Tamtymi sprawami już się nie zajmuję. — Ale szybko zrobiło mu się przykro, że potraktował mnie jak intruza, który przybywa z Zachodu i stara się zrobić z niego ateistę. — Potem porozmawiamy — dodał miłym głosem. — Mój teść czeka na nas z kolacją. Lepiej się nie spóźnijmy.

Mimo pośpiechu pokazał mi jeszcze obszerny pokój, w którym kiedyś mieściło się główne biuro rosyjskiego konsula. W kącie stało biurko zarzucone kawałkami potłuczonej butelki po rakı i kilka zniszczonych krzeseł.

— Kiedy otwarto drogi, Z. Demirkol i jego ludzie zatrzymali się tu jeszcze przez kilka dni, żeby zabijać kurdyjskich nacjonalistów i islamistów.

Ten szczegół, o którym udało mi się zapomnieć, przeraził mnie na nowo. Tak bardzo chciałem nie myśleć o ostatnich godzinach spędzonych przez Ka w Karsie.

Do domu wracaliśmy w towarzystwie czarnego psa, który najwidoczniej postanowił poczekać na nas przed bramą internatu.

— Popsuł ci się humor — zauważył Fazıl. — Dlaczego?

— Czy możesz wpaść do mnie przed kolacją? Chcę ci coś dać.

Kiedy odbierałem klucz od Cavita, przez otwarte drzwi mieszkania pana Turguta zobaczyłem jasno oświetlone wnętrze salonu i zastawiony stół. Usłyszałem głosy gości i poczułem, że Ipek też tam była. Z torby wyjąłem listy miłosne Necipa, które cztery lata temu skserował mój przyjaciel. Wręczyłem je Fazılowi. Dużo później pomyślałem, że zrobiłem tak, bo chciałem, aby na myśl o swoim zmarłym przyjacielu czuł ten sam co ja niepokój.

Kiedy chłopak czytał uważnie tamte listy, wyjąłem jeden z zeszytów przywiezionych z Frankfurtu i po raz kolejny obejrzałem naszkicowany przez Ka płatek śniegu. Dzięki temu przekonałem się o tym, co przeczuwałem od dawna. Wiersz *Miejsce, w którym nie ma Boga* Ka umieścił na gałęzi Pamięci. To oznaczało, że przed wyjazdem z miasta udał się do zajętego przez Z. Demirkola internatu i patrząc przez okno z miejsca obok łóżka Necipa, poznał źródło jego inspiracji. Wiersze umieszczone dookoła gałęzi Pamięci opowiadały jedynie o osobistych przeżyciach Ka, zapamiętanych z pobytu w Karsie i z czasów dzieciństwa. W ten oto sposób dowiedziałem się tego, co dawno wiedział cały Kars: kiedy Ka nie zdołał przekonać występującej w Teatrze Narodowym Kadife, poszedł do stacjonującego w internacie Z. Demirkola z donosem na Granatowego. W tym samym czasie Ipek siedziała w zamkniętym na klucz pokoju.

Wyglądałem chyba niewiele lepiej niż kompletnie zdruzgotany lekturą miłosnych listów Fazıl. Z dołu dobiegały nas niewyraźne rozmowy gości i westchnienia smutnego miasta. A ja i Fazıl, przytłoczeni niekwestionowaną obecnością tamtych dwóch — bardziej niż my uczuciowych, bardziej rozedrganych i z pewnością bardziej autentycznych — po cichu zapadaliśmy we własne wspomnienia ludzi-cieni.

Spojrzałem na padający za oknem śnieg i powiedziałem, że powinniśmy już zejść. Najpierw wyszedł Fazıl, skulony tak, jakby dźwigał ciężar wielkiej winy. Wyciągnięty na łóżku, z bólem wyobrażałem sobie, co myślał mój przyjaciel w drodze z Teatru Narodowego do budynku internatu, jak rozmawiając z Z. Demirkolem, unikał jego spojrzenia i jak wsiadł z opryszkami do jednego wozu, a potem, mówiąc: „To tutaj", z daleka pokazał palcem budynek, w którym ukrywali się Hande i Granatowy. Ale czy to na pewno był ból? W głębi duszy ja, zwykły pisarz, poczułem satysfakcję z powodu upadku mego przyjaciela poety. Rozzłoszczony na samego siebie, robiłem wszystko, by o tym nie myśleć.

Gdy zszedłem na dół, widok pięknej Ipek wprawił mnie w jeszcze większe pomieszanie. Chciałbym jednak jak najmniej miejsca poświęcić tamtemu długiemu spotkaniu, podczas którego nie odmawiałem sobie alkoholu. Wszyscy byli niezwykle serdeczni, nie wyłączając dyrektora Zarządu Telekomunikacji i wielkiego miłośnika literatury pana Recaiego, dziennikarza pana Serdara i samego gospodarza. Za każdym razem, kiedy patrzyłem na siedzącą naprzeciw mnie Ipek, czułem, że coś we mnie umiera. W telewizji wyświetlano właśnie wywiad ze mną. Zawstydzony, oglądałem, jak nerwowo gestykuluję rękami. A potem, niczym leniwy dziennikarz, który przestał wierzyć w sens własnej pracy, rozmowy z gospodarzami i gośćmi nagrałem na dyktafon noszony zawsze przy sobie. Mówiliśmy o historii miasta, dziennikarstwie w Karsie i wysłuchiwaliśmy wspomnień z nocy rewolucji sprzed czterech lat. Zajadając przygotowaną przez Zahide zupę z soczewicy, czułem się jak bohater powieści z lat czterdziestych opiewającej wiejskie życie. Miałem wrażenie, że po wyjściu z więzienia Kadife stała się spokojniejsza i dojrzalsza. Nikt ani słowem nie wspomniał o Ka — nawet o jego śmierci. To bolało mnie chyba najbardziej. W pewnym momencie siostry poszły do pokoju obok zerknąć na śpiącego Ömercana. Chciałem iść za nimi. Niestety, drodzy państwo, wasz autor był tak pijany, że nie mógł ustać na nogach.

Udało mi się jednak doskonale zapamiętać jedną rzecz z tamtego wieczoru: o bardzo późnej godzinie powiedziałem Ipek, że chcę zobaczyć pokój dwieście trzy, w którym zatrzymał się Ka. Wszyscy umilkli i spojrzeli w naszą stronę.

— Dobrze — odparła. — Zapraszam.

Wzięła z recepcji klucz. Poszliśmy na górę. Otwarty pokój. Zasłony, okno, śnieg. Zapach snu, mydła. Lekka woń kurzu. Chłód. Ipek patrzyła na mnie z uprzejmą podejrzliwością, a ja usiadłem na łóżku, na którym mój przyjaciel kochał się z nią, przeżywając najszczęśliwsze chwile swojego życia. Co powinienem był wtedy zrobić? Umrzeć tam, na miejscu? Wyznać jej miłość? Wyjrzeć na zewnątrz przez okno? Wszyscy czekali na nas przy stole. Powiedziałem kilka głupstw, którymi udało mi się rozweselić Ipek. A kiedy patrzyła na mnie, uśmiechając się miło, uczyniłem to swoje potworne, zawstydzające wyznanie. Pamiętam, że wmawiałem jej wtedy, iż opracowałem je wcześniej...

— Nicwcześniejniedawałomiradości—anipisanieksiążek anizwiedzaniemiast.Gdybympowiedział,żebardzojestem samotnyichcęzostaćzwamiwtymmieściedokońcażycia—to cobypanipowiedziała?

— Panie Orhan — odrzekła Ipek. — Bardzo chciałam pokochać Muhtara. Nie udało się. Granatowego kochałam do szaleństwa. Nie udało się. Wierzyłam, że mogę pokochać Ka. I też nie wyszło. Bardzo chciałam mieć dziecko. I to także się nie udało. Nie sądzę, żebym po tym wszystkim mogła jeszcze kogoś pokochać. Teraz chcę już tylko zająć się moim siostrzeńcem Ömercanem. Bardzo dziękuję, choć wiem, że pan nie mówi poważnie.

Podziękowałem jej, że po raz pierwszy zamiast „pański przyjaciel" powiedziała „Ka". Zapytałem, czy następnego dnia moglibyśmy po południu spotkać się znów w cukierni Yeni Hayat, aby porozmawiać wyłącznie o nim. Niestety, była zajęta. Ale nie chcąc sprawić mi przykrości, jak przystało na dobrą gospodynię, obiecała, że jutro wieczorem razem z innymi odprowadzi mnie na dworzec.

Podziękowałem, wyznałem, że nie mam siły wracać do stołu (trochę w obawie, że się rozpłaczę), i padłem na łóżko. Prawie natychmiast zasnąłem.

Nad ranem, nie zauważony przez nikogo, opuściłem hotel. Obszedłem całe miasto w towarzystwie najpierw Muhtara, a potem dziennikarza pana Serdara i Fazıla. Mój występ w wieczornych wiadomościach bardzo pomógł mi w uzupełnieniu informacji potrzebnych do książki. Muhtar przedstawił mi właściciela sprzedawanej w siedemdziesięciu pięciu egzemplarzach pierwszej polityczno-islamskiej gazety „Mızrak" i jej głównego felietonistę, emerytowanego farmaceutę, który nieco spóźnił się na nasze spotkanie. Dowiedziałem się od nich, że w wyniku antydemokratycznych posunięć ruch islamski w Karsie znacznie osłabł, a szkoła koraniczna nie cieszyła się już taką popularnością jak kiedyś. Przypomniałem sobie, że Necip z Fazılem zaplanowali kiedyś zabójstwo emerytowanego farmaceuty po tym, jak mężczyzna ten dwa razy w dziwny sposób pocałował Necipa. Dla „Mızraku" pisywał również właściciel hotelu Şen Kars, który w czasie przewrotu donosił na swych gości Sunayowi Zaimowi. Ten szczegół przypomniał mi o innej ważnej sprawie, jaką nieświadomie pominąłem w swoich rozważaniach. Okazało się, że osobnik, który przed czterema laty zamordował dyrektora ośrodka, nie pochodził, dzięki Bogu, z Karsu. Jego tożsamość — był nim urodzony w Tokacie właściciel çayhane — ustalono na podstawie zapisu magnetofonowego po tym, jak ktoś inny popełnił zbrodnię za pomocą tej samej broni. Analiza balistyczna potwierdziła, że chodzi o ten sam pistolet, i po nitce trafiono do kłębka. Mężczyzna przyznał się, że do Karsu zaprosił go Granatowy.

Podczas procesu lekarze stwierdzili u niego brak równowagi psychicznej, dlatego trzy następne lata spędził w szpitalu dla umysłowo chorych na Bakırköy, a po wyjściu na wolność osiadł w Stambule, gdzie otworzył kawiarnię Şen Tokat i zaczął regularnie pisać felietony do gazety „Ahit", walcząc mężnie o prawa dziewcząt w chustach. Ruch zbuntowanych muzułmanek, złamany manifestacyjnym zdarciem zasłony przez Kadife, zaczął odżywać po latach, ale nie miał szans na pełne odrodzenie, jakie przeżywał na przykład w Stambule. Wierne idei chusty dziewczęta usunięto ze szkoły, resztę wysłano na uczelnie w innych miastach. Rodzina Hande odrzuciła propozycję spotkania ze mną. Pieśniarz, czyli strażak o pięknym głosie, który zdobył popularność i sympatię odbiorców już pierwszego dnia „rewolucji", został gwiazdą wyświetlanego raz w tygodniu programu *Przygraniczne ballady*. Jego bliski przyjaciel, stały bywalec rezydencji szejcha Saadettina dozorca meloman, zatrudniony w Szpitalu Miejskim w Karsie, towarzyszył mu, grając na sazie*. Program nagrywany był w każdy wtorek, a prezentowany w każdy piątkowy wieczór na antenie telewizji Przygraniczny Kars. Dziennikarz pan Serdar przedstawił mi również chłopca, który wybiegł na scenę podczas „nocy rewolucji". Okularnik — od tamtej pory ojciec zabronił mu nawet występów w szkolnych przedstawieniach — wyrósł na mężczyznę słusznej postury, ale wciąż trudnił się dystrybucją lokalnej prasy. Dzięki niemu dowiedziałem się, co porabiali socjaliści z Karsu, prenumerujący wydawane w Stambule gazety. Wciąż w głębi serca czuli szacunek i zazdrość wobec islamistów i kurdyjskich nacjonalistów, któ-

---

* Saz — instrument strunowy z rodziny lutni, używany głównie w muzyce ludowej na terenie Anatolii oraz przez zgromadzenie alewitów podczas obrzędów religijnych.

rzy wojowali na śmierć i życie z tureckim państwem. Nie mogli jednak zdziałać niczego poza dumnym wspominaniem swojego dawnego bohaterstwa i poświęcenia. W ostateczności wysyłali do gazet oświadczenia i na tym wszystko się kończyło.

Na twarzy każdego mojego rozmówcy aż nazbyt wyraźnie malowało się oczekiwanie na takiego właśnie skłonnego do poświęceń bohatera, który wszystkich uratuje od bezrobocia, biedy, moralnej zgnilizny i tajemniczych zabójstw. A ponieważ byłem znanym pisarzem, traktowali mnie jak wybawiciela. Na każdym kroku dawali mi do zrozumienia, jak bardzo nie podobają im się moje wady, do których zdążyłem już przywyknąć: roztargnienie, bałaganiarstwo, koncentracja wyłącznie na własnej osobie i pracy oraz mój ciągły bezpodstawny pośpiech. Poza tym powinienem był odwiedzić krawca Marufa, którego szczegółowej historii wysłuchałem, siedząc w *çayhane* Birlik; powinienem poznać jego bratanków i napić się z nimi; powinienem zostać w mieście dwa dni dłużej i wziąć udział w konferencji organizowanej w środę przez młodych kemalistów; powinienem wypalić wszystkie papierosy podsuwane mi pod nos jako wyraz sympatii i wypić wszystkie herbaty, jakimi mnie częstowano (co zresztą przeważnie czyniłem). Poza tym pochodzący z Varto przyjaciel ojca Fazıla z czasów wojska opowiedział mi, że w ciągu ostatnich czterech lat większość kurdyjskich nacjonalistów trafiła do kostnicy albo do więzienia. Nikt już nawet nie myślał o przystąpieniu do partyzantki. Wszyscy młodzi Kurdowie, którzy wzięli udział w spotkaniu w hotelu Asya, dawno opuścili miasto. Sympatyczny bratanek Zahide, znany ze słabości do hazardu, zabrał mnie w niedzielny wieczór na walki kogutów. W potwornym ścisku wypiłem z przyjemnością dwie rakı, które podano mi w szklankach po herbacie.

Zrobiło się późno. Chciałem po cichu wynieść się z hotelu, dlatego na długo przed planowaną godziną odjazdu wróciłem do swojego pokoju. Opieszale, jak niechętnie wyjeżdżający podróżny, spakowałem rzeczy. Wychodząc kuchennymi drzwiami, natknąłem się na agenta Saffeta, który jadł właśnie zupę, podaną jak co dzień przez Zahide. Przedstawiliśmy się sobie. Niedawno odszedł na emeryturę. Zapamiętał mój wczorajszy telewizyjny występ, dlatego szybko mnie rozpoznał. Miał mi coś do powiedzenia. Poszliśmy więc do *çayhane* Birlik, gdzie wyznał mi, że wciąż pracuje dla państwa, choć już nie na pełnym etacie. W Karsie agenci nigdy nie odchodzili na całkowitą emeryturę. Powiedział, że służby wywiadowcze bardzo zainteresowały się powodem mego przyjazdu. Uśmiechając się szczerze, przyznał, że jeśli zdradzę mu, co mnie tu sprowadziło (dawna „sprawa ormiańska"? Kurdyjscy buntownicy? Organizacje religijne? Partie?), będzie miał szansę zarobić kilka groszy. Z ociąganiem opowiedziałem mu o Ka i przypomniałem, że cztery lata temu osobiście chodził za nim krok w krok. Zapytałem, co wie o moim przyjacielu.

— Był bardzo dobrym człowiekiem. Lubił ludzi i psy — odparł Saffet. — Ale wciąż myślał o Niemczech. Był bardzo zamknięty w sobie. Dziś nikt go tutaj nie lubi.

Milczeliśmy dłuższą chwilę. Z nadzieją, że może agent wie coś więcej, zapytałem o Granatowego. Dowiedziałem się, że przed rokiem przyjechał do Karsu ze Stambułu ktoś, kto pytał o niego i jak ja teraz starałem się poznać prawdę o Ka, chciał poznać prawdę o Granatowym. Saffet wyjaśnił, że wrogowie tureckiego państwa, jakimi byli młodzi islamiści, mocno napracowali się, by odnaleźć grób Granatowego. Ale wrócili z pustymi rękami. Najprawdopodobniej jego ciało zostało wrzucone do morza z jakiegoś samolotu właśnie po to, by miejsce pochówku nie stało się celem pielgrzymek.

Fazıl, który przysiadł się do naszego stolika, potwierdził, że on także słyszał podobne pogłoski. Młodzi islamiści przypomnieli sobie niebawem o głoszonej przez Granatowego teorii hidżry i posłusznie uciekli do Niemiec, gdzie swego czasu „wywędrował" ich bohater. W Berlinie udało im się stworzyć prężną i wciąż rozrastającą się grupę. W pierwszym numerze wydawanego przez siebie pisma „Hidżra" zapewnili, że zemszczą się na tym, kto ponosi odpowiedzialność za śmierć Granatowego. Wszystko to usłyszał Fazıl od jednego z dawnych kolegów ze szkoły koranicznej. W trójkę stwierdziliśmy, że Ka musiał zginąć z rąk właśnie któregoś z członków owej grupy. Zapatrzony w biel za oknem wyobrażałem sobie, jak rękopis *Śniegu* trafia w ręce jednego z berlińskich „ludzi hidżry" Granatowego.

W pewnej chwili do naszego stolika przysiadł się jakiś policjant, który głosem pełnym pretensji wyrzucił z siebie, że wszystkie plotki na jego temat są kłamstwem.

— Ja wcale nie jestem człowiekiem ze stalowymi oczami! — wykrztusił oburzony. Nie wiedział nawet, co miało oznaczać to określenie. Pokochał świętej pamięci panią Teslime miłością prawdziwą i szczerą. Gdyby nie popełniła samobójstwa, z pewnością byłaby teraz jego żoną.

Przypomniałem sobie, że to właśnie Saffet zarekwirował przed czterema laty uczniowską legitymację Fazıla. Ale pewnie obaj już dawno o tym zapomnieli.

Kiedy razem z Fazılem wyszliśmy na zasypaną śniegiem ulicę, obaj funkcjonariusze poszli za nami, nie wiadomo, czy z sympatii, czy z zawodowej ciekawości. Przy okazji narzekali na życie, nudę, miłosne cierpienia i starość. Obaj byli bez czapek, więc płatki śniegu spadały prosto na ich białe, przerzedzone włosy. I zostawały na nich, nie topiąc się wcale. Zapytałem, jak bardzo zmieniło się miasto przez te cztery lata. Fazıl odparł, że ostatnio wszyscy jakby częściej oglądają telewizję, a bezrobotni dzięki antenom satelitarnym, zamiast chodzić do herbaciarni, oglądają za darmo filmy z całego świata. Każdy uciułał trochę grosza i zamontował sobie w oknie takie białe cudo wielkości pokrywki garnka. To jedyna nowość z ostatnich czterech lat.

Wstąpiliśmy do cukierni Yeni Hayat. Na kolację kupiliśmy po jednym z tych przepysznych orzechowych rogalików, do których słabość przypłacił życiem nieszczęsny dyrektor ośrodka. Gdy funkcjonariusze zrozumieli, że kierujemy się w stronę dworca, szybko nas pożegnali, a my szliśmy dalej pod ośnieżonymi gałęziami kasztanowców i topoli, mijając uliczne sklepy z zaciągniętymi żaluzjami, puste *çayhane*, opuszczone ormiańskie domy i rozświetlone, pokryte szronem wystawy. Słuchaliśmy dźwięku własnych kroków na smutnych ulicach, z rzadka rozjaśnionych przez pojedyncze latarnie. Nie było już z nami policji, więc skręciliśmy w boczne uliczki. Śnieg, który przez chwilę padał tak słabo, jakby niebawem miał przestać, znów mocno i zdecydowanie zaczął zasypywać wszystko dokoła. Na ulicach nie było nikogo. Może z tego właśnie powodu czułem się winny, że wyjeżdżając z Karsu, zostawiam Fazıla samego na pastwę losu? Gdzieś daleko zza lodowej zasłony, jaką utworzyły sople oblepiające splątane gałęzie dwóch oliwników, wyleciał nagle wróbel i niespiesznie przefrunął nad naszymi głowami. Na pokrytych świeżym śniegiem ulicach panowała idealna cisza — miałem wrażenie, że wokół nas nie ma niczego poza odgłosem naszych kroków i dźwiękiem przyspieszonych, zmęczonych oddechów. Na otoczonej sklepami i budynkami ulicy cisza ta wydawała się jak wyjęta z sennego marzenia.

Stanąłem na środku ulicy wpatrzony w pojedynczą śnieżynkę. Śledziłem ją do chwili, aż spadła i roztopiła się pod moimi stopami. Fazıl wskazał na zawieszony przed czterema laty wyblakły plakat. Spojrzałem wysoko, nad wejście do *çayhane* Nurol. „CZŁOWIEK JEST ARCYDZIEŁEM BOŻYM, A SAMOBÓJSTWO BLUŹNIERSTWEM" — przeczytałem.

— Przychodzi tutaj policja, więc nikt nie odważył się zerwać plakatu — wyjaśnił chłopak.

— Czujesz się jak arcydzieło? — zapytałem.

— Nie. Tylko Necip był Bożym arcydziełem. Kiedy Stwórca zabrał go do siebie, przestałem zajmować się strachem przed brakiem wiary i poszukiwaniem silniejszej miłości do Boga. Teraz to już niech mi Bóg wybaczy.

W milczeniu szliśmy dalej w stronę dworca. Opisywany przeze mnie w *Czarnej książce** przepiękny budynek dworca, wzniesiony z kamienia w pierwszych latach Republiki, został zburzony. Na jego miejscu wybudowano paskudne c o ś z betonu.

Zobaczyliśmy czekającego Muhtara i czarnego psa. Dziesięć minut przed odjazdem pociągu dołączył do nas pan Serdar, który wręczając mi stare numery „Gazety Przygranicznego Miasta", gdzie mowa była o Ka, poprosił, bym w swej książce wspomniał o Karsie i jego bolączkach, nie poniżając mieszkańców. Na widok wręczanych mi podarunków Muhtar z przepraszającą miną wcisnął mi do ręki reklamówkę z wodą kolońską, małym opakowaniem miejscowego żółtego sera i wydanym na własny koszt w Erzurumie pierwszym tomikiem poezji z autografem. Kupiłem bilet i kanapkę, którą ofiarowałem czarnemu psu, bohaterowi wiersza napisanego przez mego przyjaciela. Kiedy karmiłem merdającego ogonem zwierzaka, na dworzec wbiegł pan Turgut z Kadife. O moim wyjeździe w ostatniej chwili powiedziała im Zahide. Urywanymi zdaniami rozmawialiśmy o bilecie, podróży i śniegu. Zawstydzony pan Turgut podał mi najnowsze wy-

---

* *Kara Kitap* — powieść napisana przez Orhana Pamuka w 1990 r.

danie *Pierwszej miłości* Turgieniewa, którą przełożył z francuskiego, siedząc przed laty w więzieniu. Pogłaskałem wtulonego w Kadife Ömercana. Śnieżne płatki padały na jej włosy wyglądające spod szykownej apaszki w stambulskim stylu. Bałem się patrzeć dłużej w jej piękne oczy, dlatego szybko zwróciłem się do Fazıla z pytaniem, czy ma coś do powiedzenia czytelnikom powieści, którą mam zamiar napisać.

— Nic — powiedział zdecydowanie. Widząc jednak, że zmartwiła mnie jego odmowa, dodał delikatnie: — Przyszło mi coś do głowy, ale nie spodoba ci się... Jeśli umieścisz mnie w powieści, której akcja toczyć się będzie w Karsie, mam tylko jedno życzenie. Chciałbym powiedzieć czytelnikom, żeby nie wierzyli w ani jedno słowo, jakie o nas napiszesz. Nikt nie może nas zrozumieć z oddali.

— I tak nikt nie uwierzy w taką powieść.

— Nieprawda, uwierzą — powiedział podniecony. — Będą chcieli uwierzyć, że jesteśmy pocieszni i mili i że mogą nas zrozumieć i polubić. Tylko po to, żeby upewnić się, że sami są mądrzy, dobrzy i cywilizowani. Ale jeśli przytoczysz moje słowa, zaczną mieć wątpliwości.

Obiecałem umieścić jego słowa w swojej książce.

Kadife podeszła do mnie, widząc, że patrzę w kierunku głównych drzwi dworca.

— Podobno ma pan śliczną córeczkę Rüyę — powiedziała. — Moja siostra nie mogła przyjść, ale prosiła, aby pozdrowić pana córkę. A ja przyniosłam tę pamiątkę po mojej przerwanej karierze teatralnej. — Wręczyła mi niewielką fotografię, na której pozowała u boku Sunaya Zaima na deskach Teatru Narodowego.

Kolejarz dmuchnął w gwizdek. Chyba tylko ja wsiadałem do pociągu. Uściskałem każdego z nich po kolei. W ostatniej chwili Fazıl wcisnął mi do ręki torbę z kopiami kaset wideo i długopisem Necipa.

Z rękami pełnymi prezentów ledwo wskoczyłem do ruszającego pociągu. Stali na peronie, machając rękami. Wyjrzałem przez okno i pomachałem do nich. Zobaczyłem, jak czarny pies z wywieszonym różowym jęzorem biegnie wesoło wzdłuż torów. Potem wszyscy zniknęli, rozmyci w śnieżnej bieli.

Usiadłem. Patrzyłem na ledwo widoczne przedmieścia, pomarańczowe światła ostatnich domów, migoczące blaskiem telewizorów zaniedbane mieszkania i drżące, delikatne smugi dymu, które wypływały nieśmiało z przysypanych śniegiem kominów. Zacząłem płakać.

kwiecień 1999 — grudzień 2001

Spis treści

Redaktor prowadzący
Anita Kasperek

Konsultacje
prof. dr hab. Tadeusz Majda
dr Marzanna Pomorska

Redakcja
Paweł Ciemniewski

Korekta
Renata Bubrowiecka, Henryka Salawa, Urszula Srokosz-Martiuk

Opracowanie graficzne
Jakub Sowiński

Redakcja techniczna
Bożena Korbut

Printed in Poland
Wydawnictwo Literackie Sp. z o.o., 2007
ul. Długa 1, 31-147 Kraków
bezpłatna linia telefoniczna: 0 800 42 10 40
księgarnia internetowa: www.wydawnictwoliterackie.pl
e-mail: ksiegarnia@wydawnictwoliterackie.pl
fax: (+48-12) 430 00 96
tel.: (+48-12) 619 27 70
Skład i łamanie: Infomarket
Druk i oprawa: Drukarnia DEKA

Orhan Pamuk
NAZYWAM SIĘ CZERWIEŃ

POLSKI PRZEKŁAD ŚWIATOWEGO BESTSELLERA
JUŻ W MAJU 2007 ROKU

STAMBUŁ. XVI WIEK. SŁYNNY MISTRZ MINIATURY –
ILUSTRATOR KSIĄŻEK, ZWANY ELEGANTEM, OTRZYMUJE
POLECENIE WYKONANIA ILUMINACJI DO KSIĘGI MAJĄCEJ
BYĆ HOŁDEM DLA SUŁTANA. WKRÓTCE ARTYSTA
ZOSTAJE ZNALEZIONY MARTWY NA DNIE STUDNI.
JAK I DLACZEGO DO TEGO DOSZŁO – OTO PUNKT
KULMINACYJNY POWIEŚCI. ŚWIADECTW NA TEMAT
OKOLICZNOŚCI MORDERSTWA DOSTARCZA NAM KILKU
NARRATORÓW. ICH OPOWIEŚCI STAJĄ SIĘ CORAZ BARDZIEJ
SZCZEGÓŁOWE W MIARĘ ROZWOJU AKCJI, OFERUJĄC
CZYTELNIKOWI NIE TYLKO NIESZTAMPOWĄ ZAGADKĘ
KRYMINALNĄ, ALE I WGLĄD W OBYCZAJE I KULTURĘ
OPISYWANEJ EPOKI.

oprawa broszurowa, cena detaliczna: 34,99 zł
oprawa twarda, cena detaliczna: 45 zł